D1087951

Walther Peter Fuchs

Nachdenken über Geschichte

Vorträge und Aufsätze

Mit einem Geleitwort von
Karl Dietrich Erdmann

Herausgegeben von
Gunter Berg und Volker Dotterweich

Klett-Cotta

CIP-Kurztitelaufnahme der Deutschen Bibliothek

Fuchs, Walther Peter:
[Sammlung]
Nachdenken über Geschichte: Vorträge u. Aufsätze./Walther Peter Fuchs.
Mit e. Geleitw. von Karl Dietrich Erdmann.
Hrsg. von Gunter Berg u. Volker Dotterweich.
— Stuttgart: Klett-Cotta, 1980. —
ISBN 3-12-915100-1

Verlagsgemeinschaft Ernst Klett – J. G. Cotta'sche Buchhandlung
Nachfolger GmbH, Stuttgart.

Satz: Alwin Maisch, Gerlingen
Druck: Verlagsdruck, Gerlingen

Inhalt

Vorwort der Herausgeber

Am 13. März 1980 feiert Professor Dr. Walther Peter Fuchs seinen 75. Geburtstag. Mit Freude nehmen wir dies zum Anlaß, eine Auswahl seiner Vorträge und Aufsätze vorzulegen, um uns die Spannweite seines wissenschaftlichen Forschens und Wirkens zu vergegenwärtigen und im „Nachdenken über Geschichte“ den langen, nie unterbrochenen gedanklich-geistigen Dialog fortzusetzen, der uns mit ihm verbindet.

Über Geschichte nachdenken — das umschließt im allgemeinen Sinne des Wortes das ursprüngliche Bedürfnis des Menschen, seine Gegenwart zur Vergangenheit in Beziehung zu setzen: das Vermögen der individuellen und kollektiven Erinnerung; den Sinn für Kontinuität und Tradition; die Entwicklung eines kritischen Bewußtseins überlieferten Ordnungen, Maßstäben und Verhältnissen, ihrem Anspruch auf Gültigkeit gegenüber; dies alles aufgehoben in der persönlichen wie der historischen Erfahrung, daß alles Geschehen dem Wandel in der Zeit unterworfen ist. Denn die Gegenwärtigkeit des Vergangenen ist, um mit Alfred Heuss zu sprechen, ein Fundament unseres Daseins.

Der Historiker, der sich dem Umgang mit der Vergangenheit aus Neigung verschreibt und aus Beruf auf Geschichte einläßt, nimmt in diesem geistigen Prozeß eine Mittlerrolle ein. „Seines Amtes ist es“, wie Walther Peter Fuchs uns sagt, „darauf bedacht zu sein, daß das Gewesene, sei es als fortwirkender Impuls, sei es als Überwundenes und Totes, in unser Heute einbezogen werde, damit dies unser eigenes Leben, das vergängliche Stück Dasein, in eine tiefere Dimension hineinwachse und im unendlichen Ablauf der Zeit sich gleichsam verankere“. Über Geschichte nachdenken bedeutet für den Historiker zugleich Inhalt und Antrieb seiner Wissenschaft. Dem Imperativ historischer Wahrheitsfindung, nicht fremden Autoritäten verpflichtet, ist es sein Geschäft, durch Rekonstruktion und Traditionskritik in einem reflektierten, methodisch fundierten und kontrollierbaren Verfahren das Wissen von der Vergangenheit, oder besser: das aus der Fülle vergangener Wirklichkeit Wissenswerte freizulegen, zu sammeln, zu bewahren und zu überliefern. Dem Rückgriff auf die ursprüngliche Mitteilung und Zeugenschaft, ihrer editorischen Aufbereitung und darstellenden Interpretation kommt hierbei ganz entscheidende Bedeutung zu. In diesem spezifischen Sinne wissenschaftlichen Suchens und Bemühens ist das Leitmotiv dieses Bandes zu verstehen.

Die innere Berechtigung, die verstreut publizierten Vorträge und Aufsätze von Walther Peter Fuchs geschlossen darzubieten, ergibt sich so aus dem Werk selbst. Die Schwerpunkte seines weitreichenden historischen Interesses — Geschichtswissenschaft und Rankeforschung, Bauernkrieg und Reformation, badische Landesgeschichte im 19. Jahrhundert — markieren die Gliederung dieses Bandes. Zu diesen drei Forschungsfeldern hat Walther Peter Fuchs grundlegende Quellenpublikationen vorgelegt, die er ohne ausgedehnten personellen Apparat im wesentlichen selbst bearbeitete. Keine dieser Editionen, die immense, meist nur schwer zugängliche Massen handschriftlichen archivalischen Materials aufschließen, ist für den Tag gemacht.

Karl Dietrich Erdmann hat die wissenschaftliche Lebensleistung des Historikers im Hinblick auf die Rankeforschung in einem Geleitwort gewürdigt. Rankes Biographie, die geistigen und sozialen Wurzeln, aus denen sein Werk erwachsen ist, sein Denken und Handeln stehen im Mittelpunkt des Bemühens um die wissenschaftsgeschichtliche Durchdringung der klassischen Periode der traditionellen deutschen Geschichtswissenschaft. Zugleich klären sich Fuchs in der Auseinandersetzung mit Ranke die eigenen Fragen nach der Aufgabe und Funktion der Geschichtswissenschaft. Durch die Sammlung und Auswahl der verstreut publizierten Briefe, das „Briefwerk“, sowie durch die systematische Sichtung des Historiker-Nachlasses, aus dem er bislang drei Bände „Tagebücher“, „Frühe Schriften“ und „Vorlesungseinleitungen“ kritisch edierte, hat Walther Peter Fuchs Rankes geistige Welt in ihren wesentlichen und auch in noch wenig bekannten Zügen erschlossen. Diesem Interesse am Werden eines großen Historikers, an der Genesis, dem Weiterwirken und der Verbindlichkeit seines Geschichtsdenkens für die Geschichtswissenschaft von heute verdanken wir die in einem ersten Abschnitt mitgeteilten Aufsätze.

Darstellung und Deutung der Reformation, ein ganz Rankescher Gegenstand übrigens, stehen im Mittelpunkt eines zweiten Studienfeldes. Die Wahl der Studienfächer — Geschichte, deutsche Philologie, aber auch Theologie und Philosophie — legte es Fuchs nahe, sich mit einem Thema zur Reformationsgeschichte zu habilitieren. Sporadisch hat er seither den Stand der Reformationsgeschichtsforschung in kritisch-zusammenfassenden Literaturberichten reflektiert. Der von ihm verfaßte Abschnitt über das „Zeitalter der Reformation“ im Gebhardtschen Handbuch, inzwischen auch selbständig erschienen, gehört seit Jahren zum unverzichtbaren Rüstzeug des Geschichtslehrers wie des Geschichtsstudenten. Nicht ohne Hoffnung, „daß die Tage des Hasses der Konfessionen gegeneinander vorüber sind und wir uns einigen könnnen in ihrem geschichtlichen Verständnis, ohne unserem Gewissen etwas zu vergeben“, hat Fuchs durch seine ausgewogene, ebenso am historischen Tatbestand orientierte wie problembewußte Darstellung mit dazu beigetragen, daß ein freimütiges Gespräch auch und gerade zwischen den Konfessionen über das geschichtliche Recht und die Notwendigkeit der reformatorischen Bewegung möglich wurde. Daß er stets das Ganze der Epoche im

Blick hat, bezeugen nicht zuletzt die beiden Vorträge über die „weltgeschichtliche Bedeutung der Reformation“ und über Willibald Pirckheimer, den großen Nürnberger Humanisten. Gleichwohl war auch hier Konzentration geboten. Lange bevor eine jüngere Generation von Historikern das Zeitalter unter sozioökonomischen Gesichtspunkten erfaßte, hat Walther Peter Fuchs mit dem unter schwersten Bedingungen in der Kriegszeit abgeschlossenen zweiten Band der „Akten zur Geschichte des Bauernkrieges in Mitteldeutschland“ einen entscheidenden Beitrag zur Erforschung der politisch-sozialen Erhebung von 1525 geleistet. Seine Frage nach dem Bauernkrieg als einem massenpsychologischen Phänomen, der sehr verdichtete Aufriß der revolutionären Bewegung in Mitteldeutschland und die aller Ideologie und poetischen Phantasie entkleidete Lebensskizze Florian Geyers zeigen, wie variantenreich sich ihm das Thema darstellt.

Fuchsens Essay über den pfälzischen Kurfürsten Ottheinrich und sein Verhältnis zu Kaiser und Reich leitet, auch in einem hintergründigen Sinne, zur badischen Landesgeschichte über, seinem dritten Arbeitsgebiet: nicht so sehr, weil dem Großherzogtum Baden das historische Erbe der rechtsrheinischen Pfalz zufiel, sondern vor allem wegen der Fuchs wichtigen Frage nach dem Einfluß der mittelstaatlichen Politik auf die innere Entwicklung des Reiches. Nicht Lokal- und Regionalstudien, nicht die innere Situation des Bundesstaates fesseln sein Interesse, sondern die in der föderativen Struktur des Reiches wurzelnde, für die deutsche Geschichte geradezu lebensgesetzliche Polarität und Wechselbeziehung zwischen den Einzelstaaten und dem Reichsganzen. Bereits in seiner Dissertation untersuchte er die Bundesreformpläne der deutschen Mittelstaaten vor der Reichsgründung. Unmittelbar nach Kriegsende übernahm Walther Peter Fuchs gegenüber der Kommission für geschichtliche Landeskunde in Baden-Württemberg die Verpflichtung, die von Hermann Oncken in den zwanziger Jahren bearbeitete Aktenpublikation zur Politik des Großherzogs Friedrich I. über 1871 hinaus fortzusetzen. In den beiden letzten Jahren konnte er die Arbeit an der Dokumentation „Großherzog Friedrich I. von Baden und die Reichspolitik 1871—1907“ abschließen. Zwei stattliche Bände liegen vor, zwei weitere befinden sich im Druck.

Diese editorische Leistung kann hier nicht annähernd gewürdigt werden. Nur so viel sei angedeutet: Durch dieses Quellenwerk hat Fuchs wesentliche Einsichten in das innere Gefüge des deutschen Kaiserreichs, die Abschwächung des monarchischen Gedankens in der Spätphase des Konstitutionalismus, den politischen Funktionsverlust der Bundesstaaten und ihrer dynastischen Repräsentanten, schließlich das komplizierte Netzwerk ihrer Einflußnahme auf die Reichspolitik ermöglicht. Die in Großherzog Friedrich I. personalisierte Politik Badens in der Bismarckzeit und im Kaiserreich steht dementsprechend im Mittelpunkt der dritten Gruppe der hier ausgewählten Beiträge. In ihr näheres Umfeld gehören das Lebensbild Franz von Roggenbachs, dessen Denken und Handeln in der steten Auseinandersetzung mit Bismarck verfolgt wird, sodann eine zusammenfassende Analyse des Kulturkampfes, der in Baden sein Vorspiel hatte und den deutschen Nationalstaat schon in der Stunde seiner Geburt schwer belastete. Hier hat aber auch die Vergegenwärtigung der geschichtlichen Gestalt Ferdinand Redtenbachers ihren Platz, jenes hervorragenden Erziehers und Technikers, der das Karlsruher Polytechnikum auf den Weg zur Technischen Hochschule führte, deren historischen Lehrstuhl Fuchs als unmittelbarer Nachfolger Franz Schnabels ein Jahrzehnt lang innehatte.

Seit der Neueröffnung der deutschen Hochschulen nach dem Zweiten Weltkrieg hat sich Walther Peter Fuchs an den Orten seines akademischen Wirkens wie auf überregionaler Ebene mit ungewöhnlichem persönlichen Einsatz, praktischem Verstand und in der Überzeugung vom Bildungsauftrag der Universität an den inneruniversitären Reformbestrebungen beteiligt. Er war Leiter des Collegium Academicum und Senatsbeauftragter für das Studium generale in Heidelberg, erster Wohnheimbeauftragter der Westdeutschen Rektorenkonferenz und Vorsitzender ihrer Kommission für Wohnheimfragen, Initiator der Erlanger Ringvorlesung und des Kontaktstudiums für Gymnasiallehrer in Bayern, Mitglied des ersten Gründungsausschusses der Universität Bremen und „Studiendekan" der Philosophischen Fakultät in Erlangen. Diese Liste seiner Funktionen ist nicht vollständig. Aber sie verdeutlicht die Weite und die Intensität seines hochschulpolitischen Engagements. Namentlich das Collegium Academicum und das Studium generale, Resultate seiner Bemühungen um neue Formen des studentischen Gemeinschaftslebens und der akademischen Erziehung, trugen zum Wiederaufbau der Hochschulen nach 1945 nicht unwesentlich bei. Sie haben ihre Grundlagen ebenso in der Betroffenheit über die NS-Zeit wie in der ursprünglichen Bildungsidee der deutschen Universität. Heute sind diese Reformansätze nahezu vergessen. Die Entwicklung zur Massenuniversität ist über sie hinweggegangen. Ideen und Konzepte, die Impulse, denen Fuchs gefolgt ist und die von ihm ausgingen, haben sich in einer Reihe von Gutachten, Denkschriften und Aufsätzen niedergeschlagen. Obgleich sie, etwa unter dem Titel „Akademische Kollegien — Hochschulreform — Studium generale", ein Stück deutscher Universitätsgeschichte dokumentieren, mußte auf ihren Wiederabdruck aus Raumgründen, aber auch um der thematischen Geschlossenheit dieses Bandes willen verzichtet werden. Ganz unberücksichtigt sollen sie jedoch nicht bleiben. In seiner Bestandsaufnahme der „wissenschaftlichen Hochschulen Baden-Württembergs in der Nachkriegszeit" begegnet der Historiker dem Reformer Fuchs in der selbsterlebten und mitgestalteten Vergangenheit.

Sicherer Blick für das Charakteristische und Typische, verstehendes Erfassen des Gewesenen und Gewordenen, aber auch Aufgeschlossenheit für das in die Zukunft Weisende kennzeichnen Fuchs' Umgang mit der Vergangenheit. Die biographische Darstellung nimmt unter den Formen, in die er historische Aussage gibt, den ersten Platz ein. Nuancenreiche, farbig-lebendige Porträtkunst, sprachlicher Gestaltungswille und kontemplatives Einfühlungsvermögen in das

Werden der Individualität befinden sich hier in glücklicher Übereinstimmung. In einem tieferen Sinne geht es Fuchs immer auch um die Auseinandersetzung mit dem durch die Biographie vermittelten „Zugang zu einer Deutung des ganzen Umfangs der menschlichen Existenz“ (K. D. Erdmann). Als seine Schüler fühlen wir uns seiner Art des „Nachdenkens über Geschichte“ verpflichtet.

Das historische Interesse am handelnden Menschen stellt freilich nur die andere Seite eines weitherzigen humanen Engagements dar, mit dem sich Walther Peter Fuchs denen zuwendet, für die Verantwortung zu tragen er übernommen hat. Dies gilt in besonderem Maße für den akademischen Lehrer. Auch und gerade in der Zeit des Massenstudiums folgte er dem unverzichtbaren Grundsatz, „daß der Umgang mit der Wissenschaft über das Methodisch-Wissenschaftliche hinausführende allgemeine menschliche erzieherische Ansprüche erhebt“ — Ansprüche auf Erziehung zu kritischer Eigenverantwortung und demokratischem Bewußtsein. „Akademische Freiheit“ bedeutet Fuchs immer auch eine Form der „Lernfreiheit“, die es dem Studenten von Anfang an zutraut und auferlegt, sein Studium in eigener Verantwortung zu gestalten und zu bewältigen. Es war uns wichtig, diesem Band ein Verzeichnis der von ihm betreuten Dissertationen beizugeben. Seine Doktoranden ließ Fuchs im planmäßigen Durchstehen ihrer wissenschaftlichen Fragestellung eigene Wege gehen, sich selber überlassen hat er sie nicht. Dieser Respekt vor der anderen Persönlichkeit erklärt, daß viele von ihnen, auch die sich beruflich oder wissenschaftlich auf ganz anderen Feldern weiterentwickelt haben, dem Fuchsschen Hause persönlich eng verbunden blieben. Alle aber hat Fuchs mit Wohlwollen und außergewöhnlichem persönlichen Einsatz menschlich und wissenschaftlich gefördert. Ihre Dankbarkeit dafür, und hier ist der Dank für die stets bereichernde Begegnung mit seiner teilnehmenden, gleichwohl eigene Interessen pflegenden Frau Marianne Fuchs mit eingeschlossen, wollen die Herausgeber mit der Veranstaltung dieses Bandes bezeugen.

Bei der Vorbereitung haben wir von allen Beteiligten zustimmende Unterstützung erfahren. An erster Stelle sind zu nennen Herr Professor Dr. Karl Dietrich Erdmann, der das Geleitwort zur Verfügung stellte, und der Verlag Ernst Klett-Cotta, der den Band großzügig ausstattete; sodann die Historische Kommission bei der Bayerischen Akademie der Wissenschaften, die Kommission für geschichtliche Landeskunde in Baden-Württemberg, die Gesellschaft für fränkische Geschichte und das Zentralinstitut für fränkische Landeskunde an der Universität Erlangen-Nürnberg, die Redaktion der „Ruperto-Carola“ in Heidelberg sowie die Verlage Deutsche Verlagsanstalt, W. Kohlhammer, C. F. Müller, R. Oldenbourg, Scientia und nochmals Ernst Klett-Cotta, die den Wiederabdruck gestatteten. Ihnen allen danken wir herzlich.

Gunter Berg Volker Dotterweich

Geleitwort von Karl Dietrich Erdmann[1]

1.

Wer heute für Ranke eintritt, dem bläst der Wind ins Gesicht. Ranke ist die Verkörperung einer Art von Geschichtswissenschaft, wie sie von vielen unter den heutigen Historikern nicht mehr als vorbildlich angesehen wird. Die Kritik an ihm ist teils politisch, teils methodisch, teils wissenschaftstheoretisch. Politisch richtet sie sich gegen seine Orientierung am vorrevolutionären Europa, den konservativen Grundzug seines Denkens, seine Sanktionierung des jeweiligen Status quo; methodisch gegen den Primat der Außenpolitik, die Beschränkung auf Staaten- und Geistesgeschichte unter Vernachlässigung von Wirtschaft und gesellschaftlichen Strukturen; wissenschaftstheoretisch gegen seinen „Objektivismus", seinen Idealismus, den Mangel an Begriffsschärfe und an Zukunftsperspektiven in seinem Geschichtsbild. Die gegenwärtige Reflexion der Geschichtswissenschaft auf ihre wissenschaftstheoretischen Grundlagen, ihre methodischen Möglichkeiten und ihre politische Funktion vollzieht sich als Auseinandersetzung mit der Tradition des begrifflich vieldeutigen Historismus. Und im Kern der Historismusproblematik steht Ranke. Ranke-Problematik ist aber als solche nichts Neues. Ranke ist nie unbestritten gewesen, und es ist gerade ein Zeichen seiner Größe, daß er von Beginn an große Kritiker gehabt hat: Hegel, Droysen, Nietzsche; und ein Zeichen seiner Lebenskraft, daß sich heute so viele an ihm reiben. Sein Werk steht wie ein Gebirge in der Landschaft der Geschichtswissenschaft. Niemand, der seinen eigenen Standort bestimmen will, kann jenes Orientierungspunktes entraten. Um Ranke kommt man nicht herum. Das habe ich eben jetzt auf dem Internationalen Historikerkongreß in San Francisco erfahren, wo es in einer kontroversen Diskussion um geschichtstheoretische Fragen schließlich lebhafte Zustimmung fand, als ich es unternahm, den Namen Ranke als einen Vermessungspunkt in das Diskussionsfeld zu rücken — wobei ich mich auf die Fuchssche Edition der Vorlesungseinleitungen stützte. Daß man um Ranke nicht herumkommt, wurde mir auch auch schon als jungem Studenten beigebracht. Lassen Sie mich hier eine anekdotische Erinnerung einflechten, die uns unmittelbar zu

1 Rede, die aus Anlaß der Verleihung der Ranke-Medaille an Walther Peter Fuchs am 24. September 1975 im Rahmen der Tagung der Rankegesellschaft in Lambrecht (Pfalz) gehalten und zuerst in Geschichte in Wissenschaft und Unterricht 27 (1976) S. 1—8 veröffentlicht wurde.

dem Kenner der Höhen und Tiefen im Ranke-Gebirge hinführt, den es heute zu ehren gilt. Als ich in Marburg Geschichte und Theologie studierte, gab es am Historischen Seminar einen Hilfsassistenten namens Walther Peter Fuchs. Er war mir bekannt als Leiter des Marburger Studentenchors, wo er es mit einer dem Werk zugewandten Einfühlungskraft, die auf die Umstehenden übersprang, verstand, auch die Unmusikalischen zum Singen zu bringen. In seiner Stellung am Historischen Seminar aber erschien er aus der Perspektive eines Anfangssemesters gesehen als ein Hoher Priester im Tempel der Wissenschaft. Ich erinnere mich: Als ich einmal in sein Zimmer trat, ergriff er feierlich einen vor ihm liegenden Band mit beiden Händen, hielt ihn mir entgegen und sagte: „Erdmann, lesen Sie das! Dies ist die Bibel des Historikers!" Es war Rankes Reformationsgeschichte. Die Eindringlichkeit dieses Appells war unausweichlich. So setzte ich ein Semester daran, um Ranke zu lesen. Ich sehe die Nische im Historischen Seminar noch vor mir, in der ich mich für viele Stunden jeden Tag hinter meinem Ranke verschanzte. Allerdings nahm ich mir — und ich hoffe, Du wirst es mir nachträglich verzeihen — nicht die Reformationsgeschichte vor, sondern die Französische Geschichte. Denn für die Reformationsgeschichte, so meinte ich, sei ich bei den Theologen nicht schlecht und vielleicht besser aufgehoben, z. B. in dem Seminar von Rudolf Bultmann über Luthers Römerbrief-Vorlesung. Bultmann vertrat zu dem eine an Heideggers Begriff der „Geschichtlichkeit" orientierte Auffassung, die in einem starken Spannungsverhältnis zu der stand, die ich auf Fuchsens Ratschlag bei Ranke kennenlernte. Während Ranke die Phantasie beflügelte, in Bildern zu denken, die Geschichte als das große Schauspiel Gottes anzuschauen, forderten Luther und Paulus, wie Bultmann sie exegesierte, auf das Wort der Geschichte zu hören und sich der Forderung dieses Wortes zu stellen. Diese beiden Pole einer künstlerisch-kontemplativen Betrachtung der Geschichte und eines theologisch-politisch-existentiellen Umgangs mit ihr konstituieren das Spannungsfeld der wissenschaftlichen Historie überhaupt, wie wir Adepten der Geschichte es damals in unseren jungen Jahren in Marburg erlebten.

Es kam die NS-Zeit, der Krieg, der Zusammenbruch des Reiches und mit ihm die tiefe Daseinskrise unseres Volkes. Die erste Wiederbegegnung mit Ranke nach dem Kriege wurde für mich wiederum durch Walther Peter Fuchs vermittelt. 1949 erschien das von ihm eingeleitete und herausgegebene „Briefwerk". Es ist die erste in einer Reihe von Ranke-Editionen, die den Ruf und den Ruhm von Walther Peter Fuchs als des besten heutigen Ranke-Kenners begründet haben. Ich möchte auch hier auf einen persönlichen Zug hinweisen, der mir ganz und gar nicht beiläufig zu sein scheint, sondern ähnlich wie das Chorsingen in Marburg zu dem breiten Lebensboden gehört, aus dem diese Bemühung um Ranke erwachsen ist; ich meine Fuchsens Einsatz für das Studium generale, für eine Universitätsreform und für eine Erneuerung der Formen studentischen Zusammenlebens. In lebhafter Erinnerung ist mir ein erster Besuch in Heidelberg bei Euch, liebe Marianne und lieber Peter, wo Ihr ein solches Studentenheim, das

Collegium Academicum, leitetet. Es mag im Jahre 1950 oder 1951 gewesen sein. Ich erinnere mich nicht mehr, ob mein Besuch primär dem Herausgeber der Ranke-Briefe oder dem Promotor des Studium generale galt. In unseren Gesprächen ging es jedenfalls um beides, und ich weiß, daß es dem Ranke-Forscher Fuchs bei seiner gelehrten Beschäftigung mit seinem Gegenstand immer um die Auseinandersetzung mit dem in Rankes Person und Werk verkörperten Zugang zu einer Deutung des ganzen Umfangs der menschlichen Existenz geht.

Das Werk des Ranke-Spezialisten ist eingebettet in eine breite historische Forschungsarbeit, die sich mancherlei verschiedenen Gegenständen gewidmet hat, und ist auch nur aus einer solchen an vielen Fragen gereiften Kompetenz denkbar. Ich erinnere zuvörderst an Fuchsens eigene Befassung mit dem Rankeschen Gegenstand der Reformationszeit. Da ist sein Beitrag zur Bauernkriegsforschung und seine luzide, problembewußte Darstellung des Zeitalters der Reformation im Gebhardtschen Handbuch der Deutschen Geschichte zu nennen und daneben mancher Aufsatz zur Reformationszeit. Ein weiteres Studienfeld ist seit seiner Dissertation die mittelstaatliche Politik im Zeitalter Bismarcks und der Reichsgründung gewesen. Mit seiner Edition und seinen Studien zum Großherzog Friedrich I. von Baden und zu Franz von Roggenbach hat er dazu beigetragen, dem liberalen Einschlag im neuen Kaiserreich seinen historischen Platz zuzuweisen. Eine Studie über den Kulturkampf gehört in den gleichen Zusammenhang. Parallel zu diesen Arbeiten läuft als die vox continua in diesem Forscherleben die Bemühung um Ranke. Deren Absicht und Bedeutung kann man nicht besser ausdrücken als mit einem Wort Rankes selber: „Rückkehr zur ursprünglichen Mitteilung", und zwar in einer Diskussionssituation, in der hinter der Kritik an Ranke die Vorstellung von dem, was Ranke selber eigentlich gesagt und gedacht hat, weithin verdunkelt ist.

2.

Lassen Sie uns nun etwas genauer zuschauen, was es neben den mancherlei Aufsätzen über Ranke, den Ranke-Nachlaß und die Ranke-Literatur mit den Ranke-Editionen, die Fuchs uns vorgelegt hat, auf sich hat. Es ist diesem Kreise der Ranke-Gesellschaft wohl angemessen, dabei auf die hier zutage tretende handwerklich editorische Kunst einzugehen. Es handelt sich bisher um vier Bände. Ich nannte schon das Briefwerk. Danach hat die Historische Kommission bei der Bayerischen Akademie der Wissenschaften unter anderem auf Anregung von Walther Peter Fuchs eine Editionsserie „Aus Werk und Nachlaß" Leopold von Rankes unternommen, Herausgeber sind Walther Peter Fuchs und Theodor Schieder. Von den einzelnen Bänden dieser Serie hat Schieder die Vorträge Rankes vor dem bayerischen König Maximilian anhand der ursprünglich stenographischen Nachschriften neu ediert. Walther Peter Fuchs hat bisher einen Band „Tagebücher" (1964), einen Band „Frühe Schriften" (1973) unter Mitarbeit von

Gunter Berg und Volker Dotterweich und einen Band „Vorlesungseinleitungen" (1975), gemeinsam herausgegeben mit Volker Dotterweich, herausgebracht. Und es steht noch eine Ausgabe der „Vorlesungen" Rankes zu erwarten.

Zu den jeweils einzelnen Bänden möchte ich folgendes hervorheben: Zunächst das Briefwerk. Es nimmt im Rahmen der mancherlei Ausgaben von Ranke-Schriften eine besondere Stelle ein. Schon Ranke selber hatte für die Gesamtausgabe seiner Werke einen Briefband vorgesehen. Sein Schüler Alfred Dove hat nach Rankes Tod einen solchen Band nach Briefentwürfen und Abschriften im Nachlaß zusammengestellt. Die hohe Bedeutung der Briefe für das Verständnis von Leben und Werk Rankes wurde, wie jeder, der in den Briefen einmal gelesen hat, bestätigen wird, unmittelbar einsichtig. So setzte nach der von Dove vorgelegten Sammlung eine wahre Jagd nach weiteren Ranke-Briefen ein. An die 50 mehr oder weniger umfangreiche Veröffentlichungen gibt Fuchs an. Eine letzte Nachlese wurde von Bernhard Hoeft veranstaltet unter dem Titel „Neue Briefe" (1949). Zu diesem stattlichen Band hat auch Fuchs einige Funde beigesteuert. Das von Fuchs herausgegebene „Briefwerk" unterscheidet sich aber von diesen übrigens im gleichen Jahr erschienenen „Neuen Briefen" wie von allen früheren Veröffentlichungen insofern, als es eine sorgfältig kommentierte und eingeleitete Auswahl aus dem Gesamtbestand darbietet. Die Lektüre dieses „Briefwerkes" ist für mich nach dem Kriege und nach einer langen Entfremdung von der Historie eine eindrucksvolle Wiederbegegnung mit Ranke gewesen. Dazu hat wesentlich die Fuchssche Einleitung beigetragen. Sie gehört zu den feinsinnigsten, von kritischer Sympathie getragenen Einführungen in die persönliche Welt, aus der das Werk Rankes erwachsen ist, fast eine Biographie in nuce, ein Kabinettstück der Ranke-Literatur und sprachlich von hohem Rang. Die Absicht dieses ersten Werkes in der Reihe der Fuchsschen Ranke-Editionen war also nicht die Erschließung von neuen Materialien, sondern die Sichtung und Interpretation des schon Bekannten, aber unübersichtlich Verstreuten, und zwar in einer Schicksalsstunde unseres Volkes, in der es darauf ankam — jetzt mit den Worten von Fuchs aus seiner Einleitung — „den Traditionszusammenhang, der uns selbst übergreift, neu zu ergründen, . . . und in seinem wahren Sein so zu erhellen, daß er zu unserer Selbstbestimmung und Selbsterkenntnis wesentliche Hilfe leistet".

Der Erschließung ungehobener Schätze aus dem Nachlaß Rankes dienten die folgenden im Auftrage der Historischen Kommission erstellten Bände. Nachdem Paul Joachimsen die Bedeutung des Nachlasses erkannt hatte, aber die von ihm in den zwanziger Jahren mit einer kritischen Neuausgabe der Reformationsgeschichte begonnene Akademieausgabe des Rankeschen Gesamtwerkes aus mancherlei Gründen nicht zu Ende geführt werden konnte, nachdem aber auch von den verschiedensten Historikern unzusammenhängende Einzelfunde aus dem Nachlaß veröffentlicht worden waren, stellte sich eine systematische Sichtung und kritische Auswahledition aus dem Nachlaß als ein dringendes Forschungsdesiderat. Es sollten dabei — mit den Worten von Fuchs — „auch solche Stücke aufgenommen werden, die, obwohl längst bekannt, nach den Funden im Nachlaß in einer so abgewandelten Form sich darbieten, daß eine neue kritische Ausgabe gerechtfertigt ist". Wer, wie es mir auf der Tübinger Universitätsbibliothek vergönnt gewesen ist, einmal einen Blick in den Nachlaß hat werfen können, vermag zu ermessen, welche Schwierigkeiten hierbei zu meistern waren. Da ist einmal die Handschrift Rankes, oft unleserlich und in manchen Fällen überhaupt nicht mit Sicherheit zu entziffern. Zum anderen die schwer in eine chronologische Ordnung zu bringende Überlieferungsform des Nachlasses. Ranke dachte mit der Feder, bei der Lektüre, bei der Formulierung von Einfällen, bei den Entwürfen von Vorlesungen. Er griff dabei immer wieder auf früher Niedergeschriebenes zurück, ergänzte es, überarbeitete es, verwendete Ausschnitte zum Einkleben in Neufassungen, bis dieser Prozeß der Überarbeitung wieder einen so unübersichtlichen Zustand angenommen hatte, daß eine abermalige Neufassung erforderlich wurde. Es ist relativ einfach, einzelne Stücke aus dem Ganzen herauszugreifen und vorweg zu publizieren. Aber den ganzen Steinbruch des Nachlasses zu vermessen, die Schichten einigermaßen voneinander abzuheben und das Wichtigste geordnet zu präsentieren, ist schwierig. Es ist Fuchs Dank dafür zu sagen, daß er der Versuchung einer übertriebenen Ranke-Philologie nicht nachgegeben hat. Er hat, bei strengstem Respekt vor dem unveränderten Ranke-Wort, aus dem Nachlaß spannend zu lesende Bände zusammengestellt.

Der Titel des ersten dieser Bände, nämlich „Tagebücher", bedarf der Erläuterung. Denn Ranke hat nie ein im strengen Sinne des Wortes regelmäßig, zeitlich oder thematisch geschlossenes Tagebuch geschrieben. Manchmal hat er bis zu fünf nebeneinander laufende Notizbücher unter verschiedenen Themen geführt, die aber nicht streng eingehalten worden sind und viele spontane, unsystematische, auch gänzlich andere Themen berührende Gegenstände aufweisen. Oft fehlen solche Hefte ganz. Dann treten lose Zettel an deren Stelle. Um die strömende Fülle seiner Gedanken und Einfälle loszuwerden, hatte Ranke die Angewohnheit, sie irgendwo hinzuschreiben, wo er in seinen Papieren gerade Platz fand. Respekt vor der Leistung des Herausgebers, der hier Ordnung hineingebracht hat und uns einen kontinuierlichen Lesegenuß ermöglicht! „Tagebücher" und „Briefwerk" ergänzen einander. Sie beide öffnen den Blick in den gärenden Prozeß des Denkens und Empfindens, aus dem sich das objektivierte Werk heraushebt.

Zu diesem Werk gehören auch die „Frühen Schriften". Auch hier handelt es sich wieder um eine Auswahl, die sich auf solche Stücke beschränkt, die für die Keimung und Entfaltung der Gedankenwelt Rankes etwas hergeben. Die Quellenströme, aus denen der Historiker schöpfte, werden hier sichtbar: Neben lateinischen, in Schulpforta entstandenen Ausarbeitungen zu Themen der antiken Literatur stehen ästhetische und pädagogische Studien, ein Dramenentwurf, Betrachtungen über die Paulusbriefe, eine Psalmenübersetzung, Schulreden und als wohl wichtigstes Stück das „Fragment über Luther“ des 22jährigen aus dem Jubiläumsjahr der Reformation 1817. Nachdem schon in der Akademieausgabe der Reformationsgeschichte Elisabeth Schweitzer Teile dieses Fragmentes mitgeteilt hatte, ohne daß sie schon den ganzen Nachlaß kannte, liegt in der von Fuchs besorgten Ausgabe zum ersten Male das vollständige Zeugnis dieser frühen Beschäftigung Rankes mit Luther vor. Es zeigt, wie sich für Ranke aus dem Umgang mit der Person Luthers zwangsläufig das Interesse auf die Erfassung der Geschichte des Zeitalters insgesamt erstreckt. Es ist Fuchs beizupflichten, wenn er feststellt, daß hier gleichsam eine Erstfassung der Reformationsgeschichte vorliegt, von der damit zugleich deutlich wird, welche zentrale Bedeutung ihr in dem Gesamtwerk Rankes zukommt. Das Fragment zeigt zugleich, in welcher Weise bei dem jungen Lutheraner Ranke ein dogmatisches Lutherinteresse von dem historischen Interesse am Menschen und seiner Wirkung in der Zeit überlagert und verdrängt wurde. Wie sich dogmatisches und historisches Interesse überhaupt zueinander verhalten, das ist sicherlich ein Kernproblem der Ranke-Interpretation, für das uns hier ein wichtiges Zeugnis an die Hand gegeben ist. Ich möchte hierzu eine Lesefrucht aus den „Frühen Schriften“ mitteilen. Ein lutherischer Theologe, der von dem articulus stantis et cadentis ecclesiae, dem sola fide und dem sola gratia ausgeht, wird vielleicht Bedenken haben, aber ein Historiker wird es nachvollziehen, wenn der junge Ranke wie folgt über Luther redet: „Alles Leben ist an sich selber ein einiges, unsichtbares: es ist über alle Erscheinung, und zwar eben als Erscheinendes in aller Erscheinung. Sehet den wachsenden Baum an! Er schießt empor, treibt Zweige, Äste, Blätter, aus dem geringen Keim hervor entwickelt sich die Zierde der Flur, da die Vögel nisten und der Schnitter sich unter erquickt. Was ist’s denn, das den Stamm emportreibt und Zweig und Ast und Frucht zeugt? Das ist das geheime Leben des Keims, es ist in ihm ein bildendes, gestaltendes Element, das in der Erscheinung hervortritt; unsichtbar ist und doch da, der Baum nicht selber, aber in dem Baum, — genug, es ist das, was die naturkundigen Alten die Dryas nannten, die Göttin, die Mutter, das Leben des Baumes, eins mit dem Baum und doch der Baum nicht selbst. Und so ist’s mit allem Lebenden: so ist’s auch mit dem Leben des menschlichen Geistes. Was spricht denn aus dem Menschen, und was handelt aus ihm? Das Wort, das er sagt, hat doch eine Bedeutung, sein Tun doch einen Grund und einen Zweck? Woher Bedeutung, Grund und Zweck? Alles aus dem geheimen Leben des menschlichen Geistes. Wort in Erscheinung, Tat Erscheinung, sie wären nichtig, wenn nicht etwas in ihnen erschiene; sie sind unsere Zweige und Äste, das innere geheime Leben des Geistes treibt sie hervor; darum denn wie einer ist, also redet er, also tut er.“

Ergänzend sei hinzugefügt ein Wort, das Ranke einige Jahre später an seinen Theologenbruder Heinrich schrieb (und das ich dem Briefwerk entnehme 28. Dezember 1823). Es ist eine Absage an den Gedanken absoluter Wortoffenbarung, das Fundamentalprinzip aller christlichen Theologie: „Ob das Wort nicht ebenso gut Kreatur sei als Baum, Stein, Menschenstirn? Ob wir also irgendein Wort für reine Gottheit oder ungetrübten Erguß derselben ansehen können? In allen Dingen ist Gott; dieses Ding für Gott zu halten, ist Götzendienst. Wie ist es nun mit dem Wort?"

Bleiben wir noch einen Augenblick bei diesen Texten. In ihnen ist bereits die ganze Eigentümlichkeit der Rankeschen Einstellung zur Geschichte enthalten. Die Geschichte enthält für ihn in ihrer Raum-Zeitlichkeit nichts absolut Gültiges. Aber sie erschöpft sich auch nicht in den raum-zeitlich-sichtbaren Phänomenen. Ranke sucht nach einem Dritten, nach dem, was in dem Wort als Erscheinung und in der Tat als Erscheinung sichtbar wird und ohne das die Erscheinung selber „nichtig" wäre. Was ist aber dies, das durch die Vergänglichkeit der Phänomene hindurchleuchtet und sie aus der Nichtigkeit emporhebt?

Dies ist meines Erachtens die zentrale Frage an Ranke, und es wäre vermessen, auf sie in dieser Laudatio eine Antwort geben zu wollen. Wohl aber ist es deren Aufgabe, darauf hinzuweisen, daß wir in dem eben jetzt erscheinenden weiteren Bande der von Walther Peter Fuchs besorgten Ranke-Editionen, nämlich den „Vorlesungseinleitungen", die wohl wichtigsten Materialien für die Behandlung dieser Frage in die Hand gelegt bekommen. Sie auszuschöpfen wird die Aufgabe der Forschung und einer noch ausstehenden Ranke-Biographie sein. Hier und jetzt wollen wir uns damit begnügen, die Placierung des Problems zu umreißen, so wie es sich für Ranke darstellte, und die hier vollbrachte editorische Leistung zu verdeutlichen.

Ranke pflegte in seinen akademischen Vorlesungen einige Anfangsstunden allgemeinen Fragen der Geschichte überhaupt zu widmen, also ihrem Woher und Wozu, ihren Methoden und ihren Aufgaben, dann den Forschungsstand des Vorlesungsthemas zu erläutern und den zu behandelnden Gegenstand historisch einzuordnen. Das Leitmotiv der allgemeinen Fragen ist die doppelte Abgrenzung einerseits gegenüber einer dogmatisch-apriorischen Geschichtsbetrachtung, die die Erfahrung vergewaltigt, andererseits gegenüber einer bloßen Annalistik, oder wie Ranke gelegentlich sagt, gegenüber einem „antiquarischen" Geschichtsverständnis — wir dürfen vielleicht sagen: gegenüber einem bloß positivistischen Empirismus. Das eigentliche und wesentliche Stimulans für dies in seinen Einleitungen zutage tretende Bemühen, den Weg der Geschichte zwischen Empirie und Theorie, zwischen Erfahrung und Begriff zu bestimmen, war aber wohl Hegels abfällige Kritik an dem zu frühem Ruhm aufgestiegenen jungen Berliner Kollegen: „Nein, mit dem Ranke ist es nichts. Das ist nur ein gewöhnlicher Historiker." Ranke drehte den Spieß um. So schrieb er seinem Freund Heinrich Ritter: „Man ist sich in ganz Deutschland über den schädlichen Einfluß der sophistischen, in sich selbst nichtigen und nur durch den Bannspruch seltsamer Formeln wirksamen Philosophie, der unsere Universität regiert oder regieren will, einer Meinung und voll Furcht" (28. Oktober 1827). Und es wurde dann, seit er von seiner großen Archivreise Anfang der dreißiger Jahre nach Berlin zurückkehrte, ein oft wiederkehrender Bestandteil seiner Vorlesungseinleitungen, sich zur Wehr zu setzen gegen die Vergewaltigung der Geschichte durch apriorische Konstruktionen ihres Verlaufs, seien es die Konstruktionen Fichtes oder die Hegels. Aber er meinte nicht Fichte und Hegel allein, sondern jede aus einem theoretischen a priori deduzierte angeblich zwangsläufige Abfolge historischer Entwicklungsstufen. Es ist nicht ohne Aktualität, wenn wir Ranke wie folgt zu seinen Studenten reden hören, wobei es legitim ist, seine Polemik gegen die theoretischen Geschichtskonstruktionen der Philosophie Fichtes und Hegels allgemein als Zurückweisung einer jeden Geschichtskonstruktion a priori zu verstehen. Erlauben Sie, daß ich Ihnen aus dem neuen von Walther Peter Fuchs präsentierten Einleitungsband folgendes Zitat zu Gehör bringe: „Es ergibt sich, daß der Philosoph, ausgehend von einer woanders auf eine ihm eigene Weise gefundenen Wahrheit, sich die ganze Historie konstruiert; — wie sie nach seinem Begriff von Menschheit sich müsse begeben haben; — nicht zufrieden alsdann, nun an dem wirklich geschehenen Verlauf ohne Täuschung die Probe zu machen, ob sein Begriff richtig oder falsch, unternimmt er, das Geschehene selbst demselben unterzuordnen; ja, er erkennt die Wahrheit der Geschichte nur insofern an, als sie sich seinem Begriffe unterwirft. Dies ist das Konstruieren der Historie. Sollte dies Verfahren richtig sein, so würde einmal die Historie alle Selbständigkeit verlieren: sie würde von einem Lehrsatz aus der Philosophie schlechthin regiert werden; aber mit der Wahrheit desselben stehen und fallen. Alles ihr eigentümliche Interesse würde verschwinden; alles Wissenswürdige würde nur darauf zielen zu wissen, inwiefern das principium philosophicum sich in der Historie aufweisen läßt; inwiefern jener a priori gesetzte Fortgang des Menschgeschlechts statt hat; allein es würde gar kein Interesse haben, uns in die geschehenen Dinge zu vertiefen; wissen zu wollen, wie man überhaupt zu irgendeiner Zeit gelebt, gedacht; nur in der Totalität des in der Erscheinung der Menschengeschichte lebendig gewordenen Begriffs würde ein solches Interesse liegen; zu einer universalen, auf sich beruhenden Überzeugung würde man durch das Studium der Historie nie gelangen können; die einzig mögliche Mannigfaltigkeit würde in einer Spaltung der Begriffe liegen, in einer Deduktion der untern aus den obern; — genug, die Historie würde unselbständig, ohne eigenes inwohnendes Interesse werden, und ihr Lebensquell würde austrocknen; es würde kaum der Mühe verlohnen, ihr ein Studium zu widmen, da man in und mit dem philosophischen Begriff sie schon implicite besäße. — ... Allein wir bemerken, daß die Historie wider diese Ansprüche in steter Opposition bleibt; ja ... daß sich die Historie immerfort ungeschwächt und mit eigenen Kräften jenen Ansprüchen entgegensetzt." (Einleitungen S. 74 f.)

Unter dem Eindruck solcher Worte wird man beklagen, daß wir zu dieser Auseinandersetzung mit Philosophie und antiquarischer Historie keine einzige größere theoretische in sich geschlossene Abhandlung Rankes besitzen. Auch die

Vorlesungseinleitungen bieten eine solche nicht, jedenfalls nicht in dem überlieferten Zustand. Keine einzige der Einleitungen ist in ihrem vollständigen Wortlaut auf uns gekommen. Der Herausgeber sah sich vielmehr einer fast chaotischen Lage gegenübergestellt: viele Entwürfe, mehrfach übereinander geschichtet, ineinander geschoben, bis zur Unkenntlichkeit überarbeitet, fragmentarisch und offensichtlich für den weitgehend extemporierenden Vortrag Rankes so verwendet, daß er jeweils auch auf frühere und andere Notizen von seiner Hand zurückgriff. Es erhob sich die Frage, ob man die Bruchstücke, sofern man sie jeweils chronologisch einigermaßen sicher bestimmten Vorlesungen zuordnen kann, mit diesen Vorlesungstexten selber veröffentlichen sollte, oder ob man alle Einleitungsstücke von den Vorlesungen besser loslöste, um sie, chronologisch geordnet, zu einem „Einleitungswerk" — wie ich es in Analogie zum „Briefwerk" gerne nennen möchte — zusammenzustellen. Fuchs hat sich für das letztere entschieden, und für diesen editorischen Mut gebührt ihm und seinem Mitherausgeber Dank. Denn nun haben wir den Gesamtkomplex von Rankes Vorlesungsreflexionen über Sinn und Aufgabe der Geschichte geschlossen in einem Bande vor uns — ein Kompendium von Fragmenten, die der zusammenfassenden Interpretation harren.

Ranke hat, wie wir aus den Vorlesungseinleitungen erfahren, der Historie Anteil an der Wissenschaft wie an der Kunst zugeschrieben, ohne daß sie in die eine oder in die andere ganz aufgehe. Für das Dritte, Eigentümliche, das die Historie zwischen Empirie und Spekulation sucht, finden sich über die Einleitungen verstreut eine Fülle von schwebenden Benennungen wie: das Innere, die Idee, geistige Potenzen, Leben, das Erscheinende, Tendenzen, ein Unendliches, ein aus Gott Kommendes, Zusammenhang mit dem Göttlichen, das Wesen. Alle diese Benennungen, so gesteht Ranke einmal, seien „nicht begriffsgenauer Natur" (Einleitungen S. 89). Dabei kann es aber heute, wenn wir Ranke zurückgewinnen wollen, nicht sein Bewenden haben. Die in den neuen Ranke-Bänden aus Briefwerk und Nachlaß vorgelegten Selbstzeugnisse einerseits und das objektivierte wissenschaftlich-literarische Werk der großen Darstellungen Rankes andererseits verlangen nunmehr nach einer gegenseitigen Erhellung des einen aus dem anderen. Hier liegt — so meinen wir es als Frage und Bitte an Walther Peter Fuchs richten zu dürfen — die große Zukunftsaufgabe einer wissenschaftlichen Ranke-Biographie.

Verkürzt zitierte Literatur

Briefe Hch. Rankes	Aus den Briefen Heinrich Rankes an seinen Bruder Leopold. Anhang zu: *W. P. Fuchs:* Heinrich Ranke. In: Jahrbuch für fränkische Landesforschung 25 (1965) S. 141—207.
Brw.	*L. v. Ranke:* Das Briefwerk, hg. v. *W. P. Fuchs* (1949)
Fuchs, Ghg. Friedrich I. von Baden I	Großherzog Friedrich I. von Baden und die Reichspolitik 1871—1907. 1. Band: 1871—1879, hg. v. *W. P. Fuchs* (1968) = Veröff. d. Komm. f. geschichtliche Landeskunde i. Baden-Württemberg, Reihe A, Bd. 15.
Oncken I/II	Großherzog Friedrich I. von Baden und die deutsche Politik von 1854—1871. Briefwechsel, Denkschriften, Tagebücher, hg. v. d. Badischen Historischen Kommission, bearb. v. *H. Oncken,* 2 Bde. (1926).
SW	*L. v. Ranke:* Sämtliche Werke, 54 Bde. (1867—90).
WuN I	*L. v. Ranke:* Tagebücher, hg. v. *W. P. Fuchs* (1964) = Aus Werk und Nachlaß, Bd. I.
WuN III	*L. v. Ranke:* Frühe Schriften, unter Mitarb. v. G. Berg u. V. Dotterweich hg. v. *W. P. Fuchs* (1973) = Aus Werk und Nachlaß, Bd. III.
WuN IV	*L. v. Ranke:* Vorlesungseinleitungen, hg. v. *V. Dotterweich* u. *W. P. Fuchs* (1975) = Aus Werk und Nachlaß, Bd. IV.

1.

Brauchen wir Tradition? *

Von Tradition zu reden, scheint nicht eben zeitgemäß. Wer hier überhaupt noch Für und Wider wägt, läuft Gefahr, entweder unversehens von einer Seite Beifall zu erhalten, von der er ihn am wenigsten wünscht, oder sich gegen massive Diffamierung verteidigen zu müssen. Der Vorwurf, mit solcher Besinnung dem modischen Geschmack nach Nostalgie sein Opfer zu bringen, ist vergleichsweise harmlos gegenüber der Unterstellung, damit eine politisch-reaktionäre Gesinnung zu verbergen, die aus Angst vor der verwirrenden Undurchschaubarkeit unserer Zeit sich nach rückwärts orientiert, wo angeblich alles noch einfach war, und auf den starken Arm, einen Faschismus in neuer Gestalt, seine Hoffnung setzt, der endlich wieder Übersicht und Ordnung schaffen soll. Tradition, im Katalog historischer und sozialer Werte wahrscheinlich allzu lange undifferenziert für sakrosankt gehalten, ist eine zwielichtige Größe geworden. Die Frage nach mehr oder weniger oder überhaupt keiner Tradition ist nicht im engeren Sinne der Geschichtswissenschaft gestellt; sie ist ein allgemeines Kulturproblem. Weil aber der Historiker, sofern er sich nicht nur hinter „kontemplativem Denken" versteckt, vordringlich damit befaßt ist, Vergangenes in die Gegenwart einzubringen, kann er sich am wenigsten der Aufgabe entziehen, Sinn und Grenze von Tradition zu überdenken, auch wenn es nicht ausschließlich seine Sache ist, sie auszuschöpfen.

1.

In allen Gruppen von Menschen, in Familie, Staat, Volk, Gesellschaft, Kultur, ist aus zwingenden Gründen des Existierens und Weiterlebens ein seelisch-geistiger Mechanismus wirksam, den man auch sozialen Instinkt nennen könnte. Er wird von allen Gliedern der Gemeinschaft als selbstverständliche und daher legitime Verpflichtung verstanden: Es ist ein trotz aller Enttäuschungen ständig wiederholtes Bemühen, das aus einem von Natur gegebenen Bedürfnis wächst, dem in der eigenen Lebenszeit Erprobten und Erreichten an eigener Identifikation Stetigkeit und Dauer dadurch zu verschaffen, daß solcher Bestand über den Augenblick hinaus auf kommende Generationen übertragen und damit

* Karl Dietrich Erdmann zum 65. Geburtstag am 29. April 1975.

Kontinuität geschaffen wird. In Recht, Verfassung, in allen geschriebenen, auf Dauer berechneten Ordnungen ist dieser Instinkt wirksam, reicht aber sehr viel weiter, denn er schließt — als ungeschriebenes Gesetz — ebenso geistige Kultur, sozialen Status, wirtschaftliche Geltung, Herrschaft wie materiellen Besitz ein. Ein solcher sozialer Mechanismus gilt offenbar unabhängig von Zeitaltern und Kulturen, sowohl für die wenigen noch vorhandenen primitiven Stämme aus anfänglichen Stufen der Menschheitsentwicklung wie für gesittetere, historisch faßbare Gemeinschaften. Er gilt für alle sozialen, wirtschaftlichen, politischen und geistigen Ebenen einer Gesellschaft, wenn auch mit unterschiedlichem Gewicht. Er gilt selbst für revolutionäre Umbrüche und ihre Regime. Um sich zu realisieren, haben sie nach eigenem Verständnis die Brücken hinter sich abgebrochen und einen neuen Anfang gesetzt; erst einmal etabliert, sind sie nach aller Erfahrung erst recht darauf aus, dem einmaligen Ereignis Dauer zu verschaffen über das eigene Miterleben und Wirken hinaus, sei es mit langem Atem in planmäßiger erzieherischer Indoktrination in die zugrundeliegende Ideologie, sei es mit Zwang und Terror, die weder Abweichungen noch Entgegensetzungen zulassen. Wenn aber dieser Instinkt weltweit und allgemein gilt, so ist es sehr unwahrscheinlich, daß er seine Geltung verloren haben sollte für unsere gegenwärtige, sich als etwas völlig Neues und Andersartiges verstehende, mit atemberaubender Schnelligkeit sich entfaltende technisch-rational-industrielle Zivilisation, aus der niemand auszubrechen vermag, auch wenn er glaubt, sich als Individuum ihr versagen zu können, für eine Zivilisation, die alles nur Denkbare für machbar hält, wenn nicht auf der Stelle, so doch in einem als unendlich gedachten Prozeß des Fortschritts und der Emanzipation des Menschen, für eine Zivilisation, deren „Grenzen des Wachstums" eben erst erkennbar geworden sind und auf der der Alptraum lastet, daß schrankenlose Rationalität in technologischer Perfektion am Ende alles menschliche Dasein vernichten könnte. Wenn wir solchen geistig-sozialen Mechanismus in einem vorläufigen Verständnis als Tradition oder Traditionsbewußtsein ansprechen, so ist Tradition ein naturgegebenes, dem Menschen eigentümliches, unausweichliches, ungeschriebenes, Geltung heischendes Gesetz sozialen Verhaltens.

Nun kann aber nach aller Erfahrung der gleiche Mechanismus, wo er allein und ausschließlich Gültigkeit beansprucht, sich als etwas so Rückständiges und Lebensfeindliches erweisen, daß er um jeden Preis überwunden werden muß. Es mag uns heute wenig berühren, daß es hier und da, vorwiegend in agrarischen Gebieten, unter uns noch genau so wie in dunkleren Jahrhunderten Reste von praktiziertem Hexenglauben gibt, einen Aberglauben, der von einer aufgeklärten Gesellschaft als einer magisch denkenden Epoche zugehörig und als Einbildung primitiver Gemüter abgetan wird, es sei denn, er schlage ins Kriminelle um. Ein solches Überbleibsel aus längst vergangener Zeit ist mit einiger Gewißheit zum Aussterben verurteilt wie andere auf uns gekommene Relikte in Sitte und Brauch, die von keinem Glauben an eine darin sich bergende Wahrheit mehr getragen werden. Niemand wird ihnen ein wenn auch noch so begrenztes Daseinsrecht zubilligen oder gar sie pflegen und erhalten wollen. Wer es für geboten hält, seine persönliche „Ehre“ nur mit der Waffe zu verteidigen, muß es sich gefallen lassen, mit dem geltenden Recht in Konflikt zu geraten, das sich längst zur Aufgabe gemacht hat, diese heute zu einem bloßen Vorurteil degenerierte Tradition einer ständisch gegliederten Gesellschaft auszurotten. Aber es gibt verhängnisvollere Restbestände, die aus der Vergangenheit in unsere Gegenwart hineinragen. Was z. B. in Nordirland gegenwärtig wirtschaftliche, soziale, politische und menschliche Konflikte so verhängnisvoll ineinander verfilzt, ist unterschwellig ein seit mehr als 300 Jahren von einer Generation auf die andere vererbter konfessioneller Haß. Er ist auch in anderen Teilen der Welt nicht erloschen. Aber hier in unserer nächsten Nachbarschaft ist ihm schier nicht beizukommen, weil offenbar die durch Tradition angeheizten Emotionen bei den Handelnden das reflektierende rationale Vermögen bei weitem übertreffen. Und erst Indien! Der verzweifelte Kampf gegen Elend, Unmenschlichkeit, Kastengeist, Hunger u. a., den ein kleiner Kreis von einheimischen und einsichtigen fremden Helfern im Lande führt, ist gewiß die Außenseite erstarrter, aber immer noch geltender Wirtschafts- und Herrschaftsstrukturen; sie konkret anzugehen erscheint deshalb so aussichtslos, weil das Land, in Jahrhunderten im gleichen Geiste geprägt, in so vielen Formen seines Lebens unbeirrbar an längst obsolet gewordenes Überkommenes sich klammert und in seiner Masse rationalen Argumenten sich als unzugänglich erweist. Die Zeitgenossen faschistischer und kommunistischer Herrschaft wissen aus eigener Erfahrung, wie viele Traditionen gegen ihren ursprünglichen Sinn planmäßig im Dienste des jeweiligen Systems mißbraucht werden konnten, weil ein bis zur Blindheit zäher Glaube an ihnen festhielt. In solchen Beispielen erscheinen Nutzen und Nachteil des auf Überliefern ausgerichteten Mechanismus so einseitig verteilt, daß allem Widerstand gegen notwendige Veränderungen, gerade weil er sich auf überkommene Normen beruft, der Makel des Veralteten, Rückständigen, Lebensfeindlichen anhaftet. Traditionsverweigerung ist hier Gebot.

Zu den Extremen Bejahung und Verweigerung von Traditionen tritt eine weitere Erfahrung, die im Grunde die vorherrschende ist: der Konflikt zwischen beiden, der Fall, wo die Alternativen sich aufs engste ineinander verschränken und den Handelnden ratlos, mindestens unsicher machen. Die sogenannte „Entwicklungshilfe“ liefert dafür die breiteste Anschauung. Längst ist der Optimismus aus den Anfängen der modernen Kolonisation verflogen, als bedürfte es nur der Überführung von „Segnungen“ der westlichen Zivilisation, also ihrer partiellen Traditionen, auf schlechter weggekommene, von Haus aus unterprivilegierte, eben erst vollzogene neue Gründungen der Dritten Welt, um aus ihnen glückliche und zufriedene Menschen in blühenden Gemeinwesen zu machen. Jede Berührung unterschiedlicher Kulturen, jede bewußte Übertragung von Leistungen und Erfahrungen der einen auf die andere hat ihren Preis unabhängig von Umfang und Tiefe, in der der Austausch erfolgt. Bei den Empfangenden sind zwangsläufig Einbrüche in ihren Bestand an lange Erprobtem und Überliefertem die Folgen, weil die Summe längst geprägter Verhaltensnormen das Skelett des ganzen kulturellen Zusammenhangs darstellt und bei der Vielzahl unberechenbarer Wechselwirkungen nicht willkürlich einige aus dem Zusammenhang gelöst werden können. Wenn nicht der Sog des weltweiten wirtschaftlichen Austauschs so übermächtig wäre, so wäre in den Entwicklungsländern mit viel Geduld und Fingerspitzengefühl von Fall zu Fall sorgfältig zu prüfen, was bei dem in unverhältnismäßig kurzer Zeit zu bewältigenden Sprung über ganze Kulturstufen hinweg vom bisher gültigen Herkommen um der Ausgeglichenheit des Ganzen willen entweder erhalten bleiben oder preisgegeben werden kann oder muß. Für solche Sorgen bleibt freilich bei der Eile, mit der der angebliche „zivilisatorische Fortschritt“ von allen Seiten betrieben wird, nur geringer Spielraum. Traditionsverlust, selbst bei ständiger Auseinandersetzung mit dem auf Traditionsbehauptung ausgerichteten sozialen Instinkt, scheint unabwendbar. Die Folgen sind nicht abzusehen.

Vom Zwiespalt zwischen festhaltendem Traditionsbewußtsein und aktiv betriebener Traditionsverweigerung in unserer eigenen rational-technisierten Industriegesellschaft wird noch zu reden sein. Vor den Gefahren, die aus dem ausschließlichen Geltenlassen bloß wissenschaftlicher Rationalität für die kulturelle Existenz unserer Gesellschaft entstehen, haben in jüngster Zeit am eindringlichsten die Verhaltensforscher gewarnt. Wenn Erich v. Holst im Zusammenhang seiner Instinktforschung darauf hinweist, daß nur der Mensch Tradition bilden, abbrechen und neu schaffen kann, so ist das verkürzt das gleiche, was Alexander Rüstow aus soziologisch-philosophischer Sicht schon vor ihm ausgesprochen hat: „Was ... den Tieren im Gegensatz zum Menschen in Wahrheit fehlt, das ist, genaugenommen, nicht Geist, sondern Tradition — Tradition als die Möglichkeit, Geisterzeugtes zu verbreiten, weiterzugeben, zu vererben und so von Generation zu Generation bewahrend zu vermehren und zu bereichern [1].“ Konrad Lorenz rechnet die in unsern Tagen so lautstark vorgetragene Verneinung aller Tradition zu den „acht Todsünden der zivilisierten Menschheit“: „Der Irrglaube, daß nur das rational Erfaßbare oder gar nur das wissenschaftlich Nachweisbare zum festen Wissensbesitz der Menschheit gehöre, wirkt sich verderblich aus. Er führt die ‚wissenschaftlich aufgeklärte‘ Jugend dazu, den ungeheuren Schatz von Wissen und Weisheit über Bord zu werfen, der in den Traditionen jeder alten Kultur wie in den Lehren der großen Weltreligionen enthalten ist. Wer da meint, all dies sei null und nichtig, gibt sich folgerichtig auch einem anderen, ebenso verderblichen Irrtum hin, indem

1 *A. Rüstow:* Kulturtradition und Kulturkritik. In: Studium generale 4 (1951) S. 308.

er in der Überzeugung lebt, Wissenschaft könne selbstverständlich eine ganze Kultur mit allem Drum und Dran auf rationalem Wege und aus dem Nichts erzeugen. Dies ist nur um ein weniges weniger dumm als die Meinung, unser Wissen reiche hin, um durch Eingriffe in die menschlichen Gene den Menschen willkürlich zu ‚verbessern'. Eine Kultur enthält ebensoviel ‚gewachsenes', durch Selektion erworbenes Wissen wie eine Tierart, die man bekanntlich bisher auch noch nicht ‚machen' kann [2]!"

2.

Wenn bereits die Erfahrung eine so ungewöhnliche Breite in der Bewertung von Tradition offenlegt, so stellt sich die Frage nach dem einfachen Wortsinn und seinen geschichtlichen Wandlungen. Die deutschen Worte für die gleiche Sache heißen Überlieferung, Herkommen, Brauch, in einem weiteren Sinn auch Gewohnheit, Sitte. Sie decken nicht das weite Bedeutungsfeld wie das „Tradition" zugrundeliegende lateinische „tradere", eine Zusammenziehung aus einem nur noch zu erschließenden „trans dare". „Tradere" ist ein viel gebrauchtes Wort und hat entsprechend zahlreiche Bedeutungen: übergeben, überliefern, anvertrauen, ausliefern, vererben, preisgeben, ergeben, hingeben, mitteilen, erzählen, erinnern und noch einiges mehr. Dem Wortsinn nach ist der zugrundeliegende Sachverhalt, daß ein wie auch immer Beschaffenes von einer Seite einer andern übergeben, überliefert usw. wird. Das Substantiv „traditio" ist zu übersetzen mit Übergabe oder Auslieferung von Personen und Sachen im alltäglichen und juristischen [3] Sinn, aber auch zu verstehen als „Übergabe" von Worten bei Lehrern und Schriftstellern: Vortrag, Bericht. Mit Tradition ist sowohl die Substanz des Überlieferten, das „traditum", wie die Tätigkeit des Tradierens gemeint. Wie „überliefern" als Akt geschieht, ob dabei das Tradierte in seinem vollen Umfang, verkürzt oder verändert übergeben wird, ob der empfangende Teil beim Aufnehmen mitwirkt oder nur etwas mit sich geschehen läßt, darüber sagt der bloße Wortsinn nichts aus.

Eine Bedeutungsgeschichte des Wortes Tradition gibt es nicht. Im einzelnen bisher nicht aufgehellt, aber bezeichnend dürfte sein, daß im heutigen Sprachgebrauch das ursprüngliche Fremdwort, im Laufe der Zeit aber eingedeutschte Lehnwort Tradition häufiger verwendet wird — besonders in der Form des verwaschenen „traditionell" — als die deutschen Synonima. Nach dem Grimmschen Wörterbuch [4] hat „Tradition" im Deutschen eine doppelte Rezeption er-

2 *K. Lorenz:* Die acht Todsünden der zivilisierten Menschheit (1973) S. 71.

3 *Pauly-Wissowa:* Real-Encyclopädie der classischen Altertumswissenschaften, II. Reihe, Bd. XII (1937) Sp. 1875 ff.

4 Bd. XI, 1, 1 (1935) Sp. 1022 ff.

fahren. Die erste erfolgte in der Reformationszeit. Unter Traditionen wurden in der konfessionellen Polemik verstanden, grob verkürzt ausgedrückt, einzelne überlieferte religiöse Vorschriften, Einrichtungen, Bräuche, die zusätzlich zu dem in der Heiligen Schrift Gebotenen und Aufgezeichneten oder sie weiterbildend unter den Augen der Kirche im Laufe der Jahrhunderte entwickelt und von ihr sanktioniert worden waren, ganz allgemein auch die gesamte für unfehlbar erklärte Lehrüberlieferung der Kirche, sofern sie sich nicht in der biblischen, durch die Apostel und ihre unmittelbaren Nachfolger bezeugten Offenbarung gründeten, mithin dem protestantischen Prinzip „sola scriptura" zuwiderliefen [5]. Ob der Gebrauch des deutschen Wortes Tradition — unbeschadet der auf das Erbe der antiken Philosophen sich berufenden patristischen und scholastischen Überlieferung — seit dem beginnenden 16. Jahrhundert auf den theologischen Bereich beschränkt war, wissen wir nicht. Die Belege des Grimmschen Wörterbuches lassen keine Schlüsse zu. Jedenfalls erfolgte der Bruch der protestantischen Reformatoren mit der „falschen" Tradition, die die katholische Lehre zu verantworten hatte, mit dem Ziel, die „reine" Tradition zu behaupten bzw. wiederherzustellen, aber nicht etwa im historisierenden Rückgriff auf das Urchristentum, sondern theologisch im Hinblick auf das lange verdunkelte, jetzt aber neu ans Licht gebrachte „Evangelium" als einzig gültige Richtschnur.

Die zweite, weithin profane, in ihren Konsequenzen sehr viel weiterreichende Rezeption erfolgte seit der Mitte des 18. Jahrhunderts im Anschluß an das französische „tradition" oder daraus entlehnt durch die Aufklärung. Für sie war Tradition ein Vorurteil, eine illegitime Autorität, deren immerhin mögliche Wahrheit allein von der Glaubwürdigkeit abhing, die ihr vom Richterstuhl der Vernunft zugebilligt wurde. Nicht Überlieferung, weder die auf die Heilige Schrift sich berufende noch alle andere historische Kunde, sondern die Vernunft allein stellte die letzte Quelle aller Autorität dar [6]. Wenn die Aufklärung an die Möglichkeit glaubte, an die Stelle von Aberglauben und Vorurteilen absolutes Wissen setzen zu können, so war die Überwindung des jenseits aller Rationalität liegenden, nur mythisch Überlieferten durch Gründe der Vernunft

5 Für die außerordentlich komplexen Wandlungen, die der Begriff Tradition in der katholischen Theologie seit der frühen christlichen Kirche bis in die heutige dogmatische Diskussion erfahren hat, vgl. Religion in Geschichte u. Gegenwart ²VI (1962) Sp. 966 ff. Das Problem ist für die hier verfolgte Fragestellung unergiebig. Immerhin muß erwähnt werden, daß *J. Piper,* von dem die neueren philosophischen Bemühungen um Klärung von Tradition ausgehen, nur „heilige Tradition" als verpflichtend anerkennt (Über den Begriff der Tradition. In: Arbeitsgemeinschaft für Forschung des Landes Nordrhein-Westfalen, Geisteswissenschaften, Heft 72 [1958]; Tradition in der sich wandelnden Welt. In: Tradition als Herausforderung. Aufsätze u. Reden [1963] S. 11 ff.; Überlieferung. Begriff u. Anspruch [1970]).

6 *H. G. Gadamer:* Wahrheit und Methode (1960) S. 257.

die Voraussetzung dafür. Auch der Romantik ging es um Aufhellung der Überlieferung, aber in umgekehrter Richtung. Sie stellte die aufklärerische Wertung um und verschaffte dem Alten als Altem Geltung. Die frühen, von rationalem Bewußtsein noch nicht zersetzten Zeiten, in denen bisher nur geheimnisvolles Dunkel gewaltet hatte, gewannen neuen Zauber, sogar Vorrang an Wahrheit. Aus dieser Umwertung der Romantik ist die historische Wissenschaft des 19. Jahrhunderts entstanden. Was die Romantik ursprünglich nur ahnte, verwandelte die Wissenschaft Schritt für Schritt in abständige historische Erkenntnis, indem sie vergangenen Zeiten ihren eigenen Wert zusprach. Eben darin aber übernahm die Romantik das Erbe der Aufklärung, den Willen, den Geist von aller dogmatischen Befangenheit zu befreien und zur objektiven Erkenntnis der Welt vorzustoßen. Für die Kontinuität des Sinnes von Überlieferung ist festzuhalten, daß Aufklärung und Romantik der gleiche Bruch zugrundeliegt. Der Historismus hat denn auch das Seine dazu getan, Tradition mehr und mehr in gesichertes Wissen zu verwandeln, Tradition um ihrer selbst willen also zu reduzieren.

3.

Tradition hat ihren Ort im sozialen und kulturellen Aufeinanderangewiesensein von Menschen. Unser naives, unwillkürliches, alltägliches Verhalten und Handeln folgt in seinen Motivationen weithin Sitte, Brauch, Gewohnheit und vollzieht sich ohne aktuellen Appell an Willen und Bewußtsein in Bahnen, die „mit der Zeit", also von Traditionen, eingeschliffen worden sind. Selbstverständliches Handeln nach überkommenen, „in Fleisch und Blut übergegangenen" Mustern ruht in sich selbst. Es ist unentbehrlich zur Entlastung von der Vielzahl der Ansprüche, denen jeder ständig ausgesetzt ist, und die Voraussetzung dafür, daß wir Neuem, Entscheidung Forderndem mit der gebotenen Wachheit uns stellen, rational verhalten und in Freiheit entscheiden.

Solche Selbstverständlichkeit ist das Ergebnis von Lehren und Lernen. Jeder Mensch, er mag auf seine individuelle Freiheit und Spontaneität sich noch so viel zugute halten, lebt, weil er ein soziales Wesen ist, auch von den Erfahrungen, Kenntnissen, Einsichten, Fähigkeiten derer, die vor ihm waren, Errungenschaften also, die von einer Generation der folgenden weitergegeben werden. Solche zeitliche Abfolge schafft in der Gemeinsamkeit der Sprache Kultur, soziale Einbindung und Solidarität. Generation ist wie Jugend und Alter weder eine klar umgrenzte Lebensphase noch eine homogene Gruppe. Für moderne Gesellschaften wird man stets im Auge behalten müssen, daß jede einzelne Schicht sich mannigfach unterteilt nach sozialer Herkunft, materiellem Besitz, politischer Überzeugung und geistiger Beweglichkeit, daß die Grenzen fließend sind und daß immer ein gewisses Maß von Abstraktion vorausgesetzt werden muß, wenn von Generation, ihren Errungenschaften und Überlieferungen die Rede ist. Das ständige Aufeinanderangewiesensein und Zusammenwirken aller Altersschichten während der endlichen Spanne eines jeden Erdenlebens unter überschaubaren, wenn auch nicht gleichen Gegebenheiten ist vorgefundene Wirklichkeit. Was dabei an geistigen, ethischen und moralischen Mustern insgesamt und schichtenspezifisch überliefert wird, sind gewiß nicht nur hohe, unvergängliche Werte. Sie liegen beim Individuum immer im Gemenge mit Willen und Trägheit, Versagen und Verzagtheit, Unterlassungen, Fehlern und Schuld des einzelnen und seiner zugehörigen Gruppe, auch wenn sie erst in der Folge sich als solche erweisen. Welche Generation vererbte nicht zugleich Gutes und Böses? Wenn jede Gemeinschaft von Menschen für sich das Recht beansprucht, die Nachwachsenden in ihre eigenen Erfahrungen einzuführen, so haben umgekehrt die Nachwachsenden Anspruch darauf, übend in solche Zusammenhänge eingewiesen zu werden und sich in ihnen bewegen zu lernen. Solchen auf Partnerschaft angelegten Prozeß zwischen den Generationen nennen wir Erziehung. Ihre Formen mögen auf unterschiedlichen Kulturstufen von der Befolgung feststehender Rituale bis zur liebevollen Weckung individueller Selbständigkeit reichen: Erziehung hat es immer, ob institutionalisiert oder nicht, auch mit der Schaffung von Traditionen zu tun. Den Lehrenden geht es dabei, von immerhin möglichen Mißbräuchen einmal abgesehen, um Einstehen für ihre eigene Vergangenheit, und zwar nicht unter der Frage „Was war?“ oder „Was kommt danach?“, sondern „Was bleibt?“

Die Frage kann in einer pluralistischen Gesellschaft, die Mühe hat, einen Kern ihrer letztlich gültigen Werte zu definieren, inhaltlich nicht allgemein verbindlich beantwortet werden. Eine solche Gesellschaft muß das in ihr Erziehungssystem eingegangene Angebot an Tradition nach eigenem Verständnis entwerfen. Sie kann es nur tun, wenn sie nach den Wurzeln ihres Daseins fragt. Das Angebot ist daher immer umstritten, und in solchen Auseinandersetzungen zwischen Gebenden und Nehmenden, im Normalfall zwischen Alten und Jungen, spiegeln sich quer durch die Altersschichten die religiösen, wirtschaftlichen, sozialen und politischen Gruppierungen, die das Gemeinwesen ausmachen. Aus der Ausweglosigkeit, für alle Glieder des Sozialkörpers verbindliche Normen nicht mehr setzen zu können, hilft nur die Berufung auf ihre seit langem schon anerkannte Geltung im eigenen Kulturzusammenhang oder die dezidierte Setzung bestimmter Werte (z. B. Gewaltlosigkeit, Toleranz, individuelle Freiheit usw.) zu gültigen, in beiden Fällen also durch Rückgriff auf die Tradition. In jeder geübten und anerkannten Tradition ist reale und geistige Macht wirksam, die von Menschen Besitz ergreift. Teilhabe an Tradition entscheidet über die Zugehörigkeit zu einem vielseitig verfaßten sozialen Gefüge, das jedes Ausscheren schwer macht, in früheren Epochen, wie z. B. bei der Ketzerverfolgung, die Abgewichenen und Andersgläubigen zur Rückkehr zwang oder mit Feuer und Schwert vernichtete. Der einzelne, verloren und nichtig in der Weite der Welt, bedarf, um zu existieren, einer Behausung, die ihn schützt vor den Unberechenbarkeiten seiner selbst und seiner Nächsten wie vor den in der Welt wirkenden Mächten. Tradition widerfährt dem einzelnen so, daß er, indem er sich in sie einfügt, sich ihr überläßt und sich in ihr verwirklicht, Anteil an solcher „Macht" gewinnt. Tradition drängt darum auch zum deklarierten Gesetz. In Verfassungen und rechtlichen Ordnungen wird es zur obersten, für alle gültigen Richtschnur erhoben. Erziehung ist dabei immer pragmatische Erziehung innerhalb eines gegebenen interdependenten labilen Gefüges auf Grund gegebener Traditionen als einer Art Quersumme.

Wir wissen erst heute, wie entscheidend auf unserer Kulturstufe für jeden Menschen die ersten Lebensjahre sind, ob er in der Phase ausschließlicher Hilflosigkeit und Abhängigkeit die fraglose Nestwärme und Zuwendung erfährt, die seine Sozialisation und spätere Stabilität als Person begründen. In dem Maße, wie seine soziale Integration fortschreitet, fällt den Älteren, in der Regel Elternhaus und Schule, sich steigernd die Aufgabe zu, mit ihrem erprobten und bewährten Wissen, ihrem Glauben, ihren Hoffnungen und Vorurteilen, u. U. auch ihren Irrtümern die Nachkommenden vertraut zu machen. Die sogenannte antiautoritäre, auf Übermittlung von Traditionen grundsätzlich verzichtende Erziehung schafft, wie die Erfahrung zeigt, nur unangepaßte verlorene einzelne; sie waren mitsamt ihren natürlichen Aggressionen nie Forderungen ausgesetzt, auch nicht den selbstverständlichsten, die sozialer Umgang gebietet; sie haben es daher in der Folge unendlich schwer, sich in die bestehende Gesellschaft einzureihen. Beim Prozeß des Lernens redet man heute ziemlich formal von „Informationen", die vermittelt bzw. zur Kenntnis genommen werden. Als wenn es sich um das bloße Auffüllen eines Vakuums oder eines Rückstandes handelte, der nur im Unterschied der Jahre seine Ursache hätte! Von erlernbaren Kenntnissen und Fähigkeiten abgesehen, geht es im Grunde darum, einen vornehmlich geistigen Besitzstand so in junge Menschen einzupflanzen, daß er ein Teil ihres Selbst, sie selbst Teil der sie umgebenden und vor ihren Augen sich ständig weitenden Gemeinschaft werden.

Wie verhalten sich in der Partnerschaft der aufeinander folgenden Generationen die Jüngeren zur Tradition? Die Phase des erzieherischen Prozesses, der in der Tradition gleichsam „nach Plan" übermittelt und eingeübt wird, ist von jeher kritisch gewesen. Hier hat es Differenzen immer gegeben. Gegen Überfülle wie Mangel an Tradition, die im einen Fall zu träger Lähmung der Kräfte, im andern zu gefährlich überspanntem Selbstvertrauen, Sektiererei oder Utopismus führen kann, haben die Jüngeren aus ihrem Bedürfnis, sowohl Dankbarkeit zu bezeugen als auch zu prüfen, zu zweifeln, zu fragen und eigene Überzeugungen auszusprechen, noch allemal verstanden, sich einen Raum zu schaffen, wo all das möglich war, und dabei nicht selten bei den an Jahren Älteren gleichgesinnte Bundesgenossen gefunden. Die generelle Rollenerwartung der Älteren hat Alexander Rüstow, als wenn er spätere gegenläufige Entwicklungen vorausgeahnt hätte, sehr eindeutig formuliert: „Auf Autorität, auf Achtung, Vertrauen und

Ehrfurcht beruht das soziale Gefälle der Kulturtradition von Generation zu Generation durch die Jahrtausende hindurch, und wer diese Gefühle untergräbt, der erschüttert, auch ohne es zu wissen und zu wollen, die letzte Grundlage aller menschlichen Kultur [7]." Nach 20 Jahren ist die Richtigkeit des Diktums längst nicht mehr so selbstverständlich. Die genannten Tugenden — Rüstow nennt sie „Gefühle" — mögen, weil erworben und gegeben, in halkyonischen Zeiten selbstverständliche Voraussetzungen im Umgang der Jüngeren mit den Älteren gewesen sein. Wenn sie aber gefordert werden müssen, so ist das ein sicheres Zeichen dafür, daß sie nicht mehr vorhanden sind, und keine Forderung allein ist imstande, sie zurückzubringen.

Seitdem, so scheint es, hat sich das Verhältnis der Generationen zueinander von Grund aus geändert. Was seit der Protestbewegung der Jugend in den 60er Jahren zwischen ihnen sich ereignet, ist entschiedener und bewußter Gegensatz, der in einen Grabenkrieg ausgemündet ist. Generation ist keine Altersstufe mehr, sondern ein Werturteil geworden. Das Schlagwort „Traue keinem Dreißigjährigen!", selbst wenn es im Übermut gefallen sein sollte, ist für die neue Gesinnung bezeichnend. Auch jenseits der deutschen Grenzen hat sich, ausgehend von Schulen und Universitäten, eine Emanzipationspathologie herausgebildet, die sich zu einer krankhaften Allergie gegen alle Autorität auszuwachsen droht durch die Gleichsetzung von Autorität und Macht. Eine militante, aktivistische, doktrinäre Agitation vornehmlich unter der Jugend ist auf das Ziel gerichtet, wenn nötig mit Gewalt alle andere Macht durch die Macht der eigenen Sekte zu ersetzen und, wie auch immer ideologisch begründet, den bestehenden Staat und die bestehende Gesellschaft von Grund auf zu verändern. Ist die Zahl der Tonangebenden vergleichsweise auch nicht groß, so doch groß genug, um die öffentliche Stimme, mit der die junge Generation spricht, zu beherrschen und in der schweigenden Mehrheit einen Sog auf Konformität hin auszulösen, die das gesellschaftliche Gefüge in Frage stellt. Schwere menschliche Konflikte werden damit bis in die einzelnen Familien und gerade die traditionsbewußten hineingetragen. Hier geht es im Kern um harte radikale Verweigerung von Tradition in jedem Betracht. Sie ist zur „sozialen Restposition" einer angeblich bereits überwundenen bürgerlich-kapitalistischen Welt abqualifiziert. Normgebend für den Sozialkörper und seine Wertvorstellungen soll allein die abstrakte Rationalität sein. Was sich aber als Aufbau ohne traditionelle Restbestände ausgibt, erweist sich schon im Ansatz als Täuschung: die neue Gesellschaft und ihre Vorkämpfer stehen in der Nachfolge eigener „Kirchenväter", also doch auch in bestimmten Traditionen. Verändern, nicht bewahren, verändern um jeden Preis heißt die Losung. Schulen und Universitäten, wo Erfahrung und Autorität lange am höchsten im Kurse standen, die daher auch historisierender Erstarrung am

7 Studium generale 4 (1951) S. 309.

meisten ausgesetzt waren, sind im Gerangel mit Altem und Überliefertem die bevorzugten Pflanzstätten für Utopien geworden.

Langfristiges Denken ist nicht gerade die Stärke der Jugend. Bei ihr wechseln die „Generationen“ und Bewußtseinslagen schnell. Ob der Widerstand der etablierten Verhältnisse das Pendel des radikalen Protestes nicht bereits wieder hat zurückschwingen lassen, ist im Augenblick noch nicht zu entscheiden. Die Gewaltaktionen werden seltener, die Zahl der Mitläufer nimmt ab, die schweigende Mehrheit beginnt sich zu artikulieren. Nachdem der Durchbruch nicht gelungen ist, hoffen die einen, auf dem „langen Marsch durch die Institutionen“ mit subversiver Taktik und Konfliktspädagogik die Systemveränderung doch noch weiterzutreiben; andere sind, enttäuscht und resignierend, auf der Suche nach Beruf und Stellung, die sie ernähren, als Opportunisten in längst aufgegebene Laufbahnen wieder eingeschwenkt; die kleinste Gruppe, heimatlos geworden und aller Realität entsagend, ist zu einer unabsehbaren Wanderung nach einem Utopia aufgebrochen, wo Lebensformen nur noch individuell gültig sind und auf alle Solidarität verzichten.

4.

Brauchen wir also noch Tradition? Wer sie nur als Antwort auf Herausforderungen ausgibt, kann nicht übersehen, daß sie in ihren vorherrschenden Formen offenbar weder überzeugend genug war, den latent gewordenen Konflikt zu verhindern, noch stark genug, ihn zu überwinden. Im Gegensatz zu den Älteren haben die Jungen Unfreiheit, Rechtswillkür und Gewalt, mit denen sie ihren Aufstand rechtfertigen, nie am eigenen Leibe erfahren, dagegen Freiheit, Rechtsgültigkeit und Institutionen, die den inneren Frieden sichern, bereits geschenkt bekommen. Um so gespenstischer ist der Utopismus, der Recht und Gewaltlosigkeit für Erfindungen bürgerlicher Machthaber zur Sicherung ihrer Herrschaft ausgibt. Sind die geläufigen Traditionen gesellschaftlichen Verhaltens, die mit all diesen Revolutionären theoretisch und praktisch eingeübt worden sind, an sich so brüchig oder so wenig wirkungsvoll? Zuzugeben ist, daß sie kein Optimum darstellen und ständiger Korrektur und Verbesserung bedürfen. Es könnte aber auch sein, daß von den Älteren nicht genügend bedacht worden ist, daß diese junge Generation sehr wohl sich moralisch engagieren, aber in einem ihr nur tradierten System keinen vorprogrammierten Platz einnehmen will, ohne ihn kritisch hinterfragt und befriedigende Auskunft erhalten zu haben. Es könnte sein, daß sich in dieser Empörung die Erbitterung über eine voraufgehende Generation entlädt, die im Zeichen des Fortschritts eine Welt voller Widersprüche und Ungereimtheit am Rande unabsehbarer Gefährdungen geschaffen hat, eine Welt, die sich denen, die in ihr leben müssen, unaufhaltsam entfremdet und in der niemand eine Autorität weiß, die sie wieder ins Lot bringen könnte. Ihr Vorrat an selbstverständlich überlieferten Werten könnte so zusammengeschrumpft, nichtssagend und unglaubwürdig geworden sein, weil zu viele Väter dieser Jungen nur noch halbherzig zum äußeren Schein an Überkommenem festhalten, es in Wirklichkeit aber längst stillschweigend als nicht mehr relevant, dem Fortschritt angeblich im Wege stehend beiseite geschoben haben und nun im Rausch des Erfolges, bis zur Erschöpfung sich abplagend, nur sinnlos nach immer neuen, immer größeren Massen erworbener, besessener und verbrauchter Güter jagen. Lohnt es sich, ein solches Erbe zu übernehmen und zu bewahren?

Auch für den konkreten Anlaß gilt indessen das Wort des polnischen Philosophen Kolakowski: „Hätten nicht die neuen Generationen unaufhörlich gegen die ererbte Tradition revoltiert, würden wir noch heute in Höhlen leben; ... wenn die Revolte gegen die ererbte Tradition einmal universell würde, werden wir uns wieder in den Höhlen befinden [8].“ Tradition kann nicht bedeuten, unbeweglich am status quo festzuhalten. Sie ist keine rückwärts gewandte politische Romantik, keine sehnsuchtsvolle Beschwörung dahingegangener, angeblich sinnerfüllter Zeiten für Altgewordene. Noch viel weniger ist sie Flucht aus einer unbewältigten Gegenwart und aus Resignation restaurative Anpassung an Vergangenes. Wir würden das Traditionalismus nennen. Er pflegt sich voller Selbstbewußtsein immer dann einzustellen, wenn Tradition routiniert, sinnentleert und zur bloßen Hülse geworden ist, um sie dennoch unkritisch, wenn auch bewußt zu übernehmen. Dazu gehören dann auch all die Anhängsel konventioneller Rituale, Formalitäten und Institutionen, aus denen der Geist, der sie einmal geschaffen hat, längst entwichen ist. Es ist zwar ein intellektuelles Vorurteil, als bedürfe Tradition keiner sichtbaren Zeichen, der Feste, Fahnen, Lieder, Aufmärsche, Orden usw., in denen schlichte Gemüter ihre Zugehörigkeit zur Gemeinschaft wie etwas Selbstverständliches erkennen und ihre Traditionen dokumentieren. Wir sind an solchen sinnerfüllten Symbolen arm geworden und können andere Völker fast ein wenig beneiden, die Schweizer, Österreicher und Amerikaner, die bei jeder sich bietenden Gelegenheit, auch im privatesten Bezirk, „Flagge zeigen“. Solches Verhalten scheint freilich immer ambivalent. Es kann eine sehr solide, die Stabilität der Gesellschaft garantierende Pflege von Tradition bei einfachen Leuten sein, die, gar zu gern übersehen, am Flug kritischer Gedanken keinen Anteil haben und doch ein untrügliches Gespür für Echtes und Falsches besitzen. Wer würde aber zu entscheiden wagen, ob hier nichts als museales, reaktionäres Epigonentum am Werk ist, das längst Abgestandenes und Überwundenes zurückgebliebenen Schichten anbietet, für die es noch halbwegs lebendig ist?

Mit der Tradition ergeht es dem sozialen Gefüge wie mit der ökologischen Krise der natürlichen Umwelt. Gezielte Eingriffe sind unvermeidbar, aber nur

8 *L. Kolakowski:* Der Anspruch auf die selbstverschuldete Unmündigkeit. In: Vom Sinn der Tradition, hg. v. L. Reinisch (1970) S. 1.

unter der Voraussetzung gestattet, daß der zum Leben notwendige Bestand nicht Schaden leidet. In beiden Bereichen geht es um die Gattung Mensch entweder als soziales oder an die natürlichen Reserven gebundenes Wesen. Sollen wir, um bloßem Konservativismus zu entgehen, auf neue Traditionen sinnen? Es gibt in der Tat so überwältigende Ereignisse, Einsichten und Erfahrungen, daß die Miterlebenden beschließen, an dieser Stelle von nun an eine neue Tradition zu begründen. Ob der Entschluß zur Tradition wird, entscheiden nicht die Stifter, sondern die Folgenden, wenn sie nämlich unter der fortwirkenden Faszination in Freiheit bereit sind, den Entschluß der Voraufgehenden für sie gültig in ihre Gegenwart hineinzunehmen. Das „in Freiheit bereit sein" ist entscheidend. Zeitgenossen der nationalsozialistischen Herrschaft sind skeptisch geworden gegen derartige spontane Entschlüsse; um realisiert zu werden, zogen sie oft genug moralischen Druck, physischen Zwang und äußere Macht nach sich und fielen in sich zusammen, sobald alles Machen aufhörte. Es gibt offenbar keine Gesetzmäßigkeit für das Gelingen neu gegründeter Traditionen. Die Franzosen feiern den Sturm auf die Bastille noch heute; bei uns Deutschen ist der Sedanstag längst zur Sage geworden. Beides hat seine Gründe. Auch beim 17. Juni, dem „Tag der deutschen Einheit", der unter unsern Augen gestiftet wurde, sind wir ohne Glück geblieben. Aus der einmaligen geschichtlichen Situation entstanden, als Berliner Arbeiter gegen russische Panzer aufstanden, bekundeten wir Zuschauer weit vom Schuß, von so viel Mut gepackt, in seltener Einmütigkeit über Klassen und Altersunterschiede hinweg durch die Stiftung des jährlich wiederkehrenden Gedenktages die Bereitschaft, dies Ereignis nicht zu vergessen, ja es Ansporn sein zu lassen in eine noch nicht erkennbare Zukunft hinein. Im Laufe der Jahre ist daraus eine Peinlichkeit geworden. Sicher nicht, weil wir das Ziel aufgegeben hätten, sondern weil die erstrebte Einheit durch den Gang der Ereignisse in so weite Ferne gerückt ist, daß der Erinnerungstag mit seinen notgedrungen nichts als schwachen Deklamationen sich von dem erinnerten Gehalt gelöst und zu einem willkommenen arbeitsfreien Tag mitten im Sommer geworden ist. Karl Dietrich Erdmann hat schon vor Jahren realistisch vorgeschlagen, jeden Bundesbürger mit dem Ertrag eines an die Stelle des Feiertages getretenen normalen Arbeitstages zu Gunsten eines großen nationalen Fonds zu verpflichten und aktiv an dieser Tradition zu beteiligen [9]; an der „Wahrung des sozialen Besitzstandes" ist er gescheitert.

Tradition kann nur wirken, wenn sie persönliches Engagement in der Konfrontation mit der zugrundeliegenden Überlieferung bedeutet. Wo geschichtliche Phänomene nur festgeschrieben, die zugrundeliegenden, das Tradieren erst begründenden Sinngehalte aber nicht beachtet werden, kann nur Halbherziges entstehen. Äußerliche Traditionspflege entreißt einzelne Ereignisse der gemeinsa-

9 *K. D. Erdmann:* 17. Juni 1965. Rede in der Feierstunde der Bundesregierung zum Tag der deutschen Einheit am 17. Juni 1965 im Deutschen Bundestag in Bonn (1965).

men Vergangenheit allenfalls in Jubiläumsfeierlichkeiten dem Vergessen. Daraus ist heute ein hektisches Aufspüren von Gedenkmöglichkeiten nach 25, 50, 100 Jahren und einem Vielfachen davon geworden, eine Manie, die zum lukrativen Geschäft nur für die Fremdenindustrie zu werden droht. Zwar wird auch bei solchen Anlässen immer noch das menschliche Bedürfnis nach Tradition angesprochen. Weil aber von dem Entfernten, nur noch Historischen, kaum noch Gekannten und Gewußten zu der Aufgabe, es sich hier und jetzt neu anzueignen, die Verbindungslinien weder ausgezogen noch in die Zukunft hinein verlängert werden, ist hier das Geschichtliche zum Konsumgut geworden, und die dazu gehörige Betriebsamkeit liefert dem Traditionsbewußtsein nur Steine statt Brot.

Wenn Tradition kein unverändertes, mechanisch weitergegebenes Gut ist, dann ist auch „weil es immer so war" keine ausreichende Rechtfertigung, sie zu bewahren. Traditionen können sich ändern, bis zur Unkenntlichkeit verfremden, veralten, untergehen, vergessen werden. Es geschieht immer da, wo ihre Wahrheit keinen Widerhall mehr findet, oder wo ihr Anspruch zu hoch und zu fremdartig geworden ist und wir es einfacher, bequemer, billiger haben möchten. Vergehendes oder gar Vergangenes um jeden Preis am Leben erhalten wollen, kann Einsatz auf verlorenem Posten, verlorene Liebesmühe sein. Je „sturer" solche Wiederbelebungsversuche sich gebärden, um so mehr kann Lebendiges verfehlt werden. Keine Zeit läßt es sich nehmen, „veraltete Zöpfe" abzuschneiden. Traditionen kann es ergehen wie ganzen Wortfeldern unserer Sprache, „die nicht mehr betreten werden können, weil sie vergangenen Denkweisen, gesellschaftlichen und politischen Voraussetzungen zugeordnet sind und weil ihr Besuch eine weite Reise verlangen würde, zu der niemand mehr recht Zeit hat —, sprachliche Bereiche des Veraltetseins, die den, der sich ungebrochen in ihnen bewegt, auffälliger machen, als wenn er sich einen Dreimaster oder Zylinderhut aufsetzte" [10].

Ob Gefährdung und Schwund von Tradition, die wir gegenwärtig beobachten, Auswirkungen der technologisch hoch entwickelten, politisch und gesellschaftlich äußerst komplizierten industriellen Gesellschaft von heute sind, ist ein viel diskutiertes Problem [11]. Das Defizit dieser Gesellschaft an historischem Bewußtsein ist offensichtlich, obwohl sie selbst eine der denkbar geschichtsträchtigsten ist. Sie bedarf dieser Dimension auch nicht, solange ihr oberstes Ziel die Befriedigung von materiellen Bedürfnissen durch Maximierung der Produktion und entsprechend angereizter, ständig wachsender Konsum erzeugter Güter ist. Ihre hohe Mobilität ist im Begriff, die überkommenen, an relativ festen Wertvorstellungen orientierten Sozialgruppen auf allen Ebenen aufzulösen. Ob solche

10 *R. Wittram:* Das Interesse an der Geschichte (1963) S. 69.

11 *E. Schulin:* Die Frage nach der Zukunft. In: Geschichte heute. Positionen, Tendenzen u. Probleme, hg. v. Gerhard Schulz (1973) S. 109 ff. und die dort angeführten Arbeiten.

Schwunderscheinungen nur einer bestimmten Situation entsprechen, die vorübergehen kann, ob der Notwendigkeit, Überkommenes zu bewahren, unter planerischem Gesichtspunkt sich eine ganz neue Chance eröffnen könnte, wenn auf Grund gesellschaftskritischer Einwirkungen die Prioritäten für den Einsatz des technologischen Potentials der industriellen Produktion einmal neu geordnet werden sollten [12], bleibe dahingestellt. Einstweilen ist diese Industriegesellschaft, um mit Theodor Schieder zu sprechen [13], „die uns aufgegebene Begegnungsform des einzelnen mit den überindividuellen Mächten".

Tradition hat von der Geschichte als Wissenschaft nur in sehr begrenztem Umfang eine Stütze zu erwarten. Von ihrem Ursprung aus der Aufklärung her ist sie stets der Feind herrschender Traditionen gewesen, nacheinander der religiösen, staatlichen, sozialen und neuerdings auch der nationalen Überlieferungen. Sie kritisch zu prüfen, in ihrer zeit- und situationsbedingten Relativität zu erkennen, durch Historisierung von ihren theoretischen Verfestigungen und pragmatischen Machtansprüchen zu befreien, war ihre Aufgabe von Anfang an und wird es wohl auch bleiben. Sie wird, wie die Erfahrung gelehrt hat, auf der Hut sein müssen, ihr Instrumentarium allzu einseitig im Dienst sie selbst leitender Wunschvorstellungen einzusetzen, so wenig sie auch darauf verzichten kann, auf ihre Weise der Gegenwart den Spiegel vorzuhalten, in dem sie sich als eine gewordene erkennt.

Wie das Salz zur Speise gehört Tradition zum Menschen. Sie ist eine der geschichtlichen Dimensionen seines Selbstverständnisses neben aller Geschichtswissenschaft. Über Tradition zu verfügen ist jedenfalls nicht allein Sache der kritischen Intelligenz. Tradition spricht immer noch bis zum schlichten Zeitgenossen herab, sofern er sich einer spezifischen Gemeinschaft zugehörig empfindet, die ganz naive, unreflektierte Gewißheit an, daß wir nicht allein von heute und gestern, sondern durch Tradition in die Tiefe der Zeit hineinreichen. Das Wort „tradere", das in Tradition steckt, deckt, wie wir sahen, auch den Sinn von „erinnern", einer Sache wieder inne werden. „Gedächtnis zu haben ist etwas Menschliches [14]." Sich erinnern bedeutet keinen statischen Vorgang, als wenn in unserm Bewußtsein, so oft wir uns erinnern, immer dasselbe auftauchte. Das Erinnerte kann sich in seiner ursprünglichen Gestalt verschieben, u. U. sogar die Akzente in bezug auf das zugrundeliegende Gemeinte verschieden setzen, je intensiver und anhaltender wir uns damit beschäftigen. Obwohl Erinnern in sich selbst auf erinnerndes Festhalten ausgerichtet ist, verwandelt sich Erinnerung notwendigerweise mit dem ganzen Vorstellungskreis derer, die sie pflegen. Erinnern als eine Weise des Tradierens ist also nicht einspurig nach rückwärts ge-

12 *W. J. Mommsen:* Die Geschichtswissenschaft in der modernen Industriegesellschaft. In: Vierteljahrshefte für Zeitgeschichte 22 (1974) S. 1 ff.

13 *Th. Schieder:* Geschichte als Wissenschaft. Eine Einführung (^{2}1968) S. 20.

14 *H. Heimpel:* Geschichte und Geschichtswissenschaft (1959) S. 14.

richtet, am Vergangenen ein für allemal haftendes Verhalten, konstatierende und wiederholte Anerkennung von etwas, was ohnehin schon immer einsichtig war, sondern ein aus dem Vergangenen sich nährendes, beim Tradieren auf Gegenwart und Zukunft gerichtetes schöpferisches und dynamisches Tun. In diesem Verständnis kann Tradition sogar über das ursprünglich Gegebene hinwegschreiten, Fortschritt bedeuten, solange nämlich das einmal von einem bestimmten Punkte her Gewordene, sei es Ereignis, Erfahrung oder Einsicht, als ein in die Gegenwart einmündender und Zukunft eröffnender Zusammenhang verstanden wird.

Wenn wir auf Tradition nicht verzichten können, so geschieht ihre Pflege gegenüber einer allzuschnellen, so gern im Programmieren sich erschöpfenden Intelligenz nicht allein im retardierenden Bewahren eines Bestandes allein, sondern auch durch die Bereitschaft, Tradition mit Liebe und gebotener Vorsicht kritisch zu prüfen, u. U. zu verwerfen, vor allem aber darin, sie uns selbst formend und gestaltend anzueignen. Gewiß ein schweres Geschäft! In der Konfrontation mit den Zerstörern der Tradition werden wir nur Glaubwürdigkeit gewinnen, wenn wir zwischen tradiertem und neu gewonnenem Wissen in einer schnell sich verändernden Welt mit auseinandertretenden Denk- und Erfahrungshorizonten der Generationen geduldig zu vermitteln versuchen. Das ist keine von der Gesellschaft zu leistende, wohl aber eine sehr individuelle Verpflichtung. Darum gilt auch immer noch Friedrich Hölderlins mit unvergleichlicher Genauigkeit ausgesprochener Imperativ:

„Alles prüfe der Mensch, sagen die Himmlischen,
Daß er, kräftig genährt, danken für alles lern,
Und verstehe die Freiheit,
Aufzubrechen, wohin er will.“

2.

Was heißt das: „bloß zeigen, wie es eigentlich gewesen?“ [1]

Es gehört zu den Besonderheiten der Geschichtsschreibung Leopold Rankes, daß viele seiner Arbeiten, namentlich die aus seinen späten Jahren, von Sentenzen durchsetzt sind. Wir kennen Vergleichbares aus den Werken unserer klassischen Dichter. In solchen Sätzen mit dem Anspruch auf allgemeine Gültigkeit pflegte Ranke bestimmte Einsichten oder Maximen über menschliches Handeln und Denken, über Gott und Welt, Leistung und Versagen von Staaten, Völkern und Persönlichkeiten, auch über Grundfragen historischen Erkennens auszusprechen, die Summe gleichsam der vorausgegangenen Darstellung oder, etwa am Anfang eines neuen Abschnitts, die Thematik des im Folgenden konkret Ausgeführten. Noch zu Rankes Lebzeiten hat es, von ihm allerdings keines Blickes gewürdigt, literarische Sammlungen gegeben, die, meist von Bewunderern verfaßt, solche Aussprüche aus dem Kontext lösten und in erbaulicher Absicht in „Blütenlesen“ zusammenstellten. Daß es sich dabei um ein grobes Mißverständnis handelt, als habe der Historiker solche Aphorismen mit seiner Darstellung nur umkleidet, als könne man solche Umhüllungen einfach abstreifen, um dann um so schneller zum Kern, den isolierten Weisheiten vorzustoßen: das bleibe hier unerörtert. Keinem andern Historiker des 19. Jahrhunderts ist Ähnliches widerfahren. Das berühmte Wort, er — Ranke — wolle „bloß zeigen, wie es eigentlich gewesen“,

1 Vortrag auf Einladung der Philosophischen Fakultät II der Universität Augsburg im Februar 1978. Aus der Fülle der Ranke-Literatur nenne ich nur die Arbeiten, denen ich hier in besonderer Weise verpflichtet bin: *Th. Schieder:* Das historische Weltbild Leopold von Rankes. In: Gesch. i. Wiss. u. Unterricht 1 (1950); *G. Berg:* Leopold von Ranke als akademischer Lehrer. Studien zu seinen Vorlesungen und seinem Geschichtsdenken = Schriftenreihe d. Hist. Kommission b. d. Bayer. Akademie d. Wissenschaften 4 (1968); *R. Koselleck:* Artikel „Geschichte, Historie“. In: Geschichtliche Grundbegriffe. Historisches Lexikon zur politisch-sozialen Sprache in Deutschland II (1975) S. 573—717; *ders.:* Standortbindung und Zeitlichkeit. Ein Beitrag zur historiographischen Erschließung der geschichtlichen Welt. In: Theorie der Geschichte. Beiträge zur Historik, Bd. 1: Objektivität und Parteilichkeit, hg. v. R. Koselleck, W. J. Mommsen u. J. Rüsen (1977) S. 17—46; *R. Vierhaus:* Rankes Begriff der historischen Objektivität, ebd. S. 63—76.

gehört zu den wenigen solcher Formulierungen, die sogar in den allgemeinen Sprachschatz, zum mindesten den der Geschichtswissenschaft eingegangen sind. An diesem Satz messen sich seit mehr als 100 Jahren die Aussagen über ihre Aufgabe und ihr Selbstverständnis, auch dann, wenn Kritik und Widerspruch sich melden.

Zieht man bei der Prüfung von Sinn und Gültigkeit dieses Wortes die äußeren Umstände in Betracht, unter denen es entstanden ist, so könnte man auf den Gedanken kommen, Ranke habe es nur leichthin gesagt und ihm keine besondere Bedeutung beigemessen. Es steht in der Vorrede des ersten Buches, das Ranke hat erscheinen lassen, den „Geschichten der romanischen und germanischen Völker". Bei keinem seiner Werke sind wir über die Entstehungsgeschichte, namentlich über den dramatischen Abschluß, in dem das Wort formuliert wurde, so eingehend unterrichtet wie bei diesem. Anfang Februar 1824 legte Ranke dem Verleger Georg Reimer den ersten Teil seines Manuskripts vor, damit, wie es notwendig war, zunächst die Zensur es prüfe. Als es nach zwei Monaten, wie zu erwarten, unbeanstandet zurückkam, wurde sofort mit dem Druck begonnen, ohne den Autor davon zu unterrichten. Seitdem saß der Setzer dem überrumpelten Ranke im Nacken. Der ursprünglich ins Auge gefaßte Zielpunkt des Werkes, das Jahr 1535, war noch längst nicht erreicht. Mit dem vorzeitigen Abbruch beim Jahr 1513 konnte sich Ranke noch am ehesten befreunden, weil er längst den Schuldienst als Fron empfand und mit seinem Buch für die wissenschaftliche Arbeit sich Raum zu schaffen hoffte. Aber auch an der verkürzten Darstellung war im Grunde noch viel zu tun. Während mit den Korrekturbogen die bisher geleistete Arbeit noch einmal an ihm vorbeizog, schrieb Ranke dem Bruder Heinrich: „Im Ganzen genügt sie mir selber, wie Du mir glauben wirst, bei weitem nicht, doch tröstet mich, daß sie im Einzelnen von einigen trefflichen Menschen, merkwürdigen Lagen und Zuständen und ohne Zweifel von Begebenheiten handelt, die für uns alle bis auf diesen Tag sehr wichtig sind und die bis jetzt noch in keinem Buch, weder einem gleichzeitigen noch einem spätern in dieser Wahrhaftigkeit erzählt worden. Aber die Darstellung ist sehr mangelhaft, zuweilen ermüdend und hat keineswegs die Natur und Fülle, die ich ihr zu geben dachte" [2]. Für stilistische Feinarbeit reichte jetzt die Zeit nicht mehr. Erst Anfang Oktober 1824 wurden Vorreden und Einleitung unter erheblichem Zeitdruck abgeschlossen [3]; zur gleichen Zeit schrieb Ranke eine lange programmatische Schulrede nieder [4]. Kaum war sie gehalten, wurden Vorwort und Einlei-

2 Brw. S. 64 (8. 10. 1824).

3 Brw. S. 66 (8. 10. 1824).

4 „Über die Wechselwirkung zwischen Staat, Publikum, Lehrern und Schülern in Beziehung auf ein Gymnasium. Am 7. Oktober 1824". In: WuN III (*L. v. Ranke:* Frühe Schriften. Unter Mitarb. v. G. Berg u. V. Dotterweich hg. v. *W. P. Fuchs*, 1973) S. 609 ff.

tung des Buches noch einmal in den Druckfahnen gründlich überarbeitet [5]. Im November lag das Ganze fertig vor. Ranke hatte, manchmal an sich selbst verzweifelnd, alles auf eine Karte gesetzt — und er gewann. Das Buch trug ihm schon nach wenigen Monaten die Professur für Geschichte an der Universität Berlin ein, ein Amt, das er 60 Jahre lang innehatte. Vergegenwärtigt man sich die als drückend empfundene Enge des Schuldaseins, das reichliche Stundendeputat in den Fächern Geschichte, Deutsch und Latein — die schriftlichen Vorbereitungen liegen uns z. T. noch vor [6] — die Schwierigkeiten der Literaturbeschaffung, die Hast, mit der er abschloß, so ist die Vermutung nicht ganz abwegig, daß dem Wort aus den einleitenden Bemerkungen, auf das wir unsere Aufmerksamkeit richten, vielleicht nicht das Gewicht zukommt, das wir ihm beizulegen pflegen.

Ein Weiteres kommt hinzu. Ranke hat die Darstellung seines Erstlingswerkes nie wieder aufgegriffen. Als er sich nach Jahrzehnten mit der „deutschen Geschichte im Zeitalter der Reformation" erneut der gleichen historischen Landschaft zuwandte, geschah es mit inzwischen gereifter Erfahrung, viel verfeinerteren Methoden und auf einer völlig veränderten Quellengrundlage. Die „Geschichten der romanischen und germanischen Völker" werden in der Reformationsgeschichte mit keinem Wort erwähnt. Erst nach genau einem halben Jahrhundert nahm er während eines Sommeraufenthaltes in seiner thüringischen Heimat, fern von Büchern und Manuskripten, seinen Erstling wieder zur Hand. Wiederum besorgte er, „daß die ursprüngliche Form der Darstellung und des Ausdrucks, die an mancherlei Dunkelheiten, aus dem Altertum herübergenommenen Konstruktionsweisen und anderen Mängeln leidet, das Buch verhindern würde, Eingang zu finden" [7]. Aber er war eitel genug, auf das „schriftstellerische Jubiläum" nicht zu verzichten, und fügte die weit zurückliegende Schrift seinen „gesammelten Werken" ein. In einem neuen Vorwort begründete er eingehend, warum er inhaltlich nichts geändert habe, obwohl das Werk nicht mehr dem gegenwärtigen Forschungsstand entsprach. Nur mit leichter Hand brachte er Korrekturen an. An zahlreichen Stellen strich er den „Finger Gottes", den der junge Ranke einst an entscheidenden Wendepunkten seiner Darstellung zu erkennen meinte. Natürlich haben sich bei der Überarbeitung Nuancen und Valeurs der ersten Fassung gelegentlich verschoben. Auch der Satz, von dem wir handeln, wurde betroffen. Ursprünglich lautete er: der Verfasser wolle „nur sagen, wie es eigentlich gewesen"; seit 1874 heißt es an der gleichen Stelle, er wolle „bloß zeigen, wie es eigentlich gewesen". Welche Gründe Ranke zu dieser Änderung bewogen haben, darüber liegen, da von allen seinen Büchern die Manuskripte und Korrekturfahnen nicht mehr existieren, von seiner Hand

5 Brw. S. 67 (13. 11. 1824).
6 Vgl. WuN III Nr. 15—17, S. 498—578.
7 SW 33/34 (^{3}1885) S. X.

keine Aufschlüsse vor. Man kann sie nur ahnen. Vielleicht darf man annehmen, daß der Altgewordene das ursprüngliche „nur sagen" als um einen Grad zu keck, zu apodiktisch empfand, so, als verfüge er, wenn auch im Verborgenen und Unausgesprochenen, über einen Sinn seiner „Geschichten", von dem er seinen Lesern nur einen Teil enthüllen wollte, während er nach 50 Jahren, reifer, vorsichtiger, auch zurückhaltender geworden, bloß auf etwas hinweisen wollte, was sich ihm in der Rückschau auf die eigene Lebensgeschichte in noch größerer Klarheit darstellte: „Das Buch enthält eine Art von Vorbereitung zu den meisten späteren Werken des Autors" [8]. Solche Vermutungen vermögen indessen den Unterschied zwischen „nur sagen" und „bloß zeigen" kaum zu erhellen, wie es auch keine Stilistik der deutschen Sprache geben dürfte, die imstande wäre, die Schattierung auszuleuchten.

Für unsere Betrachtung ist nun aber zweierlei wichtig: 1. Das „bloß zeigen, wie es eigentlich gewesen", die Fassung letzter Hand, ist offenbar keine zufällige so und nicht anders gefaßte Formulierung. Indem Ranke die Substanz des in jungen Jahren geprägten Satzes stehen ließ bzw. wiederholte, bekannte er sich nach vielfältigen Erfahrungen mit seinen eigenen inzwischen bearbeiteten Themen und erst recht im Gegensatz zu der von Jahr zu Jahr steigenden Produktion seiner aus anderen Motiven forschenden und schreibenden Kollegen dazu. Die Wiederholung läßt den Schluß zu, daß er zu Beginn seines Schaffens in der Tat in programmatischer Absicht zu erklären wünschte, in welcher Weise er sich von anderen Historikern unterschied. 2. Zur Erhellung des zwar einfachen und klaren, aber auch hintersinnigen Satzes sind wir legitimiert, sein gesamtes Schaffen heranzuziehen und es darauf zu befragen, was es über die Aufgabe des Geschichtsschreibers nach seinem Verständnis aussagt.

Die Frage wäre leicht zu beantworten, wenn Ranke, wie es Georg Gottfried Gervinus und Johann Gustav Droysen getan haben, eine Systematik seiner historischen Erkenntnis, eine „Historik" geschrieben hätte. Das ist zwar in einem reduzierten Umfang geschehen, uns aber nicht überliefert. Damit hat es folgende Bewandtnis. Die Medisance der Berliner Salons, in denen Ranke zu Beginn seiner Lehrtätigkeit verkehrte und wo er nicht immer eine glückliche Rolle spielte, hängte ihm schon früh an, daß er im Streit der Koterien nicht eindeutig genug Partei ergreife. Von Hegel wird erzählt, er habe von dem jüngeren Kollegen nicht viel gehalten: „Das ist nur ein gewöhnlicher Historiker" [9]; „nein, mit dem Ranke ist es nichts" [10]. Als gegen Ende der dreijährigen Italienreise Rankes Freund Heinrich Ritter, ein Schüler Schleiermachers, ihm von abwertenden Redereien in der Berliner Gesellschaft berichtete, reagierter Ranke heftig: „Man

8 Ebd.

9 *Th. Wiedemann:* Sechzehn Jahre in der Werkstatt Leopold v. Rankes. In: Dt. Revue 18/IV (1893) S. 258.

10 *Anonymus.* In: Hallische Jahrbücher Bd. 4, S. 108 (6. 5. 1841).

gibt mir Mangel an philosophischem oder religiösem Ernste Schuld. Man hat nicht Unrecht, insofern man unter Ernst das Ergreifen irgend einer bereits im System ausgesprochenen und hervorgetretenen Meinung versteht. Daß es mir aber an philosophischem und religiösem Interesse fehle, ist lächerlich zu hören, da es just dies ist, und zwar ganz allein, was mich zur Historie getrieben hat. ... Übrigens weiß ich, daß man in Berlin noch ganz andere Dinge von mir sagt" [11]. Wie um ein Exempel zu statuieren, kündigte er, nach Berlin zurückgekehrt, zum Sommersemester 1831 als erste Vorlesung fünfstündig an: „Neuere Geschichte seit dem Anfang des 16. Jahrhunderts mit Vorausschickung einiger öffentlichen Vorlesungen über die Idee und das Studium der allgemeinen Geschichte". Im folgenden Wintersemester tat er ein Übriges mit einer Spezialvorlesung „Über das Studium der Geschichte", öffentlich, einstündig. Es kann kein Zweifel bestehen, daß er seine Widersacher eines Besseren belehren wollte, darunter auch Hegel, den er eingehend studiert hatte, obwohl beide jahrelang einander aus dem Wege gegangen waren. Den Philosophen erreichte er nicht mehr: im November 1831, während eben Ranke seine öffentliche Vorlesung hielt, fiel Hegel einer Cholera-Epidemie zum Opfer. Wir würden viel darum geben, besäßen wir diese beiden, wahrscheinlich untereinander verwandten Vorlesungen im Wortlaut oder wenigstens in der Nachschrift eines Hörers. Nur ein Bruchstück ist auf uns gekommen [12]. Ranke hat diese Vorlesung nie wiederholt. Seiner Arbeitsweise entsprechend schnitt er aus seinem Manuskript einzelne Abschnitte oder Sätze heraus und klebte sie in andere Zusammenhänge ein, wo er sie gerade verwerten wollte. Oft hat er sie auch umgeschrieben, neu formuliert, gekürzt oder ergänzt, weil er es nicht schätzte, sich beim mündlichen Vortrag zu wiederholen. So müssen wir uns denn mit dem begnügen, was er als zunächst nicht verwertbar achtlos beiseite legte oder namentlich in den Einleitungen zu seinen Vorlesungen, so weit sie noch vorhanden sind, neu ansprach. Zwar hat er sich zu Grundfragen seiner Wissenschaft immer wieder, auch in Briefen, aphoristisch ausgesprochen, so daß über vieles kein Zweifel möglich ist. Nur einen systematischen Aufriß seiner theoretischen Anschauungen, aus dem dezidierte Antworten auf gezielte Fragen sich abrufen ließen, besitzen wir nicht.

Ranke war kein Philosoph im Sinne des systematischen, folgerichtigen Denkers, sondern ein ungewöhnlich tätiger Historiker von ungeheurer Breite. Daraus erklärt sich z. T. das Unpräzise, Schwebende, Mehrdeutige seiner allgemeinen Aussagen. Sie bedürfen des Vergleichs mit Parallelen und mit Verwandtem in seinem Werk. Einer seiner besten Kenner unter den jüngeren Historikern, Leonard Krieger, hat jüngst mit der Frage nach Rankes Verständnis vom „Sinn der Geschichte", da die theoretischen Fragmente allein keine befriedigende Ant-

11 Brw. S. 216 (6. 8. 1830).

12 WuN IV (Vorlesungseinleitungen, hg. v. *V. Dotterweich* u. *W. P. Fuchs*, 1975) Nr. 5.

wort geben, das ganze Opus auf seine Thematik hin durchgerechnet [13] und kommt, ohne andere Prämissen zu setzen als die in Ranke selbst liegenden, zu dem Ergebnis, daß man in diesem in mehr als 60 Bänden ausgebreiteten Lebenswerk nur Stufen, allerdings untereinander verbundene Stufen der Erkenntnis vom Sinn der Geschichte freilegen kann. Reine Philosophen tun sich schwer, Ranke zum Sprechen zu bringen; wir Historiker sind in der Hauptsache auf uns selbst verwiesen, wenn wir ihn auf die Grundlagen seines Denkens und Tuns befragen.

Was soll es also bedeuten, „bloß zu zeigen, wie es eigentlich gewesen"? Der Zusammenhang, in dem dieser Halbsatz steht, lautet vollständig: „Man hat der Historie das Amt, die Vergangenheit zu richten, die Mitwelt zum Nutzen zukünftiger Jahre zu belehren, beigemessen: so hoher Ämter unterwindet sich gegenwärtiger Versuch nicht: er will bloß zeigen, wie es eigentlich gewesen."

Zunächst fällt auf, daß Rankes methodologischer Ansatz aus der Polemik entwickelt wird. Geschichte zu treiben, um zu richten oder zu belehren, wie es die Aufklärung mit Vorliebe getan hat, damit hatte Ranke nichts zu tun. Es ist Ironie, wenn er von „hohen Ämtern" der Historie spricht. Sein Bemühen, zu zeigen, wie es in der Geschichte zugegangen ist, nennt er einen „Versuch", d. h. das Ergebnis fällt einem nicht in den Schoß; man muß sich darum bemühen; der Erfolg ist nicht sicher; der Versuch kann Stückwerk bleiben; und selbst wenn er befriedigt, so ist er im Grunde doch ergänzungswürdig, verhält sich also zu anderen Versuchen offen. Das „eigentlich" hat Interpreten gelegentlich Verlegenheit bereitet, als sei hier von einer Geschichte die Rede, die erst durch die geschichtlichen Ereignisse oder Zustände hindurch, sozusagen hinter ihnen als etwas Zugrundeliegendes, nicht unmittelbar Gegebenes, als „eigentliche" Geschichte zu entdecken sei. Davon kann keine Rede sein. Eine solche verborgene Geschichte gab es für Ranke nicht. Was in der Geschichte geschieht, geschieht in ihren Abläufen oder Zuständen selbst. Es galt ihm die „Entwicklung der Einheit und des Fortgangs der Begebenheiten" nächst der „strengen Darstellung der Tatsachen" als die wesentliche Aufgabe, die vom Geschichtsschreiber erfüllt werden müsse, wenn er über „Menschheit, wie sie ist, erklärlich oder unerklärlich", über das „Leben des Einzelnen, der Geschlechter, der Völker" handelte [14]. „Wie es eigentlich gewesen", bedeutet zunächst nichts anderes als eine Umschreibung: Wer Geschichte schreibt, soll sagen, wie es wirklich, tatsächlich, wahrhaft zugegangen ist, ohne daß er selbst Erdichtetes, Erwünschtes oder aus vorgefaßten Prämissen Abgeleitetes hinzutut.

Damit ist nichts anderes gesagt, als was seit alters her vom Geschichtsschreiber gefordert wird. Um von Poeten, Märchenerzählern, Fabulierern, Geschichten-

13 *L. Krieger*, Ranke. The Meaning of History (Chicago-London 1977).
14 SW 33/34 S. VII.

erfindern unterschieden zu werden, forderte die Methodenlehre für die Geschichte seit der Antike, daß der Historiker nicht lügen, nicht absichtsvoll entstellen, nichts zurechtbiegen, sich nichts ausdenken dürfe, sondern die volle Wahrheit und nichts als die Wahrheit berichten solle. Das geschieht, wie schon bei Cicero zu lesen [15], unter Absehen von der eigenen Person, ihrem Eifer und ihren Leidenschaften, sine ira et studio, also unparteiisch oder über den Parteien stehend. Besonders nachdrücklich hat das im 2. nachchristlichen Jahrhundert Lukian ausgesprochen, den Ranke nachweislich in Frankfurt/Oder studierte, als er an seinem ersten Buch schrieb. In der kleinen lukianischen Abhandlung „Wie man Geschichte schreiben soll" stehen Sätze wie diese: „In keiner Weise entstellt, verblaßt oder verzerrt" solle das Bild sein, das der Geschichtsschreiber — einem Spiegel gleich — zurückwerfen müsse. Er muß in seinem Werk ein Fremdling sein, vaterlandslos, auf sich allein gestellt und keinem Herrscher untertan. Nur so kann er sich an die Wahrheit halten und vorbehaltslos berichten, was sich zugetragen hat. Mag in solchen Anweisungen hier und da als zusätzliche Motivation ein Stück Polemik gegen Widersacher und Konkurrenten auf dem Markt stecken: solche Forderungen sind bis tief ins 18. Jahrhundert immer wieder erhoben worden. „Die nackte Wahrheit zu sagen; das ist: die Begebenheiten, die sich zugetragen haben, ohne alle Schminke zu erzählen", forderte Gottsched vom Geschichtsschreiber. Er kommt damit der Formulierung des jungen Ranke nahe, der 1824 in der seiner Erstlingsschrift beigegebenen Untersuchung „Zur Kritik neuerer Geschichtsschreiber" sich auf die „nackte Wahrheit ohne allen Schmuck" berief, um mit diesem „Begriff von Geschichte" die „falschen Erzählungen Guicciardinis" zu demaskieren. Barthold Georg Niebuhr, dem Ranke in seiner Werdezeit viel verdankte, wollte nichts anderes als die Wahrheit suchen „ohne alle Partei und Polemik". Und selbst der aus ganz anderem Holz geschnitzte, unmittelbar mit seiner Geschichtsschreibung absichtsvoll politisch wirkende Gervinus, dem Ranke aus der Distanz des Andersseins einen höchst aufschlußreichen Nekrolog gewidmet hat, ging davon aus, daß Glaube, Obrigkeit und Vaterland dem Geschichtsschreiber den Sinn nicht verwirren dürften, wenn er „unbefangen und unparteiisch" schreiben wollte. Dabei ist allerdings zu bedenken, daß in allen diesen Fällen „parteiisch" und „unparteiisch" weniger von „politischen Parteien", sondern von dem Denken in konfessionellen Gegensätzen abzuleiten ist, die seit der Reformation bis tief in die Aufklärung hinein die Geschichtsschreibung bestimmten. Erst im Zusammenhang mit dem Liberalismus nach der Revolution von 1848, mit der Forderung oder Ablehnung von Rechten des Volkes beim Regierungsgeschäft hat sich der Begriff „Partei" auf die politischen Gruppierungen verengt.

15 Die Belege — auch für das Folgende — bei *Koselleck,* Artikel „Geschichte", S. 643 ff., und Standortbindung und Zeitlichkeit, S. 19 ff.

Wie weit Ranke bereit war, von seiner Person und damit von aller Voreingenommenheit abzusehen, hat er in der „Englischen Geschichte" ausgesprochen: „Ich wünschte, mein Selbst gleichsam auszulöschen und nur die Dinge reden, die mächtigen Kräfte erscheinen zu lassen" [16]. Wem ein solcher Satz allzu pathetisch in den Ohren klingt oder sich an Askese, Hingabe an die Transzendenz erinnert fühlt, unterliegt einem Mißverständnis. Ranke meinte die Zurücknahme seiner Person vielmehr als Zeichen äußerster Bescheidenheit, weil er im forschenden Prozeß geradezu überwältigt war von dem großen geschichtlichen Geschehen, dessen konsequenten, in sich notwendigen und für die europäische Geschichte folgenschweren Ablauf er erkannt und verstanden zu haben meinte. In Parenthese: Man sollte auf das Adverb „gleichsam" in der Wendung achten. Denn: „Alles hängt zusammen: kritisches Studium der Quellen, unparteiische Auffassung, objektive Darstellung — das Ziel ist die Vergegenwärtigung der vollen Wahrheit." Sich selbst korrigierend und für die praktische Arbeit einschränkend fährt Ranke fort: „Ich stelle da ein Ideal auf, von dem man mir sagen wird, es sei nicht zu realisieren. So verhält es sich nun einmal: die Idee ist unermeßlich, die Leistung ihrer Natur nach beschränkt. Glücklich, wenn man den richtigen Weg einschlug und zu einem Resultat gelangte, das vor der weiteren Forschung und der Kritik bestehen kann" [17].

Hier haben wir nun in der Tat die Voraussetzungen für die „Vergegenwärtigung der vollen Wahrheit" als dem Ziel aller Geschichtsschreibung beieinander: kritisches Studium der Quellen, unparteiische Auffassung, objektive Darstellung. Ich gehe sie in Kürze nacheinander durch.

Zunächst: kritisches Studium der Quellen. Die Rede vom „bloß zeigen, wie es eigentlich gewesen", scheint wie auch die zitierten Forderungen an den Geschichtsschreiber von Lukian bis Gervinus, wenn sie die ungeschmälerte nackte Wahrheit in der Darstellung fordern, von einem naiven Realismus zu zeugen, als stünde historische Wahrheit dem Menschen direkt, unvermittelt, auf geradem Wege erreichbar zur Verfügung. Das ist nicht der Fall. Ranke wußte natürlich, daß es zum Wesen der geschichtlichen Wirklichkeit gehört, daß vergangenes Geschehen durch keinerlei Anstrengung oder Manipulation adäquat, geschweige denn gar kongruent reproduziert werden kann, noch daß es auch nur in Teilen menschlichem Zugriff unmittelbar offen steht. „Was eigentlich gewesen", kann nur zutage treten, wenn die Summe des Überlieferten geprüft, und zwar kritisch geprüft wird. Hier handelt es sich als erste Voraussetzung um die Anwendung des wissenschaftlichen Handwerkszeuges, das zwar ebenfalls, statt ein für allemal bereitzuliegen, vom Historiker von Fall zu Fall erst geschaffen werden muß, bevor er es gebraucht. Ranke hat am eigenen Leibe erfahren, ein wie wei-

16 SW 15 S. 101.
17 Englische Geschichte, SW 21 S. 114.

tes Feld das ist. Als er sich in den „Geschichten der romanischen und germanischen Völker" an die zeitgenössischen und die im Anschluß an sie entstandenen bloß erzählenden Quellen hielt, fand er schnell heraus, da er kritisch las, wo sie trotz mancher Differenzierungen im einzelnen auf gemeinsame Wurzeln zurückgingen, wo einer vom andern abschrieb, wo sie ihrer Phantasie freien Lauf ließen usw. In der Untersuchung „Zur Kritik neuerer Geschichtsschreiber" hat er mit stupendem Scharfsinn die Verstöße gegen die Spielregeln ernst zu nehmender Geschichtsschreibung aufgespießt und zugleich gezeigt, wie mühsam es zuweilen ist, zu einer begründeten Wahrscheinlichkeit oder annäherungsweise richtigen Aussage über geschichtliche Tatsachen zu gelangen, die konstituierend für den geschichtlichen Ablauf sind, den er schildern wollte. Rankes nächster Schritt war die Entdeckung der venezianischen Relationen, entweder Berichte, die die Gesandten der Republik Venedig laufend nach Hause sandten, oder Staatsschriften, die sie nach Ablauf ihrer Mission in feierlicher Sitzung dem Senat vorzutragen hatten. Das waren immerhin Quellen von Augen- und Ohrenzeugen. Sie kannten die behandelten Personen und Ereignisse aus nächster Nähe, sie hatten sie erlebt und sprachen nicht allein von Herrschern und Staatsmännern, sondern auch von Staaten und Völkern, ihren Institutionen, Gewohnheiten, Lebensumständen, Hilfsmitteln, Möglichkeiten und Mängeln. Für den Historiker, der erst nach Jahrhunderten mit gespannter Aufmerksamkeit diese Noten durchging, galt das Gleiche wie für die zuhörenden Senatoren: die kritische Sonde anzulegen, alle die menschlichen Vorzüge und Schwächen der Vortragenden richtig einzuschätzen, die Rhetoriker und Panegyriker von den ihre eigenen Leistungen über Gebühr Preisenden, von den ihr Scheitern geflissentlich Kaschierenden zu scheiden und durch Vergleich mit anderen Informationen u. U. auch bei den weniger Glaubhaften noch ein Körnchen Wahrheit sicherzustellen. Seit der Reformationsgeschichte griff Ranke auf die im geschichtlichen Prozeß selbst angefallenen Akten zurück. Auch sie waren im konkreten Fall einseitig, in jedem Blatt auf einen bestimmten Punkt im Ablauf eines umfassenden Geschehens fixiert, beredt oder verschwiegen, vielfach unvollständig und der Ergänzung bedürftig, dazu zumeist bei staatlichen Behörden entstanden und auf staatliches Wohl und Wehe ausgerichtet. Aber gerade sie lehrten Ranke, was schon Fichte und Schlegel empfohlen hatten, „die Begebenheiten nur in großen Massen aufzufassen und zu beschreiben, weil sich in ihnen ... die göttliche Idee von der Welt am klärsten ausspricht" [18]. Der hier sich auftuende Reichtum an Quellen versetzte Ranke zeitweilig geradezu in Euphorie. „Ich sehe die Zeit kommen", heißt es in der Einleitung der Reformationsgeschichte, „wo wir die neuere Geschichte ... aus ... den ächtesten unmittelbaren Urkunden aufbauen werden" [19]. 1867 gestand

18 WuN I („Tagebücher", hg. v. *W. P. Fuchs,* 1964) Nr. 242.

19 Deutsche Geschichte im Zeitalter der Reformation. Ausgabe d. Deutschen Akademie, hg. v. *P. Joachimsen,* Bd. I (1925) Vorrede S. 6.

er seinen Zuhörern: „Die Zeit, die ich vor dreißig Jahren ankündigte, ist wirklich gekommen. Man schreibt die neuere Geschichte nicht mehr nach der Tradition, . . . sondern aus den unmittelbaren Denkmalen“ [20].

Nur eine Einschränkung machte Ranke: Er forderte schriftlich fixierte Quellen. Schriftlose Kulturen wie die gesamte Vorgeschichte rechnete er nicht zur historischen Disziplin. Als die erste Versammlung deutscher Germanisten 1846 in Frankfurt/M. neben den schriftlichen auch die monumentalen Quellen der Vergangenheit zu sammeln und aufzubereiten empfahl, lehnte Ranke ab. Den schriftlosen Teil der Altertumskunde schloß er selbst für seine „Weltgeschichte“ aus. Ebenso wenig hat er die romantische Suche nach den Ursprüngen der Nationen mitgemacht. Das „könnte nur hypothetisch und mit Mitteln geschehen, welche selbst eigentlich nicht als historisch gelten können“ [21]. Damit bleibt er hinter der Forschung der eigenen Zeit zurück. Hier war und blieb er Philologe. Sollen wir solchen Vorbehalt allein als bedauerliche Marotte abqualifizieren? Machen wir uns lieber klar: Gemeint ist doch, daß unter dem Gesichtspunkt höchst möglicher historischer Wahrheitsfindung Ranke ebenso wie Niebuhr der Philologie allein ein genügend hohes Maß von Sicherheit des Erforschbaren zubilligte, um eine neue Stufe der Historiographie zu begründen [22]. Das bleibt ein respektabler Vorbehalt auch dann, wenn wir ihn nicht mehr anerkennen können. Durch die beherrschende Stellung in der deutschen Geschichtswissenschaft ist Rankes Berliner historisches Seminar zur Pflanzstätte und zum Motor der historisch-kritischen Methode geworden, jenes nie kodifizierten, mit jeder neuen Forschungsaufgabe, jeder neuen Quellengattung bis ins Unendliche fortzuschreibenden Kanons, auf den kein Jünger der Historie je einen Eid hat leisten müssen und der trotzdem als seine wissenschaftliche Moral gültig ist und bleibt. Ranke hat ihn nicht erfunden, er fand ihn vor. Nur wurde diese Methode noch längst nicht bei allen Historikern als Richtschnur ihres Forschens anerkannt. Erst seit Ranke und seiner Schule, die sich schon zu seinen Lebzeiten bis weit in die angelsächsischen Länder erstreckte und der deutschen Geschichtswissenschaft einen beachtlichen Vorsprung verschaffte, zählt die historisch-kritische Methode der Quellenbehandlung zum unverzichtbaren Handwerkszeug des Historikers. Der Pluralismus der Methoden, die Skala der Urteilswerte mag so breit sein, wie sie will: Hier ist der gemeinsame Boden für alles Bemühen um Geschichte, sofern sie Wissenschaft ist.

Was heißt in diesem Zusammenhang „unparteiische“ Aussage? Was Ranke betrifft, so hat er mit unterschiedlichen Worten, in der Sache aber stets gleich-

20 WuN IV S. 415; vgl. *Berg*, S. 191 Anm. 70.

21 *Berg*, S. 185 (Ranke-Nachlaß in der Staatsbibliothek Berlin Preuß. Kulturbesitz [abgekürzt: N] 32 C Bogen 6/7).

22 Ebd. S. 192.

bleibend damit das „Heraushalten momentaner Leidenschaften und Interessen“ aus dem historischen Erkenntnisprozeß gemeint, eine Haltung, die für zeitlich ferner liegende Erscheinungen leichter zu realisieren ist als für solche, die in die Gegenwart hineinreichen. Der Historiker soll sich von den „einseitigen Auffassungen, die sich in jeder Nation, in jeder Zeit durch die Rückwirkung der politischen Tendenzen auf dieselben mit Notwendigkeit bilden, nicht fesseln und bestimmen lassen“ [23]. Darüber kann es nach seiner Überzeugung keine Meinungsverschiedenheiten geben, „daß die Historie sich von den Tendenzen des Augenblicks frei zu halten und den Inhalt ihrer Epoche rücksichtslos und objektiv ans Licht zu bringen hat“ [24]. Anfang der 40er Jahre erklärte er in der Vorlesung: „Aus der beängstigenden Atmosphäre, die mit den Dünsten geschwängert ist, welche dem Boden entsteigen, müssen wir uns zu einer reinen Anschauung erheben. Bei aller Teilnahme an den menschlichen Dingen muß der Historiker doch die Kälte des Naturforschers haben, der die Dinge ruhig zergliedert, wägt und mißt und seine Resultate sich mit ungeirrtem Studium erarbeitet“ [25]. Hierher gehört, was wir über Richten und Belehren durch und mit Geschichte ausführten.

Bedeutet das, sich jedes Urteils enthalten? Ranke war bereit, so gut wie alles zu verstehen und dabei selbst die dunklen und schrecklichen Seiten in der Geschichte nicht zu überschlagen. Sogar das absolut Böse in der Welt, so ungern er es darstellend ausbreitete, besaß für ihn eine Funktion im sinnvollen Ablauf des Geschehens. Ranke war aber nicht bereit, es auch zu verzeihen. Richtig ist zwar, daß er mit seinen Urteilen, namentlich mit den negativen, höchst sparsam umging. In seiner Charakteristik Napoleons aus einer Vorlesungshandschrift der 30er Jahre heißt es: „Es ist in ihm Kühnheit: Größe der Gesichtspunkte, militärisches und politisches Genie: durchdringender Verstand, Umfassung; aber eine tiefe innere Unwahrheit; die sich bisweilen in kleinlicher Eitelkeit, die nie gefehlt haben will, in verschlagener Verführung, in verräterischem Betrug manifestiert. Ich setze eine Kraft der Intelligenz, des Willens, des Talentes, sie ist bis auf den höchsten Grad ausgebildet: in dem Besitz der Gewalt zeigt sie sich glänzend, weltbeherrschend; — aber die höhere moralische Kraft, Selbstbeherrschung, wirklich gefühlte, bewußte Religion, alles, was den Menschen zum Menschen macht, davon finde ich [in] ihm keine Spur“ [26].

Es ließen sich viele Beispiele anführen, die abgewogenes, differenzierteres Urteil bei Ranke bezeugen. Aber — so müssen wir Angehörige einer skeptischer gewordenen Generation fragen — was ist das für eine Werteskala, auf die seine Urteile sich beziehen, wenn sie schon nicht richten sollen? Kein Zweifel, sie stammt aus der Welt des deutschen Idealismus in protestantischer Färbung, in

23 Englische Geschichte, SW 21 S. 114.
24 Französische Geschichte, SW 12, S. 116.
25 *Berg*, S. 195 (N: 36 A Bogen 110).
26 Ebd. S. 197 (N: 35 A Bogen 100).

der Ranke aufgewachsen war und mit der er sich bis ins hohe Alter identifizierte, ohne je tiefgreifende Stürze und Umbrüche erlebt zu haben. Es ist eine Welt, die für uns heute bereits zur Geschichte geworden ist. Auf dieser Seite zu stehen, für die er gar nicht erst Partei ergreifen mußte, bedeutete für Ranke nicht Parteilichkeit, sondern Voraussetzung dafür, unparteiisch zu sein. Nur aus solcher geradezu nachtwandlerischen Sicherheit heraus ist es begreiflich, wenn er meinte, „wahre Geschichte" sei weit erhaben über „parteiisches Für und Wider, denn sie habe nur zu sehen, zu durchdringen, . . . um dann zu berichten, was sie erblickt" [27]. Mit anderen Worten: kritisch durchdrungene Tatsachen bedürfen keines parteiischen Engagements; sie sollen nur gesehen und gezeigt werden. Dies Zeigen, Sichtbarmachen, Vergegenwärtigen, Erscheinenlassen der Kräfte des historischen Prozesses, die immer wiederkehrende Rede vom Sehen und vom Bilde, das der Geschichtsschreiber sich machen und vermitteln müsse, verbleibt jenseits jeder bloßen Passivität oder gar jedes Ästhetizismus. Wenn, wie es für Ranke gilt, Geschichte als Gegenstand historischer Erkenntnis Objektcharakter hat, so kann das erkennende Subjekt sich ihr gegenüber in der Tat nur als Betrachter verhalten. Als Sehender kann er nichts wegschaffen, vor nichts die Augen verschließen, nichts hinzusehen. Er hat nur die Aufgabe, mit seinen sprachlichen Mitteln das Gesehene ohne Abstrich und Hinzufügung andern zu zeigen, sichtbar, anschaulich zu machen, damit sie wiederum in die Lage versetzt werden, in dem Dargestellten die zur Erscheinung kommende Wahrheit zu verstehen.

Dazu kommt allerdings etwas sehr Wesentliches. Gründliche Forschung allein kann objektive Wahrheit noch nicht gewährleisten. Die entscheidende Bedingung für ihre Möglichkeit liegt für Ranke in dem Glauben an Gottes Wirken in der Geschichte. Philosophisch gewendet lautet das: „Die Geschichte als Wissenschaft wäre nichts, wofern ihr nicht als reales Objekt eine Geschichte als Daseinsform zugrunde läge" [28]. Religiös formuliert heißt das: „Über allem schwebt die göttliche Ordnung der Dinge, welche zwar nicht gerade nachzuweisen, aber doch zu ahnen ist" [29]. Auf solchem Glauben beruhte das ernstlich nie bezweifelte unerschütterliche Vertrauen, daß die Geschichte nicht willkürlich verlaufe, daß in ihr vielmehr ein Sinn walte, ein Zweck sichtbar sei, der jedem Teilgeschehen Bedeutung, dem Gesamtgeschehen Richtung gebe, einen Sinn und eine Richtung freilich, die nur in der Geschichte selbst ahnend erkennbar werden. Ein endliches Ziel der Geschichte, ewige Glückseligkeit oder jüngstes Gericht, schien Ranke im geschichtlichen Ablauf weder erkennbar noch beweisbar. Die „göttliche Ordnung" — nur erahnbar, wie sie ist — verdeutlichte sich ihm in der „Aufeinanderfolge der Zeiten", einer Entwicklung im Sinne des Fortschreitens

27 Serbische Revolution, SW 43/44 S. XVI.
28 *L. v. Ranke:* Weltgeschichte, Bd. 1 (1881).
29 Brw. S. 18 f.

— nicht des spekulativen Fortschritts — in einer Richtung, die an jedem Punkt durch das Vorangegangene angebahnt, aber nicht völlig determiniert ist. Denn zu verschiedenen Zeiten, in unterschiedenen Räumen kommen verschiedene Ideale, verschiedene „Tendenzen" zur Entfaltung, die alle „Bewegungen des menschlichen Geistes" sind und in ihrer Gesamtheit die „Kulturwelt" auf dem Boden von Antike, Christentum und Germanentum ausmachen. Hier einen Fortschritt von Epoche zu Epoche, von Raum zu Raum anzunehmen, würde eine „Ungerechtigkeit der Gottheit sein". „Eine solche gleichsam mediatisierte Generation ... würde nur insofern etwas bedeuten, als sie die Stufe der nachfolgenden Generation ist und würde nicht in unmittelbarem Bezug zum Göttlichen stehen. Ich aber behaupte: Jede Epoche ist unmittelbar zu Gott, und ihr Wert beruht gar nicht auf dem, was aus ihr hervorgeht, sondern in ihrer Existenz selbst, in ihrem eigenen Selbst" [30].

Rankes Vorstellung von der objektiven Gegebenheit der Geschichte als Daseinsform wurde zweifellos dadurch erleichtert, daß er in seinen Hauptwerken, sehen wir von den Monographien ab, die großen komplexen Entwicklungen und Wirkungszusammenhänge Alteuropas deskriptiv forschend behandelte, wobei er in seinen Vorlesungen bis nach Persien, Indien und China, im Westen bis nach Nord- und Mittelamerika ausgriff. Es geschah auf wissenschaftlicher Weise, d. h. mit Hilfe der ihm zur Verfügung stehenden und weiter auszubauenden Methoden mit der Verpflichtung zur Wahrheit, in jedem Schritt fundiert, nachvollziehbar und sich der Überprüfung stellend, wobei er allerdings „Intuition", „Ahndung", „Talent" mit zu seinem Instrumentarium rechnete. Daß Geschichte sich nicht in Quellenzeugnissen erschöpft, hat er ebenso wenig bestritten wie die Tatsache, daß auch bei sorgfältigster Interpretation sich subjektive Meinungen und zeitgenössische Vorstellungen irritierend einschleichen können. Aber er wollte, daß solche Fehlerquellen nach Möglichkeit vermieden würden. Die hier liegende Gefährdung der Wahrheit hielt er für geringer als Erklärungen mit Hilfe theoretisch konzipierter philosophischer Konstruktionen und Modelle, die, davon war er überzeugt, durch die Tatsachen am Ende gesprengt werden.

Wenden wir abschließend unseren Blick noch einmal zurück zu dem kleinen Satz, von dem wir ausgingen und in dem, wie wir feststellen müssen, eine ganze Welt von Denken und Tun beschlossen ist, eine Welt, von der der allgemeine Sprachgebrauch sich nichts träumen läßt. Ist uns aber wohler zu Mute, seit wir den Umkreis ein wenig abgeschritten haben? Vermag uns Ranke eine Hilfe anzubieten für eigenes Denken und Tun auf unserm praktischen Felde als Historiker?

Wenn wir überdenken, was seit Ranke in unserer Wissenschaft sich zugetragen hat, so ist nicht verborgen, daß er am Anfang des langen Weges steht, der in den

30 WuN II (Über die Epochen der neueren Geschichte, hg. v. *Th. Schieder* u. *H. Berding*, 1971) S. 59 f.

Historismus mit all seinen Spielarten hineingeführt hat, eine Verstehenslehre, die, weil ausschließend kontemplativ und relativistisch, uns noch tief in den Knochen steckt. Bereits Rankes Zeitgenossen, selbst seine Schüler, sofern sie wie z.B. Heinrich von Sybel Geschichte in politischer Absicht schrieben [31], haben ihm zum Vorwurf gemacht, er verharre in konservativer Zuneigung zur preußischen Monarchie mit all ihren Schwächen, es mangle ihm an Anteilnahme an so großen Aufgaben der Zeit wie der Herbeiführung der deutschen Einheit. Von jener rauschhaften Begeisterung, die 1870/71 das deutsche Bürgertum erfaßte, ist bei Ranke nichts zu verspüren. J. G. Droysen schleuderte immer wieder seiner „eunuchenhaften Objektivität" sein „pectus facit historicum" entgegen. Rankes geistige Heimat waren die halkyonischen Jahre des Vormärz, und er ist in all den folgenden Jahrzehnten kaum darüber hinausgeschritten. Es hat heute fast wieder etwas Respektables, wie er an seiner eigenen Gegenwart vorbeilebte, nur von Ferne die industrielle Revolution mit ihrem sozialen, wirtschaftlichen, technischen Wandel, der unaufhaltsamen Demokratisierung und Vermassung des Lebens unter seinen Augen zur Kenntnis nahm. Solchen Herausforderungen und Invektiven hat er sich nicht einmal gestellt, ihnen höchstens sein ceterum censeo „zeigen, wie es eigentlich gewesen" als seine persönliche, ihm schicksalsmäßig zugewachsene, alle seine Kräfte in Anspruch nehmende Aufgabe entgegengehalten. In seiner zweiten Lebenshälfte, der Zeit seiner großen Arbeiten zur Entstehung der modernen europäischen Nationen, ist er in seiner Gegenwart ein Fremdling und ihr bereits selbst ein geschichtliches Phänomen. Ranke gehörte einer gesellschaftlichen Schicht an, für die die französische Revolution der gewaltige, alle Kontinuität sprengende Einschnitt bedeutete, insofern ein ganzes Zeitalter den grandiosen, aber nach seiner Überzeugung auch frevelhaften Versuch unternahm, alles Gewordene als nicht mehr verständlich und einsehbar mit viel Blut hinter sich zu werfen und die Welt mit den Mitteln der Vernunft von vorn zu beginnen. Zwar war der Versuch im ersten Anlauf mißlungen, aber der Bazillus steckte noch in allem und jedem und wartete auf die Gelegenheit, in zahllosen Spielarten virulent zu werden. Das war Rankes Gegenwelt. Nicht daß er blind gegen sie gewütet hätte. Namentlich vor seinen Zuhörern hat er sie, aus einem Meer von Quellen schöpfend, bis ins Einzelne gehend ausgebreitet und damit bis an sein Lebensende in zahllosen Gesinnungsgenossen den Glauben erhalten, daß die Gegenbewegung, wenn auch mehr unterschwellig, längst am Werk sei, daß also das unterbrochene Kontinuum sich überzeugend wiederherstellen werde. Daß aus diesem Grunde die Geschichte immer wieder umgeschrieben werden müsse, wußte er.

31 *V. Dotterweich:* Heinrich von Sybel. Geschichtswissenschaft in politischer Absicht (1817—1861) = Schriftenreihe d. Hist. Kommission b. d. Bayer. Akademie d. Wissenschaften 16 (1978).

Ob aber dieser Standort die erste oder gar einzige Motivation seines Denkens und Tuns war, wird man bezweifeln müssen. Uns erscheint heute solche Standortgebundenheit so groß, weil wir nicht mehr in Rankes Welt leben und nicht mehr wie er historisch forschen und darstellen können. Ratlos geworden, wo es mit uns hinaus will, ist uns die Historie eher zum Beweisstück für das Ausgeliefertsein des Menschen an undurchdringliche Dunkelheiten geworden. Trotzdem können wir uns dem Rankeschen Imperativ „zu zeigen, wie es eigentlich gewesen", nicht entziehen, so lange wir davon überzeugt sind, daß auch die moderne Industriegesellschaft um ihres Daseins und Überlebens willen der Historie bedarf und daß Historiker als die besonderen Hüter und Pfleger dieser Funktion bestellt sind. Es ist nicht zu leugnen, daß der Pluralismus der Gegenstände, Methoden, Voraussetzungen und Wertungen verwirrt und eher auf ein chaotisches Dilemma als auf ein Ordnung stiftendes Konzept gerichtet scheint. Das kann schwerlich anders sein. In der „zweiten Aufklärung" hat die Geschichtswissenschaft in der ganzen Welt sich aufgemacht, ihr seit langem bestehendes Defizit an Theoriebildung abzubauen und Ergebnisse ihres Nachdenkens an Modellen zu verifizieren. Mit Ranke werden wir fordern müssen, daß sie nicht durch Setzung der Mächtigen zum allein gültigen Glaubenssatz verfestigt werden, sondern für die begründeten und nachprüfbaren Argumente offen bleiben. Bisher sind die Anwendungen neuer Geschichtstheorien auf Teilphänomene des 19. und 20. Jahrhunderts beschränkt geblieben. „Ich meines geringen Ortes" (um mich einer Rankeschen Redewendung zu bedienen) neige zu der Auffassung, daß das Konkrete, die Leistung selbst der Ort ist, wo sich bewähren muß, was theoretisch gefordert wird. Von einem Zurück zu Ranke kann indessen keine Rede sein. Aber es kann uns wohl auch nicht schaden, wenn wir ihn, der ein Stück unserer eigenen Geschichte ist, trotz seiner Fremdheit, manchmal Ungereimtheit und Nichtnachvollziehbarkeit im Bewußtsein, u. a. auch seine Erben zu sein, in unserm Gepäck mit uns führen, wenn wir zu neuen Freiheiten aufbrechen.

3.

Der junge Ranke

Rankes Jugendgeschichte ist oft erzählt worden, in der Hauptsache nach den Zeugnissen, die er im Alter, als sein Leben ihm selbst zu einem Stück Geschichte geworden war, in den „Aufsätzen zur eigenen Lebensgeschichte“ [2] als Diktate hat aufzeichnen lassen, zum geringeren Teil nach den wenigen bekannt gewordenen Briefen aus den Jugendjahren. Man ist geneigt, auch seine Lebensgeschichte unter das Gesetz zu stellen, das Ranke als für alle Geschichtsschreibung geltend wiederholt formuliert hat: daß nämlich die Historie immer wieder umgeschrieben werden muß, daß jede Zeit sie sich zu eigen macht, ihre Gedanken auf sie überträgt und danach Lob und Tadel austeilt. „Das schleppt sich dann alles so fort“, notiert er in den 40er Jahren, „bis man die Sache selbst gar nicht mehr erkennt. Es kann dann nichts helfen als Rückkehr zu der ursprünglichsten Mitteilung“. Vorsichtig fügt er die Frage an: „Würde man sie aber ohne den Impuls der Gegenwart überhaupt studieren?“ [3]

Die Konturen des werdenden Gelehrten können heute dank eines viel größeren Reichtums an direkten und indirekten Quellen schärfer nachgezogen werden als noch vor Jahren. Je deutlicher aus Rankes nachgelassenen Manuskripten seine äußere und innere Biographie hervortritt, um so klarer wird auch, wieviel Zufall im Spiel ist, wenn sich diese oder jene Handschrift, diese oder jene schnell hingeworfene Notiz erhalten hat. Von manchem, was sich mit Sicherheit erschließen läßt, und von anderem, was mit Festigkeit als einmal vorhanden gewesen behauptet wird, findet sich keine Spur mehr. Trotz der nur schwer zu übersehenden Fülle gedruckter und ungedruckter Papiere zu Rankes Leben und

1 Überarbeitete Form eines Vortrags, der 1964 bei der Jahresversammlung der Hist. Kommission bei der Bayer. Akademie der Wissenschaften in München gehalten, in den folgenden Jahren an verschiedenen Stellen wiederholt und dem 3. Bande der Ranke-Edition „Aus Werk und Nachlaß“ (Frühe Schriften. Unter Mitarb. v. G. Berg u. V. Dotterweich hg. v. *W. P. Fuchs* [1973] = WuN III) einleitend vorangestellt wurde. Dort abgedruckte Dokumente, auf die der Vortrag ausdrücklich Bezug nimmt, werden im folgenden nachgewiesen. Ausführlichere Quellen- und Literaturbelege finden sich in den jeweiligen „Vorbemerkungen“ des Herausgebers zu den einzelnen Stücken.

2 SW 53/54 S. 1 ff.

3 WuN I Nr. 260.

Denken wird auch hier die Grenze jeder historischen Aussage deutlich, daß es nämlich nur annäherungsweise möglich ist, gelebte Wirklichkeit nachzuzeichnen und ihr gerecht zu werden. Das mahnt zu Vorsicht und Bescheidenheit.

Was Ranke über seine Bildungsjahre zwischen dem Studienbeginn in Leipzig 1814 und dem Ende seiner Wirksamkeit als Lehrer am Gymnasium in Frankfurt an der Oder 1824 im Alter zu Papier gebracht hat, erweist sich im Vergleich mit den erst jetzt bekannt gewordenen gleichzeitigen Aufzeichnungen in vielem — was begreiflich ist — als durch den Lauf der Jahre in der Erinnerung verschoben oder aber — absichtsvoll oder unbewußt — als stilisiert. Die vermehrten unmittelbaren Zeugnisse aus der Frühzeit Rankes sind nicht allein reichhaltiger als das, was wir bisher davon besaßen; wichtiger ist: sie reden z. T. auch eine veränderte Sprache.

1.

Über die ersten Stufen seiner Bildungswelt, das Elternhaus [4] in Wiehe an der Unstrut und die Klosterschulen Donndorf und Pforte haben vier Brüder Ranke ebenso anschaulich wie unterschiedlich voneinander berichtet. Die thüringisch-sächsische Heimat in der Goldenen Aue mutet um die Wende zum 19. Jahrhundert an wie eine beispielhafte kleinstädtische Idylle: fern von allem durchgehenden Verkehr, selbstgenügsam im wirtschaftlichen und geistigen Zuschnitt, ohne Aufheben davon zu machen selbstverständlich ständisch geordnet in adlige Grundherren, bürgerliche Honoratioren und kleine Ackerbürger, in den Familien patriarchalisch geführt, unberührt von den geistigen Bewegungen der Zeit, ohne literarische Kenntnisse und Ambitionen, in den Häusern Katechismus und Bibellektüre in einträchtigem Verein mit mancherlei Aberglauben wie mit einem milden, wenig aggressiven Rationalismus: eine kleine Welt ohne erkennbare Bewegung, beinahe zeitlos, nach außen symbolhaft abgeschirmt durch die Mauern der Stadt. Die Geborgenheit im engsten Kreis von Eltern und Geschwistern — er selbst spricht von einer unter ihnen geübten „Religion der Familie" — ist eine von Rankes menschlichen Grunderfahrungen geworden. Sie hat in dem Knaben — darin unterschied er sich wesentlich von seinen Brüdern — die Anlage zu in sich gekehrter Beschaulichkeit, zum Grübeln über Gott und Welt, zum Sich-Einrichten im gegebenen Rahmen eher bestärkt als Neugier nach dem Unbekannten, Abenteuerlust zum Erproben eigener Kräfte und Sehnsucht in die Ferne geweckt.

Aus der Wieher Ratsschule im Chor der Stadtkirche kommt der 12jährige in die Klosterschule Donndorf, nahe genug, um das elterliche Haus noch mit bloßem Auge auszumachen. Auch hier eine behütete, von Mauern umstellte, beauf-

4 *Ermentrude v. Ranke:* Rankes Elternhaus, hg. v. W. P. Fuchs. In: Arch. f. Kulturgesch. 48 (1966) S. 114 ff.

sichtigte Welt, fast aus allen gesellschaftlichen Verbindungen herausgehoben, den Bildungsinhalten von Antike, Christentum und heimatlicher Geschichte zugewandt. Aus dieser Zeit besitzen wir Rankes erste schriftliche Aufzeichnung: „Welchen Einfluß hat die Erkennung der Geschichte auf das Leben der Menschen"?, ein Aufsatzfragment.[5] Während Ranke im Alter aus dieser Zeit gefühlsstarke Religiosität und Umgang mit den antiken Helden bis in die Spiele der Knaben hinein hervorhebt, spiegelt dies Zeugnis überraschend viel aufklärerischen Geist: in der theoretischen Besinnung wird das Zweckhafte aller Beschäftigung mit der Geschichte mit Nachdruck betont. Wesenhaft selbständige Gedanken wird man indessen in dieser Niederschrift schwerlich suchen dürfen. Sie ist ein Kuriosum, vom Schreiber vielleicht nur als ein Beweis dafür aufgehoben, wie wenig prägende Kraft von dem ersten genossenen Geschichtsunterricht auf sein historisches Denken ausgegangen ist.

Seit 1809 führte Schulpforte, die berühmteste und größte der sächsischen Fürstenschulen, die in Donndorf begonnene Ausbildung weiter. Auch sie barg eine klösterliche, nach außen von Mauern umstellte Welt. Ihre Klausur mutwillig oder zur Unzeit zu überschreiten, wurde mit schwerem moralischem Verruf geahndet. Leopold Ranke ist das nicht einmal als Versuchung in den Sinn gekommen. Noch aus seinen späten Äußerungen ist herauszuhören, daß er dem Geist wie den Institutionen dieser Schule gegenüber eine spürbare Reserve besaß. Mit genießendem Schmunzeln — Humor hat Ranke nie besessen — standen noch im Alter die bejahrten unter seinen Lehrern als gravitätische Originale aus dem 18. Jahrhundert vor seinem Auge. Sie waren die höchsten Autoritäten seines Jugendlebens, ein wenig verstaubt zwar, für seine Brüder und Mitschüler bereits weniger glaubwürdig als für ihn selbst, aber wegen ihrer Gelehrsamkeit doch unbestritten in ihrem Ansehen. Dennoch verdankte Ranke dieser Schule Entscheidendes und ist sich dessen mit nie erkaltender Dankbarkeit bewußt gewesen: die gründliche Beherrschung der alten Sprachen und die Kunst des selbständigen Arbeitens. Die Aneignung der Antike, ihre noch ungebrochene Faszination, weniger durch den Unterricht als durch das in Pforte besonders begünstigte selbständige Studium vermittelt, nahm den Schüler so vollständig in Anspruch, daß er sich mit den Schattenseiten des Internatslebens, die auch ihm nicht verborgen blieben, zurecht fand. Rebellion gegen eine gegebene Autorität ist Ranke nie in den Sinn gekommen.

Das Weltgeschehen in Gestalt sächsischer, preußischer, französischer und russischer Soldaten, Einquartierungen und Verwundeten, Napoleon und seine Generale inmitten der Regimenter, die unter den Mauern von Schulpforte vorbei nach Rußland zogen, Kanonendonner und Schlachtenlärm, all das kam dieser abgeschlossenen Welt nahe genug. Wie einen andern Hieronymus im Gehäuse veranlaßten derartige Störungen den jungen Portenser, statt sein Herz auch nur

5 WuN III S. 50 f.

einen Augenblick lang schneller schlagen zu lassen, lediglich zu der matten, fast blasierten Beobachtung, daß die Kundmachungen der Alliierten, die für Heißblütigere den fremden Eroberer aus dem Lande trieben, die gleiche Stimmung atmeten, wie er sie eben bei seinen Studien in den Reden der Briten unter der Boudicca im „Agricola" des Tacitus gefunden hatte [6]. Hier wurde die Wirklichkeit noch weithin als Literatur erlebt, zwischen Feind und Freund kaum unterschieden. Daß die französische Revolution das Gefüge der Welt erschütterte, hatte nach 25 Jahren in Pforte noch keine Spuren hinterlassen. Allenfalls der große Einzelne, Napoleon, Inbegriff staatlicher Allmacht, machte einigen Eindruck. Ein Übriges tat der selbstverständliche lutherisch-obrigkeitliche Gehorsam im sächsischen Kleinstaat, es selbst im nationalen Befreiungskampf ohne Vorbehalt und Kritik hinzunehmen, wenn das eben erst zum Königreich aufgestiegene Sachsen bis zum bitteren Ende, der völligen Besetzung des Landes und der Gefangenschaft seines Königs, sich an der Seite des fremden Eroberers hielt. Zwar gab es unter den Mitschülern auch einige wenige, die sich als Lützower davonstahlen. Aber Rankes Bewußtsein wurde davon kaum berührt. Der gegebene kleine Raum vedeckte die großen Ereignisse, die darüber hinausragten. Rückblickend resümierte der alte Ranke: „Man sieht: so recht unmittelbar lebten wir doch nicht in der Zeit. ... Wir ließen die große Weltbegebenheit, unter deren Vollziehung die Erde erzitterte, sich vollenden, ohne daran teilzunehmen" [7].

Nur einen Menschen gab es unter den Lehrern, der Ranke das Tor zu einer andern Welt einen schmalen Spalt breit aufstieß: der noch jugendliche Kollaborator Karl Ferdinand Wieck. Er führte seinen lernbegierigen Schüler in die Welt der griechischen Tragödie, vor allem aber in Goethe ein. In welcher Breite Ranke ihn gelesen hat, bezeugen seine Notizen. Das späte Urteil: „So recht eigentlich konnte auch ich mich nicht in Goethe finden", wird der frühen Situation nicht gerecht. Es ist Weisheit des Alters, nicht Einsicht des Knaben, wenn Ranke im gleichen Zusammenhang erst 1863 vermerkt: „Aber schon genug, wenn man außer dem, was man in der Hauptsache zu fassen meint, noch etwas wahrnimmt, was jenseits steht und für die Zukunft übrig bleibt" [8]. Auf Wieck dürfte es zurückgehen, wenn Ranke, dem etwas von einem Musterschüler anhaftete, die Enge und Begrenztheit dieser Schulwelt doch nachhaltiger zu spüren begann, wenn er das Empfinden hatte, hier ausgelernt zu haben, und ein Jahr vor Abschluß des normalen Kurses zum Universitätsstudium drängte. Bereits in den selbständigen Ausarbeitungen, wie sie von den Schülern der oberen Klassen gefordert wurden, beschäftigte er sich mit der griechischen Tragödie, die ihn im letzten Schuljahr besonders gefesselt haben muß. Eine dieser Arbeiten über die „Handlung in der griechischen Tragödie" ist erhalten und

6 Agr. 15 f. Ranke gebraucht die Form Boadicea.
7 SW 53/54 S. 25 f.
8 Ebd. S. 23.

setzt sich mit der zuletzt von August Wilhelm Schlegel an Euripides geübten Kritik auseinander [9]. Hier liegen die Anfänge der starken ästhetischen Interessen Rankes, die ihn bis in die Jahre der italienischen Reise immer wieder beschäftigten. Sein letzter Tribut an Pforte war eine größere selbständige Arbeit „de tragoediae indole et natura“. Wir besitzen jetzt den Text [10], daneben umfangreiche Vorarbeiten [11], in denen der Achtzehnjährige, ohne sich allzusehr mit der antiken und zeitgenössischen Kritik einzulassen, ausgehend vom Wesen der Dichtung über Sinn und Entstehung der Tragödie nachsinnt. Dabei hat er neben den Dramen der Alten ebenso die der Neueren im Blick. Die Arbeit schließt mit einem überschwänglichen Hymnus auf die deutsche Klassik, ganz besonders auf Goethe. Noch der alte Ranke war stolz darauf, daß sich August Boeckh als junger Mann um die gleiche Zeit mit derselben Materie befaßt hatte [12]. Wie eilig es Ranke hatte, Schulpforte hinter sich zu bringen, bezeugen u. a. die fünf Gedichte, die er, wie es der Brauch verlangte, der Valediktionsarbeit anfügte [13]. Während sie traditionsgemäß in fünf Sprachen abgefaßt waren — „An Gott“: hebräisch; „An den König“: lateinisch; „Meinen Lehrern“: griechisch usw. — ließ er es in allen fünf Fällen bei der deutschen Sprache bewenden. In dem ersten dieser Gedichte findet sich zum erstenmal ein rankischer Ton, der Introitus zu einem ganzen Lebenswerk.

„Wie im Strahl auffassenden Glas
Der forschende Mann
Immer der Strahlent-
Senderin Sonne
Goldenes Bild gewahrt:
Also erscheint
Dem Forschenden mir
Dein Bild, Gott!
Steig ich herab
In mich,
Steig ich hervor
Aus mir,
Dich seh ich,
Im Kleinsten dich,
Dich im Größten“ [14].

9 „De actione in Graeca Tragoedia“, WuN III S. 53—65.

10 Ebd. S. 94—119.

11 Ebd. S. 68—94.

12 *A. Boeckh:* Graecae tragoediae principum, Aeschyli, Sophoclis, Euripidis, num ea quae supersunt et genuina omnia sint et forma primitiva servata, an eorum familiis aliquid debeat ex iis tribui (Heidelberg 1808).

13 WuN I Nr. 2—7.

14 Ebd. Nr. 2 S. 43.

2.

Der Studienbeginn in Leipzig Herbst 1814 bedeutete für Ranke den Eintritt in die Freiheit. Die Stadt von 35 000 Einwohnern hatte durch die Kriegsereignisse, vor allem durch die noch kein Jahr zurückliegende sogen. Völker-Schlacht schwer gelitten. Nach glaubhaften Zeugen war im letzten Kriegsjahr 1/10 ihrer zivilen Bevölkerung gestorben. Noch wurden, als Ranke sich einschrieb, alle Kirchen bis auf eine als Magazine und Lazarette verwendet. Die Stadt stand, so lange der König nicht aus der Gefangenschaft zurückgekehrt war, unter russischer Verwaltung. Trotzdem bedeutete Leipzig für die Honoratioren in Wiehe „die nächst zu erreichende größere Metropole des Handels und der Studien“ [15], wo seit Generationen die Häupter der bürgerlichen Familien Studenten gewesen waren. Es gab also keine Diskussion, hier hatte Ranke eine Tradition fortzusetzen. Zum erstenmal überschritt er den engsten heimatlichen Kreis, in dem Naumburg die größte Stadt war, die er kannte; zum erstenmal in seinem Leben fand er ein Zimmer, das ganz allein für ihn bestimmt war.

Auch Ranke hat erfahren müssen, daß Freiheit gelernt sein will. Seine späten Aufzeichnungen über knapp vier Studentenjahre, diktiert im Alter von 73 Jahren, haben nichts von Glanz, Farbe, jugendlichem Schmelz, nicht einmal eine Kontur. Die jetzt aus dem Nachlaß ans Licht getretenen Konvolute an Exzerpten, selbständigen Arbeiten, Fragmenten, Notizen vertiefen für diese Jahre unsere Kenntnisse nach vielen Seiten.

Was zunächst ins Auge fällt, ist die grenzenlose Einsamkeit dieses jungen Menschen. Das organisierte Studentenleben, vor der Entstehung der Burschenschaft in Leipzig nur schwach entwickelt, lag jenseits seines Interesses. Die gleichzeitig nach Leipzig gekommenen Gefährten aus Pforte waren sein erster menschlicher Rückhalt. Ranke überließ sich eine Zeitlang dem Rausch des freien Burschenlebens. Da ist von der „Tollheit“ die Rede, deren „unsichtbare Kraft“ ihn „bezauberte“, ihm aber doch bald „unheimlich“ wurde. Schnell war er wieder allein. Zarte Neigungen zogen ihn zu zwei Schönen im Hause seiner Querfurter Verwandten, wo er auf dem Wege zwischen Leipzig und Wiehe einzukehren pflegte. Wenn man den unbeholfenen, sentimentalen Aufzeichnungen und Gedichten in romantischer Manier trauen darf, waren die Mädchen nur Gegenstand ferner Sehnsucht. Ihre Gestalten verschwimmen im Nebulosen, erst recht, wo sie in dichterischer Verkleidung nach literarischen Vorbildern stilisiert werden [16].

Rankes Leipziger Jahre sind voll Sehnsucht nach einem Freund. „Ein herzlicher Freund ist unser Wunsch und Glück, welcher den frohen Traum, worin wir schlafen und sprechen, leise weiterleitet, ohne ihn fortzujagen“, heißt es in einem

15 SW 53/54 S. 26.
16 WuN I Nr. 9. 11. 13.

der Notizbücher[17]. Die einzige Freundschaft, die sich ihm eine Weile erschloß — wir kennen nicht einmal den Namen dessen, dem er sich zuwandte — verdorrte bald wieder[18]. Ein Haltepunkt für menschliche Nähe blieb die Familie, in erster Linie der Bruder Heinrich[19], der seit 1815 in Jena, seit 1817 in Halle studierte, nahe genug, um gelegentliche gegenseitige Besuche möglich zu machen. In Rankes Briefen und Gedichten hat es den Anschein, als sei er diesem Bruder in schwärmerischer Liebe zugetan gewesen, besonders so lange er den an der Theologie schier gescheiterten wieder auf die Bahn brachte. In seinen geheimsten Aufzeichnungen sieht es anders aus: „Das Gitter der Individualität, der zugeschloßne Käfig ist da, läßt das Ich nicht heraus zu dem Du, so gern es seine Flügel frei schwänge. . . . O das war ja alles nicht da, als wir Kinder waren. . . . Kann's nicht wieder so werden? Kann das Feuer inbrünstiger Liebe das Gitter nicht schmelzen? und die steifgefrorenen Arme beweglich wärmen, daß sie das Verwandte wieder fühlen und finden?"[20]

Die verbissene Arbeit war zunächst nichts anderes als eine Kompensation dieser Einsamkeit. Ranke war sich lange gar nicht sicher, wo es mit ihm hinaus wollte.

> „Wo soll ich denn nun hin mit allem Leben?
> Nach welchem Kranz soll meine Sehnsucht streben?
> Das Bild ist in mir: o wo präg ich's ein?
> Im Wort? im Leben? in dem Stein?"[21]

Er fühlte sich an der Universität mit seinen auseinanderstrebenden Neigungen wie in einen Zauberkreis gebannt. „Gern möchte ich die Fäden fassen, die das Gewebe gewebt: ich vermag's nicht: das Wunder steht vor mir, lebendig phantastisch, großartig — aber zwischen der Ursache und der Wirkung ist eine Kluft befestigt, und mir wird's unheimlich, wenn ich hineinschaue. Ist's nicht mit den Wissenschaften ebenso? Durch eine abgelegene Seitentür wird der Jünger hereingelassen: da sieht er in den bunten Saal: alles umtanzt, umflammt, umgaukelt ihn. Er windet und drängt sich durch den Troß, die Kulissen, mit Müh und Angst: nun steht er und staunt, und es kommt ihm unmutig vor: lieber möcht' er an die Tür zurück, wo es ihm so fröhlich schien. Er faßt die Gestalt, die Gruppe, die Gesichter nicht: unbehaglich überläuft's ihn. Wer bringt ihm nun das bindende, lösende Wort? Wer öffnet ihm nun das Verständnis?"[22]. Ratlosigkeit und Klein-

17 Ebd. Nr. 14, vgl. 15.
18 Ebd. Nr. 28.
19 *W. P. Fuchs:* Heinrich Ranke. In: Jb. f. fränk. Ldsforsch. 25 (1965) S. 151 ff.
20 WuN I Nr. 29.
21 Ebd. Nr. 10.
22 Ebd. Nr. 12.

mütigkeit wurden noch größer, wenn er sich die Frage stellte, ob statt der Wissenschaft nicht die Kunst, das dichterische Wort, sein Element sei:

„Zu deinem Himmel nimm mich mit empor!
O läutre aus dem drängenden Gewühle
Zu deiner Sonnenhöhe die Gefühle“ [23].

Der Grenzen seiner dichterischen Begabung muß sich Ranke allerdings bald bewußt geworden sein. Was davon vorliegt — Gedichte, Novellen, Skizzen, Aphorismen — ist rührend hilflos, manches voll dunklem Tiefsinn, im Ganzen aber stilistisch unecht, in der Konzeption ohne Bedeutung, eher biographisch charakteristisch als von allgemeiner Aussagekraft.

Bis in die Frankfurter Jahre hinein hat Ranke sich mit literarischen Plänen getragen. Seine Notizen sind aus dem eingestandenen Ungenügen an sich selbst voller prüfender Selbstgespräche, Anklagen, Vorsätze, sich am Geringen zu versuchen, dann sich heraufzuüben zum Höchsten [24] und sich doch nicht einer leeren, am Ende nur träge machenden Hoffnung auf Besser-Werden hinzugeben [25]. Dennoch war der Traum von seinem Dichterberuf ein Irrtum.

Sein Schlüsselwort in diesen Jahren heißt „Leben“, Leben nicht als abstrakter Begriff, aus einem philosophischen System ableitbar, sondern eine ersehnte, empfundene, gedachte Einheit von Wollen und Können, Individualität und sittlichem Gesetz, Tradition und Gegenwart, Gedanke und Tat, erfülltes Dasein, Einklang von Innen und Außen, gesammelt in der eigenen Existenz. Wo, auf welchen Wegen es zu finden sei, das eben war die Frage. Nur darüber war Ranke mit sich einig, daß er nichts tun wollte und konnte, das nicht dem „Leben“ diente. Unter dieser Voraussetzung bedeutete Wissenschaft an sich kein erstrebenswertes Ideal, sondern eine Möglichkeit unter anderen, ersehntes Leben zu ergreifen, ihm wenigstens näher zu kommen. In dem Maße, wie er die Grenzen seiner dichterischen Fähigkeit erkannte, Liebe und Freundschaft sich ihm versagten, blieb die Wissenschaft freilich die einzige, ihm am nächsten liegende Führerin zu dem „Leben“, Annäherung, nie voller Besitz. Aber dann war immer noch die Frage, an welcher Stelle er sich ansiedeln, wo er Last und Mühe des Eindringens auf sich nehmen sollte.

Ranke hat in diesem inneren Zwiespalt auf vielen Wegen seinen Einsatzpunkt gesucht und dabei wie selten ein Student seine Freiheit genutzt. Jede Stoffhuberei, jede nur formale Beherrschung bestimmter Gebiete um ihrer selbst willen, jedes Stapeln von bloßem Wissens- und Bildungsgut war ihm fremd. Von seinen

23 Ebd. Nr. 16.
24 Ebd. Nr. 24.
25 Ebd. Nr. 20.

Professoren entwerfen zwar die späten Erinnerungen kleine Portraits. Nichts aber deutet darauf hin, daß er zu ihnen in ein persönliches Verhältnis getreten sei, daß sie auch nur einen nennenswerten Einfluß auf ihn ausgeübt hätten. Ein Ferdinand Wieck ist ihm nicht ein zweitesmal begegnet. Ranke war auch alles andere als ein fleißiger Vorlesungsbesucher. Aus den erhaltenen Nachschriften gewinnt man den Eindruck, als habe er es vermieden, genaue Hefte zu führen. Systematische Zusammenhänge ließ er sich offenbar von Kommilitonen nachschreiben. Von ihrer Hand stammt jedenfalls eine Reihe solcher Manuskripte, die er in seinem Nachlaß aufbewahrte [26]. Sein Studium bestand im wesentlichen im stillen Lesen und in der Durchführung selbst gestellter Aufgaben. Was er den Büchern verdankte, sagt er selbst in einem der Gedichte:

„Die Bücher liegen aufgeschlagen:
Du hörest still ihr ernstes Wort:
Was sie dir deuten, was sie sagen,
Sie führen dich doch mit sich fort:

So viele haben viel gelesen:
So wenig sind doch klug und gut:
Ist das, ihr Bücher, euer Wesen?
Hemmt ihr das junge frische Blut?

Und habt mich doch so oft entzündet?
Zu Lieb und Freud' und Tat geführt?
Den Geist des Lebens mir verkündet?
Die matte Flamme angeschürt?

Dank euch! denn selber in das Leben
Greift ihr mir rasch und fröhlich ein:
Ihr habt mir ja so viel gegeben.
So muß ich euch auch dankbar sein“ [27].

Schon in der Jugend hat Ranke sich angewöhnt und es sein Leben lang beibehalten, mit der Feder in der Hand zu lesen und schreibend zu denken. Auch daraus erklärt sich die Masse seiner nachgelassenen Notizen. Nicht darauf kam es ihm in seinen jungen Jahren an, den systematischen Gedankengang seiner Lektüre, sondern das festzuhalten, was ihm auffiel und was ihm selbst dabei in den Sinn kam. Seine Einfälle sind keine „Goldkörner“, die er sammelte, um sie bei Gelegenheit in einen passenden Zusammenhang einzufügen. Sie sind absichtslos ausgestreut. Gewiß ist manches ins Unreine gesagt und taucht nie wieder auf. Anderes enthält blitzartige Einsichten, die zu Unrecht vergessen worden sind. Handschriftliche Zusätze aus späteren Jahren zeigen, daß er seine Notizen hin

26 Vgl. WuN III Hschr.-Verz. Nr. 61.
27 WuN I Nr. 8.

und wieder durchlief. Im Ganzen bleibt der Eindruck, daß seine Form des Arbeitens solcher Fixierung bedurfte, daß er in jeder Begegnung mit einem Sachverhalt stets ganz gegenwärtig war, daß erst über das geschriebene Wort ein Gedanke, eine Beobachtung sein eigen wurde, so daß, wenn er ihrer bedurfte, er sie im Augenblick wie neu geschaffen aus dem Fundus gesammelter Erfahrung abrufen konnte. Je persönlicher er betroffen war, um so mehr sind seine Aufzeichnungen Dialoge, mit seinen Gegenständen und mit sich selbst, und zwar im ganz wörtlichen Sinne: oft genug führt er sich selbst wie ein alter ego in der zweiten Person ein.

Aus der Tatsache des ständigen persönlichen Engagements, der Suche nach der „Lebendigkeit“ der Dinge ist nun auch verständlich, daß die verschiedenen Felder seines besonderen Interesses, Theologie, Philosophie, Ästhetik, alte Sprachen, Literatur in ihrer Breite dauernd ineinander greifen. Lediglich die nachvollziehende Schilderung muß sie trennen, um sich verständlich zu machen.

3.

Der Tradition seiner Familie folgend schrieb sich Ranke in Leipzig für Theologie, zugleich aber auch für klassische Philologie ein. Es kann keine Rede davon sein, daß er je den Gedanken erwogen habe, Pfarrer zu werden. Kurz vor dem 70. Geburtstag stellte er rückschauend die Ausbeute seines theologischen Studiums zusammen. Sie nimmt sich recht mager aus. Abgesehen von den Anregungen der Kirchengeschichte, die er aber nicht auszuschöpfen versuchte, habe er sich mehr von den „Außenwerken“, den Einleitungsfragen zu den biblischen Büchern, anziehen lassen, auch von den Schriften des Alten und Neuen Testaments einiges sich klar gemacht.

Zu diesen theologischen Erscheinungen am Rande gehört aus dem Jahre 1815 eine umfangreiche Arbeit „Die Psalmen. Nach Art der Urgestalt verdeutscht“ [28]. Von ihrer Existenz wußten wir zwar durch Rankes Mitteilung; bisher aber blieb sie unbekannt. Es handelt sich um eine aus eigener Initiative unternommene Übersetzung der ersten 30 Psalmen des Alten Testaments mit Einführung und philologischem Kommentar zu jedem einzelnen. Die nachdrückliche Berufung auf die „Urgestalt“, die Luther bereits im Auge hatte, will sagen, daß es dem Übersetzer neben der adäquaten gedanklichen Wiedergabe wesentlich auch auf die Form ankommt, die der hebräischen Poesie entspricht. Im Gegensatz zum metrischen Kunstwerk, das sich strophisch aufbaut, gliedert Ranke durch unregelmäßige, dem Gedankengang folgende Absätze und Einrückungen den Psalmentext nach den auftretenden Gruppen: Es werden gegeneinander abgesetzt der einsam Betende, der antwortende Jehova, der Chor der Priester, des

28 WuN III S. 126—212.

eigenen Volkes, der Feinde usw. Mit dieser Auffassung eines lebhaft gegliederten Ganzen steht Ranke in seiner Zeit ganz allein; erst die moderne Psalmenforschung ist zu ähnlichen Grundsätzen gelangt.

Erstaunlich ist nur, daß das formale Verständnis, wie es bereits im äußeren Schriftbild erkennbar wird, in der Kommentierung nicht im geringsten aufgegriffen wird. In der allgemeinen Einleitung distanziert sich Ranke ausdrücklich von seinen Vorgängern, die das Individuelle jedes Psalmes dadurch zerstören, daß sie der historischen Persönlichkeit des Dichters und seiner besonderen Lage bei der Abfassung nachjagen. Die „Idee" — die Voraussetzung jedes Kunstwerks — dürfe man sich nicht „durch den Nebel der Gelehrsamkeit zudecken". Es mutet seltsam an, von dem künftigen Historiker zu hören: „So dürfte man vielleicht sagen, es sei überhaupt jede historische Untersuchung unnötig." [29] In Wirklichkeit folgt er gegen sein Programm — nicht ohne gelegentlich eingestreute Zweifel an seiner Methode — der gelehrten Tradition, die sehr einseitig in der geschichtlichen Situation, in der der Dichter seinen Psalm konzipierte, den Schlüssel zu seinem Verständnis suchte. In staunenswerter Breite — Ranke befand sich noch kein volles Jahr auf der Universität — zieht er, so weit erreichbar, die Väter, die jüdischen Interpreten, die Bibelkritiker des 18. Jahrhunderts und den modernsten Psalmenkommentator de Wette zu Rate und scheut sich nicht, gegenüber diesen Autoritäten auch eine eigene Position zu begründen. Immer wieder steht er vor der Frage, ob König David der Verfasser sei, wie es der Text angibt. Ranke scheut sich, am Wortlaut der hl. Schrift zu zweifeln. Im Grunde aber geht es ihm um die gegliederte „Einheit" oder „Ganzheit" jedes Psalms. Zwar wird das Ziel nicht immer erreicht, aber eben dies Ziel verbindet seinen in manchem noch anfängerhaften Versuch mit der modernen formgeschichtlichen Erklärung, die erstaunlicherweise in manchen Punkten, wenn auch auf andern Wegen, zu gleichen oder ähnlichen Ergebnissen gekommen ist. Rankes Psalmenarbeit muß als ein erster Schritt des Historikers gewertet werden, der aus der Schule der biblischen Exegese und Interpretation kommt.

Von der Theologie behauptete der alte Ranke, „tiefer in das Innere, bis zur Dogmatik selbst" sei er nicht aufgestiegen, weil die „ungeheuren Hefte" seiner Kommilitonen ihn abgeschreckt hätten. Er habe sich mit dem gemäßigten Rationalismus der Leipziger Fakultät in Widerspruch befunden, einem Geist, „mit dem man sich vertragen konnte, wenn er praktisch auftrat, nicht aber, wenn es auf theoretische Überzeugung ankam." Es sei das „vornehmste Mißverständnis in der Welt, entgegengesetzte Prinzipien vereinen zu wollen: das unbedingt Gültige, das sich als Gotteswort ankündigt und anerkannt worden ist, und das momentane Raisonnement". Durch alle seine Gefühle sei er dem ersten zugewandt gewesen; der von jeher in seinem Umkreis herrschende Rationalismus sei

29 Ebd. S. 127.

ihm „unbefriedigend, seicht und schal“ erschienen. „Ich glaubte unbedingt“, heißt es abschließend. „Doch wäre es mir schwer gewesen zu sagen, wie weit das eigentlich reiche; denn das Supranaturalistische, wie man es bezeichnet, ist doch auch nur eine Richtung des Geistes, die von allem System frei und dennoch ihrer Sache sicher sein kann“ [30].

Diese Rechtfertigung läßt, ohne Theologie und Religiosität zu trennen, die an Ranke oft kritisierte, in seinen reifen und späten Jahren immer mehr zunehmende Scheu erkennen, seine religiöse Position unmißverständlich öffentlich auszusprechen. Sein Bekenntnis zum Supranaturalismus, einer theologischen Richtung, die in den sechziger Jahren längst überwunden war, bedeutet wohl das Äußerste an Mitteilung, zu der er sich verstand. Dies späte Bekenntnis bezeichnet zugleich auch die Art, wie er, der Patriarch seiner Familie, von Angehörigen und Nachwelt gesehen sein wollte, vor allem auch von seinem ältesten Sohne Otto, dem er das alles in die Feder diktierte und der sich damals gerade anschickte, mit dem Theologiestudium zu beginnen.

Projiziert man diese Anschauungen von der Schwelle des Greisenalters in die jungen Jahre zurück, so erfahren sie eine Bestätigung durch den Bruder Heinrich, der damals im Begriff war, an der Theologie irre zu werden. In der Begegnung mit der rationalistischen Theologie hatte er seinen Kinderglauben verloren und fand bei Leopold, der sich ihn, wie Heinrich meinte, erhalten hatte, rechten Trost. 1820, als Heinrich durch eine regelrechte „Bekehrung“ zu seinem naiven Glauben zurückgefunden hatte, erinnerte er den um drei Jahre älteren Leopold an eine Situation aus dem Jahre 1817: „Ich war von Jena zu Dir gekommen in das kleine Stübchen, vier Treppen hoch, in der Hainstraße. Wir sprachen miteinander vom Christentum. Ich wollte damals um der Wunder willen Naturgeschichte bei Blumenbach lernen. Du triebst den Luther und glaubtest. ‚Aber das vom Abendmahl ist doch nicht zu glauben‘. ‚O ja‘, sagtest Du. Ich fiel Dir um den Hals, ich weiß nicht, was mich durchschauerte. ‚Dann würdest Du ja eine rechte Stütze der Kirche‘ “ [31].

Vergleicht man mit diesen Beteuerungen seines unbedingten Glaubens die aus Leipzig stammenden Notizen, so reden sie eine andere Sprache. Man darf unterstellen, daß Ranke aus Elternhaus und Schule ein im Ganzen unproblematisches, selbstverständliches Christentum mitbrachte. In Leipzig wurde er wahrscheinlich zum erstenmal vor die gelehrte Auseinandersetzung gestellt, die seit den neunziger Jahren des 18. Jahrhunderts die protestantische Theologie beschäftigte. Es ging um das Verhältnis der natürlichen, in jedem Menschen frei wachsenden Religiosität zur christlichen Heilslehre, um das Verhältnis des durch die Erfahrungswissenschaft erarbeiteten, rational verständlichen Weltzusammenhangs zu

30 SW 53/54 S. 29.

31 *Fuchs*, Hch. Ranke, S. 151 f.

dem dogmatisch gefaßten Gottesglauben, um das Verhältnis von geschichtlicher Wirklichkeit zum biblischen Zeugnis, kurz: um das Verhältnis von Vernunft und Offenbarung. Der Rationalismus war nicht bereit, Gültigkeit und Erkenntnisvermögen von Religion und Glauben unter besondere, aus der allgemeinen Vernunft ausgeklammerte Gesetze zu stellen. Für ein vernunftgemäßes Denken konnte nur die natürliche Religion Maßstab und Ziel sein. Der christlichen Überlieferung und Lehre wurde nicht bestritten, in die natürliche Religion einzuführen. Aber ihre unabdingbare Gültigkeit, ihr absoluter Wahrheitsanspruch galt nicht mehr. Denn auch von einer offenbarten Religion forderte der Rationalismus, daß sie sich dem Urteil und der Auslegung der grundsätzlich geschichtslos gedachten Vernunft stelle. Gegenüber dieser Aktualisierung von Christentum und Kirche behaupteten die Supranaturalisten oder Orthodoxen, jede natürliche, unter dem Gesetz der Vernunft stehende Religion sei unzureichend. Zum Wesen wahrer Religion, insbesondere des Christentums, gehörte die übernatürliche, der Vernunft nicht hinreichend zugängliche Offenbarung.

In Leipzig hat es eine Zeit gegeben, wo Ranke eine starke Affinität zu den rationalistischen Schlüssen besaß. Der subjektive Charakter aller menschlichen Erkenntnis stand auch ihm fest. Die Unzulänglichkeit menschlicher Vernunft, „ihre Trägheit in den Sachen des absoluten Wissens“ gestatte weder eine Beschönigung noch als Ersatz ein Sich-genügenlassen am „bloßen Glauben“. Glauben definierte Ranke höchst fragwürdig als „Hülfe der Gottheit“, die dem auf sein subjektives Erkennen angewiesenen Menschen als „Norm und Überzeugung“ für sein Handeln angeboten werde. Mit Fichte argumentierte er: „Das einzige Sichere und Feste, das sich ihm [dem Menschen] nie nehmen läßt, ist das Bewußtsein: ‚Ich bin‘. Man könnte in dieser Hinsicht wohl sagen, der Glaube sei ein subjektives Schauen, so daß diese beiden so unendlich weit getrennt scheinenden Begriffe hier zusammenfielen“ [32]. Die Unzulänglichkeit menschlicher Vernunft, so meinte Ranke, dürfe „ihre Trägheit in den Sachen des absoluten Wissens“ nicht beschönigen und gleichsam als Ersatz sich am bloßen „Glauben“ genügen lassen. „Sei auch einer noch so einfältigen Gemütes“, notierte er, „er kann doch nicht auf das αὐτὸς ἔψα glauben; es muß doch, was er auch glaube, irgendeine Analogie zu seinem vorigen Wissen haben“ [33]. Mit dieser rigoristischen Position schien ihm nun allerdings eine andere Beobachtung zu widerstreiten: „Aus den Büchern der alten und innigsten Theologen wie aus den Briefen Pauli spricht uns so wunderbar jenes unbedingte Vertrauen auf die göttliche Rechtfertigung, jener stille Glaube an den Erlöser Christum an das Herz, daß wir alle die alltäglichen Philosopheme von der moralischen Pflichtigkeit, von dem Gutestun und Böseslassen, was doch ewig unser Herz nicht ausfüllen kann,

32 WuN I Nr. 80.
33 Ebd. Nr. 83.

vergessen und von uns abtun möchten. Wie aber? Sollen und können wir es nehmen, wie sie es genommen? Mit allen den wunderlichen Modifikationen, die der Eindruck der verschiedenen Zeiten in jener Lehre zurückgelassen, die ihr eben eine gangbare Philosophie aufgedrückt? Wir können es nicht durchaus nehmen, wie es Luther nahm!" Zwar hat er an dem „Feuer jenes Sternes", „der ihn durch die wüsten Steppen der Spekulation, durch die gewappneten Heerscharen entgegenstehender geheiligter Begriffe, durch das Labyrinth des eignen Gemütes, ja des eignen Lebens hindurchführte", „eine Flamme angezündet, die weit leuchtete". „Aber wie er's empfangen hatte in dem Gemüte, so konnte er es nicht zu dem Begriffe fassen". Wenn Luther beim Buchstaben der Bibel blieb, so tat er es, meinte Ranke, weil ihr Geist auch aus ihm sprach und „weil er in der allgemeinen Kampfzeit einen Panzer und eine Waffe brauchte, vor der jedes Auge zurückbebte". Daher ist sein Rückgriff auf die Vergangenheit verständlich, ja entschuldbar. „Er bekennt selbst, wie die in der Jugend empfangene Lehre ihm durch Mark und Bein gegangen und er derselben sich nicht durchaus entäußern könne". Auch Paulus „hat die Idee wohl nicht ganz und in ursprünglicher Reinheit ausgesprochen: und was aus den andern Schriften des Neuen und Alten Testaments uns anweht, ist der Geist ursprünglich noch nicht in eine Form verfaßt, ohne alleinigen feststehenden Bezug auf die Vergangenheit. Dieser Geist selbst aber, der aus all den hohen Büchern, aus der Lehre Pauli, aus den Schriften Luthers uns anspricht, was sagt er aus?" Ranke fragt sogar noch direkter: Was heißt denn an Christus glauben? Und er antwortet: „Er ist Gott im Menschen; glaub' ich an ihn: so glaub' ich an die Göttlichkeit im Menschen". Und sogleich zieht er auch die weiterführende Konsequenz: „So muß ja der Glaube wohl nicht an seine Erscheinung geknüpft sein: an die Idee ist er geknüpft. Wem die Erscheinung das ganze Herz ausfüllt, dem Gläubigen, er ist selig, er sei selig: wem der stille Glaube entrissen ist, der muß sich zur Idee flüchten. Dieses laßt uns tun" [34].

Damit war die Frage nach der absoluten Gültigkeit des historisch gewordenen Christentums radikal beantwortet. „Nicht als Form ist etwas ewig; nur der Kern, den sie einhüllt, hält den Winter aus. Die Form ist gut, aber nicht außer der Zeit". Folgerichtig schließt Ranke: „Ein Mensch von Religion heißt uns der, welcher die in seinem innersten Sein genährte Überzeugung vom Göttlichen und der Verbindung von beiden, dem Menschlichen und Göttlichen, in der moralischen Vernunft durch die lebendige Tat beurkundet; ohne es in Betracht zu ziehen, welchem äußern Kultus er zugetan ist" [35]. Den Protestantismus bezichtigte Ranke der Inkonsequenz: „... wenn es das Höchste ist, nach dem der Mensch streben kann, — fern von jeder irdischen und selbstischen Hoffnung —

34 Ebd. Nr. 85.
35 Ebd. Nr. 79. 89.

für die Idee, die lebendige und belebende, nicht nur alle seine Kraft dranzusetzen, sondern sein Leben zu bieten, so haben ja wohl die Märtyrer, die Heiligen nichts Geringeres für die [von] ihnen erkannte Wahrheit getan als der, den wir allein gelten lassen wollen, Jesus. ... Sollte es nicht als Willkür erscheinen, daß der Protestantismus den Glauben des Volks an diese Heroen tilgte, an den einen Größten nur in Schutz nahm" [36]?

Der Glaube des Volks: für den Romantiker Ranke bedeutete er Siegel und offenbarende Kraft. Als Kritiker der Evangelien konnte er Zweifel nicht unterdrücken, ob der historische Jesus von der ihm zugelegten Mittlerschaft zwischen Gott und Welt etwas gewußt habe. Aber: „Sollte dies auch wirklich ursprünglich nicht in ihm gelegen haben, wie wir hierüber nicht entscheiden können, so hat doch der treue Glaube des Volks, der sich an dem göttlichen Eifer der Nachfolger Christi entzündet, [es] hineingetragen, und schon als ein solches Erzeugnis müssen wir's ehren. Denn eben in der Volkstümlichkeit und der allgemeinen Stimme dafür spricht sich die Göttlichkeit aus" [37]. Vom Abendmahl, das in den Gesprächen zwischen dem zweifelnden Heinrich und dem verteidigenden Leopold eine Rolle spielte, heißt es bei dem älteren: „Warum diesem Symbole nicht jene feierlichere schönere Deutung gönnen, die es im Laufe der Zeiten nicht sowohl empfangen, als angenommen, nicht aus einseitigem Streben sich zugeführt, sondern aus dem ewig treuen kindlichen Glauben der Völker geschöpft hat und gewonnen? Denn was verbürgt uns anders die Göttlichkeit des, was wir auch als göttlich anerkennen, als daß es den Prüfstein der Jahrhunderte in allem Wechsel der Ideen, in aller Veränderung des Christentums ausgehalten und bestanden hat" [38]. Mit dem im Alter behaupteten und schon für die Jugendzeit in Anspruch genommenen „unbedingten Glauben" hat das nur wenig zu tun, wohl aber mit der Neigung, dem aus der Vergangenheit mit dem Anspruch auf Autorität bis in die Gegenwart reichenden Überkommenen normative Kraft zuzubilligen.

Alle diese sporadisch, nie im Zusammenhang und nur für sich selbst aufgezeichneten Gedanken zeigen mit aller Deutlichkeit, daß die gelebte natürliche Religion, mochte sie sich auch mit dem Mantel des Rationalismus decken, Ranke näher und gemäßer war als ihre theoretische Formulierung. System und Konsequenz des abstrakten Gedankens waren nicht eben seine Stärke. So hat er denn auch einen Weg gefunden, sich mit Widersprüchen zu arrangieren und harten Entscheidungen auszuweichen. Das göttliche Verbürgtsein des allgemeinen Volksglaubens gab ihm jederzeit die Möglichkeit, dahin zurückzukehren, von wo er aufgebrochen war. Die geistige Welt, aus der er stammte, hat er sich auf

36 Ebd. Nr. 87.
37 Ebd. Nr. 86.
38 Ebd. Nr. 88.

die Dauer nicht in Frage stellen lassen. Wieviel dazu später die Erweckungsbewegung beigetragen hat — in Frankfurt und bei Hermann Baier auf Rügen — ist nicht mehr auszumachen. Auf eine umfassende gedankliche Klärung verzichtete er schnell. Dafür vertraute er auf seine Substanz und assimilierte aus seiner Umwelt mit beneidenswerter Sicherheit das ihm Gemäße. Aus dem Paradies seiner grundlegenden Überzeugung ist er ernstlich nie vertrieben worden und brauchte es daher auch nie durch die Kraft des Gedankens zurückzuerobern. Der überlieferte Entwurf einer Predigt, eine Luther-Novelle [39] nach Wackenroders Vorbild — Arbeiten, die zum mindesten die Tendenz in sich bargen, mit ihnen öffentlich hervorzutreten — bleiben dem Konventionellen, Rhetorischen sehr viel stärker verhaftet, sind daher blaß und unergiebig. Wo der junge Ranke gedanklich nicht zurechtkam, war er nur zu bereit, ins Gefühl als seiner untrüglichen Gewißheit auszuweichen. „Müssen wir nicht frei sein auf unserm eigensten Boden, wenn wir Gott recht erkennen sollen? Wenn die tausend Stimmen der Natur leise dich anreden und dir zuflüstern, wenn auf der wunderbaren Harmonie der fröhlichen Schöpfung dein Geist sich still erhoben hat und alles vernimmt und sich zu eigen macht und nun heraufschaut an die Veste des Himmels: o dann fühlst du ja wohl, wer du bist und wo du bist. Den nenn' ich glücklich, der, wenn er will, sich die Wunderwelt der Musik aufschließen kann und auf ihren Flügeln zu Gott fahren. Und kannst du das nicht haben, so gehe, bitt' ich, in die Kirche deiner Gemeinde und setze dich allein wo und höre zu ihrem Gesange: die in tausend Elemente zersetzte Sprache wird dich erbauen, die Gemeinschaft der Frommen wird dich bald überschatten, daß du einstimmst in den lauten Lobgesang" [40].

Das gleiche Bild zeigt Rankes Philosophieren, das naturgemäß mit seinem „Glauben" in engster Wechselwirkung steht. Natürlich ist er Schüler Kants und seiner Kritiker: Fichte, Jacobi, Schelling. Daß der Mensch durch seine moralische Natur allein Selbstschöpfer sei, hat Ranke in einem Aufsatz über „Natur und Mensch" [41] sich selbst klargemacht. An der strengen Erkenntniskritik aber scheiterte er. Allzu sehr widersprachen nur erbarmungslos abstrakte Gedankengänge seinem Lebensgefühl, als daß er der nur theoretischen Redlichkeit, von der er sich zu Beginn mehr Einsicht und Sicherheit im Sein und Sollen versprochen hatte, nicht mißtraut hätte. Was ihm da entgegentrat als Unterscheidung von Sinnlichkeit, Vernünftigkeit, Denken, was aber doch das Sein des Menschen nicht ausmachte, das dagegen, was ihm wichtig war, Wirksamkeit, Freiheit, Vorsehung, nur von außen, nicht aus dem Innern kommen ließ: das alles schüttelte Ranke ärgerlich von sich ab, weil er sich am Ende wieder vor der naiven Frage sah, von der er ausgegangen war:

39 WuN III S. 253—261.
40 WuN I Nr. 91.
41 WuN III S. 225—232.

„Ich lebe und weiß nicht wie lang,
Ich sterbe und weiß nicht wann,
Ich fahre und weiß nicht wohin.
Mich wundert, daß ich so fröhlich bin.“

An dieser Fröhlichkeit als etwas elementar Gegebenem war nach diesem Vers aus dem Volke nicht zu zweifeln. Da wagt er es einfach, alle Skrupel zu überspringen: „Die Fröhlichkeit entspringt eben aus dem Dasein: es hat seine eigene Gewalt, seinen eignen Beweis, sein eignes Recht in sich.“ Was die Erkenntniskritik betrifft: „So wenig sie aussagt, was da ist, sondern immer nur, was wir anzunehmen, zu glauben durch unsre Natur gedrungen seien, — so wenig kann sie einen Menschen beleben, dem nicht hundert Bedingungen zugegeben sind, d. h. der nicht schon auf etwas andres hin, auf ein bloßes Dasein hin sein Leben gewagt hat. Und so finden wir's“ [42].

Man begreift, daß Ranke es wie Schuppen von den Augen fiel, als er 1816 auf Fichtes „Wesen des Gelehrten“ stieß. Hier war das Leben nicht mehr gefragt, sondern gesetzt: „Allem erscheinenden Leben liegt die göttliche Idee zum Grunde; ein bestimmter Teil derselben ist erkennbar. Ihn zu erkennen und die Erkenntnis weiterzuleiten ist die Bestimmung des Gelehrten. ... Wo aber die göttliche Idee rein ein Leben gewinnt, da baut sie neue Welten auf, auf den Trümmern der alten“ [43]. Der ältere Fichte erst hat Ranke sicher gemacht, daß seine Bestimmung die des Gelehrten sei. Seit dieser Zeit treten in den verschiedenartigsten Manuskripten Fichte-Zitate auf, z. T. nachträglich am Rande hinzugefügt, als wenn Ranke damit Maßstab und Ziel seines Tuns sich hätte setzen wollen.

4.

Es hat den Anschein, als habe die Begegnung mit dem älteren Fichte Ranke dazu gedrängt, seine philologischen Studien, die weniger aufregend neben den andern beharrlich einher liefen, zum Abschluß zu bringen. Vor der Wahl zwischen den beiden in Leipzig miteinander rivalisierenden klassischen Philologen, dem älteren Christian Daniel Beck, einem Polyhistor ohne rechtes eigenes Profil, der seine schwindenden Hörerzahlen durch vermehrte Vorlesungen — täglich bis zu vier und fünf Stunden — auszugleichen versuchte, und dem jüngeren, allem Schein und äußeren Glanz abholden Meister der Interpretation Gottfried Hermann, der schon in Schulpforte als der „vornehmste aller Gelehrten“ gegolten hatte [44]: vor dieser Wahl schloß sich Ranke, wenn auch mit der ihm eige-

42 WuN I Nr. 158.
43 Ebd. Nr. 499.
44 SW 53/54 S. 19.

nen Distanz, mehr dem bedeutenderen von beiden an. Hermann war „Wortphilologe", ein glänzender griechischer Grammatiker, ein Gelehrter, dem Sprachkenntnis mehr bedeutete als alles Sachwissen, der als Rationalist und Kant-Schüler den Unterschied zwischen Philosophie und Geschichte peinlich beachtete und von der vergleichenden Sprachwissenschaft nichts hielt. Es war weniger Starrheit als selbst auferlegte Begrenzung nach dem Wahlspruch: est quaedam etiam nesciendi ars et scientia. Dafür aber war er ein hervorragender Exeget, der sich nicht scheute, bei verderbten Textstellen, ohne sich ängstlich an die handschriftliche Überlieferung zu klammern, sich in die Rolle des Dichters zu versetzen und aus unmittelbarer Anschauung des Altertums mit künstlerischer Freiheit, Mut und Glück ihn vielfach so nachzuschaffen, wie er nach seiner gelehrten Deutung hätte schreiben können. Die Freude am Konjizieren hat der Schüler gewiß von seinem Meister gelernt. Wichtiger aber ist, daß Ranke für Hermanns Seminar, die „griechische Gesellschaft", in stattlicher Zahl schriftliche lateinische Arbeiten über sehr unterschiedliche Themen anfertigte, in denen es stets um Exegese und Interpretation schwieriger Textstellen ging: Homer, Sophokles, Platon, Theokrit im bunten Wechsel. Diese Ausarbeitungen mit ihren zahllosen Konjekturen mögen für die Geschichte des Unterrichts in den alten Sprachen von Aufschluß sein: für die Erkenntnis Rankes geben sie nichts her.[45] Unter der Führung dieses Lehrers hat Ranke seine Kenntnis der Antike, namentlich bei Homer und Pindar bedeutend erweitert und vertieft. Nur mit dem Besten, was Hermann zu geben hatte, mit seiner Metrik, die die besondere Aufmerksamkeit Goethes fand, wußte Ranke aus Mangel an musikalischer Schulung oder vielleicht auch Begabung wenig anzufangen, so daß er trotz der Mehrung seines antiquarischen Wissens am Ende vom bloßen philologischen Betrieb unbefriedigt blieb.

Seiner Art entsprechend setzte er sich selbst seine Aufgaben. Schon in Schulpforte hatte Ranke dem Vater wiederholt zum Geburtstag Übersetzungen griechischer Tragiker zum Geschenk gemacht, von denen sich keine einzige erhalten hat. Um so dankbarer sind wir für seine in Leipzig, wiederum ohne jeden Auftrag, zur eigenen Freude ausgearbeitete Verdeutschung der „Idyllen" des Theokrit.[46] Ein heutiger gründlicher Kenner der hellenistischen Dichtung, dem Rankes Manuskript zur Begutachtung vorlag, rühmt es als sprachlich genauer und stilistisch gewandter als die im 19. Jahrhundert fast ausschließlich gebrauchte deutsche Kompilation von Eduard Mörike.

Die zweite Arbeit betraf den Thukydides. Mit ihr promovierte Ranke im Februar 1817 unter der Leitung von Gottfried Hermann, zweieinhalb Jahre nach seinem Eintritt in die Universität. Von dieser lateinisch geschriebenen

45 Vgl. WuN III Hschr.-Verz. Nr. 32, 33, 35, 36, 42, 46, 48. Auf die Edition dieser Ausarbeitungen mußte verzichtet werden.

46 Ebd. S. 263—328.

Arbeit über die politischen Lehren des griechischen Historikers fehlt jede Spur. Das ist um so beklagenswerter, als Ranke noch bei der Feier seines goldenen Doktorjubiläums ihn als eine der Säulen seiner historischen Studien pries und nebenbei darauf hinwies, daß er seine für diese Arbeit angelegten Exzerpte immer noch aufbewahre [47]. Nach der Artung seines Lehrers wird man allerdings annehmen dürfen, daß es sich in erster Linie um eine philologische, nicht so sehr um eine historische Arbeit handelte, zumal im akademischen Unterricht von der griechischen Literatur fast ausschließlich die Dichtung zu Wort kam.

Wie es mit Rankes geschichtlichen Studien im engeren Sinn während der Leipziger Jahre bestellt war, läßt sich nicht befriedigend klären. Gustav Adolf Stenzel, etwas älter als Ranke, der in den Freiheitskriegen mitgekämpft hatte und schwer verwundet worden war, berichtet in seiner Lebensgeschichte, daß er 1815 als nach Leipzig heimgekehrter Privatdozent mit dem aufgeschlossenen Studenten Ranke mittelalterliche Geschichtsschreiber kritisch gelesen habe [48]. Die Aufsätze zur eigenen Lebensgeschichte übergehen diese gemeinsame Arbeit. Erst in der Erinnerung des fast Neunzigjährigen taucht sie wieder auf [49]. Während Rankes Frankfurter Zeit und auch später, als Stenzel Professor in Breslau war, gab es persönliche Begegnungen und gingen Briefe hin und her. Das Verhältnis war wegen Rankes Verschwiegenheit über seine Pläne, die mit denen Stenzels z. T. konkurrierten, und dessen Neigung zu harter Kritik gespannt und nie ohne Gereiztheit. Daß der Ältere ein schwieriger, zum Jähzorn neigender Mann sei, scheint schon der Student Ranke empfunden zu haben [50], der sich bei der gemeinsamen Lektüre mehr auf das Zuhören beschränkte. In seinen Leipziger Aufzeichnungen findet sich darüber außer einer einzigen Notiz, die Kapitularien Karls des Großen betreffend,[51] kein Hinweis.

Auch mit ästhetischen Problemen war Ranke von Pforte nach Leipzig gekommen. Sie beschäftigten ihn um der größeren Einsicht in die antike Dichtung willen wie als literarische Kritik im Gefolge von Lessing, Herder und den beiden Schlegel, nicht zuletzt auch, um Klarheit über seine eigene künstlerische Bestimmung zu gewinnen. Die im ersten Semester bei Amadeus Wendt gehörte Vorlesung über Ästhetik scheint so wenig Förderndes geboten zu haben, daß Ranke sich bei der weiteren Verfolgung dieser Interessen allein auf die Lektüre z. B. Jean Pauls „Vorschule der Ästhetik“ [52] und der Brüder Schlegel [53] verwiesen

47 SW 51/52 S. 588 f.

48 *K. G. W. Stenzel:* Gustav Adolf Harald Stenzels Leben (1897) S. 150, nach SW 53/54 S. 649.

49 WuN I Nr. 49.

50 Brw. S. 10.

51 WuN I Nr. 248.

52 Ebd. Nr. 496.

53 Ebd. Nr. 494. 495. 497.

sah. Wie er am Ende seiner Studienzeit über diese Wissenschaft dachte, zeigt eine Aufzeichnung von 1818, in der von dem „eklen Gerede der Ästhetiken" und dem „Kunstgeschwätz" die Rede ist, „vor dem die Erfinder jetzt selbst fliehen, das nur die Jünger noch dumpfig beten" [54]. Auch auf diesem Felde hatte die Universität nichts zu bieten. Ranke ging längst seine eigenen Wege.

Das Jahr 1817 ist sein fruchtbarstes Studienjahr geworden. Es führte ihn im September und Oktober zum erstenmal über die sächsische Heimat, die sich inzwischen bis Halle und Dresden geweitet hatte, hinaus an den Rhein.[55] Die Bildungsreise unterbrach eine große Arbeit, die Ranke spätestens nach seiner Promotion in Angriff genommen und zu der er sich nach langem Grübeln, wo er seine Kräfte ansetzen sollte, an seinem 21. Geburtstag in einer schöpferischen Stunde entschlossen hatte: den Versuch, das Leben Martin Luthers zu beschreiben.

Nach Landschaft, Tradition und Studium lag einem Mann wie Ranke Luther nahe genug. Was von diesem Fragment bisher bekannt geworden ist [56], stellt nur einen sehr kleinen Teil der einschlägigen Aufzeichnungen, zum größeren tagebuchartige Notizen dar, die mit dem Luther-Plan nichts zu tun haben. Das wirkliche Luther-Fragment [57] blieb bisher unbekannt. Auch das ist ein Torso, aber ein imponierender, an dem sich die geplanten Ausmaße des Werkes noch ablesen lassen. Was bereits an den veröffentlichten Teilen zu erkennen war, bewahrheitet sich jetzt zur Evidenz: Wenn Ranke seinen Ausgang von Luther nahm, so wuchs ihm die Arbeit unter den Händen zu einer immer wieder auf Luther als Mittelpunkt bezogenen Geschichte der deutschen Reformation an. Sein Drängen auf Realistik in der Erkenntnis des historischen Vorgangs scheint ihn gelehrt zu haben, daß ein so gewaltiges Phänomen wie Luther nicht isoliert bewältigt werden kann, daß es dazu der Erfassung der ganzen Umwelt, der Bereitschaft der Massen, auf Luther zu hören, der Gegner, des gesamten alten Kirchenwesens, gegen das er aufstand, auch der politischen Verhältnisse bedarf, in die Luther und die von ihm ausgehende Bewegung eingebettet sind. Die Arbeit führte Ranke im Vollzug immer weiter von seinem Ausgangspunkt fort. Denn es lag gewiß nicht in seiner ursprünglichen Absicht, politische Geschichte zu schreiben. Man kann nur vermuten, daß die Ausmaße, die die Sache mit zwingender Notwendigkeit unter seinen Händen annahm, ihn bewogen haben, den Versuch abzubrechen. Beim Studium von Friedrich Schlegels Vorlesungen zur Geschichte der Literatur, worüber er umfangreiche Auszüge anlegte, notierte sich Ranke, daß die Geschichte als empirische Wissenschaft zu oft in Einzelheiten

54 Vgl. WuN III S. 475.

55 Vgl. ebd. S. 330 Anm. 3.

56 *E. Schweitzer:* Das Luther-Fragment von 1817. In: *L. v. Ranke:* Deutsche Geschichte im Zeitalter der Reformation, hg. v. *P. Joachimsen,* Bd. VI (1926) S. 311 ff.

57 WuN III S. 340—466.

sich zersplittere und daher weit davon entfernt sei, „die Menschen zu bilden. Nur wer jenes Empirische mit der Idee vermählt, kann den Geist wirklich anziehen. Schlegel hat daher wohlgetan, die Begebenheiten nur in großen Massen aufzufassen und zu beschreiben, weil sich in ihnen die ihnen eigentümliche Grundlage, die göttliche Idee von der Welt, am klärsten ausspricht“ [58]. An diese Einsicht hat sich Ranke bei seinen Arbeiten gehalten. Sein Fundament sind grundsätzlich die ihm erreichbaren Quellen und nichts anderes als die Quellen. Es ist müßig, sich nach darstellenden Mustern umzusehen, denen er gefolgt sein soll. Die im Verlauf eines Jahres geleistete Arbeit ist fast nicht zu glauben. Kein Zweifel: Wir haben hier Rankes ersten groß angelegten Versuch vor uns, Geschichte zu schreiben. Es gibt keine Anzeichen dafür, daß er je wieder diese Blätter zur Hand genommen hätte. Sein Versuch jedoch, sozusagen auf Anhieb große Geschichte zu schreiben, bleibt denkwürdig genug.

5.

Mit der Übersiedlung nach Frankfurt/Oder begann nicht allein äußerlich ein neuer Lebensabschnitt. Ranke hatte sich in Leipzig bei denen, die ihn kannten, einen Ruf als Historiker geschaffen. Als Fachlehrer für Geschichte wurde er an das Gymnasium Fridericianum berufen. In einer Rede zum Gründungstag der Schule, einer seiner ersten öffentlichen Handlungen, entwickelte der neue Lehrer mit erst wenig pädagogischer Erfahrung sein Programm, in dem er eine Brücke zwischen erzieherischem Ethos und geschichtlichen Studien schlug. Darauf wird zurückzukommen sein.

Zunächst wurde in Frankfurt eine ganz andere natürliche Lebensleistung von ihm erwartet. Mit der selbstgeschaffenen Einsiedelei war es vorbei. Die etwa gleichaltrigen jungen Lehrer verstanden es, nicht allein gelehrt zu streiten, sondern auch zu reiten, zu zechen, zu schwärmen. Ranke holte hier ein Stück versäumtes Jugendleben nach. Bald war er Mittelpunkt eines kleinen Damenzirkels, in dem er vorlas und über Literatur berichtete. Zwei Teilnehmerinnen wären bereit gewesen, ihm näherzutreten, wenn er gewollt hätte; Frau von Zielinski, die junge Frau eines älteren Generals, die Ranke verehrte, war für ihn unerreichbar [59].

Für den Ältesten der Familie war es auch unter den neuen Lebensbedingungen selbstverständlich, daß er für den Bruder Heinrich, nachdem er mit der Theologie gebrochen hatte, in seinem Umkreis eine erste Versorgung beschaffte. Das ist insofern von Bedeutung geworden, als Leopold über Heinrich Ranke und dessen Freunde ersten persönlichen Zugang zur patriotischen Deutschtümelei der Bur-

58 WuN I Nr. 242.
59 Brw. S. 233 f.

schenschaft und der Jahnschen Turnbewegung gewann. Selbst Turner zu werden, hat Ranke offenbar nie erwogen. So blieb das Verhältnis zur vaterländischen Bewegung distanziert. Für das Politische im engeren Sinne hatte er nur ein unsicheres Sensorium. Wo er seinen Notizheften solche Expektorationen anvertraute, geschah es aus einer Mischung von Wunschdenken und Phantasie, wie bei all seinem Bemühen aus dem Verlangen, Innerliches auch äußerlich Gestalt werden zu lassen. Aber das eine war ihm so unklar wie das andere. Seit Pforte und Leipzig riß ihn mehr das Gefühl als nüchterne Überlegung hin und her zwischen Genugtuung über die im Kampf gegen Napoleon bereits erreichte Einheit der Deutschen und Verachtung derer, die den gefangenen Kaiser, den sie eben noch „anstaunten und bewundernd verehrten", als „Verbrecher" am Volke schmähten,[60] zwischen sentimentaler Anhänglichkeit an seinen angestammten Landesherrn ohne alle fortune und Zorn darüber, daß die während des Freiheitskampfes versprochenen Verfassungen gegen die öffentliche Stimme verzögert wurden, zwischen Verherrlichung Österreichs als providentiellem Einiger ganz Europas unter deutscher Führung und Herrschaft und dem rücksichtslosen Egoismus der „kleinen Tyrannen", die alles bereits erschienene Zukunftsweisende wieder verleugneten [61]. Ein politischer Wille oder auch nur vage Zielvorstellungen für die geforderte Umgestaltung des Staates von innen her, des Staates, den er für das Zusammenleben von selbstverantwortlichen Bürgern so hoch bewertete, sind nicht erkennbar.

Muß-Preuße seit 1815, in Frankfurt/Oder Kurmärker am Rande des wendischen Sprachgebiets, wurde Ranke für einen Augenblick aus seinen Träumen gerissen, als in seinem nächsten Umkreis die Demagogenverfolgung hart zuschlug. Daß bei dem Burschenschaftler Heinrich Ranke unverfängliche Briefschaften beschlagnahmt wurden und er seitdem landesverräterischer Umtriebe verdächtigt wurde, war auch für Leopold ein harter Schlag. Mit einem flammenden Protest wandte er sich an seinen Regierungspräsidenten [62], als Jahn verhaftet wurde, den beide Brüder in Frankfurt kennen gelernt hatten. Leopold scheute sich nicht, sich in Berlin persönlich um die nächsten Angehörigen des Verhafteten zu kümmern und vor der Polizei fliehende Gesinnungsfreunde Heinrichs zu nächtigen und zu versorgen. Als der preußische Staat 1822 durch seine Reaktionsgesetzgebung, wie Ranke sich ausdrückt, „den moralischen Grund, auf dem er ruht, unter seinen Füßen weghebt", denkt er daran, diesen Staat zu verlassen. „Er ist nicht wesentlich mein Vaterland: ich habe keine Verpflichtung gegen ihn. ... Die Unterdrückung der Lehre und der Lehrer ist in preußischen Landen ... auf so hohen Punkt gestiegen, daß ein gewissenhafter Mann

60 WuN I Nr. 285.
61 Vgl. WuN III S. 467 ff.
62 Brw. S. 5 ff.

ihr entfliehen muß", schreibt er an Thiersch, einen alten Portenser und Organisator des bayerischen Schulwesens [63]. Doch das blieb vorübergehende emotionale Anwandlung ohne Konsequenz, ohne auch nur eine konstante politische Gesinnung zu begründen. Zwei Jahre später machte der gleiche Ranke seinen Frieden mit dem schlimmsten der preußischen Demagogenverfolger, dem Minister von Kamptz, als sich die Aussicht eröffnete, in einer Berliner Professur sich ausschließlich seiner Wissenschaft zu widmen.

Inzwischen war auch in Frankfurt die Landschaft grauer geworden. Die jungen Kollegen hatten ihren eigenen Hausstand gegründet. Die Freundschaft zerfiel nicht gerade, ließ Ranke aber doch wieder merklich einsamer werden. Heinrich Ranke hatte Preußen verlassen, wo er als Verdächtiger auf keine Anstellung hoffen konnte, und war über die Erweckungsbewegung eifernder Pietist geworden. Das überschwengliche brüderliche Einvernehmen, von dem beide meinten — zu Unrecht freilich — daß es auf einem gemeinsamen religiösen Grunde ruhe, war zu Ende und ist trotz aller gegenseitigen Zuwendung nicht wiederhergestellt worden. So blieb Ranke als einziger vertrauter Freund Caroline Beer, eine junge Frau aus dem ihn verehrenden Damenkränzchen. Auch hier hatte er seinen Vorbehalt. „Du weißt, daß Caroline mein Freund ist", schreibt er an den Bruder, „ein so guter, verständiger, fester, und der nun alle meine Gedanken wissen kann, und der alle meine Wünsche teilt, daß ich keinen bessern, noch nähern brauche. In der Tat, meine Seele hat zwar, wenn ich sie recht verstanden, die Liebe eines zarten Mädchens bisweilen gewünscht, aber nie eine Frau; mein Leib — und hier trennen sich die beiden Geschwister auffallend und ganz — auf meinen Leib bin ich entschlossen, in dieser Sache nicht im mindesten zu hören" [64].

Im Mittelpunkt der Frankfurter Jahre stand für Ranke beherrschend die Schule: zwanzig Wochenstunden in Tertia bis Prima, die meisten davon Latein, Griechisch und Deutsch, im Geschichtsunterricht parallele Kurse in griechischer, römischer, mittelalterlicher und neuerer Geschichte. Nach den Intentionen seines Direktors Ernst Friedrich Poppo, eines Schülers von Gottfried Hermann, war diese Schule einem Neuhumanismus verschrieben, der in Pforte sein großes, wenn auch nicht erreichtes Vorbild sah. Poppo war es ein Dorn im Auge, daß er auf Grund der örtlichen Verhältnisse in den unteren Klassen Mischformen einer städtischen Bürgerschule unterhalten mußte, daß nicht alle Schüler sich für die Universität vorbereiteten und die Anstalt sich infolgedessen nicht als reine Gelehrtenschule auf die älteren Jahrgänge beschränken konnte. Angriffe auf den Stand der klassischen Studien an den Gymnasien wies er mit Entschiedenheit zurück. Im Jahresbericht seiner Schule für 1819 schrieb er: „Wenn ein Lehrer einer berühmten Univeristät den Gymnasien den Vorwurf gemacht hat,

63 Ebd. S. 28 f.
64 Ebd. S. 38 f.

daß sie an der Vernachlässigung der philologischen Studien dadurch Schuld wären, daß sie ihre Schüler so dürftig vorbereitet entließen, so möchte man — wir haben sichere Erfahrungen — den Vorwurf oft ebenso gut umkehren und die Universitätslehrer beschuldigen können, welche ihren Zuhörern eine Kost geben, womit gute Primaner nicht befriedigt werden können" [65]. Der Ehrgeiz des Schulmannes über das an seiner Anstalt zu erreichende Maß von Beherrschung der alten Sprachen ging weit über das hinaus, was die Väter des neuen Humanismus für das öffentliche Schulwesen erstrebten. Die im griechischen und lateinischen Unterricht eines jeden Quartals zu behandelnden Schriftsteller waren in einem bis ins Einzelne gehenden Kanon festgelegt.[66] Von den in den beiden Oberklassen angesetzten 30 Wochenstunden entfielen mehr als die Hälfte auf die alten Sprachen. Es wurde streng darauf gesehen, daß im Unterricht die Prosaiker in Latein, in den Griechisch-Stunden der Prima auch in Griechisch interpretiert wurden. Die Schüler hatten freie Ausarbeitungen in beiden Sprachen, gelegentlich auch in Versen zu liefern und mußten sich nicht nur im Latein, wie an den Gelehrtenschulen üblich, sondern auch im Griechischen in der Kunst des Disputierens üben.

Diesen Gesetzen beugten sich die jungen Lehrer ohne Widerspruch, auch Leopold Ranke. Allerdings entwickelte er ein wachsendes Empfinden dafür, daß unter dem Gesichtspunkt der „größeren Wahrheit" und des „schärferen Eindringens in das Wesen der Dinge" das Lateinschreiben „eine gewisse Vornehmheit in die menschliche Sprache" bringe. „Zwischen den Gedanken und das Wort stellt sich noch ein drittes, das beide auseinander hält" [67]. Daß Poppos Versuch, sogar das Griechischsprechen in die Schule einzuführen, seinem pädagogischen Ruf geschadet habe, verzeichnete noch der alte Ranke mit stiller Zustimmung, so entschieden er sonst Poppos „Gabe für den Unterricht in dessen essentiellen Zweigen" und seine „große Autorität in jeder Beziehung" betont [68]. Dem Zuschnitt der Schule entsprechend beherrschten die Bemühungen um die Antike Rankes Alltag weitgehend. Von einigen sprachlichen Problemen, dem Lebensnerv der Schule, an die sich noch der Greis erinnerte [69], haben sich in seinen nachgelassenen Papieren kleinere Fragmente erhalten. Das gilt z. B. für die Wertschätzung der „Äneis" des Virgil, worin Ranke sich von zeitgenössischen Schulmännern unterschied und derentwegen er sich gegenüber dem polemisierenden Kollegenfreund Heydler zu verteidigen hatte. Der Dichter hatte Ranke schon in Pforte nachdrücklich beschäftigt, wenn er auch nicht an der pennälerhaften Virtuosität teil-

65 Jahresbericht d. kgl. Friedrich-Gymnasiums Frankfurt/Oder (1819) S. 16.
66 Ebd. S. 6 ff.
67 Brw. S. 40.
68 SW 53/54 S. 34 f.
69 Ebd. S. 38 f.

hatte, die einige seiner Mitschüler das ganze Epos auswendig lernen ließ [70]. In Frankfurt machte er das ganze Gedicht in drei Quartalen der Sekunda zum Gegenstand und verband damit lateinische und deutsche metrische Übungen in freier Nachbildung des Textes [71]. Was ihn bei dem Dichter faszinierte, war die „Ahndung der höhern Weltordnung" [72], wie sie in der vierten Ekloge formuliert ist. Rankes Glaube an den universalen Zusammenhang des in der Welt Geschehenen hat von Virgil seinen Ausgang genommen. Seine Apologie, die er den Freunden vortrug, ist indessen verloren gegangen. Ebenso wenig besitzen wir seine schriftlich ausgearbeitete Polemik gegen die von seinen Kollegen weithin geteilte, von Friedrich August Wolf stammende Lehrmeinung, die homerischen Epen, das tägliche Brot des Unterrichts, seien aus ursprünglich von unterschiedlichen Dichtern geschaffenen Gesängen zusammengesetzt. Ranke, der in Pforte noch diese Anschauung geteilt hatte [73], war jetzt geneigt, wenn auch Brüche und nachträgliche Überarbeitungen ihm noch erkennbar schienen, eine schon bei der Konzeption der vorliegenden Gesänge einheitliche Auffassung anzunehmen [74]. All das steht in Zusammenhang mit den von ihm geteilten Bemühungen, Würde und Eigenrecht der alten Sprachen um ihrer bildenden Kraft willen zu erhalten und ihre Beherrschung nicht, wie es im Schulbetrieb nahe liegt, zu bloßer Fertigkeit oder nur zu ästhetischem Genuß zu degradieren.

Was aber hatte er mit dem Geschichtsunterricht im Sinn? Wiederum steht die theoretische Überlegung vor der Praxis. Nach der Programmrede [75] vom Anfang seiner Lehrtätigkeit am Fridericianum hat alle am Menschen zu leistende Erziehung eine doppelte Aufgabe: einmal ihn zum Individuum zu machen, zu bilden, daß er, vom blinden Zwang der Natur gelöst, dem kraft eigener Einsicht sich selbst gegebenen Gesetz in Freiheit folgt; zum andern das befreite, selbstverantwortliche Wesen mit seiner innersten Zustimmung der Gemeinschaft, dem Staat — Ranke sagt: dem „Vaterland" — zuzuwenden. Da unter den Deutschen die Nation schweigt, muß der Erzieher das Ideal selbst erzeugen, die Wissenschaft die bei andern Völkern erziehende Gewohnheit ersetzen: „das wahrhaft innige Ergreifen des Altertums", um es „darzustellen im Leben der Gegen-

70 Ebd. S. 21.

71 C. *Rethwisch:* L. v. Ranke als Oberlehrer in Frankfurt a. O., Progr. (Charlottenburg 1908) S. 17.

72 WuN III S. 565.

73 Vgl. *Rankes* Valediktionsarbeit ebd. S. 99.

74 Vorüberlegungen oder Reste dieser Ausarbeitung (vgl. SW 53/54 S. 39) dürften sich in dem Fragment „Das geschichtlich Bezeichnende der homerischen Sprache" (WuN I Nr. 74) erhalten haben, in dem zwar von Homer nicht die Rede ist, in dem es vielmehr um die Kunde der alten Sprachen als einem „Teil jener großen, dem Menschen gewidmeten Wissenschaft, ... die wir Geschichte nennen", geht.

75 „Vom Ideal der Erziehung" (12. Oktober 1818), WuN III S. 487—497.

wart“ [67]. Dazu hilft das Studium der Geschichte, weil gerade sie bei allem im Laufe der Zeit eingetretenen Wandel der Formen, selbst bei aller Abhängigkeit von den Nachbarn, die sich gleichbleibende Eigentümlichkeit der Nation zeigt. Diesen Forderungen im Geschichtsunterricht nach Kräften gerecht zu werden, macht Ranke alle Anstrengungen. Wenn er auf Anschaulichkeit und Lebendigkeit der Darstellung großen Wert legt, so handelt es sich nicht um stilistische Mittel, sich angenehmer und leichter verständlich zu machen. Hier ist historische Realistik, größtmögliche Wahrheit in einem umfassenden Sinn gemeint, eine Wahrheit, die unter Anstrengungen gesucht werden muß, die sich daher nicht mit der Weitergabe von Kompendienwissen begnügt, sondern so weit wie irgend möglich zu den überlieferten Zeugnissen des vergangenen Lebens zurückgeht. Das erst ist die Voraussetzung, um die in der Geschichte angelegten, aber dem naiven Auge verborgenen „ewigen Gesetze göttlicher Ordnung“ nicht keck zu ergreifen, vielleicht aber zu „ahnden“ [77].

Wir besitzen noch Rankes Präparationen für den Unterricht der Oberstufe in griechischer und römischer Geschichte und Literaturgeschichte.[78] Selbst hier ging er trotz des ständigen Kampfes mit der zur Verfügung stehenden Zeit so weit wie möglich auf die Quellen zurück. Was er da Woche für Woche an Stoff zusammenraffte und vortrug, ist geradezu unglaublich. Besonders in der griechischen Frühgeschichte wachsen sich die Vorbereitungen zu regelrechten Untersuchungen aus. Sie entfalten ein durch und durch idealistisches Griechenbild. In den nach der Überlieferung ältesten Verhältnissen mit ihrer natürlichen Ordnung der Lebensalter und der öffentlichen Anerkennung der Tugenden stellt sich ihm das Griechentum in seiner Reinheit dar. Dann aber beginnt unaufhaltsam der Abstieg über Königtum und Aristokratie zur Demokratie, ein Abfall, in dem Ranke durch die mancherlei Trübungen der Zeitläufte hindurch immer wieder den „Sieg der schönen Natur der Griechen“ [79] schimmern sieht. In den nur noch in unzusammenhängenden Trümmern vorhandenen Notizen zur römischen Geschichte bevorzugt er, wo Niebuhr, den er jetzt erst in der Breite zur Kenntnis nimmt, nicht mehr hinreicht, die griechisch schreibenden Historiker.

Je sicherer Ranke im schulmeisterlichen Handwerk wurde, je mehr er sich auf den mitgebrachten und erarbeiteten Fundus verlassen konnte, um so mehr konnte er auf schriftlich ausgearbeitete Präparationen verzichten. Die Pflichten des Geschichtslehrers haben ihn zum Geschichtsleser gemacht. Die Aufzeichnungen aus seinen alten Tagen vermitteln noch etwas von dem Entzücken, das ihn bei dieser ausgedehnten Lektüre gefangennahm. Man wird freilich die dort skizzierten

76 Ebd. S. 493 f.
77 Vgl. ebd. S. 528.
78 Ebd. S. 498—575.
79 Ebd. S. 501 u. 518; vgl. WuN I Nr. 76.

Historikerportraits [80] in ihrer Abgewogenheit nicht ohne Abstriche in die jungen Jahre zurückversetzen dürfen. In die Darstellungen des alten Ranke sind die Einsichten und Erfahrungen eines ganzen Gelehrtenlebens eingegangen. In welcher Stimmung er in Frankfurt die alten Geschichtsschreiber las, ohne sich viel um die in Jahrhunderten aufgehäuften Kontroversen zu kümmern, sagen seine viel zitierten Worte aus dem Frühjahr 1820: „In aller Geschichte wohnt, lebet, ist Gott zu erkennen. Jede Tat zeuget von ihm, jeder Augenblick prediget seinen Namen, am meisten aber, dünkt mich, der Zusammenhang der großen Geschichte. Er steht da wie eine heilige Hieroglyphe, an seinem Äußersten aufgefaßt, und bewahrt, vielleicht, damit er nicht verloren geht künftigen sehenderen Jahrhunderten. Wohlan! Wie es auch gehe und gelinge, nur daran, daß wir an unserm Teil diese heilge Hieroglyphe enthüllen! Auch so dienen wir Gott, auch so sind wir Priester, auch so Lehrer“ [81]. Seiner Art entsprechend blieb es nicht beim Lesen allein. Seine Hefte aus den zwanziger Jahren zeigen, wie ihn immer wieder bestimmte Fragen zu schnell hingeworfenen Notizen veranlaßten, in denen der Geschichtsdenker aufleuchtet: etwa in Fortsetzung herodotscher Gedanken die Auseinandersetzung zwischen Asien und Europa oder die nicht weiter verfolgte Vermutung, das abendländische Königtum könnte von den Nachfolgern Alexanders zu den Römern und von dort zu den europäischen Völkern gekommen sein. Schon hier war Ranke zuweilen sicher, daß Gott selbst in den Lauf der Geschichte eingreift.

Trotz alles Schwelgens in den Jahrhunderten, wobei er am liebsten ständig geblieben wäre, wuchs doch merklich seine Unruhe. Die Schule wurde ihm zur Fron, weil sie ihm beim Verfolgen eigener Pläne hinderlich war [82]. „Wir haben jetzt Ferien gehabt und ich lebe so hin“, schreibt er an den Bruder. „Du denkst wohl, daß mich gewisse Studien bewegen. Aber der Stoff ist unermeßlich, der Mensch wenig und die Stunde kurz. Ich habe mir vorgenommen, niemals die Zeit mit Bücherschreiben zu verderben, sondern jenen Einsichten nachzustreben, die den Menschen zugleich gut machen und erleuchten. Da alles von Gott kommt, mag es wohl nicht an dem Stoff liegen, sondern an dem Auge für denselben; indem wir den Dingen die Schale, die Hülle nehmen und das Wesentliche hervorkehren, geschieht es, daß auch in uns selbst Wesen, inneres Leben, Seele und Odem Gottes Flügel bekommt oder wenigstens Dasein“ [83]. Aber diese Gelassenheit trog. In Wirklichkeit war Ranke schon auf dem Wege, dessen Ziel er selbst vor den Nächsten ängstlich verbarg. Er verschlang ungeheuere Mengen an Lesestoff: italienische Dichtung seit Dante, Literatur zum frühen Humanismus in

80 SW 53/54 S. 39 ff.
81 Brw. S. 18.
82 WuN I Nr. 32. 39.
83 Brw. S. 38.

Italien, deutsche Chroniken des Mittelalters. Bei Freunden und Verwandten fragte er nach, ob sie ihm nicht etwas Unbekanntes nachweisen könnten. Wir wissen bis heute nicht recht, wie es zu den „Geschichten der romanischen und germanischen Völker" gekommen ist[84], dem Buch, das Ende 1824 für Ranke selbst überraschend schnell im Druck vorlag. Seine Entstehungsgeschichte, die sich auf Grund der erhaltenen Aufzeichnungen genauer klären läßt, soll hier nicht weiter verfolgt werden. Es war der erste Schritt in die Öffentlichkeit, insofern auch erfolgreich, als ihm das Werk die außerordentliche Professur für Geschichte an der Universität Berlin eintrug. Aber die innere Brüchigkeit des Werkes ist doch nicht zu übersehen und auch dem Verfasser nicht verborgen geblieben. In der Manier der Romane Walter Scotts wurde hier geschichtlich bezeugte Kleinmalerei in größere Zusammenhänge gespannt. Unter Gottes Hand über ihr zerbrach die eine Geschichte wieder in einen Plural von Geschichten; denn Ranke erörterte gar nicht mit Genauigkeit die politischen Interessen und Machtverhältnisse, wie das protegierende Berliner Ministerium meinte. Es spricht einiges dafür, daß er ursprünglich die Entstehung der Nationen aus Kunst und Literatur des ausgehenden Mittelalters begreifen wollte, dann aber die Erfahrung machte, daß das kaum zu fassen war und obendrein, wie er schon beim „Luther" erfahren hatte, die politischen Verhältnisse die geistige Entwicklung dauernd veränderten und gerade dadurch sich in den Vordergrund schoben. Unter Schmerzen hat Ranke es lernen müssen, daß nicht der Vorsatz, die Absicht, sondern die Eigenart der Quellen dem Geschichtsschreiber die Hand führt. Daß er sich in diesem Punkt beschied, nicht Geschichte von Ideen schrieb, sondern sich an die Sachen hielt, in denen er „zuweilen" Gottes Wirken glaubte greifen zu können — auch in dieser Hinsicht mit den Jahren immer vorsichtiger — hat ihn zum Geschichtsschreiber gemacht.

Auch sein Erstlingswerk ist Fragment geblieben. Ranke hat es nie vollendet. Insofern teilt dies Buch das Schicksal aller seiner jugendlichen Ansätze, die jetzt vor uns liegen. Der öffentliche Beifall war schmal. Ranke selber hatte das Empfinden, daß sein Werk, das der Verleger Reimer ihm unter den Händen weggezogen hatte, noch nicht ausgereift sei und daß er es nur abgenabelt habe, um der Galeere Schule mit ihren geringen freien Arbeitsmöglichkeiten zu entfliehen. Seine Jugendzeit war im Grunde noch nicht zu Ende.

Ranke hat durch seine autobiographischen Aufzeichnungen selbst dazu beigetragen, sein Leben so aufzufassen, als seien ihm alle kathartischen Umbrüche erspart geblieben, als sei er in divinatorischer Gnade geradenwegs zur Meisterschaft aufgestiegen. Für seine Anfänge ist das gewiß nicht richtig. Es dauerte lange, bis er seinen Einsatzpunkt fand und ihm etwas gelang. Es ist wohl etwas Menschliches, daß auch große Leistung durch Schmerzen reif wird.

84 *E. Schulin:* Rankes erstes Buch. In: HZ 203 (1966) S. 581 ff.

4.

Ranke und Luther

Leopold Ranke hat es wiederholt ausgesprochen, daß neben Thukydides, Barthold Georg Niebuhr und Johann Gottlieb Fichte auch Luther zu den „Geistern" gehört, „denen ich die Grundelemente verdanke, aus denen sich meine späteren historischen Studien aufgebaut haben".[1] Unter den zahllosen Gestalten, die der Historiker in seinem Werk gezeichnet hat, gibt es nur wenige, die er wie Luther in den verschiedenen Phasen seines Lebens zwar nicht gerade aus unterschiedlichen Gesichtswinkeln immer wieder neu dargestellt, wohl aber durch Zitieren als eine Ganzheit heraufbeschworen und damit seine Verbundenheit und Dankbarkeit bezeugt hat. Dabei ging es weder um Wiederholung oder Einprägung einmal gewonnener Erkenntnisse noch um die Pflege einer bestimmten Bekenntnistradition, sondern darum, Luther sowohl als größte individuelle religiöse Erscheinung der neueren Jahrhunderte wie in seiner weltgeschichtlichen Bedeutung zu begreifen. Rankes Lutherverständnis nachgehen heißt daher, sowohl ein Stück Werden und Wirken des Historikers Ranke in biographischer Absicht zu beschreiben, als auch näher zu bestimmen, was es bedeutet, wenn er Luther ein „Grundelement" seines Geschichtsdenkens nennt.[2]

1 SW 51/52 S. 588 f.

2 Seit der ersten, noch unvollständigen Veröffentlichung von Rankes „Lutherfragment von 1817" durch *E. Schweitzer* (in: *L. v. Ranke:* Deutsche Geschichte im Zeitalter der Reformation, hg. v. *P. Joachimsen*, Bd. VI [1926] S. 311—399) ist die Thematik „Ranke und Luther" wiederholt Gegenstand von Untersuchungen gewesen: *P. Joachimsen:* Einleitung, ebd. Bd. I (1925) S. XII—CXVII; *ders.:* Das Lutherbild Leopold von Rankes. In: Luther 8 (1926) S. 2—23; *J. Hashagen:* Ranke und Luther. In: Hist. Vierteljahrsschrift 13 (1931) S. 102—104; *W. Schultz:* Der Einfluß lutherischen Geistes auf Rankes und Droysens Deutung der Geschichte. In: Arch. f. Reformationsgesch. 39 (1942) S. 84—103; *C. Hinrichs:* Rankes Lutherfragment von 1817 und der Ursprung seiner universalgeschichtlichen Anschauung. In: Festschr. f. Gerhard Ritter (1950) S. 299—321, erweitert in: *Ders.*, Ranke und die Geschichtstheologie der Goethezeit (1954) S. 99—160. 247—254; *I. Mayer-Kulenkampff:* Rankes Lutherverhältnis. Dargestellt nach dem Lutherfragment von 1817. In: HZ 172 (1951) S. 65—99; *H. Bornkamm:* Luther im Spiegel der deutschen Geistesgeschichte (2. Aufl. 1970) S. 41—48. 249—258. Diesen Arbeiten ist auch die hier vorgelegte verpflichtet. Sie unterscheidet sich von den vorausgegangenen dadurch, daß sie 1.

Ranke stammt aus einer Landschaft, die man geographisch und in ihrem geistigen Zuschnitt als lutherisch bezeichnen kann. Nach Sitte und Gewohnheit gehörte seine thüringisch-sächsische Heimat zu Beginn des 19. Jahrhunderts, bevor noch zu seinen Lebzeiten die allgemeine Mobilität der Bevölkerung auch sie erfaßte, seit der Reformation ohne Unterbrechung zum lutherischen Bekenntnis. Katholischer Glaube und katholische Persönlichkeiten von Rang dürften vor seiner Leipziger Studienzeit entweder gar nicht oder höchstens in literarischer Gestalt im Horizont des jungen Ranke aufgetaucht sein. Äußerlich gesehen rechnete er sich, obwohl nie ein regelrechter Kirchgänger, selbstverständlich zur protestantischen Tradition. Ob das etwas für das Protestantische seines Denkens bedeutete, wird zu fragen sein.

So weit er, älter werdend, die Geschichte seiner Familie zurückverfolgte: stets waren die Ranke lutherische Geistliche gewesen, der nachweisbar älteste in unmittelbarer Nähe von Luthers Geburts- und Sterbestadt. Erst Rankes Vater hatte die Kette durchbrochen und war Jurist geworden, nicht ohne Skepsis, ob er recht daran getan habe. Was Ranke die „Religion der Familie" nennt, wie sie sich in seinen eigenen, auch in erhaltenen Briefen seiner Eltern und Geschwister spiegelt,[3] eine „Religion", zu der er sich sein Leben lang bekannte, setzte sich aus Komponenten zusammen, deren Wurzeln — wenigstens z. T. — im Luthertum liegen: aus dem Bewußtsein des unauflösbaren Zusammenhangs der Familienglieder untereinander, unabhängig von Bildungsunterschieden, unbeschadet auch von vereinzelten zeitweisen Entfremdungen und Verstimmungen; aus selbstverständlicher Pietät und schuldigem Gehorsam von Kindern gegenüber ihren Eltern; aus leicht rationalistisch getönter schlichter Frömmigkeit, genährt aus Bibel, Postille, Gebet und Predigt ohne dogmatische Zwänge und herausgehobene pietistische orthodoxe Züge; aus einer Lebensart, in der Werte des Gemüts Vorrang besaßen vor denen des Verstandes, untermischt mit mancherlei Resten von handfestem Aberglauben, den Nachbarn aus den unteren Schichten des heimatlichen Landstädtchens beisteuerten; in Gesinnung und Bewußtsein fest verwurzelt in einer patriarchalischen, fraglos ständischen Ordnung, die im christlichen Liebesgebot auch ihre soziale Verantwortung kannte. Das alles erinnert — nur um ein Geringes ins Säkulare gewendet — an ein evangelisches Pfarrhaus, das seit Luthers Zeiten ein Muster deutschen bürgerlichen Familiensinns geworden ist und im Falle Rankes noch für Kinder und Enkel von Pfarrern den ihnen gemäßen

nach der systematischen Aufschließung des Rankenachlasses (WuN) die Frage auf breiterer Quellenbasis erneut aufnimmt und 2. um der Genesis des Rankeschen Denkens willen für die einzelnen Perioden seines Lebens nur solche Belege heranzieht, die in der betreffenden Zeit bezeugt sind.

3 *Ermentrude von Ranke:* Rankes Elternhaus, hg. v. W. P. Fuchs. In: Arch. f. Kulturgesch. 48 (1966) S. 114—132.

Lebensraum bedeutete. Ranke hat dies Milieu als friedliche Insel reiner Menschlichkeit jenseits von allem Getöse der Zeit in Aufzeichnungen seiner Jugend immer wieder mit wenigen Strichen gezeichnet, eine Atmosphäre, in die er, seit sein eigener Hausstand der eines Gelehrten geworden war, bei Brüdern und Schwestern gern eintauchte.[4]

Nach der Elementarschule im Chor der Stadtkirche von Wiehe mit ihren ausgesprochenen Unterscheidungen zwischen den Kindern der Gebildeten und Begüterten und denen der einfachen Stadtbürger spielte sich gehobene Bildung für einen Begabten von Rankes Stand im protestantischen Sachsen des beginnenden Jahrhunderts in den Gelehrtenschulen Donndorf und Pforte ab. Sie führten ihre ungebrochene Tradition auf die Reformationszeit zurück: hinter hohen, schwer zu überwindenden Mauern, abgeschirmt gegen störende Einflüsse von außen wurden die Schüler in einer nur männlichen Gesellschaft, die sich aus einer weithin homogenen Schicht von Beamten und Pfarrern rekrutierte, in einem ausgetüftelten, hierarchisch gegliederten, Tag und Nacht überwachten System erzogen. Zwar empfand Ranke manche durch ihr Alter sanktionierten Schattenseiten im Zusammenleben auf engem Raum als nicht nach seinem Geschmack. Aber er arrangierte sich klaglos, wie es ihm Zeit seines Lebens nicht in den Sinn gekommen ist, legitimierter Autorität zu widerstreben. Seine Lehrer waren in der Mehrzahl Theologen, die mehr als Gelehrte denn als Menschen respektiert wurden, — bis auf einen jüngeren, ihm freundschaftlich verbundenen, kenntnisreichen Kollaborator, den er schon bald wieder verlor wie alle seine gleichaltrigen Freunde — im 18. Jahrhundert beheimatete, zumeist etwas skurrile Gestalten, die an der neuen Bewegung in Literatur und Philosophie keinen Anteil hatten. Auch hier herrschte fraglos akzeptierte lutherische Rechtgläubigkeit: in der klosterähnlichen festgefügten christlichen Ordnung des Tages und des Jahres, in der regelmäßigen Bibellektüre in der „archaistischen Farbe der lutherischen Übersetzung“, in der Konzentration auf die möglichst selbständige Arbeit an den Mustern der Antike, alles und jedes in vorgezeichneten Bahnen mit starkem, von den Oberen gefördertem Leistungswillen. Man wird die unmerklich bildende Kraft dieses Grundklimas nicht unterschätzen dürfen, das den ganzen Verband umschloß. Wie hätten auch sonst junge Menschen im aufnahmefähigsten und aufnahmewilligsten Alter ohne Schaden so viel unnatürliche, emotionsarme und leibfeindliche Einschnürungen überstehen können, junge Menschen, die nur einen kurzen Augenblick lang Auge und Ohr für die epochemachenden Zeitereignisse besaßen, die sich in ihrer unmittelbaren Nähe abspielten.

Als Ranke 1814, ein Jahr vor dem regulären Abschluß, Pforte im Bewußtsein verließ, hier ausgelernt zu haben, und sich zum weiteren Studium in Leipzig ein-

4 Vgl. „Luther-Novelle“ (WuN III Nr. 10); „Aus den Papieren eines Landpfarrers“ (WuN III Nr. 13); Briefe Heinrich Rankes an Leopold, hg. v. *W. P. Fuchs.* In: Jb. f. fränk. Ldsforsch. 25 (1965) S. 115—207.

schrieb, wurde er zum erstenmal ganz Herr seiner selbst. Leipzig war die erste größere Stadt, die er kennenlernte, auf die hin Handel und geistige Ausrichtung seines Heimatortes von jeher ausgerichtet war, aber auch eine Stadt, in der wegen ihrer Weltläufigkeit trotz der Theologischen Fakultät protestantischer Geist nicht mehr mit gleicher Selbstverständlichkeit wie bisher die Lebensluft ausmachte. Ranke hat alle darin beschlossenen Verlockungen entweder gar nicht wahrgenommen oder souverän an sich abgleiten lassen. Keine Zeit in seinem Leben ist durch gleichzeitige Aufzeichnungen so reich dokumentiert wie diese. Sie zeigen den Reifenden auf der Suche nach seiner Identität. Dem Studenten der alten Sprachen und der Theologie — ein eigenständiges Studium der Geschichte gab es in Leipzig nicht, geschweige denn daß Ranke es damals bereits erstrebt hätte — machte es anfangs einige Mühe, bei der Unklarheit über seine Interessen und Ziele durch die Vielfalt des Angebotenen seinen Weg zu finden. Vorlesungen vermochten ihn auf die Dauer nur wenig zu fesseln. Zu keinem seiner akademischen Lehrer trat er in ein persönliches Verhältnis, das die Universitätsjahre überdauert hätte. Vom Besten, was einige zu bieten hatten, machte er wenig oder keinen Gebrauch. Auf so problemreiche Gebiete wie die Dogmatik, die der Theologe eigentlich nicht hätte versäumen dürfen, ließ er sich gar nicht erst ein. Dem kleingewachsenen, scheuen Studenten Ranke stand der Sinn ohnehin weniger nach neugierigem Entdecken und Ergreifen von Unbekanntem und Spektakulärem als nach Gleichklang und Vertiefen von Einsichten, die er mit zartem Gespür in sich heranwachsen fühlte, ein junger Mensch für sich selbst, mit seiner Umwelt nur in losestem Kontakt, keiner spezifischen Schicht zugehörig, geistig frei sich rührend, mit starkem Gefühl für die Wurzeln, aus denen er stammte.

Ranke nutzte die Freiheit seiner besten Bildungsjahre bei einem ungewöhnlich konzentrierten, vorwiegend einsamen Bücherstudium. Das geschah um den Preis, Freunde zu entbehren, die ihn hätten fördern und denen er sich hätte aufschließen können. Manches, was ihm bei der Lektüre in die Hände fiel, mag Zufallsfund gewesen sein; denn an der Bewältigung bestimmter Stoffmassen und Wissensgebiete, an Vollständigkeit und Systematik lag ihm nichts. Angefangenes wie die Kantschen „Kritiken", die er schon in Pforte vorgenommen hatte, konnte er leichten Herzens wieder beiseite schieben, als die ihn allzu abstrakt dünkenden Gedankengänge ihm keine Antworten mehr auf eigene Fragen lieferten. Johann Gottfried Herder, Johann Gottlieb Fichte, Friedrich Heinrich Jacobi, Johann Georg Hamann, Friedrich Wilhelm Schelling, Friedrich Schlegel u. a., die ihn tief berührten, nahm er nur in Teilen zur Kenntnis. Den ganzen Kosmos ihrer Spekulationen zu ergründen, empfand er weder Neigung noch Notwendigkeit. Die Vielfalt der Gegenstände, mit denen er sich mit Ernst beschäftigte, bleibt dennoch erstaunlich genug. Auch die nicht gerade kleinen Projekte, die er ohne von außen gesetzten Auftrag, ohne spezielle Anleitung, ohne Aufsicht und Kritik, allein dem eigenen Antrieb folgend aus dem Verlangen nach eigenständigem Tun niederschrieb, um nicht in bloßer Rezeptivität zu verharren, sind Fragmente geblieben: die Übersetzungen der Psalmen, die Idyllen des Theokrit. In diesen Zusammenhang gehört auch der Plan, im Jubiläumsjahr der Reformation 1817 Luthers Leben zu beschreiben. Dieser für Rankes Entwicklung folgenreichste Versuch seiner jungen Jahre erschließt sich erst voll, wenn man sich mit den theologischen und philosophischen Gedanken vertraut macht, die dieser Arbeit z. T. vorausgingen, z. T. parallel mit ihr verliefen.

68jährig diktierte Ranke seinem ältesten Sohn, der eben das theologische Studium begann, eine Beschreibung seiner religiösen Verfassung während seiner Studienzeit in die Feder. Mit dem Geist der Theologie, wie sie zu seiner Zeit in Leipzig betrieben wurde, heißt es da, habe er sich „in offenem Widerspruch" befunden. „Überall herrschte ein gemäßigter Rationalismus, mit dem man sich vertragen konnte, wenn er praktisch auftrat, nicht aber, wenn es auf theoretische Überzeugung ankam." Auf den ersten Blick mag es aus der Fülle bereits erbrachter Lebenserfahrung stammen, wenn er hinzufügte: „Es ist das vornehmste Mißverständnis der Welt, entgegengesetzte Prinzipien vereinen zu wollen: das unbedingt Gültige, das sich als Gotteswort ankündigt und anerkannt worden ist, und das momentane Räsonnement." Der Bericht fährt fort: „Durch alle meine Gefühle war ich dem ersten zugewandt; ich weiß selbst nicht, wie es gekommen ist; denn um mich her hatte von jeher alles zum Rationalismus geneigt; aber mir erschien er unbefriedigend, seicht und schal. Ich glaubte unbedingt. Doch wäre es mir schwer gewesen zu sagen, wie weit das eigentlich reiche."[5] Ein für den älteren Ranke höchst charakteristisches Diktum: auf der einen Seite der apodiktisch gesetzte, nicht weiter abgeleitete unbedingte Glaube sowohl als Prinzip wie Geltung fordernd sogar für sein individuelles Selbst; auf der andern Seite die Motivierung im Gefühl, wobei sowohl die auslösenden Gründe wie die notwendigen Konsequenzen im Schwebenden und Unbestimmten bleiben.

Befragt man die in Leipzig entstandenen gleichzeitigen Notizen, so bieten sie sehr viel spannungsreichere Aussagen. Mit einer der zentralen Fragen rationalistischer Theologie, dem Verhältnis von Vernunft und Offenbarung, hat sich der junge Ranke eingehend beschäftigt. Dabei ging es um die Gründung seiner religiösen Existenz: entweder Festhalten an den durch Tradition gegebenen, für absolut wahr deklarierten christlichen Gehalten oder Öffnung des religiösen Bewußtseins für wissenschaftliches, weiterführendes Denken. Wenn, wie die Neuerer behaupteten, allein die Erfahrungswissenschaften imstande waren, ein zureichendes, der Vernunft entsprechendes Verständnis vom Weltzusammenhang zu erarbeiten, dann konnten für die Gültigkeit eines in der Heiligen Schrift bezeugten christlichen Gottesglaubens keine besonderen, aus der allgemeinen Vernünftigkeit ausgeklammerten Gesetze gelten. Das Bedürfnis nach einer natürlichen, der Vernunft entsprechenden, im Menschen frei wachsenden Religion war

5 SW 53/54 S. 29.

auch unter Rationalisten nicht strittig. Aber von einer im Laufe der Geschichte einmal offenbarten Religion mit entwickelter Heilslehre, der allenfalls die Rolle einer Eingangsstufe zu einer ernstzunehmenden natürlichen Religion konzediert wurde, mußte gefordert werden, daß sie sich dem Urteil und der Auslegung der grundsätzlich geschichtslosen Vernunft stelle, also ihren Anspruch auf unbedingte Gültigkeit und Wahrheit aufgebe. Gerade die Behauptung von Supranaturalisten oder Orthodoxen war Ziel des Angriffs: es gehöre zum Wesen wahrer Religion, insbesondere des Christentums, die übernatürliche, für die bloße Vernunft nie hinreichend einsehbare, nur im Glauben zugängliche Offenbarung.

In der Auseinandersetzung mit dieser Problematik gab es beim jungen Ranke eine Phase, wo er der natürlichen Religion der Rationalisten näher war als dem später in Anspruch genommenen unbedingten Glauben. „Bloßer Glaube" konnte nach seiner Überlegung bei der Unzulänglichkeit menschlicher Vernunft kein Ersatz für absolutes Wissen sein, wohl aber ein „subjektives Schauen" als Norm und Überzeugung für das Handeln und insofern eine „Hilfe der Gottheit".[6] „Sei auch einer noch so einfältigen Gemütes", notierte Ranke,[7] „er kann doch nicht auf das αὐτὸς ἔψα glauben; es muß doch, was er auch glaube, irgend eine Analogie zu seinem vorigen Wissen haben." Bei der Bibellektüre, wenn sie über die bisher vornehmlich beobachteten historischen Bücher hinausschritt, gewann die Frage besondere Dringlichkeit. „Aus den Büchern der alten und innigsten Theologen wie aus den Briefen Pauli spricht uns so wunderbar jenes unbedingte Vertrauen auf die göttliche Rechtfertigung, jener stille Glaube an den Erlöser Christum an das Herz, daß wir alle die alltäglichen Philosopheme von der moralischen Pflichtigkeit, von dem Gutestun und Böseslassen, was doch ewig unser Herz nicht ausfüllen kann, vergessen und von uns abtun möchten. Wie aber? Sollen und können wir es nehmen, wie sie es genommen? Mit all den wunderlichen Modifikationen, die der Eindruck der verschiedenen Zeiten in jener Lehre zurückgelassen, die ihr eben eine gangbare Philosophie aufgedrückt? Wir können es nicht durchaus nehmen, wie es Luther nahm!" Zwar hat er „eine Flamme angezündet, die weit leuchtete". „Aber wie er's empfangen hatte in dem Gemüte, so konnte er es nicht zu dem Begriffe fassen." Luther blieb bei dem sola scriptura, weil der Geist der Bibel auch aus ihm sprach und „weil er in der allgemeinen Kampfzeit einen Panzer und eine Waffe brauchte, vor der jedes Auge zurückbebte". Selbst Paulus hat „die Idee wohl nicht ganz und in ursprünglicher Reinheit ausgesprochen: und was aus den andern Schriften des Neuen und Alten Testaments uns anweht, ist der Geist ursprünglich noch nicht in eine Form verfaßt ohne alleinigen feststehenden Bezug auf die Vergangenheit".[8]

6 WuN I Nr. 80.
7 WuN I Nr. 83.
8 WuN I Nr. 85.

Mit anderen Worten: Ranke war, wie er argumentierte, nicht bereit, die Bibel als das Zeugnis göttlicher Offenbarung so beim Wort zu nehmen, wie es der Protestantismus seit Luther getan hatte. Daß die Heilige Schrift in zeitbedingtem Gewande rede, wußte die Theologie längst; nur wo im konkreten Fall die Grenze zwischen eigentlichem Kern und zeitgebundener Zutat liege, war strittig und fließend. Mit Differenzierungen hielt sich Ranke nicht lange auf, wenn er sich anschickte, hinter der berichteten Heilsgeschichte und der biblischen Verkündigung das letztlich Gemeinte, den „ursprünglichen Geist", die „Form ohne Bezug auf die Vergangenheit", den „Begriff", die verborgene „Idee" zu suchen, die göttlichen Ursprungs und Menschen erkennbar sein und zugleich normativen Charakter besitzen mußte. Vollends deutlich wird das in Rankes Christologie. Auf die Frage: „Was glaube ich, wenn ich an ihn [Christus] glaube?" antwortete er: „Er ist Gott im Menschen; glaub' ich an ihn, so glaub' ich an die Göttlichkeit im Menschen." [9] Ranke folgert daraus sogleich: „So muß ja der Glaube wohl nicht an seine [Christi] Erscheinung geknüpft sein: an die Idee ist er geknüpft. Wem die Erscheinung das ganze Herz erfüllt, dem Gläubigen, er ist selig, er sei selig: wem der stille Glaube entrissen ist, der muß sich zur Idee flüchten. Dieses laßt uns tun. Die Idee Christi, von der das Alte Testament singt und sagt, von der das Neue erzählt, die aus den Schriften und Taten der frömmsten Männer hervorleuchtet, laßt uns halten und fesseln." [10]

Die Frage nach der Gültigkeit des Gotteswortes, ja nach dem Absolutheitsanspruch des historisch gewordenen Christentums war damit auf die verborgene und erst noch zu entdeckende „Idee" reduziert. „Nicht als Form ist etwas ewig; nur der Kern, der sie einhüllt, hält den Winter aus. Die Form ist gut, aber nicht außer der Zeit." [11] Darum gilt auch: „Ein Mensch von Religion heißt uns der, welcher die in seinem innersten Sein genährte Überzeugung vom Göttlichen und der Verbindung von beiden, dem Menschlichen und Göttlichen, in der moralischen Vernunft durch die lebendige Tat beurkundet; ohne es in Betracht zu ziehen, welchem äußern Kultus er zugetan ist." [12]

Es charakterisiert den jungen Ranke, daß er es bei der „Idee" in schwindelnder Höhe nicht lange aushielt, sei es, daß er seiner in einsamem Denken gefundenen Deduktion doch nicht so sicher war, sei es, daß die verhüllte Idee sich nicht so leicht entschleiern ließ. Den einfachen Gemütern, den schlicht Glaubenden wollte er nie zu nahe treten. Bloß logische Konzequenzenmacherei oder kämpferisches Eintreten für seine Überzeugung kam für ihn nicht in Betracht. Es waren die Romantiker, die ihn einen Weg finden ließen, sich mit Tradition und

9 Ebd.
10 Ebd.
11 WuN I Nr. 79.
12 WuN I Nr. 89.

Erscheinung des christlichen Glaubens, wie sie den Alltag erfüllten, einschließlich aller Widersprüche in der Verkündigung und aller rationalen Ungereimtheiten der Dogmatik zu arrangieren und damit harten persönlichen Entscheidungen auszuweichen. Beim Vergleich des Opfertodes des Sokrates und Jesu notierte er: Christus „stirbt für die Menschen, [...] die höchste Entsagung und Selbstverleugnung gleicht Gott und Mensch wieder aus, so wie auch er in diesem Sinne als ein von Gott rein ausgeflossener und in Gott zurückfließender selbst Gott ist. — Und sollte dies auch wirklich ursprünglich nicht in ihm gelegen haben, wie wir hierüber nicht entscheiden können, so hat es doch der treue Glaube des Volks, der sich an dem göttlichen Eifer der Nachfolger Christi entzündete, hineingetragen, und schon als ein solches Erzeugnis müssen wir's ehren. Denn eben in der Volkstümlichkeit und der allgemeinen Stimme dafür spricht sich die Göttlichkeit aus." [13] Im gleichen Sinn heißt es in den Notizen über das Abendmahl: „Sollte es denn so durchaus geraten sein, sich an den exegetisch willigsten Sinn der heiligen Schriften überall zu binden und jedes andre zu verschmähen? Wenn sich uns Gott im Wort geoffenbart hat, so wird er sich uns doch auch durch die Gemeingesinnung, durch die Idee, die nicht in den Köpfen einzelner braust, sondern ein Volkseigentum und universell ist, haben kundtun können. So die Lehre mit dem Abendmahl. Es ist nicht zu leugnen, daß das Neue Testament die unmystische Deutung begünstigt; aber ist einmal Christus Gott, ist es im Christentum auf eine Vermengung der Kirche mit Gott und dem Heiland abgesehen, und ist das Abendmahl einmal wieder symbolische Handlung, warum diesem Symbole nicht jene feierlichere schönere Deutung gönnen, die es im Laufe der Zeiten nicht sowohl empfangen als genommen, nicht aus einseitigem Streben sich zugeführt, sondern aus dem ewig treuen kindlichen Glauben der Völker geschöpft hat und gewonnen? Denn was verbürgt uns anders die Göttlichkeit des, was wir auch als göttlich anerkennen, als daß es den Prüfstein der Jahrhunderte in allem Wechsel der Ideen, in aller Veränderung des Christentums ausgehalten und bestanden hat." [14]

Der volkstümliche Glaube als Siegel und offenbarende Kraft: mit dem für die Jugendzeit in Anspruch genommenen „unbedingten Glauben", mit Luthers Lebenselement hatte diese Neigung, dem aus der Vergangenheit mit Anspruch auf Autorität und Gültigkeit bis ins Hier und Jetzt reichenden Übereinkommen normative Kraft zuzubilligen, nichts zu tun. Es ist nicht zu übersehen: das angebliche göttliche Verbürgtsein des allgemeinen Volksglaubens — was könnte man nicht alles darunter subsumieren? — gab Ranke die Möglichkeit, dahin zurückzukehren, von wo er aufgebrochen war. Er hat sich die geistige Welt, aus der er stammte, nicht auf die Dauer infragestellen lassen, brauchte sie also auch

13 WuN I Nr. 86.
14 WuN I Nr. 88.

nicht unter Schmerzen, Verzichten und Niederlagen zurückzuerobern. Statt sich umfassend und radikal zu klären, eignete er sich aus seiner Umwelt mit beneidenswerter Sicherheit das an, was ihn bestätigte und was er für sich genehm hielt.

Mit großer Wahrscheinlichkeit fand er den Weg zurück zu Gefühl und Urvertrauen durch Jacobi, den geistreichen, unmethodischen, sprunghaften, dichtenden Philosophen, der dem Verstande allein und allem nur begrifflichen Denken abgesagt hatte, weil sie niemals zum Unbedingten gelangen konnten, dagegen allein dem Sprung in den einfachen alltäglichen Glauben das unmittelbare Gefühl für Gewißheit verhieß, das keiner Beweise bedarf. Mitten in den philosophischen Problemen, denen allen zu folgen Ranke weder Neigung noch Geduld aufwenden wollte, stellte er wie Jacobi mit Verwunderung fest, daß er ein fröhlicher Mensch sei. Der Durchbruch klingt wie eine Fanfare: „Die Fröhlichkeit entspringt eben aus dem Dasein: es hat seine eigene Gewalt, seinen eigenen Beweis, sein eigenes Recht in sich.“ Was soll hier das Kopfzerbrechen der Philosophie? „Die kann überhaupt nie ein absolutes Leben gewinnen. So wenig sie aussagt, was da ist, sondern immer nur, was wir anzunehmen, zu glauben durch unsre Natur gedrungen seien, — so wenig kann sie einen Menschen beleben, dem nicht hundert Bedingungen zugegeben sind, d. h. der nicht schon auf etwas andres hin, auf sein bloßes Dasein hin sein Leben gewagt hat. Und so finden wir's.“ [15]

Rankes neues Losungswort heißt hinfort „Leben“, Leben nicht als abstrakter Begriff, abgeleitet aus einem philosophischen System, sondern eine erfahrbare, erfahrene Einheit von Innen und Außen, Wollen und Vollbringen, Tradition und Gegenwart, Individualität und sittlichem Gesetz, Gedanke und Tat. Nichts als diesem „Leben“ sollte fortan all sein Wollen und Handeln dienen. Handeln aber schien ihm für seine Person nicht ausschließlich in der Wissenschaft möglich. Im Zweifel darüber, wo er seine schöpferische Kraft ansetzen sollte, hat er sich eine Zeitlang gefragt, ob er nicht zum Dichter berufen sei, besaß aber Selbstkritik und ästhetischen Geschmack genug, um zu erkennen, wie weit seine poetischen Schöpfungen hinter seinen Erwartungen zurückstanden. So blieb die Wissenschaft doch die einzige Möglichkeit, schöpferisch zu werden. Vollends sicher machte ihn aber erst Fichte, als er 1816 aus dessen „Wesen des Gelehrten“ sich die Sätze notierte: „Allem erscheinenden Leben liegt die göttliche Idee zum Grunde; ein bestimmter Teil derselben ist erkennbar. Ihn zu erkennen und die Erkenntnis weiterzuleiten, ist die Bestimmung des Gelehrten. [...] Wo aber die göttliche Idee rein ein Leben gewinnt, da baut sie neue Welten auf, auf den Trümmern der alten.“ [16] Wie ein Stein scheint diese Einsicht in Rankes Bewußtsein gefallen zu sein. Im Grunde war es nichts anderes als die Erinnerung an eine Erkenntnis, die er schon in einem seiner Pfortaer Valediktionsgedichte selbst ausgesprochen hatte:

15 WuN I Nr. 158, datiert: 23. März 1817; vgl. Nr. 501 f.
16 WuN I Nr. 499 (493 f.).

»Wie im Strahl auffassenden Glas
Der forschende Mann
Immer der Strahlent-
Senderin Sonne
Goldenes Bild gewahrt:

Also erscheint dem Forschenden, mir,
Dein Bild, Gott!
Steig ich herab
In mich,
Steig ich hervor
Aus mir,
Dich seh ich,
Im Kleinsten Dich,
Dich im Größten.« [17]

Der ältere Fichte erst hat Ranke sicher gemacht, daß seine Bestimmung die des Gelehrten sei. In einer erleuchteten Stunde am Vorabend seines 21. Geburtstages [18] scheint ihm klar geworden zu sein, wo er den höheren Sinn seines Lebens in eine eigene Schöpfung umzusetzen, wo er einzustimmen habe in den allgewaltigen Chor der Dichter und Denker — „ich weiß doch sonst gar nicht, was ich hier soll". Luther, der verborgene und doch so naheliegende Grund, in und aus dem er bisher gewachsen war, wurde das Thema, in dem seine sinnenden Kräfte, sein Drang nach Gestaltung und Erkenntnis, sein Forschergeist zusammenschlugen.

3.

Aus dem Abstand des Alters hat Ranke ganz andere Motive für seine erste gründliche Beschäftigung mit Luther genannt. Da ist die Rede von seinem „Interesse an der deutschen Sprache durch das Studium der Schriften Luthers, dessen Gedächtnis im Jahre 1817 allgemein erneuert wurde. Die schwachen populären Darstellungen, die zum Vorschein kamen, veranlaßten mich, indem ich die ersten Dokumente studierte, zum Versuch einer Lebensbeschreibung." [19] An anderer Stelle: Als einer der größten Bewunderer Goethes unter seinen Kommilitonen sei ihm sein Werk „wirklich zu modern" erschienen. Auf der Suche „nach älterer, noch mehr in der Tiefe der Nation liegender sprachlicher Form" habe er zu Luther gegriffen, „zuerst nur, um von ihm Deutsch zu lernen und das Fundament der neudeutschen Schriftsprache mir zu eigen zu machen". Aber dann doch von dem großen Stoff und seiner historischen Erscheinung selbst ergriffen, habe er 1817 „wirklich den Versuch gemacht, Luthers Geschichte in seiner Sprache zusammenfassend darzustellen. Man begreift, daß mich da auch die theologischen Fragen in tiefer Seele beschäftigten." [20] Nach der Erinnerung seiner Brüder hatte

17 WuN I Nr. 2 (43).
18 WuN I Nr. 134.
19 SW 53/54 S. 30.
20 SW 53/54 S. 59.

Ranke die Absicht, seiner Arbeit den Titel „Martin Luthers Evangelium“ [21] oder „Luther, der fünfte Evangelist“ [22] zu geben. Von alledem enthalten die erhaltenen handschriftlichen Notizen nichts.[23]

Nimmt man alles zusammen, so ist ein gutes Drittel der 1816/17 entstandenen Notizen erhalten. Geduldig durchläuft Ranke die neun schweren Folianten der chronologisch geordneten Altenburger Ausgabe der lutherischen Schriften in deutscher Sprache, die er bereits als Student besaß. Auch die lateinischen Werke liest er in der deutschen Übersetzung. Was hier fehlt, sucht er in der Jenaer und in der für seine Zeit modernsten, der Walchschen Ausgabe. Daneben treten die greifbaren Veröffentlichungen der Tischreden, Predigten und Briefe. Über die Zeitereignisse sucht er sich Rat bei Johannes Sleidanus, Friedrich Hortleder und Veit Ludwig von Seckendorf. Ranke liest die Quellen und nichts als die Quellen; von sekundärer Literatur findet sich keine Spur.[24] Die nur grob geordneten Exzerpte kürzen den pleonastischen Stil und die syntaktischen Umwege der Vorlage oder lassen ganze Sätze aus, die Ranke im Zusammenhang nicht von Bedeutung scheinen. Mitten unter den Exzerpten stehen, sofern sie nicht in den „Tagebüchern“ niedergelegt sind, mehr oder weniger ausführliche Reflexionen, z. T. in der Form des Zwiegesprächs mit sich selbst, ein Zeugnis für Rankes Gewohnheit, schreibend zu denken. Zusammenhängende biographische Partien sind offenbar nicht entstanden. Die Auszüge aus Luther fassen in erster Linie den vergeblich sich quälenden Mönch, den Lehrer, Hausvater, Bürger, Erzieher. Nach Aufzeichnungen über zentrale, auch theologische Fragen, die Ablaßthesen, die Disputation mit Eck, die Schriften von 1520, den Bauernkrieg, den Abendmahlsstreit, den älteren unduldsamer werdenden Luther sucht man vergebens. Die

21 *Heinrich Ranke:* Jugenderinnerungen (2.Aufl. 1886) S. 90.

22 *Ernst Constantin Ranke* im Pfortenser „Ecce“ (1886) S. 19 f.

23 Zum handschriftlichen Bestand des „Fragments über Luther“ vgl. WuN III S. 333 f., die Auseinandersetzungen mit *Schweitzer* ebd. I, S. 32—34. Der Beschäftigung mit Luther geht Rankes sog. „Luther-Novelle“ voraus, datiert „8. Sept. 1816“ (WuN III Nr. 10), die ihren Namen zu Unrecht führt. Im Mittelpunkt der Erzählung im Wakkenroderschen Stil steht Franz Meyer, ein Wittenberger Dichter; Luther selbst, der redend und handelnd auftritt, ist Nebenfigur. Biographische Züge aus Rankes Werdegang sind unverkennbar, besonders in dem zentralen Motiv des gemalten Bildnisses und seiner Verwirklichung in Maria, der Frau des Bruders, eine Erfahrung, die Franz, der lange „ausschließlich der Betrachtung gelebt“, in das tätige Dasein eines Pfarrers zurückführt. Allenfalls ist der altertümelnde Erzählstil ein entfernter Hinweis darauf, daß Ranke sich bemühte, in Luthers Sprache einzudringen.

24 Der Versuch von *Schweitzer* (in: *Ranke,* Deutsche Geschichte VI, S. 389—399) nachzuweisen, Ranke habe wichtige historische Nachrichten und Urteile aus *K. L. Woltmann:* Geschichte der Reformation in Deutschland vom Reichstag zu Nürnberg 1543 bis zum Religionsfrieden 1555 (1801—1805, ^{2}1817) entnommen, erweist sich nach dem erweiterten handschriftlichen Befund als nicht haltbar.

innere Organisation der Arbeit ist in einigen wenigen Kapitelüberschriften angedeutet. Ab 1536 mündet sie aus in eine breitere, nach Jahren geordnete, fast ausschließlich politische Darstellung der Reformationsgeschichte bis 1546, aus der Luther völlig verschwindet. Was sich Ranke unter „Luthers Geschichte in seiner Sprache zusammenfassend" gedacht haben mag, bleibt unklar. Von einer besonderen Aufmerksamkeit auf Luthers Sprache fehlt jede Spur.

Auf Rankes Einsichten über die Reformationsgeschichte als Ganzes ist hier nicht einzugehen.[25] Worum ist es ihm bei Luther zu tun? Der Torso dieser Aufzeichnungen mahnt zur Zurückhaltung bei der Analyse.[26] So viel ist indessen deutlich: Luther ist hier keine sich Zug um Zug entfaltende Persönlichkeit, vielmehr ein Monolith, den die Gedanken des werdenden Historikers umkreisen, um Zugang zu gewinnen zu dem, was Luther im Innersten bewegte und seine Wirkung ausmacht. Daß eigene Fragen und Luthers Antworten einander zugeordnet sind, ist offensichtlich.

Luther ist ganz und gar kein Mystiker, im Gegenteil: „alles ist hell, klar, durchdringend". „Er ergreift das Übersinnliche mit jener lebendigen Kraft, die sich auf die sicherste Einsicht stützt." Er hat sich auch nicht dem „blinden Glauben an die Autorität" ergeben; „die ist ja totgeboren und wird nie kein Leben gewinnen". Luther folgt ihr vielmehr mit dem Bewußtsein, „als stünde er über derselben". Man kann sich dem Versuch, über ihn Klarheit zu gewinnen, nicht mit der Ausrede entziehen, das „Unbegreifliche unbegreiflich" zu finden, und es dabei bewenden lassen. „Ein wahrhaft innerlicher Mensch kann das nicht: — ihm ist sein ganzes Leben ein Gedanke, aber ein klar durchdrungener. — Wir sollen daher nicht aufs neue das Unbegreifliche auftischen, — was hift's! Wir werden ewig nicht dran glauben: Die geheimeren Fäden sind zu entdecken, die das Ganze halten und es anknüpfen an das eine Wesentliche, der andern Dinge Grund und Ursache." Ist es bei Luther nötig, „von Leben und Lehre gesondert zu berichten?" „Nichts als sein Leben berühren wir", allerdings ein Leben, das mit der Lehre zusammenfällt. „Nur Ein Geist ist es, der aus ihm spricht, Eine Meinung, die wir hören in dem Abendmahlsstreit wie im Ablaßgeschäft, aber innerlich lebend und immer neu. Es ist die Aufgabe, diesen Grundsatz klar zu ergreifen und ihn in dem ganzen Leben aufzufinden und darzustellen." Ranke verwirft die Absicht, Luthers dogmatische Anschauungen zu entwickeln; denn

25 Die bisher einzige Analyse der „Reformationsgeschichte" bei *Joachimsen,* Einleitung I, S. XII—CXVII.

26 Hinrichs hat aus einigen wenigen Andeutungen organologischer Art auf ein eingehendes Verhältnis Rankes zum Neuplatonismus und zu Plotin geschlossen, ein Verhältnis, aus dem er Rankes universalgeschichtliche Konzeption ableitet. Aus dem handschriftlichen Befund ergibt sich, daß Ranke die Neuplatoniker ausführlich erst in Frankfurt (Oder) studiert hat. Ich behalte mir vor, auf das Thema in anderem Zusammenhang zurückzukommen.

„die meisten von ihnen sind in dem Empirischen der Schrift oder seiner Zeit bedingt und stammen nicht unmittelbar aus seinem Innersten; — in den Mittelpunkt seines Lebens müssen wir eingeführt werden, sehen, was er wollte, innerlich erstrebte, suchte und auch gefunden hat; da finden wir seine Grundmeinung, da sein Geheimstes. Es besteht in dem Leben, wo einer mit dem Innersten der Schrift zusammentrifft: und von da alsbald geht es hinaus in das Leben; wo er dann ganz ungeteilt ist, was er ist; nichts Menschliches kann ihn beschränken noch aufhalten; immerdar lebt er fort in der Idee, ein reiner, höchst seliger Mensch." [27]

Die Wirkung von Luthers Lehre und Sinnesart beschränkt Ranke nicht auf das kirchliche Dogma. „Wie das Christentum selbst die Welt gebildet hat, so daß wir mit den innersten Fäden unseres Lebens an dasselbe gebunden sind, also hat Luthers Lehre und Leben ganz Europa umgebildet, nicht allein dasjenige, das nach seinem Namen genannt ist: überhaupt kein Land, kein Staat hat sich der allmächtigen Einwirkung des angeregten Geistes entziehen können." Warum haben nicht auch andere, Benedictus de Spinoza, Renatus Cartesius, Friedrich der Große solche Wirkung gehabt? „Darum allein, weil das Bauernkind ein glühendes Herz hatte, und von der eingeborenen Glut seines Herzens alles zeugte, was er dichtete und trachtete; so daß das lebendige Wort seines Geistes den innersten Geist überall anzuregen vermochte, den Geist, der sich gleich ist und in uns allen lebt und nur getroffen werden muß, um im selben Funken zu sprühen und zu flammen, wie der göttliche flammt." Was aber bannt die Geister allesamt an dieses Innige und Wesentliche? „Das Innige und Wesentliche in uns selbst ist es. Daher stammt, was irgend Großes geschehen ist, alles Gute; die Gesetzgeber und Dichter der alten Welt haben es gefühlt und erkannt, die besten Geister der neuen Zeit sich daran gehalten. Zu den wenigen Heroen, die es völlig ergriffen und völlig ausgesprochen haben in Wort und Tat, gehört Luther." [28] So läßt Ranke sein enthusiastisches Lutherverständnis einmünden in einen die Welt erfüllenden, in allen seinen Erscheinungen einheitlichen Geist des Lebendigen.

Es liegt auf der Hand, daß der Student Ranke mehr von seinem eigenen, von Ort und Stunde bestimmten Denken und Sein in Luther hineingetragen als dessen religiöse Verkündigung in sich aufgenommen hat, obwohl er es an Fleiß nicht hat fehlen lassen, Luthers Schriften so vollständig wie möglich zu durchlaufen. So schwer es uns heute sein mag, sein Lutherverständnis nachzuvollziehen, so sehr ist festzuhalten, daß seine Umsetzung idealistischer und romantischer Vorstellungen auf Luther weder ein Vorbild noch eine Parallele hat, also eine originale Leistung darstellt, daß aber auch seine mehr als 100 Jahre verborgenen Überlegungen keine Wegweisung für die spätere Lutherdeutung geworden sind. Sie ist ganz andere Wege gegangen.

27 WuN III S. 340—342.
28 WuN III S. 398.

Was ihn bewogen hat, seinen Plan nicht allein aufzugeben, sondern seine Notizen nie wieder vorzunehmen, wo die verlorenen Blätter der ursprünglichen Handschrift geblieben sind, darüber läßt sich, da jeder Hinweis fehlt, nur spekulieren. Der Lehrer an einem im neuhumanistischen Geist arbeitenden Gymnasium in Frankfurt/Oder (1818—1824) sah sich vor neue Pflichten gestellt. Weil er als Lehrer der Geschichte seine Aufgaben überaus ernst nahm, vertiefte er sich jetzt erst in die breite, aus der Antike stammende historiographische Überlieferung. Das erste Buch, mit dem er vor die Öffentlichkeit trat, behandelte zwar einen der Reformationsgeschichte benachbarten Stoff, aber gegenüber dem Fragment von 1817 in völlig veränderter Methode und Blickrichtung. Wäre der zweite Teil der „Geschichten der romanischen und germanischen Völker" je geschrieben worden, so hätte auch hier Luther einen Platz finden müssen. Aber das sind nur äußere Gründe, die Ranke von der Lebensbeschreibung Luthers weggedrängt haben mögen. Sollte ihm schon in den Anfängen seines historischen Denkens klar geworden sein, daß die Biographie nicht zu seinen ureigensten Aufgaben gehörte? Ihn hatte die Absicht geleitet, zu Luthers „sittlichem Gesetz", seinem innersten Kern, seiner „Idee" vorzudringen, ohne ihn einem bereitliegenden theologischen oder philosophischen System unterzuordnen. Das war eine vorwiegend statische Aufgabe. Die Umsetzung dessen, was der Erscheinung Luthers zugrunde liegt, in einen historischen Prozeß ist nur in Ansätzen erkennbar. Wie das Innen im Außen sich darstellt, das Empirische mit der Idee sich vermählt, was unweigerlich in die Breite der gesamten Reformationsgeschichte führen mußte, das auf allen Stufen sich verständlich zu machen und gar überzeugend darzustellen, überstieg vielleicht doch die Kraft des 21jährigen. Denn trotz aller einschlägigen Studien besaß er von der politischen und kirchlichen Wirklichkeit der Zeit noch keine zureichende Vorstellung. Es bleibt aber der vorliegende Torso als Ganzes für Rankes werdendes historisches Denken ein einzigartiges Zeugnis. An dem ersten geschichtlichen Stoff, dem er sich zuwandte, erfuhr er konkret eines der bleibenden Grundelemente seiner Geschichtsschreibung, das sich zwar an Luther entzündete, dem Wesen nach aber von ihm unabhängig war und das Ranke wenige Jahre später so formulierte: „In aller Geschichte wohnt, lebet, ist Gott zu erkennen. Jede Tat zeuget von ihm, jeder Augenblick prediget seinen Namen, am meisten aber, dünkt mich, der Zusammenhang der großen Geschichte." [29] Diesen Glauben hat Ranke in späteren Jahren nicht mehr mit der gleichen Keckheit ausgesprochen; seine Grundüberzeugung ist er dennoch geblieben.

29 An Heinrich Ranke, Ende März 1820; vgl. Brw. S. 18.

4.

Zwanzig Jahre später stellte sich Ranke in der „Deutschen Geschichte im Zeitalter der Reformation" erneut dem Phänomen Luther. Er scheint ihn mit ganz anderen Augen zu sehen. Der biographische Ansatz, in den Aufzeichnungen von 1817 bereits gebrochen, ist völlig aufgegeben. Der subjektive Enthusiasmus für die einzigartige überhöhte religiöse Gestalt, die er beispielhaft um den Sinn auch seines eigenen Lebens befragte, ist der objektiveren historischen Empirie gewichen. Luther ist zwar immer noch eine der herausragenden Gestalten, im ganzen aber in die Zeitgeschichte eingefügt, nicht so sehr das Exempel für eine schlechthin menschliche Haltung, sondern der Vollstrecker von Anlagen und „Tendenzen", die in der Weltgeschichte bereits angelegt waren.

Wollte man im einzelnen den Gründen für die Gewichtsverschiebung nachgehen, so hieße das, zwanzig Jahre der Rankeschen Lebensgeschichte nachzuzeichnen. Das kann hier nicht geleistet werden. Ein paar Stichworte müssen genügen. Aus dem einsamen Studenten war der mit Gleichgesinnten an sehr konkreten Aufgaben zusammenwirkende Oberlehrer, der schon bald wieder aus diesem Kreis sich lösende, mit allen Mitteln der Kritik gegen den Strom der Zunftgenossen arbeitende, vielversprechende Geschichtsschreiber und Berliner Professor geworden. Aus der landschaftlichen und bildungsmäßigen Enge war er in die aufgeschlossene vielfarbige Berliner Gesellschaft eingetreten, hatte auf der mehr als dreijährigen Reise Prag, Wien, Venedig und Rom kennengelernt, mit bedeutenden Gelehrten und Zeitgenossen verkehrt, nach Hause zurückgekehrt die Redaktion der „Historisch-politischen Zeitschrift" so gut wie allein geführt, neben seinen Lehrverpflichtungen als Ertrag seiner Reise die „Geschichte der Päpste" eingebracht und sich unter den Fachgenossen und beim lesenden Publikum einen Namen gemacht. Es versteht sich, daß alle diese Stationen ihre Spuren in seinem geschichtlichen Denken hinterlassen haben. Er hatte die Genossenschaft der romanischen und germanischen Völker als Träger der abendländischen Kulturgemeinschaft bis hin zum europäischen System nationalstaatlicher Bildungen in der neueren Zeit entdeckt. Beim Versuch, diesen Werdegang darzustellen, war er auf die italienischen Relationen gestoßen. Seitdem hatten die institutionellen Formen des staatlichen Daseins ein mindestens ebenso großes Gewicht wie in der gängigen Geschichtsschreibung die Entfaltung eines historischen Helden in seinem Werk. Die in der Geschichte auftretenden und miteinander ringenden staatlichen Mächte waren ihm zu politischen Organismen geworden, bei denen sogar die Gewalt, die Macht an sich Ausdruck eines geistigen Wesens bedeutete. Ihr Ineinandergreifen wurde für Ranke das Thema der Geschichte Europas, ein Thema, das sich durch das Ausgreifen der aufeinander angewiesenen, selbst im harten Kampf nicht voneinander zu lösenden historischen Mächte in ihrer Auseinandersetzung mit dem Orient und in der Entdekkung bisher unbekannter Erdteile zur Weltgeschichte weitete. Die Reformationsgeschichte war ihm diejenige Epoche, wo deutsche Geschichte zur Weltgeschichte wurde. Zum erstenmal erschloß er sich in den erhaltenen Akten der Handelnden die am dichtesten an ihre Handlungen heranreichenden Zeugnisse. Die unendliche Fülle des Einzelnen gewann zwar eine eigene Faszination, entließ ihn aber nicht aus der Aufgabe, das Wesentliche und Charakteristische aus dem einzelnen Faktum herauszulösen und es in den Zusammenhang mit dem Ganzen einzufügen. Das war keine stilistische, sondern eine in der Sache selbst liegende Forderung. Wie sehr ihm das gelungen ist, hat bereits ein zeitgenössischer Kritiker der „Reformationsgeschichte", Karl Klüpfel, ausgesprochen: „Der durch das Ganze hindurch gehende Faden ist für Ranke nicht der bloße logische Prozeß, jenes reine Denken, in welchem eine einseitige philosophische Richtung den Kern der Welt und alles Daseins sieht, sondern jenes volle Leben des Geistes, das weit mehr in sich schließt als das bloße Denken. Dieser Geist ist ihm aber das allein Reale; eine geschichtliche Tatsache, die keinen geistigen Gehalt hätte, hätte für ihn gar keinen, er würde sie nicht für wert halten, in der Geschichtsschreibung aufbewahrt zu werden." [30]

In diesem Zusammenhang hat auch Luther seinen Platz. Aber er ist nun nicht mehr so sehr der aus seiner eigenen Fülle und Tiefe schöpfende religiöse Verkünder und Täter als der Erfüller einer weltgeschichtlichen Mission. Nach einer langen Vorgeschichte in der Abfolge der Zeiten, die Ranke in allen Verzweigungen verfolgt und analysiert, aktualisiert und realisiert sich diese Weltmission in Luthers Lebenszeit. Er ist mehr Werkzeug als Schöpfer. Zusammenfassende Würdigung fehlt. Indem Ranke Luther in die historische Dimension rückt, schafft er zugleich Abstand zu seiner früheren, so stark auf sich selbst bezogenen existenziellen Deutung. Über dem Vollstrecker weltgeschichtlicher Aufträge hat er aber nicht völlig den ringenden einsamen Menschen übersehen, mit dem er sich verwandt fühlte. Der Gesinnung nach hätte z. B. die Quintessenz von Luthers Klosterkämpfen auch in den Fragmenten des Studenten stehen können: „Es war die Sehnsucht der Kreatur nach der Reinheit ihres Schöpfers, der sie sich in dem Grunde ihres Daseins verwandt, von der sie sich doch wieder durch eine unermeßliche Kluft entfernt fühlt." [31]

Ein Wort ist noch zu sagen zu Rankes Vorlesungen. Die Reformationsgeschichte und die Gelegenheit, von Luther zu sprechen, hatte in diesem umfangreichen, weithin noch erhaltenen Corpus einen höchst unterschiedlichen Stellenwert: bei den in der Hauptsache das Mittelalter behandelnden Vorträgen bildete die Geschichte der Reformation den Endpunkt, der zuweilen aus Zeitnot nicht einmal erreicht wurde oder in gekürzter Form vorgetragen werden mußte; für die meisten, die neuere Geschichte betreffenden Vorlesungen hatte Luthers Zeitalter einleitende Funktion oder wurde in den ersten Kapiteln behandelt. So oft

30 Zitiert bei *Joachimsen*, Einleitung I, C.
31 *Ranke*, Deutsche Geschichte I S. 212.

Ranke die gleiche Thematik auch aufgriff, so wenig liebte er es, sich zu wiederholen. Seine Hefte über die Reformationsgeschichte, mochte er sie aufs kürzeste gerafft oder in beachtlicher Breite vortragen, unterschieden sich in nichts von denen, die anderen Epochen zugeordnet sind. Die auf zusammengelegten und zusammengeklebten Blättern eingetragenen Korrekturen und Ergänzungen, lange völlig neu formulierte Passagen, nachgetragene Literaturangaben bezeugen, wie er sich stets von neuem um die gleiche Sache bemühte. Und doch ist nicht einmal mit Gewißheit auszumachen, ob er bei seinem Vortragsstil, seiner unerhörten Fähigkeit zu Assoziationen und der Präsenz des rein Faktischen in seinem Gedächtnis das auf weite Strecken wortwörtlich Aufgezeichnete tatsächlich vortrug.[32]

Was Luther betrifft, so wird man, selbst wenn man die erhaltenen Nachschriften seiner Hörer heranzieht,[33] schwerlich ein verändertes Lutherverständnis finden. Die fortschreitende Forschung hat Ranke in Teilen wohl zur Kenntnis genommen; zu grundlegenden Änderungen seiner Auffassung sah er indessen keine Veranlassung. Für ein wiederholtes eindringendes Studium der lutherischen Schriften besitzen wir keine Zeugnisse. Zweierlei mag hinzugekommen sein, um die Konstanz seiner Lutherdeutung seit der „Deutschen Geschichte im Zeitalter der Reformation" festzuschreiben: Zum einen schrieb der älter werdende Ranke im wesentlichen Staatengeschichte, und in solchen Zusammenhängen mußte, wenn von Luther die Rede war, seine weltgeschichtliche Aufgabe noch kräftiger herausgehoben, auf das streng Notwendigste zurückgeschraubt werden, als er es in den fünf Bänden der „Reformationsgeschichte" bereits getan hatte; zum andern: je tiefer Ranke in immer neue, die politische Geschichte verdeutlichende und durchdringende Stoffbereiche eindrang, um so größer wurde seine Scheu, selbst in den ganz großen Überblicken eigene religiöse Überzeugungen auszusprechen. Vielleicht hätte die „Weltgeschichte", bei der er mit Hilfe seiner Amanuensen seine Vorlesungshefte zugrunde legte und neu formulierte, ein noch klareres, vertiefteres Bild von Luther gezeichnet. Lange bevor er das 16. Jahrhundert erreichte, nahm ihm der Tod die Feder aus der Hand.

Für Luther als das von ihm selbst in Anspruch genommene „Grundelement" des Rankeschen Denkens bleiben daher das Fragment von 1817 und die „Deutsche Geschichte im Zeitalter der Reformation" die entscheidenden Zeugnisse, so grundverschieden voneinander sie auch sind. Sie berechtigen nicht dazu, obgleich es vielfach geschieht, Rankes Denken in der Substanz als lutherisch zu charakterisieren. Mit Luthers Geschichtsverständnis hat sich Ranke explizit nicht befaßt, wenn man absieht von dem Glauben beider, daß Gott auch über die Geschichte

32 *G. Berg:* Leopold von Ranke als akademischer Lehrer (1968).

33 Die Arbeiten an Rankes Vorlesungshandschriften und den Heften seiner Hörer sind noch nicht abgeschlossen.

gebietet, ja sein Walten sogar in ihr zu erkennen, mindestens zu erahnen ist. Ranke ist im Unterschied zu seinen jungen Jahren in zunehmendem Maße vorsichtig geworden, Gottes Walten im konkreten Fall anzusprechen. Als er im Alter sein Erstlingsbuch für die „sämtlichen Werke“ neu durchging, strich er an zahlreichen Stellen den „Finger Gottes“, den er vor fünfzig Jahren im Überschwang zu erkennen geglaubt hatte. Seine intimeren Bekenntnisse sind ausnahmslos erst nach seinem Tode, wenn auch nicht gegen seinen Willen ans Licht gekommen. Von seinem Lutherverständnis her, so fruchtbar es geworden ist, wird man ihn nicht kurzerhand der protestantischen Tradition der deutschen Geistesgeschichte zurechnen dürfen. Daß sich aber die besondere Art seines geschichtlichen Denkens gerade an Luther entzündete, bleibt bedeutsam genug.

5.

Ranke und die Öffentlichkeit

1.

Es entzieht sich meiner exakten Kenntnis, ob bei den Zusammenkünften der Ranke-Gesellschaft schon einmal ausdrücklich und entschieden über Leopold Ranke gehandelt worden ist.[1] Jemandem, der sich seit Jahren im besonderen mit Rankes Lebenswerk beschäftigt und gerade deswegen von Ihnen so hoch geehrt wurde, werden Sie es nicht verargen, wenn er die Absicht dieser Gesellschaft einmal genauer mit ihrem Namenspatron in Beziehung zu setzen unternimmt. Nicht in toto — das würde unser aller Kräfte übersteigen — wohl aber in einem speziellen, jedoch höchst wichtigen Punkt: dem Verhältnis zwischen der Wirklichkeit, in der wir leben und arbeiten, und der Geschichte, dem besonderen Gegenstand unserer Wissenschaft. Denn wer immer für die Namengebung dieses Kreises verantwortlich ist: er hat ja nicht den Namen irgendeines bedeutenden Vertreters der Historikerzunft gewählt, der sozusagen noch nicht besetzt war, sondern weil nach seiner Überzeugung trotz aller selbstverständlich vorauszusetzenden und zuzugebenden Unterschiede der Zeiten und Verhältnisse etwas von Rankes Geist noch heute in uns lebendig ist oder sein sollte.

Das Selbstverständnis der Ranke-Gesellschaft ist wiederholt mit hinreichender Klarheit ausgesprochen worden. Vor 25 Jahren gegründet, versteht sie sich als „Vereinigung für Geschichte im öffentlichen Leben". Sie ist der Überzeugung, daß die Erfahrung zweier Weltkriege und dreier Staatsumwälzungen „viele Deutsche aus der geschichtlichen Kontinuität herausgeschleudert" hat und „der überhaupt zur Entwurzelung neigende moderne Mensch der Industriegesellschaft von einem a-historischen Lebensgefühl erfaßt" ist. „Ein Volk aber, dessen Geschichtsbild brüchig geworden ist", so stellt eine der jüngsten Veröffentlichungen der Gesellschaft fest[2], ist „in seinem seelischen Kern angegriffen

1 Vortrag anläßlich der Jahrestagung der Ranke-Gesellschaft in der Heimvolkshochschule Lambrecht/Pfalz am 25. Sept. 1975. Der Vortragscharakter wurde hier beibehalten.

2 *E. Hölzle:* Der Geheimnisverrat und der Kriegsausbruch 1914. Studien zum Geschichtsbild. Hist.-polit. Hefte d. Ranke-Gesellschaft, Heft 23 (1973) Umschlagsseite III. Dort auch die folgenden Zitate. Es sei ausdrücklich hervorgehoben, daß E. Hölzle für diese Seite nicht verantwortlich ist.

und der Gefahr der Selbstzerstörung ausgesetzt." „In dieser Zeit eines verhängnisvollen Hinschwindens des historischen Bewußtseins bemüht sich die Ranke-Gesellschaft darum, Vergangenheit und Gegenwart, Historie und Politik, Geschichte und öffentliches Leben miteinander in Verbindung zu halten." Aus diesem Grunde hat sie sich „bei diesen Bestrebungen unter die Anforderungen des Klassikers der deutschen Geschichtswissenschaft ... gestellt. Ranke", so führt die gleiche Vorlage aus, „hat in seiner Historisch-Politischen Zeitschrift der dreißiger Jahre des vorigen Jahrhunderts ein unvergängliches Beispiel gegeben für die Durchdringung der aktuellen Politik mit historischem Bewußtsein. Damals erklärte er als seine Absicht: ‚zur Reinigung dieses verworrenen Getümmels, das da von allen Orten her braust, etwas beizutragen'[3]. In seinen Aufsätzen und seinen großen Werken hat er ein historisch-politisches Ethos zur Entfaltung gebracht, das auch uns als Vorbild dienen soll". Das ist der Grund, warum sich „in der Ranke-Gesellschaft als einer Vereinigung für Geschichte im öffentlichen Leben ... eine Stätte der Begegnung gebildet (hat) für die Freunde der Geschichte unter den Menschen in allen Berufen mit den wissenschaftlichen Geschichtsforschern und Geschichtslehrern" und warum sie von dem „Gedankenaustausch zwischen diesen Gruppen ... eine besondere Befruchtung für das Anliegen" erhofft, das sie bewegt.

Ich wiederhole: bei dieser Zielsetzung der Ranke-Gesellschaft handelt es sich nicht um eine individuelle Interpretation von zusammenhanglosen Sätzen, sondern um Zitate aus einem Text von knapp einer Druckseite Umfang, 1973 veröffentlicht, also wohl von hinreichend repräsentativer Geltung. Hier wird um Mitarbeit geworben, Mitarbeit in einem bestimmten Sinn. Demgegenüber wage ich zu fragen: Ist der Anspruch oder wenigstens der Versuch, zu sein und zu handeln wie Ranke, noch realisierbar? Ist Ranke wirklich ein so hohes Monument, wenn nicht von zeitloser Beispielhaftigkeit, so doch von einer, die für die heute Lebenden noch verpflichtend genug ist oder sein sollte? Die Gültigkeit seiner ethischen Maxime ist begreiflich bei einer Historikergeneration, die gleichsam noch in Rankes Schatten aufgewachsen ist, über die die Erschütterungen zwischen 1914 und 1945 aber nicht allein hereinbrachen, sondern die dabei sogar, ohne vielleicht recht zu wissen wie, an ihrem Teil mitwirkte oder mitwirken mußte und darüber, sofern sie sich nicht heute von ihren einstigen Entscheidungen distanziert, in einem weiten historischen Sinn schuldig wurde. Kann aber die gleiche Maxime ebenso für eine jüngere Generation gelten oder gültig werden, die in den Prämissen ihrer eigenen Existenz von den Erfahrungen der älteren nichts weiß, es sei denn als Last, einer Generation, die aus der Kontinuität eines wie auch immer gearteten geschichtlichen Bewußtseins gar nicht erst her-

3 Die Vorlage zitiert ungenau: „von allen Seiten braust". Vgl. Ranke an Perthes 24. 12. 1831, Brw. S. 248.

ausgeschleudert zu werden brauchte, weil sie die Diskontinuität ihrer Welt bereits vorfand, in der sie sich ohne überkommenes Leitseil aus eigener Kraft zurechtfinden mußte, einer Generation, die trotz der Gefährdung des historischen Sinns durch die moderne Gesellschaft sich dafür entschied, die Pflege und Weiterbildung eben dieses historischen Sinns über die Tabuisierung von Volk, Nation, Staat hinweg zum erwählten Beruf zu machen, und die moderne Industriegesellschaft nicht als feindliche Gegenwelt, sondern, wenn nicht gerade als Heimat, so doch als selbstverständliche Voraussetzung und Feld ihres Wirkens erfährt, eine Generation schließlich, auf die bei dem beabsichtigten Gedankenaustausch im angeblichen Verständnis Rankes weder verzichtet werden kann noch darf?

Noch etwas Weiteres ist zu bedenken. Seit 1945 ist Ranke in weit stärkerem Maße als schon seit der Jahrhundertwende ein von vielen Seiten angegangenes historisches Phänomen geworden. Die jüngere Historiographie, namentlich die amerikanischer Kollegen, hat aus dem Bedürfnis, ein zweifellos bestehendes Defizit an theoretischer Besinnung in der deutschen Geschichtswissenschaft aufzufüllen, mit ihrer Kritik vor Ranke nicht halt gemacht. Wohl begründete Vorbehalte und Einwände werden gerade wegen seiner einst so beherrschenden Stellung in der Geschichtsschreibung und deren Konsequenzen gegen ihn erhoben, ganz abgesehen davon, daß ein ordentliches Stück Kenntnis des Rankeschen Werkes schon lange nicht mehr selbstverständlich zu dem Gepäck gehört, das jeder Student der Geschichte aus seinem Studium mitnimmt. Man muß schon sehr genau formulieren, was an seiner Lebensleistung bedeutend und unverlierbar ist, um zu bestehen. In dieser Diskussion geht es u. a. auch entscheidend um Rankes Verständnis des Verhältnisses von Politik und Geschichte. Im Grunde handelt es sich dabei um die Frage nach der Rolle der Geschichte und der Aufgabe des Historikers in unserer Zeit. Das ist ein Thema, das zwar jeden betrifft, der sich aus Beruf oder Neigung heute auf Geschichte einläßt und wissen will, was er tut, zugleich aber auch ein Thema so kontrovers und vielschichtig, daß es ein aussichtsloses Unterfangen wäre, selbst in unserm überschaubaren Kreis schnell eine Verständigung darüber herbeizuführen. Wenn wir das formulierte Bekenntnis der Ranke-Gesellschaft auf seine Tragfähigkeit prüfen wollen — und ich glaube, daß wir das ehrlicherweise müssen —, so wäre es irreal, aus dem Handgelenk eine andere Sinngebung zu deduzieren. Meine Aufgabe kann nur eine sehr viel bescheidenere, einfachere und auch vordergründigere sein. Um eine Teilantwort zu finden auf die Frage nach der Verbindlichkeit von Rankes Denken und Handeln für das „öffentliche Leben", lade ich Sie ein, in Rankescher Weise die „Folge der Begebenheiten" oder, modern ausgedrückt: die konkrete geschichtliche Situation zu überdenken, die angeblich noch immer so viel Beispielhaftes für uns heute enthalten soll: die Gründung und das Schicksal der 1832—1836 von ihm redigierten Historisch-Politischen Zeitschrift.

Ich habe diese Betrachtung überschrieben „Ranke und die Öffentlichkeit".

Die Themenstellung geschah etwas leichtfertig und spontan — zugegeben. Mit „Öffentlichkeit" ist gemeint, was die Ranke-Gesellschaft in ihrer Namengebung besser und umfassender „öffentliches Leben" nennt, wie immer man es erweitern oder eingrenzen mag.

2.

Fragen wir zunächst: Was wissen wir von Rankes Verhältnis zu der ihn umgebenden politischen Welt? In aller Naivität hat er bekanntlich im Alter in seinen autobiographischen Diktaten[4] darauf selbst eine Antwort gegeben. Erst die neuere Forschung hat darauf aufmerksam gemacht, daß sein Rückblick auf ein halbes Jahrhundert und mehr nicht immer das Richtige getroffen hat, sei es, weil sein sonst so genaues Gedächtnis ihn, je älter er wurde, doch gelegentlich im Stich ließ, sei es, weil er — nur halb bewußt — an einem Legendenkranz webte, wie er von der Nachwelt gesehen zu werden wünschte. In bezug auf die politische Wirklichkeit, in der er stand und lebte, sagen alte und neue Quellen das gleiche aus: sein Verhältnis dazu war höchst widerspruchsvoll, jedenfalls nicht eindeutig.

Lassen wir den Buben von Wiehe an der Unstrut, den Schüler von Donndorf und Schulpforte mit seinen ersten politischen Eindrücken auf sich beruhen. Weder der Lärm der Schlacht von Auerstädt in unmittelbarer Nähe noch die Einquartierungen der Sachsen, Franzosen und Preußen im elterlichen Haus, weder die napoleonischen Bulletins von den Kriegszügen noch der unter den Mauern von Pforte nach Rußland ziehende Kaiser haben auf das kindliche Gemüt oder den tief in seine Studien versponnenen heranwachsenden Ranke einen erkennbaren Eindruck gemacht. Im Alter resümierte er: „So recht unmittelbar lebten wir doch nicht in der Zeit. — Wir ließen die große Weltbegebenheit, unter deren Vollziehung die Erde erzitterte, sich vollziehen, ohne daran teilzunehmen"[5].

Von dem Leipziger Studenten vernehmen wir zum erstenmal selbständigere Töne eigenen politischen Denkens und Wollens. Auch sie bleiben verworren und widersprüchlich. Nur selten ist ein junger Mensch von Rankes Alter so einsam gewesen. Wenn der tief in seine Bücherwelt Vergrabene kaum etwas von den jüngsten Veränderungen der ihn umgebenden Wirklichkeit in sich aufnahm, er in seinen Briefen und Aufzeichnungen mit keinem Wort davon redet, daß Leipzig, als er im Herbst 1814 sein Studium begann, ein Zehntel seiner Bevölkerung im Kriege verloren hatte, unter einem russischen Kommandanten stand und sämtliche Kirchen als Magazine beschlagnahmt waren: einiges hat er doch sei-

4 SW 53/54 S. 3 ff.
5 Ebd. S. 25 f.

nen erst vor kurzem ans Licht getretenen Notizen anvertraut, was verrät, daß er nicht völlig unempfindlich für die Realität war. Sein von der Tradition gefordertes Pfortaer Valediktionsgedicht „an den König" vom Frühjahr 1814 war an einen Monarchen gerichtet, der, weil er als einziger der deutschen Fürsten nach der Leipziger Schlacht auf französischer Seite ausgeharrt hatte, in preußischer Gefangenschaft saß. Schmerz und Hoffnung vereinigten sich bei dem Fürstenschüler Ranke, der sich im übrigen jeden Urteils enthielt.

„Und mit der Hoffnung sich die Liebe paart.
Es dankt dein Volk, das Tränen dir geweint,
tief in der Brust es Treue dir bewahrt." [6]

Folgerichtig feierte Ranke ein Jahr später, als Friedrich August von Sachsen aus seinem Gefängnis entlassen wurde, ihn überschwenglich und sentimental als „Vater des Vaterlandes", „stets groß und einfach", der „Achtung Deutschlands und Europas" und der „Liebe der Sachsen" sicher [7]. Deutlicher werden im zweiten Studienjahr die „Politischen Betrachtungen. Nach einer Aufführung des Wilhelm Tell". Läßt man das romantische Szenarium dieses Fragments beiseite, so tritt hier ein mit dem Schreiber selbst nicht identischer junger Mann auf, der mit dem Deutschen Bund anstelle der während der Kriege gegen Napoleon bereits erreichten praktischen Einheit der Deutschen und der vorenthaltenen, obwohl versprochenen Volksvertretung nicht einverstanden ist und dafür, geradezu mit Revolution drohend, die „kleinen Tyrannen" verantwortlich macht, „die sonst dem Willen des Einen Großen gehorchten", nun aber auf Kosten ihrer Völker unabhängig geworden sind [8]. Als Napoleon von Elba zurückkehrt, wird Ranke hin und her gerissen. Der Kaiser erscheint ihm wie ein eiliger Reisender, der, an einen reißenden Strom gelangt, keinen Nachen zum Übersetzen findet, sich ins Wasser wirft und glücklich das andere Ufer erreicht. „Also steht jetzt ganz Deutschland, ganz Europa dem Einen gegenüber, den es übermannt zu haben glaubte, und fürchtet sich, aufs neue mit ihm in den Kampf zu gehn. Lasset uns aber nicht zagen, denn der Mann wird sich in den Fluß werfen und seine Kraft noch einmal so stark denn zuvor anstrengen; und er besiegt ihn und kommt hinüber; ach! da ist Freude und Lust die Fülle. Der Kampf hat seinen Arm gestärkt: er fürchtet keine tote Macht mehr; er fleht zum Herrn, und sieh! der Herr hat ihn erhört; nun traut er auf ihn." Und ohne abzusetzen, gibt Ranke auch der andern Seite, der er von Natur her zugehört, den gleichen Rat, als ob er sich des Widerspruchs gar nicht bewußt wäre: „Was zagen wir denn? Hat

6 WuN I Nr. 3.
7 Ebd. Nr. 288.
8 WuN Nr. 6.

uns denn der Herr nicht erhört? Ist denn unser Arm nicht gestärkt worden im Unglück? Haben wir nicht gesiegt, als wir eins waren und für eins standen und einiges wollten? So laßt uns tun, wie wir vorhin taten und siegten.“ [9]

Man kann einwenden, daß solche gelegentlichen gefühlsbetonten Eruptionen nicht als politische Zeugnisse in Anspruch genommen werden können. Immerhin stehen sie am Anfang einer persönlichen Entwicklung, deren konservative Züge immer stärker hervortreten sollten. Gegen Ende seiner Studienzeit 1818 begegnen wir bei Ranke zum erstenmal so etwas wie einem Programm, wenngleich immer noch mit sehr verschwommenen Konturen. Offenbar hat die Notwendigkeit, sich für einen konkreten Beruf zu entscheiden, der ihn ernährte — Geistlicher zu werden ist von ihm ernstlich nie erwogen worden — ihn veranlaßt, sich das Leben eines Landpfarrers auszumalen, der, vom Atem der Zeit kaum noch berührt, sich in seiner ländlichen Idylle einsam, bedeutungslos, ohnmächtig fühlt und doch von großen Hoffnungen erfüllt ist. Die deutsche Szene kurz vor den Karlsbader Beschlüssen wird schwarz in schwarz gezeichnet. Das öffentliche Leiden besteht darin, daß niemand mehr weder im freien selbständigen Bürgertum noch in der niedrigsten Kannegießerei „mit seinem innersten Gefühl, seinem eigensten Denken“ am öffentlichen Dasein Anteil nehmen will. Jetzt wird „das Ganze mühselig durch Beamte, stehende Heere und Steuern zusammengehalten, welche Herrlichkeit man den Staat geheißen hat“. Da war der mit Napoleon heraufziehende Sturm schon „ein Glück zu nennen“. Das Signum der Zeit heißt tiefste Sklaverei, weil es kein öffentliches Leben gibt, der Einzelne noch sich absondert und für sich denkt, alle Verhältnisse „noch nicht aus dem Innern der Nation heraus“ geordnet sind. Das Zukünftige ist nicht der Staat der Philosophen, „eine Zwangsanstalt für Vernünftige“ mit Toleranz, Unparteilichkeit „und allen Tugenden dieser Art“, sondern, von den Dichtern geahnt, die innerlich, wahrhafte Vereinigung des auf jede Weise Getrennten, damit ein wirklicher Staat entstehe, nicht nur der Schein desselben“. Deshalb will die Nation ihre Einheit darstellen in Verfassung und Ständen. „Nicht ein, zwei überspannte Köpfe verlangen es, sondern die besten Männer der Nation, die gesamte Jugend“, ganz Europa. Friedrich Schlegel hat es ausgesprochen: „In Deutschland fließt der Quell der neuen Zeit.“ Die neue Zeit zielt nicht so sehr auf die Nation — sie ist gleichsam gegeben und daher vorausgesetzt — sondern auf Europa. „Kann der deutsche Geist aus dem Chaos ringender Kräfte eine Welt bilden, welche Gestalt und Einheit hat, welche das vereinigte Innerliche außen darstellt und dem wahren Staate soviel wie möglich entspricht, so wird Europa in seinen natürlichen Zustand zurückkehren, in Deutschland seine Mutter anerkennen, wie es dieselbe denn ist; und dann wird Deutschland herrschen: wodurch? Durch die Freiheit Aller.“ Die Jugend ist der Garant dafür. „Nicht der

9 WuN I Nr. 287.

Haß war es, der die Welt bildete, sondern die Liebe, Eros, der älteste der Götter." Die europäischen Ideale dürfen nicht an dem Eigenwillen der Nationen zuschanden werden. Österreich ist das anfeuernde Beispiel. „Es stellt die Einheit von Europa gleichsam sichtbar dar, denn alle Stämme des Weltteils vereinigt es in Einem Staat", „indem es eines jeden Eigentümlichkeit gelten läßt." Und doch herrscht hier das deutsche Element. Deshalb ruht auf ihm die Hoffnung Europas; deshalb muß es „in allen Stücken unser Oberhaupt" sein[10].

Auf die Frage aber, was denn nun zu tun sei, bleibt der Landpfarrer die Antwort schuldig. Von der Härte eines politischen Willens hat er keine Vorstellung. Die einzige reale Forderung, die nach einer Verfassung und nach Ständen, wird nicht weiter ausgeführt, nur vorgebaut, daß es sich dabei nicht um bloße Übernahme eines bereits Vorhandenen handeln dürfe, „wie es bei anderen gewesen, nicht wie bei den Alten, nicht wie bei den Briten, auch nicht wie bei unsern Vorfahren". Es bleibt bei dem vagen Warten darauf, daß das Innerste im Äußeren erscheine. Ohnmacht und Resignation sprechen selbst noch aus den empfohlenen Imperativen: nicht nur predigen, überall anfangen, nur wollen, hervorbringen das Gute, „kühn, selbst mit Gefahr". Dann werden selbst die Einseitigkeiten des Turnwesens, der Deutschtümelei, das von der Jugend Vernommene „sich bald gegenseitig ergänzen, bilden, einen". Wie die Identität von Sein und Sollen zu verwirklichen sei, weiß auch der Pfarrer nicht.

Kurz nach Abfassung dieser Impressionen wurde Ranke als Lehrer für Geschichte an das Gymnasium in Frankfurt/Oder berufen. Wenige Wochen praktischer Unterrichtserfahrung genügten für sein Programm, das er ganz im Geiste des Neuhumanismus in einer Schulrede niederlegte. Wieder geht es um die längst vertraute Thematik: den Nutzen der Studien für das Leben, Leben als erfüllte Existenz sowohl des Individuums als auch von Kommunitäten wie Stamm, Volk und Staat. Griechen, Römer und Germanen haben, so führt er aus, dies gemeinsam: „zuerst den Menschen zum Herrn und Meister seiner selbst zu bilden, sodann sein Interesse dem Vaterlande zuzukehren mit Sicherheit, ... daß das innere Leben mit Notwendigkeit dahin gerissen wird, wohin es soll", d. h. durch selbstverständliche, ungekünstelte Pflege der Tradition und das ganze, den Menschen umgebende Leben zu richten auf Gemeinde, Stamm und Staat. So zu verfahren ist heute nicht mehr möglich. „Da die Nation schweigt, muß das Ideal des Erziehers eintreten; da die Gegenwart nicht redet, muß der Gedanke selbständig und kühn das Neue erzeugen. ... Die Wissenschaft muß die Gewohnheit ersetzen." Das geschieht „nicht durch spekulatives Sinnen, dem wenige gewachsen sind, das selten zum rechten Leben hervorbricht, sondern durch das wahrhaft innige Ergreifen des Altertums". Nicht auf die Aneignung von Wissen kommt es beim Studium der Geschichte an, sondern auf Ergreifen

10 WuN III Nr. 13.

der fremden Wirklichkeit, auf lebendige Anschauung. Für das, was ihm am Herzen lag, hat der reifere Ranke einprägsamere Formulierungen gefunden, mag er nun vom „Realgeistigen“ in den geschichtlichen Ereignissen und Erscheinungen oder von den „Völkern als Gedanken Gottes“ reden. In der Substanz ist es dasselbe, was er bereits vor seinen Frankfurter Schülern aussprach: „Immer wird durch die Geschichte jedes Volkes etwas hindurchgehen, das da ewig ist und ursprünglich, das ihr nicht zu erklären vermöget noch abzuleiten, sondern nur zu erkennen. ... Wo der Geist irgend tätig hervorbricht, tut er es in eigentümlicher Gestalt, immer sich gleich. Die Farben wechseln, das Licht ist das gleiche, das sich in ihnen bricht.“ Mit anderen Worten: nicht auf Tun, schon gar nicht auf politisches Tun oder Wollen, sondern auf rechtes Erkennen kam es ihm an [11].

In Frankfurt/Oder hat Ranke eine Zeitlang im Kreise fast gleichaltriger Kollegen ein Stück versäumtes unbeschwertes Jugendleben nachgeholt. Durch seinen Bruder Heinrich — er war schier an der Theologie gescheitert — wurde er mit der Turnerei vertraut und lernte den Turnvater Jahn kennen, ohne sich freilich dieser Bewegung der Jugend anzuschließen. Dann aber schlugen nach der Bluttat Karl Ludwig Sands die Demagogenverfolger hart zu. Anfänglich zeigte sich Leopold unbeeindruckt. Nach den Verhaftungen Ernst Moritz Arndts und Ludwig Jahns erklärte er die Verfolgungswut als Jagd nach bloßen Phantomen, die angeblich gefundenen schriftlichen Hinweise auf eine geheime Verschwörung für blanke Fälschungen [12]. Er fuhr fort, bei seinen Besuchen in Berlin Jahns Frau persönlich Trost zuzusprechen und die flüchtigen Freunde des Bruders gegen alle bestehenden Anordnungen zu nächtigen und zu unterstützen. Als aber die Polizei bei dem Burschenschaftler Heinrich Ranke Briefe aufstöberte, die zwar nichts direkt Strafwürdiges zutage förderten, die Verbindung des Besitzers mit den Verdächtigen und Verfolgten aber erwiesen und ihn damit für ein Amt in Preußen zeit seines Lebens disqualifizierten, verstummte Ranke. Nur noch einmal bäumte er sich auf, als 1822 eine Kabinettsorder die disziplinarische Kontrolle bei Geistlichen und Lehrern energisch anzog und das Verfahren der Amtsenthebung wegen demagogischer Umtriebe so vereinfachte, daß der Willkür des Polizeiministers Tür und Tor geöffnet wurde: „Es ist unerträglich, in einem Staat zu wohnen, der den moralischen Grund, auf dem er ruht, unter seinen Füßen weghebt und nun erst bestehen zu können meint. Er ist nicht wesentlich mein Vaterland: ich habe keine Verpflichtung gegen ihn.“ [13]

Die Sätze stehen in einem Brief an Friedrich Thiersch, einen alten Portenser, der in Bayern im Sinne des Neuhumanismus das Schulwesen reformierte und

11 Ebd. Nr. 14.
12 An einen Präsidenten 4. 8. 1819, Brw. S. 5 ff.
13 An Fr. Thiersch 28. 4. 1824, Brw. S. 28 f.

bei dem Ranke, wenn auch vergeblich, sich um ein Schulamt in München bewarb. Längst war der wieder einsam gewordene der „Mär der Weltgeschichte“ auf der Spur. Die in aller Heimlichkeit heranreifenden „Geschichten der romanischen und germanischen Völker“ nahmen bald hoffend, bald verzweifelnd alle seine Kraft in Anspruch. Die Schule wurde ihm zur Galeere, der er, koste es, was es wolle, zu entkommen suchte an einen Platz, der ihm die Arbeitsvoraussetzungen für den Abschluß liefern sollte. „Da ich nun diese Studien nicht lassen kann, ohne mich selbst zu morden, und doch nicht forttreiben ohne fremde Unterstützung, da ich auch weiß, daß ich nicht allein hier und da etwas Unbekanntes gefunden, sondern das unmittelbare Walten, sichtbare Handeln Gottes wenigstens von fern gesehen und von dem Leben der menschlichen Seele etwas gespürt, so habe ich beschlossen, mich mit diesem Buch auf Lob und Tadel hinauszuwagen.“ [14] 1824 war es so weit. Ranke vertraute sich ausgerechnet dem preußischen Beamten an, von dem er fast im gleichen Atemzuge zu berichten wußte, daß von ihm in Frankfurt „allem, was Demagog heißt, der Vertilgungskrieg gemacht“ werde [15]. Der überraschende Lohn war nach wenigen Wochen schon die außerordentliche Professur an der Universität Berlin. „Es ist mir, als wollten die Tore zu meinem wahren äußern Leben sich endlich eröffnen, als sollte ich auch einmal Flügel regen dürfen. Wenn ich in eine so erwünschte Lage komme, wenn ich in den Denkmalen der neueren Geschichte mein Lebtag forschen kann, will ich Gott unablässig danken. ... Wäre ich Moses, um in diese Öden zu schlagen und das Wasser, das da gewißlich in der Tiefe ist, hervorrinnen zu machen!“ [16] Nie wieder ist ein Laut des Unmuts oder abfällige Kritik gegen den preußischen Staat über Rankes Lippen gekommen.

In Berlin öffneten sich ihm alle Türen: die literarischen Salons der Varnhagen, Bettina von Arnim, Gräfin Voss, die Kabinette der Staatsmänner Altenstein, Eichhorn, Ancillon, Johannes Schulze, die Geselligkeit der Savigny, Schleiermacher, Boeckh, Lachmann, Karl Ritter, Alexander von Humboldt, vor allem Heinrich Ritter, des Philosophen, den er sich eine Zeitlang zum Freunde gewann. Gegenüber Wiehe, Leipzig und Frankfurt war es eine sozial völlig veränderte Welt, in der der kaum Dreißigjährige sich zu bewegen begann, eine Welt, die er nie mehr verlassen hat und als deren Repräsentant er auch nur in sehr bescheidenen Grenzen bereit und imstande war, die riesige gesellschaftliche Umschichtung seines Jahrhunderts zur Kenntnis zu nehmen und in Rechnung zu stellen. Machten bisher die kleinstädtischen, politisch so gut wie indifferenten Honoratioren der preußischen Provinz die Umwelt aus, in der er sich bewegte, so waren es in der Hauptstadt der zur „großen Macht“ aufgestiegenen

14 An Hch. Ranke 18. 2. 1824, Brw. S. 54.
15 An dens. 20. 6. 1824, Brw. S. 61.
16 An dens. 17. 2. 1825, Brw. S. 76.

Monarchie Menschen von sehr viel größerer Weltläufigkeit und Ausstrahlung, z. T. der Staatsführung selbst und dem Hofe zugehörig, mit denen er umging. Es war eine Welt, die Ranke eitel genug war, in vollen Zügen zu genießen und in der er durch eigene Leistung und persönlichen Charme sich zu bewähren trachtete, mochte man sich auch hier und da über seinen gesellschaftlichen Übereifer, die Taktlosigkeiten des Unerfahrenen und die Unsicherheit seines Urteils lustig machen. In dieser geistig zwar differenzierten, zugleich aber auch homogenen humanistischen, zumeist konservativ eingefärbten Atmosphäre verlautet nichts von überraschenden politischen Impressionen, die Ranke Eindruck gemacht hätten. Was er an Resten von Ungebärdigkeit und Auflehnung gegen bestehende Üsancen mitgebracht haben mochte: hier ist es schnell weggeschmolzen; er hat der vollen Assimillierung auch keinen Widerstand entgegengesetzt.

Wie sehr das Ministerium seine ungebrochene Kraft schätzte, kam zum Ausdruck, als es ihm nach nur fünf Semestern Lehrtätigkeit zu Studien in Österreich und Italien einen mit zusätzlichen Mitteln geförderten Urlaub gewährte, der nach wiederholten Verlängerungen sich schließlich auf 3½ Jahre ausdehnte. Was daran politisch hätte zu Buch schlagen können, waren zwei Begegnungen: einmal die mit Friedrich von Gentz. Ranke bekennt, daß der wichtigste Gehilfe Metternichs und berühmte Schriftsteller ihn bei seinen Besuchen „nie ohne eine neue Anschauung oder Belehrung über irgendein Ding dieser Welt" entlassen habe [17]. Von so viel Freimut und Förderung entzückt schrieb er ganz naiv übertreibend und allzu schnell verallgemeinernd an seinen Verleger Friedrich Perthes: „Ich glaube, keiner Regierung geschieht in der Meinung der Liberalen, die sich die öffentliche nennt, größeres Unrecht als dieser." [18] Zum anderen waren es die serbischen Emigranten in Wien, an die Ranke geriet. Sie berichteten so freigiebig und anschaulich von den jüngsten Schicksalen ihrer Heimat, daß Ranke aus ihren Erzählungen und Liedern trotz aller sprachlichen Barrieren ein kleines Büchlein formte. Man muß seine „serbische Revolution" in der ursprünglichen Fassung lesen, um zu ermessen, daß sie ungeachtet des brisanten Stoffes für die österreichische Regierung beileibe keine Anstiftung zum Aufstand war. Wo sich Ranke aber zu einem „orientalischen Reformprogramm" verstieg, da tat es der wirkliche Kenner der Materie, Gentz, liebenswürdig ironisch mit einer Handbewegung als „Vermittlungsphantasie" ab. Sie hat in der Tat nie die geringste praktische Bedeutung erlangt.

Es wäre müßig, all die Namen derer zusammenzutragen, denen Ranke in Italien begegnete: die Dichter, Maler, Kleriker, Gelehrten, Diplomaten, einheimischen Familien. Es waren z. T. illustre Namen, mit denen Umgang zu pflegen dem eher unscheinbaren deutschen Professor mit dem unverkennbaren thürin-

17 An Varnhagen v. Ense 9. 12. 1827, Brw. S. 129.
18 27. 9. 1830, Brw. S. 222.

gischen Zungenschlag nicht wenig schmeichelte. Seine Weltläufigkeit haben sie gewiß erweitert; er lernte, sich auf dem internationalen Parkett der Gesellschaftsschicht frei zu bewegen, der auch er, wiewohl Neuling, sich als zugehörig empfand; politisch aber in dem Sinne, daß sie dem Historiker neue Einsichten über die Weltlage oder zu fassende Entschlüsse vermittelt hätten, waren all diese Begegnungen bedeutungslos. Ebenso lassen seine Beobachtungen von Land und Leuten nicht das geringste politische Engagement erkennen. Sein Feld war und blieb das ständige Wachsen seiner historischen Einsicht.

3.

Als er im Frühjahr 1831 nach Berlin zurückkehrte, hatte der Weitgereiste keinen anderen Wunsch, als so bald wie möglich sich an die Auswertung der venezianischen Relationen zu machen, die er in großen Massen als Notizen und Kopien besonders in Venedig und Rom geborgen hatte. „Die Gesellschaft vermeide ich fast ganz. Wochenlang sehe ich niemand und schreibe an niemand. In tiefer, einsamer, ungestörter Ruhe möchte ich mein Tagewerk vollbringen. Kein Recht möchte ich in Anspruch nehmen als zu sein, wie ich bin, und zu denken, wie ich denke; auch beides zusammen in Worte zu fassen und in der Anschauung meines Stoffes — nein, ich sage nicht geltend zu machen, nur auszusprechen“: so sein Bekenntnis gegenüber dem Bruder [19]. Was in aller Welt konnte ihn in solcher Stimmung dazu bewegen, das Angebot des preußischen Ministers von Bernstorff anzunehmen, Redakteur der Historisch-Politischen Zeitschrift zu werden? [20]

Die Gründung dieses publizistischen Organs ergab sich aus der Zensurpraxis in Preußen. Die Mentalität der Reformzeit war längst versickert, in der die preußische Beamtenschaft sich angeschickt hatte, innerhalb des gegebenen sozialen Gefüges von oben nach unten durch Geist und Bildung eine staatliche Einheit zu schaffen, die weder konfessionell noch ethnisch, sprachlich, rechtlich und nicht einmal geographisch gegeben war [21]. Je mehr die ständische Gesell-

19 26. 5. 1831, Brw. S. 241.

20 Vgl. *C. Varrentrapp:* Rankes Historisch-Politische Zeitschrift und das Berliner Politische Wochenblatt. In: HZ 99 (1907) S. 35 ff. — *O. Diether:* L. v. Ranke als Politiker. Historisch-psychologische Studie über das Verhältnis des reinen Historikers zur praktischen Politik (1911) S. 120 ff. — *Th. H. v. Laue:* L. Ranke. The formative years (Princeton 1950) S. 55 ff. u. pass. — *R. Koselleck:* Preußen zwischen Reform u. Revolution (1967) S. 415 ff. — *O. Vossler:* Ranke und die Politik, jetzt in: Geist u. Geschichte. Von der Reformation bis zur Gegenwart. Ges. Aufsätze (1964) S. 166 ff. — *G. G. Iggers:* Deutsche Geschichtswissenschaft. Eine Kritik der traditionellen Geschichtsauffassung von Herder bis zur Gegenwart (1971) S. 95 ff.

21 Vgl. *Koselleck,* S. 398 ff.

schaft sich auflöste und eine Fülle auseinander strebender geistiger und wirtschaftlicher Kräfte freisetzte, um so mehr erwies sich ihre Rückbindung an und ihre Integrierung in den Staat für eine Beamtenschaft als unmöglich, die selber in zumeist bürgerliche Individualitäten auseinander trat. Wenn es bisher in erster Linie darum gegangen war, durch geeignete gesetzliche Regelungen eine einheitliche Staatsgesinnung zu erzeugen, so übernahm mehr und mehr ein technisierter Apparat die Aufgabe, Gesinnungen zu überwachen. Das war das Geschäft der Zensur, wie sie seit den Demagogenverfolgungen unterschiedlich in den Staaten des Deutschen Bundes, aber grundsätzlich vom Frankfurter Bundestag gefordert, praktiziert wurde. In Preußen mußte alles Gedruckte, jedes Bild, jede Lithographie, jedes Aktenformular, jede Anzeige, jedes Blatt, jeder Bogen, jedes Buch der Zensur vorgelegt werden, bevor es in die Druckpresse ging. Da die Maßstäbe nicht überall gleich gehandhabt wurden, konnte man zur Not von einer Provinz in die andere, gegebenenfalls sogar in ein anderes Bundesland ausweichen. In Preußen aber überwog im allgemeinen die Tendenz, mit rüden, dummdreisten, oft intriganten und verletzenden Eingriffen Schriftsteller und Publizisten zu dirigieren und zu beaufsichtigen. Universitäten und Akademien verloren ihre Freiheit von der Zensur. Nicht einmal die in der Bundesgesetzgebung angebotene Ausnahme, Bücher über 20 Bogen frei passieren zu lassen, wurde in Preußen übernommen. Werke, die herzustellen, zu kaufen und zu lesen Besitz und Bildung voraussetzten, verfielen genauso der Vorzensur wie jedes beliebige Pamphlet. Auf diese Weise schnitt die Zensur besonders diejenige Schicht, in der die größte Aufgeschlossenheit und Anteilnahme an den Staatsgeschäften vorausgesetzt werden durfte, die Intelligenz, von der Öffentlichkeit ab. Begreiflich, daß die öffentliche Stimme, in politischen Fragen blockiert, sich mit Literatur und Wissenschaft begnügte und staatliche Rücksichten auf Formalien beschränkte. Die politische Meinungsbildung wurde in die private Gesinnung abgedrängt. Dort war sie der Zensur unerreichbar und entzog sich ihrer Steuerung erst recht, je mehr sie sich insgeheim eigene Wege suchte.

Die Julirevolution 1830 bedeutete in diesem Zusammenhang für Preußen eine schwere Belastungsprobe. Zwar blieb die Ruhe äußerlich erhalten und scheinbar der Verwaltungsstaat gegenüber den konstitutionellen Staaten erneut überlegen. Aber in ganz Europa kriselte es. In Paris wurde die Revolution ausgerechnet durch Preßordonnanzen ausgelöst. In Belgien gab sich das Volk eine eigene Verfassung. In England bahnte sich die Wahlrechtsreform an. Das alles wirkte naturgemäß auf Preußen zurück. Die öffentliche Meinung wandte sich erst recht dem westlichen Ausland zu und maß die Ereignisse mit westlichen Maßstäben, weil die Diskussion der eigenen politischen Probleme gesperrt war. In dieser Situation erwog das preußische Staatsministerium, von der vorbeugenden Zensur zur aktiven Meinungsbildung überzugehen. Solche Überlegungen wären wohl wieder zerronnen, wenn nicht Friedrich Perthes konkrete Angebote gemacht hätte. Das geschah nicht allein aus gesundem Geschäftssinn, weil der gewandte Verleger die Marktlücke erkannte, sondern weil er, ein Mann von betont liberaler und nationaler, auf die deutsche Einheit gerichteter Gesinnung, das vorliegende politische Anliegen als sein eigenes empfand. Die beiden zukunftsweisenden, aber grimmig gegen einander gerichteten politischen Kräfte in Deutschland, den preußischen Staat und die liberal-nationale Bewegung, galt es nach seiner Überzeugung wieder einander zu nähern. Ergriff Preußen auf dem Felde aktiver Publizistik sogar selbst die Initiative, so konnte es vielleicht getäuschte Hoffnungen und Wünsche wieder einholen. Noch sei die öffentliche Meinung Preußen günstig, meinte er; bald schon könne es anders sein, wenn nicht gehandelt werde. „Die preußische Regierung muß hinaus in die Öffentlichkeit." [22] Er schlug eine wöchentliche Volkszeitung vor, geleitet von einem unabhängigen Gremium, das Autor und Zensor in einem sein sollte.

Was dabei herauskam, war die Historisch-Politische Zeitschrift. In Perthes Augen war sie eine Mißgeburt. „Statt eine durchgreifende, große neue Richtung in Preußen entstehen zu sehen, werden wir nur eine neue Zeitschrift erhalten, geistvoll ohne allen Zweifel, aber doch nichts als eine Zeitschrift, ... eine Maus aus einem Berge" [23], stellte er resignierend fest. Sein Ärger wuchs, als auch seine nächsten Freunde mit ihrer Kritik nicht zurückhielten. Hier nur eine der Stimmen von besonders vernichtender Diktion: „Nichts mag ich mit Ihren historisch-politischen Blättern zu tun haben. Die Selbständigkeit und Superklugheit dieser Race, die halb Fisch, halb Fleisch und gar nicht Knochen ist, wird immer unerträglicher. ... Und nun gar NN [24]; ich muß noch immer der Meinung sein, daß er nach seinem Tode zum Besten der Naturwissenschaft seziert werde, ob er nicht etwa elf Rückenwirbel habe, die man bis jetzt unter allen Säugetieren nur bei der malitiösesten, bösartigsten Affenart gefunden hat." [25] Nach einem Jahr schon trat Perthes als Verleger von der Zeitschrift zurück. Der Bruch veranlaßte Ranke, seine späteren Arbeiten bis auf die „französische Geschichte", die bei Cotta erschien, Duncker und Humblot anzuvertrauen.

Was hat Ranke veranlaßt, diese Aufgabe zu übernehmen? Insoweit war er immerhin ein aufgeschlossener Zeitgenosse, als auch ihm, noch in Venedig, die Julirevolution einen unerwarteten Schreck eingejagt hatte. An Friedrich von Gentz schrieb er: „In der Tat muß man eilen, nach Deutschland zu kommen, wenn man es noch unrevolutioniert von jenem Pöbel finden will, der sonst, wenn es hoch kam, Bürgermeister ein- und absetzte, jetzt aber über Königreiche und wenigstens über Ministerien verfügen möchte. Es ist das eine Art von Kon-

22 Friedrich Perthes Leben. Nach dessen schriftlichen und mündlichen Mitteilungen aufgezeichnet von *Clemens Theodor Perthes*, 3 Bde. (6. Aufl. 1873), hier: III S. 331 f.

23 Ebd. III 347. 352.

24 Clemens Perthes (vgl. Anm. 22) vermied es, Namen zu nennen. Man wird für NN Ranke setzen dürfen.

25 Ebd. III S. 356.

tagion, die sich zuerst an den faulen Flecken zeigt, aber auch die gesunden Teile bedroht. Verhüte Gott größeres Unglück." [26] An Heinrich Ritter richtete er wenige Tage später die Frage: „Daß uns Handwerksburschen und Gassenbuben gouvernieren wollen, ist das erträglich?" [27] Das erste Zeitungsblatt, das er auf deutschem Boden zu Gesicht bekam, meldete den Tod des von ihm hochverehrten Barthold Georg Niebuhr. Soeben hatte er gleichsam als sein Vermächtnis im Vorwort des 2. Bandes seiner 1830 neu aufgelegten „Römischen Geschichte" geschrieben: „Jetzt blicken wir vor uns in eine, wenn Gott nicht wunderbar hilft, bevorstehende Zerstörung, wie die römische Welt sie um die Mitte des dritten Jahrhunderts unserer Zeitrechnung erfuhr: auf Vernichtung des Wohlstands, der Freiheit, der Bildung, der Wissenschaft. Wenn aber auch Verwilderung lange Jahre hindurch Musen und Gelehrsamkeit ganz verscheuchen sollte, so wird doch einmal eine Zeit wiederkommen, wo, anders freilich als im 15. Jahrhundert, die römische Geschichte aufs neue beachtet und geliebt werden wird." [28] Ranke sah nicht ganz so schwarz. „Aber fest stehen müssen wir allerdings, um nicht zu Grunde gerichtet zu werden", schrieb er an Heinrich Ritter [29] und zwei Tage später an Perthes: „Ich verberge mir nicht, daß wir einer furchtbaren Katastrophe entgegengehen; und ... die unglückseligsten Zeiten eintreten können." Niebuhrs Prophezeiung möchte man fast für wahr halten, „wenn man die Zeitungen anhören wollte. Aber wir sind nicht wie die Franzosen. ... Wir sollten ihnen auf ihrem Felde in offnem Kampfe begegnen und die Welt nicht in dem Irrtum lassen, als wären wir deutsche Franzosen: doch selbst ohne dies vertraue ich, daß wir uns halten, sobald wir uns nicht selber aufgeben." [30] Eine gewisse Einsicht von der Notwendigkeit, sich publizistisch zu engagieren, wer immer das unternahm, lag also bereits vor, als gegen Ende des Jahres die direkte Anfrage des preußischen Außenministers ihn erreichte. Ranke wußte, was ihn erwartete, wenn er, statt bei seiner Arbeit zu bleiben, sich auf einem Felde versuchte, auf dem er „nichts als Widerspruch zu erwarten" hatte [31]. In den beiden Vorlesungen des Jahres 1831 entwickelte er soeben, um Hegels Urteil über ihn: „Das ist nur ein gewöhnlicher Historiker" zurechtzurücken, energischer als je zuvor seine „Idee der Universalhistorie", d. h. seine Geschichtsphilosophie [32]. Darin war mit keinem Wort vom Verhältnis der Geschichte zur praktischen Politik die Rede, wohl aber von all den falschen Prämissen — wir würden heute sagen: von den ideologischen Implikationen und Vorurteilen — die den Blick

26 26. 9. 1830, Brw. S. 222.
27 4. 10. 1830, Brw. S. 224.
28 S. V.
29 3. 2. 1831, Brw. S. 230.
30 5. 2. 1831, Brw. S. 231.
31 An Bernstorff 1. 11. 1831, Brw. S. 243.
32 WuN IV S. 13 u. Nr. 5.

auf die historische Wahrheit verstellten. Im übrigen konnte er wohl nicht anders, als der Aufforderung zu entsprechen. Die auf der langen Reise genossene reiche Förderung verpflichtete ihn der preußischen Regierung. Seine wiederholten Bewerbungen um die Übertragung des Ordinariats mit besseren Bezügen, unterstützt von der ganzen Kronprinzenpartei einschließlich des späteren Friedrich Wilhelm IV. selbst, konnten wohl um so eher Erfüllung erwarten, wenn er sich dem konkreten Ruf nicht verschloß. So sagte er am 1. November 1831 zu: „Niemand kann mehr fühlen, daß es von Tag zu Tag unerläßlicher wird, die Tatsache unserer einheimischen Entwicklung gegen die Flut fremdartiger Forderungen, die aus ganz verschiedenen Situationen und anmaßenden Theorien entspringen, zu verteidigen. Dazu beizutragen, dem Vaterlande und der guten Sache dienen zu können, würde ich für ein großes Glück halten.“ [33]

4.

Über Rankes Absicht besteht kein Zweifel. Sie ist in der Einleitung der Zeitschrift und in gleichzeitigen Briefen mit hinreichender Klarheit ausgesprochen. An Friedrich Perthes schrieb er: „Man kann auf die öffentliche Meinung doppelt wirken. Entweder indem man sie im einzelnen zu regieren, zu bestimmen sucht, was eine große schon erworbene Sicherheit, eine bestimmte Politik ohne alles Schwanken voraussetzt, oder indem man durch wissenschaftliche Erläuterung, durch tiefer eingehende Betrachtung ihre inneren Momente zu modifizieren bemüht ist. Das letzte muß wohl unsere Absicht sein, zumal da es das erste schlechthin nicht sein kann. Ich möchte etwas liefern, was nicht von der Flut des Tages sogleich wieder weggeführt würde: — nicht wiederholen, was andere gesagt, — nicht auch einen Winkel bilden, aus dem man nur das zusammenhallende Echo verschiedener Weltgegenden oder gar nur einer vernähme; ich möchte für originale deutsche Politik einen Mittelpunkt bilden: und zugleich nur auf der Spur der Wahrheit wandeln.“ [34]

Die Sorge ist klar: Es kam ihm nicht darauf an, für den Augenblick taktisch Angemessenes zu produzieren oder ein strategisches Konzept auf lange Sicht zu entwerfen, sondern wie es dem Gelehrten entspricht, seinen Lesern etwas vorzusetzen, was auf die Länge Gültigkeit besitzt, weil es seinem Ethos, dem Streben nach der Wahrheit, entspricht. Allein damit hoffte er der originalen deutschen Politik einen Mittelpunkt zu schaffen. In der Einleitung der Historisch-Politischen Zeitschrift heißt es: Weil es so selten geworden ist, daß Einrichtungen und Unternehmungen nach ihren inneren Bedingungen geprüft werden, vielmehr die

33 S. Anm. 31.
34 24. 12. 1831, Brw. S. 247.

neue Scholastik der linken und rechten Theorie, des Liberalismus und der Reaktion, sich „bemüht, die Welt nach ihrer Schulmeinung einzurichten", ist es wichtig, nicht Theorien zu bekämpfen oder sich zwischen die Extreme zu stellen, um einen Ausgleich zu stiften, sondern dem unhistorischen, abstrakten, rationalistischen Denken die Lehre von der Eigenart, dem Eigenrecht der organisch gewachsenen, gewordenen, einmaligen historischen Gebilde, insbesondere der Staaten und da wiederum des preußischen Staates entgegenzusetzen. Das heißt nicht — so Ranke — ohne Richtmaß oder feste Regeln in die Irre geraten, sondern „die unwandelbaren, ewigen Prinzipien ins Auge zu fassen. ... Die Einsichtigen aller Zeiten wußten, was gut und groß, was erlaubt und Rechtens, was Fortschritt und Verfall ist. In großen Zügen ist es in die menschliche Brust geschrieben; ein einfaches Nachdenken genügt, um es aufzufassen. Wenn alle die Klügeleien unserer Weisheit und unseres Irrtums lange vergessen sind, werden die kommenden Jahrhunderte uns danach richten." [35]

Mit andern Worten: Ranke war naiv genug, für die politischen Nöte und Kämpfe des Tages, bei denen es ja immer um Zukünftiges ging, die historische Erkenntnis als Heilmittel zu empfehlen. Er war in der Tat der Meinung, man brauche den historischen Charakter der Wirklichkeit nur an die Öffentlichkeit zu bringen, um der Zustimmung der Wohlmeinenden sicher zu sein. Das ist vielleicht der letzte und tiefste Grund, warum er sich zur Übernahme der Zeitschrift bestimmen ließ. Die Theorien, die als erspekulierte Schemen, weltferne Hirngespinste ganz Europa mit Zank und Streit erfüllen, sind in seinen Augen außerstande, die Wirklichkeit zu sehen, wie sie tatsächlich ist. Die historische Dimension der Wirklichkeit: das ist seine Entdeckung. Der Historie, genauer: dem Historiker kommt die rettende und schlichtende Rolle zu, gegenüber feindseligen Abstraktionen die konkrete Wirklichkeit zu künden. Es soll „ein ganz neuer Standpunkt gewonnen werden. ... Von den Doktrinen würde man auf die Forderung der Sache, von den eingebildeten Bedürfnissen auf das Positive zurückkommen. ... Man würde das Recht einer unbedingten, aus ihrem eigenen Prinzip lebenden Existenz verteidigen. Man würde die ursprüngliche Mannigfaltigkeit der Tatsachen hervorheben." Allein diese Einsicht führt zur Eintracht. Das bedeutet es, seine Zeit „nicht nach irgendeinem Begriff, sondern in ihrer Realität zu verstehen, ... und dies in dem Geist eingehender Erforschung zu versuchen, in dem Geist reiner und unparteiischer Wahrheitsliebe, das ist unser Vorsatz."

Die Überlegenheit des historischen über das abstrakte Denken bei der Erkenntnis von Wirklichkeit braucht unter Historikern nicht eigens diskutiert zu werden. Ranke war aber in seinem Wesenskern so unpolitisch, gar nicht zu realisieren, daß er mit der Gegenüberstellung von historischem und abstraktem

35 S. 3.

Denken sich immer nur in der Ebene des Denkens, der Erkenntnis bewegte, erst recht, wenn er die Aufgabe des politischen Publizisten im Grunde nur als den Appell an einen ohnehin allen Menschen von Natur aus eingepflanzten Konsensus über Gut und Böse, Wünschbares und Abzulehnendes verstand, von wo aus der Weg in das spezifisch Politische, die Sphäre von Wollen und Handeln erst noch zu suchen und zu finden war. Denn was er für Theorie ausgibt, das sind in Wahrheit Interessen, vielleicht sogar ethisch begründete, aber in der Substanz sehr viel mehr Wille, Enthusiasmus, Leidenschaften, denen mit gleichen Mitteln zu begegnen ist. Dabei kommt es noch heute nicht in erster Linie auf Liebe zur Wahrheit, sondern auf Macht, Erfolg, Erfüllung des Willens an. Hier gilt nicht das Gesetz der Erkenntnis, nicht Einsicht und Kontemplation, wohl aber Aktion, Kampf, Handeln statt Denken, Wollen statt Erkennen.

Trotz allen guten Willens wurde daher die Historisch-Politische Zeitschrift ein Fiasko. Äußere Umstände haben wesentlich dazu beigetragen. Wir wollen uns bei ihnen nicht aufhalten. Allein schon das zweimonatliche Erscheinen der Hefte des ersten Jahrgangs war ein Handicap. Vor allem aber fand Ranke keine Helfer und Mitarbeiter in ausreichender Zahl. Den zweiten Jahrgang, der, um vollständig zu werden, drei Jahre brauchte, wurde von ihm allein geschrieben, während er zur gleichen Zeit die drei Bände eines seiner gelesensten meisterhaften Werke verfaßte und veröffentlichte, die „Römischen Päpste". Wen wundert es, wenn die eigentlich politischen, auf die Zeitereignisse Bezug nehmenden Artikel der Zeitschrift immer mehr rein historischen Abhandlungen wichen. Ranke hatte auf direkte Informationen und diplomatische Materialien aus den preußischen Ministerien gerechnet, die da einsetzen und seine Kenntnisse fortsetzen sollten, wo die venezianischen Relationen aufhörten. Vergeblich. Auch die Leser waren ausgeblieben, obwohl das Staatsministerium allen Behörden die Zeitschrift empfohlen hatte mit dem Hinweis, sie richte sich an wissenschaftlich gebildete Männer, „welche entweder als Gelehrte dennoch die Interessen des reellen Lebens unausgesetzt im Auge behalten oder als praktische Geschäftsmänner den höheren inneren Zusammenhang gewohnt sind"; die Zeitschrift solle „den schädlichen Einflüssen entgegenwirken, welche die periodische Presse auszuüben bemüht ist" [36]. Die Basis blieb trotzdem viel zu schmal, um das Organ zu tragen. Die Ende 1831 gegründete streng konservative „Berliner Politische Wochenschrift" bedeutete eine ernst zu nehmende Konkurrenz. Von publizistischer Sprache und Aufmachung verstand der Gelehrte Ranke nichts, das hatte er nie gelernt. Seine Sprache und Gedankenführung waren zu anspruchsvoll, um breitere Schichten zu erreichen. Über den wissenschaftlichen Wert seiner Beiträge ist kein Wort zu verlieren. Ranke konnte sie nach Jahren ausnahmslos in seine „gesammelten Werke" aufnehmen, darunter solche Kabinett-

36 Posener Archiv, *Koselleck,* S. 422.

stücke seiner Prosa wie „die großen Mächte“ und das „politische Gespräch“. Aber man braucht bis auf den heutigen Tag nicht zu wissen, an welcher Stelle sie zuerst erschienen sind, um sie als herausragende Dokumente des Historikers Ranke zu würdigen. 1836 war die Zeitschrift am Ende; ihr Erscheinen wurde ersatzlos eingestellt.

5.

Daß Ranke im Grunde seines Wesens eine unpolitische Natur war, ließe sich an einer Fülle von Beispielen aus den wenigen, im engeren Sinn politisch gemeinten Aufsätzen seiner kurzlebigen Zeitschrift zeigen. Daß er, wo immer er seine Gegenwart ins Visier nahm, keine griffigen Lösungen anzubieten hatte, wird man ihm am wenigsten zur Last legen dürfen; einfache Rezepte hatten auch andere nicht anzubieten. Daß er aber für das elementare politische Wollen seiner Zeit, so differenziert es auch sein mochte, nur geringes Verständnis hatte, muß doch nachdenklich stimmen. Er blieb in einem langen Leben der in den halkyonischen Jahren des Vormärz gewordene Gelehrte, der am liebsten sein Selbst auslöschen wollte: in seinen tagebuchartigen Aufzeichnungen zum Vereinigten preußischen Landtag, in seinen für Friedrich Wilhelm IV. bestimmten Denkschriften zu den Ereignissen von 1848 und zum Krimkrieg, in seinem immer zwiespältigen Verhältnis zu Bismarck, in seiner Freundschaft mit dem ultrakonservativen Edwin von Manteuffel, in den Einleitungen zu seinen Vorlesungen. Das fehlende Sensorium für das eigentlich Politische war es, was ihm die „politischen Historiker“, sogar die aus seiner eigenen Schule, die Sybel, Droysen, Treitschke, Mommsen als Versagen entgegenhielten. Droysen, der als Denker so viel energischer sich dem Problem des Zusammenhangs von Geschichte und Wirklichkeit zugewandt hat, versäumte selten, auf sein „pectus facit historicum“ zu pochen, wenn von Ranke die Rede war. Nach dem Scheitern der Historisch-Politischen Zeitschrift hat Ranke nur noch zweimal öffentlich zur Frage des Zusammenhangs von Geschichte und Politik das Wort genommen. Die Antrittsrede bei der Berufung auf das Berliner Ordinariat 1836 ist ausdrücklich diesem Thema gewidmet. Sie war eine Zusammenfassung seiner mit der Zeitschrift gemachten Erfahrungen und bietet, obwohl ins Grundsätzliche gewendet, sachlich keine neuen Gesichtspunkte. Als 1871 die Historische Kommission in München zusammentrat, hätte es nahegelegen, wenn Ranke in seiner üblichen Einleitungsrede von der Reichsgründung als dem herausragenden Ereignis des vergangenen Jahres gesprochen hätte. Statt dessen hielt er einen Nekrolog auf Georg Gottfried Gervinus, als wenn er eine Warnung an seine Kollegen hätte richten wollen. „Gervinus wiederholt häufig die Ansicht, daß die Wissenschaft in das Leben eingreifen müsse. Sehr wahr, aber um zu wirken, muß sie vor allen Dingen Wissenschaft sein; denn unmöglich kann man seinen Standpunkt in dem Leben nehmen und diesen auf die Wissenschaft übertragen:

dann wirkt das Leben auf die Wissenschaft, nicht die Wissenschaft auf das Leben. Für das Leben aber ist doch häufig nur das, was einen jeden nur zufällig berührt, maßgebend, so daß das Zufällige auf das zurückwirkt, was das allgemein Gültige sein soll, nicht dieses auf jenes. Wir können nur dann eine wahre Wirkung auf die Gegenwart ausüben, wenn wir von derselben zunächst absehen und uns zu der freien objektiven Wissenschaft erheben.“ [37] —

Aus dem Gesagten ergeben sich, wie ich meine, drei Konsequenzen.

1. Was hier kritisch unter dem Gesichtspunkt „Ranke und Geschichte im öffentlichen Leben“ ausgeführt wurde, wäre mißverstanden, wenn man es für eine Demontage Rankes halten würde. Davon kann keine Rede sein. Er bleibt einer der bedeutendsten Geschichtsschreiber und historischen Denker, den die deutsche Geschichtswissenschaft in ihrer klassischen Epoche hervorgebracht und der lange und nachhaltig in die westliche Kultur hineingewirkt hat. Seine Bedeutung liegt in der religiösen, nicht in der politischen Dimension seines Denkens: Geschichte als der Raum, in dem das Wirken Gottes in der Welt erahnbar gemacht werden kann. Je deutlicher dieser Schwerpunkt hervortritt, um so mehr müssen die von unserer wissenschaftlichen Vätergeneration gesetzten Maßstäbe verblassen.

2. Die Ranke-Gesellschaft wird davon absehen müssen, in ihrem Selbstverständnis und dessen Darstellungen Rankes Wirken in der Historisch-Politischen Zeitschrift als eine besonders vorbildliche Verwirklichung des Verhältnisses von Politik und Geschichte, genauer: für das Lebendigmachen von Geschichte im öffentlichen Leben in Anspruch zu nehmen. Diese Deutung ist falsch. Sie entspricht weder den historischen Fakten noch den gedanklichen Zusammenhängen. Damit wird es

3. für die Ranke-Gesellschaft notwendig, unmißverständlicher, eindeutiger für diese unsere Gegenwart zu sagen, was es bedeuten soll und kann, sich für Geschichte im öffentlichen Leben zu verwenden. Das ist gewiß ein weites Feld, weil ein solcher Versuch an die Grundlagen unserer Wissenschaft rührt. Aber auch für Ranke dürfte gelten: Nur wer sich wandelt, bleibt mit ihm verwandt.

37 SW 51/52 S. 574 f.

6.

Heinrich Ranke[1]

Wer je in den Briefen Leopold Rankes[2] gelesen hat, weiß, daß die reichsten und tiefsinnigsten dieser Zeugnisse, namentlich die aus den entscheidenden Werdejahren, an den um drei Jahre jüngeren Bruder Heinrich gerichtet sind. Seitdem dessen Gegenbriefe ans Licht gekommen sind[3], bedeuten sie für das Verständnis des großen Historikers eine unschätzbare Quelle. Vor allem aber zeigen sie den Schreiber selbst in einem so neuen Licht, daß sein Lebensschicksal ein Anrecht darauf hat, noch einmal nachgezeichnet zu werden[4]. Heinrich Ranke gehört gewiß nicht zu den schöpferischen Gestalten des 19. Jahrhunderts. Aber sein Leben, ein Stück beschauliches, eng umhegtes Biedermeier, ist so vielfältig mit Franken und den Persönlichkeiten verbunden, die vor mehr als 100 Jahren das geistige Antlitz dieser Landschaft geprägt haben, daß es lohnt, diesen Mann wieder ins Bewußtsein zu heben.

Heinrich Ranke gehört nicht von Haus aus zu Franken. Erst in einer späteren, freilich der längsten Periode seines Lebens hat er hier Wurzel geschlagen. Seine Heimat war Wiehe im Unstruttal, die Goldene Au, eine Landschaft mit Kyff-

1 Vortrag vor der Gesellschaft für fränkische Geschichte am 5. 9. 1964 in Erlangen, erweitert nach Einsicht der Akten des Landeskirchlichen Archivs Nürnberg (zit.: Lk. Arch. Nbg.).

2 *L. v. Ranke:* Zur eigenen Lebensgeschichte, hg. v. *A. Dove* (1888) = SW 53/54; *L. v. Ranke:* Das Briefwerk, hg. v. *W. P. Fuchs* (1949) = Brw.; *L. v. Ranke:* Neue Briefe, ges. v. *B. Hoeft,* hg. v. *H. Herzfeld* (1949).

3 Zu diesen Briefen hat mir der frühere Heidelberger Ägyptologe Hermann Ranke, ein Enkel Heinrich Rankes, vor Jahren schon den Zugang eröffnet. Nachdem *H. Oncken:* Aus Rankes Frühzeit (1922) daraus einige wenige Notizen (pass.) mitgeteilt hat, werden sie hier zum erstenmal ausgewertet. Vgl. die ursprünglich im Anhang zu diesem Aufsatz abgedruckte Auswahl „Aus den Briefen Heinrich Rankes an seinen Bruder Leopold" (In: Jb. f. fränk. Ldsforsch. 25 [1965] S. 141—207 [zit. Briefe Hch. Rankes]).

4 Hauptquelle: *Hch. Ranke:* Jugenderinnerungen mit Blicken auf das spätere Leben (1876, ²1886); ich benutze die 2. Auflage. Auf Grund dieses Selbstzeugnisses, angereichert durch das, was an Wissenswertem in der Familie tradiert wurde, hat *Otto v. Ranke,* Leopold v. Rankes ältester Sohn, einen kurzen Lebensabriß geschrieben: ADB 27 (1888) S. 233 ff.

häuser und Wendelstein, Roßleben und Memleben reich an geschichtlichen Erinnerungen, ursprünglich thüringisch, dem Territorium nach zum Königreich Sachsen und seit dem Wiener Kongreß 1815 zu Preußen gehörend [5]. In dem damals noch ganz umwehrten kleinen Landstädtchen, an dessen Toren die Akzise erhoben wurde, fern von allem durchgehenden Verkehr, still, verschlafen, eng im geistigen und wirtschaftlichen Zuschnitt, unter Ackerbürgern und kleinen Gewerbetreibenden, ist Friedrich Heinrich Ranke am 30. November 1798 zur Welt gekommen. Der Vater Gottlob Israel Ranke gehörte zu den Honoratioren des Ortes. Er war Justitiar, der im Auftrage der beherrschenden Grundbesitzer der Gegend, der Freiherrn von Werthern, die Patrimonialgerichtsbarkeit in ihren Dörfern wahrnahm, ein rechtschaffener Mann von natürlicher patriarchalischer Würde. Er hat es nie ganz verwunden, daß er während des Studiums in Leipzig die lange Ahnenreihe der Pfarrer in seiner Familie unterbrochen hatte und Jurist geworden war. Der Konfession nach — wie allgemein im Lande üblich — strenger Lutheraner, im Grunde seines Wesens unreflektiert, doch nicht ohne leisen rationalistischen Anflug, dabei von weichem, empfindsamem Gemüt, besaß er keinen weiten geistigen Horizont. Ohne nähere Verbindung zu den bewegenden Kräften der Zeit, war für ihn und die Seinen die Welt im nahen Naumburg praktisch zu Ende. Heinrichs Mutter Friederike Lehmicke, Tochter eines Rittergutsbesitzers aus der Gegend von Querfurt, Mutter von drei Mädchen und sechs Buben, hatte in ihrer Jugend weder eine gelehrte noch eine literarische Bildung genossen. Sie ging, obwohl lebhaft und phantasievoll, ganz in der Sorge für die Ihren auf. Bei aller Bescheidenheit der Gaben und Mittel besaßen beide Eltern ein unerhört kostbares Gut: Sie wußten in ihrem Hause Atmosphäre zu schaffen und ein Gefühl der Geborgenheit zu verbreiten, die jeden einbezog und bezauberte, der in diesen Kreis trat. Alle ihre Kinder hielten zeit ihres Lebens an dieser „Religion der Familie“ fest, wie weit sie, namentlich die Söhne, sich auch räumlich und geistig vom Elternhaus entfernten.

Den ersten Unterricht erhielt Heinrich Ranke in der Stadtschule von Wiehe, die im Chor der Kirche gehalten wurde. In dieser seltsamen Schulstube herrschte, unbeschadet der Heiligkeit des Ortes, als Zeichen schulmeisterlicher Autorität unumschränkt der Stock. Hier galt noch wie in allen anderen Lebensbereichen der gemessene ständische Unterschied: Die Söhne der angeseheneren Familien durften am Tisch des Lehrers sitzen und wurden im Unterschied zu den Sprößlingen einfacher Eltern mit „er“ statt mit „du“ angesprochen. Für diese Schulstube scheint Heinrich Ranke nicht allzuviel Eifer aufgebracht zu haben. Er tollte lieber mit den Spielgefährten in Feld und Wald, bis der sehr viel musterhaftere, früh von den Büchern angezogene, aber auch einsamere und in sich verschlossene ältere Bruder Leopold auf die nahen Schulen von Donndorf und Pforta kam

5 Vgl. SW 53/54 S. 3 ff., 45 ff.

und den jüngeren bei seinen gelegentlichen Besuchen erste staunende Blicke in die Welt der antiken Helden tun ließ.

Nach dem Vorbild des Bruders trat Heinrich Ranke 1811 in Pforta ein. In ihrer nach außen streng abgeschlossenen, fast klösterlichen Welt verband die hoch angesehene sächsische Fürstenschule christlichen Geist mit klassischer Bildung, einen streng gegliederten hierarchischen Aufbau, der vom schier unnahbaren, als bedeutenden Gelehrten respektierten Rektor bis herunter zum letzten Schüler der jüngsten Altersklasse reichte, mit möglichster Freiheit der geistigen Bewegung jedes einzelnen. An Fleiß hat es Heinrich offenbar nicht gefehlt. Doch stand er von Anfang an stark im Schatten des älteren Bruders. Nach dem Brauche von Schulpforta war Leopold sein erster Lehrer in den Anfangsgründen der alten Sprachen. Das durch Natur und Institution begründete Verhältnis der beiden zueinander hat sich während ihrer Lebenszeit entscheidend nicht mehr geändert: Leopold blieb für Heinrich der zwar nach Raum und Interessen weit entfernte, aber doch immer als überlegen anerkannte Begleiter. Leopold Ranke war zweifellos begabter und zielstrebiger als Heinrich; er stand deswegen bei Eltern, Lehrern und Mitschülern in hohem Ansehen. Dafür richtete er sich auch ohne Widerspruch mit allen Ungereimtheiten dieses von Pennalismus nicht freien Schullebens ein. Heinrich dagegen mußte oft mit Gewalt sein Heimweh nach der weiten Wieheschen Flur bezwingen und seinen unbändigen Drang zähmen, die Grenze des Erlaubten zu überschreiten. Fünf Rankesche Brüder haben nacheinander diese Schule besucht. Von vieren besitzen wir schriftliche Aufzeichnungen über ihre Schulzeit [6]. Alle rühmen sie die prägende Kraft dieser Anstalt. So tief war dieser Schulgeist dem klassischen Altertum verpflichtet, daß die Gegenwart für die Zöglinge kaum existierte. Sie begegnete ihnen jedenfalls nicht als politisches Schicksal. Die Freiheitskriege gegen Napoleon berührten sie nur am Rande, obwohl Sachsen und Preußen, Franzosen und Russen, Fliehende und Verwundete von den nahen Schlachtfeldern den Portensern vor die Augen kamen. Diese Schüler waren erzogen, geistige Phänomene als Literatur aufzunehmen und zu würdigen. Bei dem, was sie außerhalb des Unterrichts in eigener Spontaneität entdeckten, war es nicht anders. Um die Sprache, die deutsche wie die erst zu lernenden fremden Idiome, in den rechten Griff zu bekommen, wurden in Pforta von Lehrern und Mitschülern dichterische Versuche in jeder Weise ermutigt. Ohne geistige Überforderung und hektischen Überschwang ging es dabei gelegentlich nicht ab. Was eine Knabenseele mit vierzehn Jahren bewegt, das hatte hier seinen Ort: erste Freundschaften unter den Schulgefährten, überlegener Spott über die kleinen Schwächen altväterischer Lehrer, denen — wenn

6 Ebd. S. 12 ff.; *Hch. Ranke,* Jug.-Er. S. 16 ff.; *Ferdinand Ranke:* Rückerinnerungen an Schulpforta (1874); *Ernst Constantin Ranke:* Selbstbiographie. In: *E. Hitzig:* E. C. Ranke (1906) S. 18 ff.

auch nur verstohlen — Achtung doch nicht versagt wurde, Erfolge und Niederlagen bei der Bewältigung des Schulpensums, erste freie Geistesflüge und tiefe Verzagtheit vor der Kleinheit der eigenen Kräfte. Bemerkenswert ist, mit welcher Anteilnahme hier anstelle des amtlich hoch gepriesenen Klopstock, des einstigen Schülers der Anstalt, von den lebenden Dichtern — freilich mehr im Geheimen — Goethe gelesen und verehrt wurde [7]. Die geschlossene Welt aus Elternhaus, Vaterstadt und Schule begann für Heinrich Ranke in Pforta aufzubrechen. Goethe ist freilich nicht sein Richtpunkt geblieben.

Beinahe wäre Heinrich Ranke an Pforta gescheitert. Aus nichtigem Anlaß floh er aus Furcht vor Strafe bei Eis und Schnee 1815 zusammen mit zwei Kameraden aus den Klostermauern, um nach Italien zu wandern [8]. Die Reise endete bereits nach einem halben Tag bei der Patin in Querfurt in einem großen Katzenjammer. Wie der verlorene Sohn kehrte er nach dem unbedachten Streich ins Vaterhaus zurück. Die bescheidene, aber gescheiterte freiheitliche Regung hatte für das Werden der Persönlichkeit tiefgreifende Folgen. Der den Eltern zugefügte Schmerz über die Schwäche seines Charakters ist Heinrich als erste Erfahrung eigener Sündhaftigkeit zum bleibenden Erbteil dieses kurzen Abenteuers geworden. Pforta war ihm seitdem verschlossen. Da das „Schein"-Wesen der Berechtigung dieser Zeit noch unbekannt war, gelang es, nach außen alle unangenehmen Folgen für den Ausreißer zu vermeiden.

Im Frühjahr 1815, eben sechzehnjährig, zog Heinrich Ranke auf die Universität nach Jena. Leopold war erst im Vorjahr nach Leipzig vorausgegangen, das für die studierten Honoratioren von Wiehe bisher der akademische Beziehungspunkt gewesen war. Seitdem sie Muß-Preußen geworden waren, gehörte Leipzig zum Ausland. Der noch ganz unfertige Schüler schrieb sich als Student der Theologie und Philosophie ein. Ohne alle Freunde fand er sich nicht zurecht. In einer Umwelt, in der es vornehmlich darauf ankommt, fraglos tradierte Werte und Vorstellungen sich anzueignen, um in ihr heimisch zu werden, mochte ein so frühes Universitätsstudium gerechtfertigt sein. Jena aber war seit der Jahrhundertwende von einander widersprechenden geistigen Kräften viel zu aufgewühlt [9], als daß ein so junger, unprofilierter und an Auseinandersetzungen nicht gewöhnter Mensch wie Heinrich Ranke hier seinen Platz und seine Aufgabe schnell hätte finden können. Am ehesten gelang es bei dem patriotischen Historiker Heinrich Luden, der seinen Hörern die eben erst durchlebte Geschichte mit all ihren Hoffnungen aufschloß und auch längst vergangene Zeiten immer wieder an diesen Erlebnissen maß. Die neuere Philosophie der Kant und Fichte, von unbedeutenderen Epigonen vorgetragen, verwirrte Heinrich mehr, als daß sie

7 Briefe Hch. Rankes Nr. 1. 2.

8 Ebd. Nr. 3.

9 Gesch. d. Univ. Jena 1548/58—1958, Bd. I (1958) S. 243 ff.

ihm Klarheit verschaffte. Von säkularen Gegensätzen in der Theologie wie Rationalismus und Supranaturalismus, Verbalinspiration und Textkritik kannte sein reiner Kinderglaube nicht einmal die Vokabeln. Tiefer als die dürre Weisheit der Philosophen und Theologen, die ihm Herz und Verstand leer ließen, drangen die Burschenschaft, die in Jena eben aufblühte, und Jahns Turnbewegung. In diesem christlich-deutschen Bunde mit seinen betont sittlichen Prinzipien fand Heinrich Ranke seine ersten Freunde; hier, im Angesicht von Christentum und Vaterland, konnte der von aller Wissenschaft Verwirrte ungehemmt sein Gemüt sprechen lassen.

Mit der entschiedenen Absage an die Theologie verband Heinrich 1817 den Tausch von Jena mit Halle. Auch der Wunsch, dem soviel weniger erschütterbaren, noch unbeirrt am christlichen Glauben festhaltenden Bruder Leopold in Leipzig als einem Führer zu ernsten Studien näher zu sein [10], spielte bei diesem Wechsel eine Rolle. Der Versuch, im Alleingang Kants „Kritik der reinen Vernunft" zu durchdringen, schlug bald fehl. Heinrich erkannte selbst, daß ihm dazu alle Voraussetzungen fehlten. Nicht viel besser erging es dem Achtzehnjährigen mit Fries und de Wette. Am meisten Gewinn zog er noch aus der Lektüre des Thukydides und Sophokles, dem Erbe von Schulpforta, und aus der Mathematik, die, weil sie sicher von Stufe zu Stufe aufsteigt, ihm einige Befriedigung bot. Leopold Ranke kam wiederholt von Leipzig herüber, jedesmal sehnlichst erwartet, um den Einsamen aufzurichten und ihm zu raten. Der ältere Fichte der „Anweisung zum seligen Leben", der den Bruder zutiefst bewegte [11], vermochte noch am ehesten zu Heinrich zu sprechen. Erst die Hauslehrerstelle bei dem Mediziner Nasse in Halle, einem weltzugewandten, aber naiv gläubigen Manne, der ihm Claus Harms, Matthias Claudius und Gotthilf Heinrich Schubert nahebrachte, vermochte das seelische Gleichgewicht einigermaßen wiederherzustellen, als Heinrich in den bergenden Frieden dieser frommen Familie aufgenommen wurde. Als Student war er nach sechs Semestern im Grunde gescheitert. Keinem seiner akademischen Lehrer war er so nahegetreten, daß er ihm einen bestimmenden Einfluß verdankt, geschweige denn sich in seine Gefolgschaft begeben hätte. Was die Zeit an bewegenden Gedanken bot, idealistische Philosophie, Klassik und Romantik, die neue Kenntnis der Antike, das „Jugendleben", wie es sich in Burschenschaft und Turnbewegung gestaltete, all das berührte ihn wohl, fesselte ihn auch eine Zeitlang, schlug aber nicht eigentlich in ihm Wurzel. Als Leopold Ranke im Sommer 1818 als Oberlehrer nach Frankfurt/Oder ging, bewog er den Bruder, ihm zu folgen, damit er unter seinen Augen sich weiterbilde.

In Frankfurt/Oder trat Heinrich Ranke als Jüngster in einen Kreis von Gymnasiallehrern ein, die sich teils aus Pforta, teils vom Studium bei dem Altphilo-

10 Briefe Hch. Rankes Nr. 4. 5.
11 Vgl. WuN I S. 499 ff.

logen Gottfried Hermann in Leipzig her kannten, junge Männer, die mit ihren unverbrauchten Kräften ein dynamisches Element gegenüber den älteren Lehrern am Gymnasium Fridericianum darstellten. Ein Stück verspäteter Romantik blühte hier mit der Freude an Natur und Kunst, Schwärmen und Zechen, Gefühlsseligkeit und Liebe. Aber auch hier blieb Heinrich zutiefst vom engsten Kreise ausgeschlossen. Er war der jüngere, unfertige, lediglich mitgenommene Bruder des älteren Leopold gegenüber Gefährten, die die Hürden der akademischen Ausbildung bereits genommen und konkreten Berufsaufgaben sich zugewandt hatten. Aus Heinrichs Vorbereitung für ein Examen wurde zunächst nicht viel. Als ureigensten Plan hatte er von Jena und Halle den Gedanken mitgebracht, in Frankfurt einen Turnplatz zu errichten. Leopold und seine Freunde bestärkten ihn darin, ohne sich freilich selbst zu engagieren. Sehr schnell überwog bei Heinrich dieses eine Ziel seine anderen Vorsätze. Als der Turnvater Jahn bei einer seiner Turnfahrten durch Frankfurt kam, schloß sich Heinrich ihm auf der Stelle ohne jede Vorbereitung an, um in der Berliner Hasenheide das Turnen von Grund auf zu lernen [12]. Als er nach Wochen zurückkehrte, hatte Leopold für ihn an einem privaten Institut in Frankfurt eine Stelle als Lehrer und Erzieher ermittelt, wo Heinrich Elementarunterricht zu erteilen und die im Hause wohnenden Schüler zu beaufsichtigen hatte. Wie oft in solchen Situationen, wo frühe Berufspflichten und eigene Unsicherheit zusammentreffen, obwohl alles nach Bestätigung im selbstgeschaffenen Kreise ruft, geschah es auch hier: trotz Leopolds Vorbild, der eben anfing, seine historischen Interessen zu ordnen, trotz aller ernsten Vorsätze war es mit Heinrichs Studium nicht weit her.

In diese von eigener Intensität erfüllte kleine Welt drang im März 1819 die Nachricht von Karl Sands furchtbarer Mordtat an dem russischen Staatsrat Kotzebue in Mannheim, von der auf Metternichs Drängen die Verfolgung der Demagogen ihren Ausgang nahm. Der haltlose Verdacht, in der deutschen Jugend bestehe eine Verschwörung, die auf eine allgemeine Umwälzung der bestehenden Verhältnisse sinne und von der Jenenser Burschenschaft und den Turnern ausgehe, vergiftete mit einem Schlage zahllose menschliche Verhältnisse. Auch die Frankfurter Freunde rätselten, von der Mordtat tief betroffen, über ihren Sinn, über die nun ausbrechende Welle von Verhaftungen und über die Frage, ob Widerstand, im äußersten Falle selbst Tyrannenmord erlaubt sei. Leopold wandte sich mit flammendem Protest an seinen Regierungspräsidenten [13] und stand dabei sicher nicht allein. Bei Heinrich durchsuchte die Polizei die Wohnung und beschlagnahmte gänzlich unverfängliche, ihm aber besonders teure Freundesbriefe. Nach Jahns Verhaftung empfanden beide Brüder es als selbstverständliche Pflicht, sich in Berlin um seine unversorgt zurückgelassenen Angehörigen

12 Briefe Hch. Rankes Nr. 7. 8.
13 Brw. S. 5 ff.

zu kümmern. Sie scheuten sich auch nicht im mindesten, gegen das bestehende Verbot durchreisende, unter Verdacht stehende Gesinnungsfreunde zu beherbergen und weiterzuleiten [14]. So regierungsfromm Heinrich und Leopold Ranke als reife Männer geworden sind, in ihrer Maienblüte waren sie nicht bereit, alle und jede Maßnahme der hohen Obrigkeit hinzunehmen.

Bevor die Staatsbehörde in Frankfurt/Oder hart zuschlug, hatte Heinrich Ranke die entscheidende Begegnung seines Lebens, die ihn von Grund auf verwandelte. Seit Jena und Halle steckte die Sehnsucht nach dem Norden als dem Ideal des Reinen und Urtümlichen in ihm. Nach Norwegen reichte es freilich nicht, wohl aber nach Rügen. Im Sommer 1819 machte sich Heinrich Ranke allein auf den Weg. Die unvergleichlich schöne Landschaft während der reifen Sommertage, die selbstverständliche Gastfreundschaft, wie sie zur Zeit der Postkutsche und langen Fußmärsche noch überall geübt wurde, vor allem aber das eigene stille Vor-sich-hin-Sinnieren über Lebenszweck und Lebensgrund während der Wanderung, all das hatte Heinrich zubereitet, in einer begnadeten Stunde dem Pfarrer Hermann Baier in Altenkirchen sein Herz aufzuschließen: Wie er den Glauben der Kindheit völlig verloren, wie er Gott auf anderem Wege gesucht habe, ohne ihn zu finden, wie er auch in vielen Jahren nicht mehr gebetet habe und nichts mehr von dem Gott wisse, zu dem man beten könne. Baier, Schwiegersohn des Dichters und nachmaligen Geschichtsprofessors in Greifswald Gotthard Ludwig Kosegarten, zugleich sein Nachfolger im Pfarramt in Altenkirchen, war eine ungemein gewinnende kraftvolle Persönlichkeit, die jeden tief beeindruckte, der ihr begegnete. Auch hier war es nicht die Weltläufigkeit Baiers, obwohl er Schelling und Fichte als Student in Jena gehört, einige Jahre als Hauslehrer in Genf zugebracht hatte und zu dem älteren Fichte in ein ganz persönliches Verhältnis getreten war, auch nicht eine auf den Grund gehende theologische und philosophische Gelehrsamkeit, sondern die ganz ursprüngliche, christlich fundierte Menschlichkeit dieses Predigers und Seelsorgers, die Heinrich in einem langen nächtlichen Gespräch bezwang, als Baier ihm zeigte und ihm gewiß machte, daß Gott auch den Menschen voller Skrupel und Zweifel nicht aus seiner Liebe entläßt. In diesem Pfarrer begegnete der Zwanzigjährige unabhängig von allen Einwirkungen der Zeit einer christlichen Grunderfahrung, die in ihm verschüttet war, die aber nun die Brücke zurück zu seinem Kinderglauben schlug und seinem weiteren Leben Sinn und Halt gab: Heinrich war seit dieser Bekehrungsstunde zutiefst davon überzeugt, daß Gott durch diesen Mann zu ihm geredet habe.

So sehr ihn die Begegnung mit Baier erfüllte — auch Leopold lernte ihn noch im gleichen Jahr auf Rügen kennen [15] und empfing einen bedeutenden, wenn

14 Ebd. S. 19. 22 f.
15 Ebd. S. 11 ff.

auch nicht den gleichen Eindruck — Heinrich mußte die Erfahrung machen, daß im religiösen Bereich blitzartiges Ergriffenwerden und sicherer Besitz nicht das gleiche sind und zwischen beiden ein sehr langer Weg liegen kann. Baier hatte Heinrich geradezu beschworen, er müsse Prediger werden. Mit neuem Mut stürzte er sich in die noch kaum begonnene geistige Arbeit. Die Doppelgleisigkeit jedes theologischen Studiums: auf der einen Seite das Heranreifen einer glaubensstarken und religiös überzeugenden Persönlichkeit zum Christen, Pfarrer und Seelsorger — im wesentlichen Prozeß eines seelischen Wachsens der Person — auf der andern Seite die Aneignung und das Sichauseinandersetzen mit der Fülle der christlichen Überlieferung — die Arbeit des Theologen, ein sehr viel stärker wissenschaftlich-intellektueller Prozeß: diese doppelte Aufgabe zu bewältigen fiel Heinrich deshalb so schwer, weil seine Intention aus der Dürftigkeit seiner Lebenssituation in erster Linie auf Besitz, auf inneres Erfülltsein und Leuchten aus einem Kern ging. Er wollte ein Christ werden und sein. Der Versuch, theoretisch das Verständnis des göttlichen Erlösungswerkes sich zu verschaffen, wollte ihm nicht gelingen, weder beim Studium des Johannesevangeliums, das er vornahm, noch bei der Lektüre theologischer Werke, die ihm in die Hand fielen. Unmittelbar sprachen zu Heinrich noch am ehesten Luthers Schriften, auf die Leopold ihn verwies, ebenso des etwas wunderlichen gläubigen Erlanger Orientalisten Johann Arnold Kanne Sammlung geistlicher Lieder [16], die den Einsamen, um Theologie sich Mühenden wiederum als Christen in die große Gemeinde der Glaubenden jenseits aller Gelehrsamkeit hineinstellte. Am förderlichsten für den Zugang zu den Geheimnissen der christlichen Verkündigung erwies sich ihm, lehrend zu lernen, nämlich durch die Erteilung des Religionsunterrichts an seiner Frankfurter Anstalt an Hand des lutherischen Katechismus, Luther mit Luther interpretierend, so viele Rätsel da auch noch bleiben mochten.

Es war leicht einzusehen, daß aus dem Theologiestudium nur etwas werden konnte, wenn Heinrich entweder noch einmal die Universität bezog oder sich zu einem Meister begab, der gleichzeitig den Christen und Theologen förderte. Für diese letztere Möglichkeit bot sich Hermann Baier an. Fast ein Jahr brachte Heinrich Ranke in Baiers Haus auf Rügen zu. Seine aus dieser Zeit erhaltenen Briefe an Leopold [17] zeigen deutlich die Höhen und Tiefen dieses Weges, so wohltuend harmonisch auch alle äußeren menschlichen Voraussetzungen waren. Das evangelische Pfarrhaus bewies hier wieder einmal seine prägende Kraft. In Baiers Temperament und Wesen überwog der Prediger und Seelsorger viel zu sehr den Theologen, als daß Heinrich an Gelehrsamkeit Wesentliches hätte profitieren können. Er lernte von diesem Lehrer die christlichen Gehalte und Wahr-

16 *J. A. Kanne:* Auserlesene christliche Lieder verschiedener Verfasser der älteren und neueren Zeit (1818).

17 Briefe Hch. Rankes Nr. 10—17.

heiten an Hand der Bibel nicht als Sachverhalte, als Gesetze abstandslos einfach zu übernehmen, sondern als Glaubender sie an- und aufzugreifen und in eigenen Besitz zu verwandeln. Die anderen Teile seines theologischen Studiums, Exegese, hebräische und griechische Sprache, Kirchengeschichte usw. empfingen von hier aus ihren Sinn, und dabei wurde wenig nach dem Stand der Wissenschaften gefragt.

Zurückgekehrt, hielt Leopold Ranke für den Bruder an seinem eigenen Gymnasium Fridericianum in Frankfurt als Provisorium eine Hilfslehrerstelle für die unteren Klassen bereit. Die endgültige Übertragung der Stelle war freilich an ein staatliches Examen in Berlin geknüpft, dieses wieder an den vorher abgeleisteten Militärdienst als Einjährig-Freiwilliger [18]. Soldat zu werden bedeutete in diesem Falle das kleinere Übel. Der Dienst in der Garnisonstadt Frankfurt fand nur an den frühen Morgenstunden statt und ließ Heinrich reichlich Zeit, mit Privatstunden und einem kleinen Stundendeputat am Gymnasium sich finanziell auf eigene Füße zu stellen und überdies noch die Vorbereitung für das Examen weiterzutreiben. Nachdem er die Prüfung bestanden hatte, schlug die Demagogen riechende Behörde zu: Mit der Begründung, er sei wegen seiner früheren Verbindung zur Burschenschaft politisch verdächtig, wurde Heinrich die Anstellung am Gymnasium in Frankfurt verweigert. Damit war ihm zugleich der Schuldienst in ganz Preußen versperrt. Mit um so größerer Energie stürzte er sich in die Vorbereitung für sein theologisches Amt. Die Aufnahme in das Predigerseminar Wittenberg wurde ihm mit der gleichen politischen Begründung verwehrt. So blieb er, was er immer schon war, theologisch auf sich selbst verwiesen. Die Prüfung vor dem Konsistorium in Magdeburg geriet sogar über Erwarten gut. Der Weg ins Pfarramt stand ihm nunmehr grundsätzlich offen, wenn auch nicht in Preußen.

Zu diesem Examen war Heinrich Ranke von Altenkirchen herbeigeeilt, wo er seit Monaten den kranken Freund Hermann Baier zu Tode pflegte [19]. Auf Rügen erreichte ihn zum zweiten Mal der Ruf, als Erzieher und Lehrer für Religion, alte Geschichte und klassische Sprachen an die Anstalt des Dr. Heinrich Dittmar nach Nürnberg zu kommen [20]. Was ihn am Ende bewog, der Bitte zu entsprechen, obwohl er des Schuldaseins eigentlich überdrüssig war, waren zwei Gesichtspunkte. Zum einen hatte Dittmar als Lehrer für die naturkundlichen Fächer den bedeutenden Geologen und Mineralogen Karl von Raumer gewonnen [21]. Dem Vetter des Historikers Friedrich von Raumer, Kriegsfreiwilligen von 1813 und Adjutanten Gneisenaus im Stabe des Feldmarschalls Blücher, hatten die politi-

18 Ebd. Nr. 17. 18.
19 Ebd. Nr. 20. 21.
20 Ebd. Nr. 19.
21 *K. v. Raumers* Leben von ihm selbst erzählt (^{2}1866) S. 316 ff.

schen Verfolgungen des preußischen Regimes besonders übel mitgespielt. Als Professor in Breslau und Halle hatte sich der tief religiöse Mann mit besonderer Wärme der christlichen und patriotischen Hoffnungen in der burschenschaftlichen Bewegung angenommen. Deswegen wurde ihm sein akademisches Amt mit schikanösen Maßnahmen so verleidet, daß er sich am Ende entschloß, seine Professur aufzugeben und seinen pädagogischen Neigungen als Lehrer zu leben. Heinrich hatte ihn bei seinem jüngeren Bruder Ferdinand, dem nachmaligen Göttinger Professor und Berliner Schulmann, kennengelernt. Der fromme Mann und sein vorbildliches Familienleben hatten auf den dafür besonders empfänglichen Heinrich Ranke einen tiefen Eindruck gemacht. Die Dittmarsche Anstalt konnte so schlecht nicht sein, wenn sich Männer von solchem Rang ihr zur Verfügung stellten. Zum andern wurde Heinrich Ranke ohne Zögern zugestanden, den eben zwölfjährigen Alwill Baier [22], den ältesten Sohn Hermann Baiers, dessen Erziehung ihm der sterbende Vater ans Herz gelegt hatte, mitzubringen und seine Ausbildung im Rahmen der Anstalt abzuschließen. Im Frühjahr 1823 machten sich beide nach Nürnberg auf den Weg.

Heinrich Ranke hatte das Frankenland, Coburg, Bayreuth und die Fränkische Schweiz auf einer Fußwanderung während seiner Studentenzeit kennengelernt. Die erste Station in Franken war nun Erlangen, das Haus Gotthilf Heinrich Schuberts, des Naturwissenschaftlers und Naturphilosophen an der Universität und nahen Freundes Schellings [23]. Schuberts populäre Schriften waren Heinrich längst bekannt, Schriften, in denen der Verfasser nicht müde wird, irenisch von sich, den Seinen und ihren Freunden, von Empfindungen, Eindrücken, Schicksalen, Begegnungen und Reisen weitschweifig zu erzählen, alles überstrahlt von Güte, Menschlichkeit und christlicher Innigkeit. Schuberts Haus, aus dem Heinrich nach wenigen Monaten seine Braut Selma, Schuberts Tochter aus erster Ehe, holte [24], war in jenen Jahren für Bayern Kristallisationspunkt einer Bewegung, die in der neueren Kirchengeschichte die Erweckungsbewegung genannt wird [25]. Worauf es den von ihr Ergriffenen ankam und was sie von anderen unterschied, war dieses: Zentrum ihres religiösen und geistigen Lebens war eine betonte Christusgläubigkeit, der Glaube an den um unserer Sünde willen Gekreuzigten und Auferstandenen, der mit seiner Tat Gott und Mensch versöhnt hat und seitdem die untrügliche Bürgschaft dafür ist, daß Gott jeden Glaubenden trägt, hält und führt. Im Gegensatz zu Rationalisten und Neologen und im Unterschied von anderen, zum Teil mühsam kalkulierenden theologischen und religiösen Richtungen handelte es sich hier nicht so sehr um tradiertes rechtgläubi-

22 ADB 46 (1902) S. 188 f. Vgl. Briefe Hch. Rankes Nr. 22. 23.
23 Briefe Hch. Rankes Nr. 25.
24 Ebd. Nr. 27.
25 *Fr. W. Kantzenbach:* Die Erweckungsbewegung (1957) S. 47 ff.

ges dogmatisches Gedankengut, sondern auf Grund dieser selbstverständlichen Voraussetzung um eine naiv und gläubig angenommene und empfundene Gewißheit der Gottzugehörigkeit, die allem Tun und Leben Zuversicht und Ziel setzt. Was diese Menschen zueinander führte und sich gegenseitig suchen ließ — die protestantische Seite hatte zweifellos das Übergewicht, doch befinden sich auch bedeutende Katholiken unter ihnen — waren keine Programme, Aufrufe oder Systeme — die Rationalität war eher unterentwickelt — sondern die in dem bezeichneten Geist gelebte Wirklichkeit. Sie war daher auch im Grunde unliterarisch, wenn man absieht von der theologischen Spekulation, die ihrer Natur nach nur für einen kleinen Kreis zugänglich ist. Sie vollzog sich in der persönlichen Begegnung, kirchlich in Predigt und Erbauung. Gewiß war da an profilierten Individualisten kein Mangel. Aber nicht das Besondere, sondern das Gemeinsame zog an. Es ist daher auch kaum auszumachen, in welchem Ausmaß einer vom andern abhängig war, wie und bis zu welchen Grenzen man sich auseinandersetzte. Die große, im Vordergrund noch allgemein herrschende Gegenwart war der Rationalismus, der die Kräfte des Gemüts, der Seele, allgemein die der einmaligen Persönlichkeit hatte brach liegen lassen. Sozial gesehen handelte es sich in der Hauptsache um Pfarrer, dazu einige Angehörige des gehobenen Beamten- und Bürgertums und — wenn auch weniger in Süddeutschland — einige Adelige. Die Schicht der kleinen Gewerbetreibenden, Bauern und Tagelöhner war im aktiv führenden Sinn so gut wie überhaupt nicht beteiligt, wohl aber als anhängliches passives Predigtvolk [26]. Ohne ausgeprägten Familiensinn ist dies religiöse Biedermeier gar nicht denkbar. Wenn ein wertendes Urteil erlaubt ist, wird man vielleicht sagen dürfen: zwar liebenswert, harmonisch, aber doch auch ein wenig überschwenglich, süßlich, naiv, politisch konservativ, nur denkbar, wo man sich noch gegen eine Welt künstlich abschirmte, die durch philosophische und politische Ideen und durch die Anfänge der industriellen Revolution mit allen ihren Konsequenzen bereits mächtig in Bewegung geraten war.

Es würde zu weit führen, hier den ganzen Personenkreis zu durchmessen, der Heinrich Ranke durch das Haus Schubert aufgeschlossen wurde. Von einem muß wenigstens die Rede sein, Schelling, der in Erlangen in jenen Jahren trotz aller Zurückgezogenheit unter Professoren und Studenten eine unvergleichliche Wirksamkeit entfaltete [27]. Heinrich Ranke nahte sich ihm mit aller Unbefangenheit im persönlichen Umgang, doch stets im Bewußtsein, einen Großen des Geistes vor sich zu haben. Wo aber das innere Zwiegespräch mit ihm begann, bleibt bei ihm ebenso unklar wie bei Schubert.

26 Eine Ausnahme: der Bäcker Burger in Nürnberg, vgl. Briefe Hch. Rankes Nr. 28.

27 *H. Zeltner:* Schelling in Erlangen. In: Festschr. f. Eugen Stollreiter, hg. v. *Fr. Redenbacher* (1950) S. 391 ff.

Die Nürnberger Erziehungsanstalt vor dem Wöhrder Tor [28], an der nun Heinrich Ranke zusammen mit Karl von Raumer, ebenfalls einem vertrauten Freunde der Schuberts, wirkte, war eine Gründung Heinrich Dittmars, eines ursprünglichen Juristen, der sich unter christlich-philanthropischen Impulsen ganz der Menschenbildung und -führung zugewandt hatte. Wirtschaftlich hatte es eine solche Schulgründung für In- und Externe ohne jede öffentlichen Zuschüsse nicht leicht. Raumer und Heinrich Ranke waren von Anfang an mit einem Gehalt angestellt worden, das ihren Idealismus stark strapazierte. Im übrigen war deutlich, daß Dittmar mit ihren Namen das Ansehen seiner Anstalt und damit zugleich ihre Wirtschaftlichkeit heben wollte. Aus dem gleichen Grunde bewog er Heinrich Ranke, an der Universität Erlangen noch den philosophischen Doktorgrad zu erwerben, womit damals — nicht allein in Erlangen — keine sehr große Mühe verbunden war.

Zunächst ließ sich in der Schule alles sehr gut an. Heinrich hatte mit seinen Schulstunden, dem Privatunterricht bei Allwill Baier, dem ganzen Religionsunterricht, der Unterweisung der Schüler im Turnen, den Morgen- und Abendandachten, den sonntäglichen Erbauungsstunden und den mancherlei Verpflichtungen des gemeinsamen Lebens alle Hände voll zu tun. Schon nach einem halben Jahr stellte sich heraus, daß Dittmar und einige jüngere Lehrer mit Heinrichs religiöser Versorgung des Schulgemeinde, im einzelnen mit dem Zuviel an Erbauung und Andachten nicht einverstanden waren. Die freimütig geführte Diskussion entzündete sich an zwei literarischen Neuerscheinungen, die Heinrich Ranke ohne den Zwang von der Gegenseite wohl schwerlich zur Kenntnis genommen hätte. Es handelte sich um de Wettes Schrift „Theodor oder des Zweiflers Weihe [29], in der der Theologe, der durch die Demagogenverfolgung aus seiner Berliner Professur vertrieben worden war, die Fries'sche Philosophie zur Grundlage seiner Glaubensanschauung erhob, und um Schleiermachers „Glaubenslehre“ [30]. Beide Schriften waren Heinrich zu wenig biblisch gegründet, eine Argumentation, mit der er sich seine Ablehnung sicher zu leicht gemacht hat. Auch Leopold Ranke rechnete den Bruder ohne Einschränkung bereits zu „jener biblischen Orthodoxie, wo sich der Verstand unter so trefflichen und schon bereiten Gedanken leicht einheimisch macht und, beschäftigt, sie sich anzueignen, das Widersprechende zurückstoßen muß“. Leopold bat ihn, „allen Dingen etwas mehr Stahl oder Eisen um die Brust entgegenzusetzen“ [31]. Heinrich Ranke

28 Archivalische Unterlagen sind nicht erhalten, die Notizen bei *W. K. Schultheiß:* Gesch. d. Schulen in Nürnberg (1856) S. 75 ff. unzureichend.

29 Erschienen 1822.

30 Der christl. Glaube. Nach den Grundsätzen der ev. Kirche im Zusammenhang dargestellt, 2 Bde. (1821/22).

31 Brw. S. 39 f.

hatte, wie seine Briefe an den werdenden Historiker Leopold zeigen, allen Einwänden nur seine religiöse Erfahrung entgegenzusetzen, für deren Schilderung er allerdings lediglich die Sprache des Pietismus zur Verfügung hatte. Die Opponenten unter seinen Nürnberger Kollegen lösten sich gerade um dieses Geistes willen von der Anstalt. Ihre wirtschaftlichen Schwierigkeiten nahmen in dem Maße zu, wie Eltern um des „pietistischen" Geistes im Hause willen ihre Kinder zurücknahmen. Zu allem Überfluß geriet die Schule noch in den Verdacht demagogischer Gesinnung. Die amtliche Untersuchung durch den Oberschulrat Friedrich Immanuel Niethammer, dem das höhere Schulwesen in Bayern Wesentliches verdankt, und dem Ministerialrat Friedrich Roth, zwei an Luther geschulten Männern und bei aller Freundschaft zu Schubert für die Durchsetzung eines strengen Luthertums, zerstreuten jeden Verdacht. Die davongelaufenen Lehrer versuchte Heinrich Ranke durch seine Brüder zu ersetzen. Den einen, Ferdinand, seit der Studienzeit mit Karl von Raumer eng befreundet, hielt der auf der Anstalt lastende und noch nicht zerstreute Demagogenverdacht fern. Der andere, Leopold, hatte sich, durch den reaktionären Geist im preußischen Schulwesen verärgert, bereits einmal bei Friedrich Thiersch und Karl Ludwig Döderlein, zwei ehemaligen Portensern und nun Gymnasialrektoren in München und Erlangen, um eine Anstellung in Bayern bemüht [32]. Er glaubte wohl auch, in Süddeutschland Bibliotheken mit reichen historischen Beständen näher zu sein als im abgelegenen Frankfurt an der Oder. 1824 aber, gegen Abschluß seiner ersten großen wissenschaftlichen Arbeit, der „Geschichten der romanischen und germanischen Völker", waren die Verbindungen zur preußischen Unterrichtsverwaltung schon zu fest geknüpft, als daß er noch einmal hätte zurück können und wollen. Zugleich gab er sich aber auch keiner Täuschung darüber hin, daß er in die Nürnberger Anstalt nicht passe. „Ich fühle zwischen dem, was Ihr tut", schrieb er an Heinrich, „welches ich als ein selbständig Gewächs und eine Kreatur Gottes ehre, und zwischen dem, was ich will, welches jedoch eben auch nicht ganz in Willkür und Entschluß beruht, einen so wesentlichen Unterschied, daß ich beinahe denken muß, unsere Trennung ist näher als eine solche Vereinigung, die, um welche Du Gott bittest ... Ich frage Schubert und Raumer, ob unser Auge Gott sehen, unser Ohr Gott hören kann? Ob das Wort nicht ebenso Kreatur sei als Baum, Stein, Menschenstirn? Ob wir also irgendein Wort für reine Gottheit oder ungetrübten Erguß derselben ansehen können? In allen Dingen ist Gott; dieses Ding für Gott zu halten, ist Götzendienst; wie ist es nun mit dem Wort? ... Über jedes besondere Leben freue ich mich meiner Natur nach. Doch ist zu fürchten, wer Euch seine Kinder gibt, will sie nicht allzu pietistisch; und die Sache geht einmal Euch über dem Kopfe zugrund. Überhaupt wünschte ich sehr, daß Du nicht soviel Betstunden, Religions- und Kinderlehre

32 Brw. S. 28 f. 44.

oder Predigten hieltest; die wahre Wirkung geschieht im kurzen und im Augenblick. Oftmalige Wiederholung, die hierbei nicht zu vermeiden, vernichtet den Eindruck und weckt den Spott." [33] Heinrichs sich rechtfertigende Antwort ist ebenso charakteristisch für seine Gesinnung wie für seine seelsorgerische Praxis: „Es gilt mir die *schleunige* Rettung verwahrloster, verwilderter Kinder. Die Liebe zu den armen gebundenen Kinderseelen — glaub mir, lieber Bruder, es sind mehr und schrecklicher mit Sünden und Lastern gebunden, als wir sonst meinten — ich darf es sagen, die Liebe Christi zu diesen armen Kindern, die er alle aus der Tiefe der Sünden emporziehen und auf seinen Schoß nehmen und segnen will, treibt mich, daß ich mit Gebet für sie aufstehe und mich niederlege und nichts weiter den Tag über weiß als: ach! könntest du sie alle zu Ihm führen — nicht, lieber Bruder, daß sie Kopfhänger werden und den ganzen Tag seufzen sollen — sondern daß sie der anklebenden Sünden los werden möchten, realiter los und ledig der *anklebenden* Sünden — und frei und fröhlich, wacker und tüchtig ... Und siehe, ich darf es sagen und lüge wahrhaft nicht — der Geist wehet hier — ich habe überaus köstliche Gebetserhörungen in den Händen. Einige vergiftete Kinder haben mir ihre greuliche Sünde bekannt — und die Schwermut ist von ihren Augen gewichen. Sie danken mir des Abends mit Herzklopfen und gehen nicht mehr schlafen ohne herzliches Dankgebet und dringende Fürbitte für die, deren Schwachheit sie kennen. Gott hat hier unter meinen Händen ... sein heiliges Werk der Errettung versunkener Kinderseelen begonnen, und er wird es in Gnade hindurchführen" [34].

Die Dittmarsche Anstalt war keineswegs in erster Linie für Schwererziehbare bestimmt. Der Anteil der Schwierigen unter den Schülern war hier nicht größer als in jedem Internat. Wie hier aber mit geistlichen Mitteln einer überredenden und drängenden religiösen Pädagogik auf kindliche Gemüter eingewirkt und in ihnen das Bewußtsein ihrer Sündhaftigkeit erzeugt wurde, darüber gab es bei allen, die nicht auf dem gleichen Boden standen, zum mindesten befremdetes Kopfschütteln. Leopold Ranke, der damals seit sechs Jahren im Schuldienst stand, also nicht ohne Erfahrung war, ist auf diese Auseinandersetzung nie wieder zurückgekommen und hat sich auch in Zukunft unbeschadet aller brüderlichen Verbundenheit jeder kritischen Bemerkung zu Heinrichs Glaube und seelsorgerischer Praxis enthalten. Weder die Erweckungsbewegung noch die Orthodoxie entsprach seiner Wesensart.

Heinrich konnte indessen nicht über den eigenen Schatten springen. Schubert hatte die Verbindung mit seiner Tochter an die Bedingung geknüpft, daß das junge Paar im Lande bleibe. Heinrich erwarb also das bayerische Indigenat und unterzog sich vor dem Ansbacher Konsistorium der theologischen Amtsprüfung.

33 Brw. S. 50 f.

34 Briefe Hch. Rankes Nr. 29.

Dabei war ihm der Oberkonsistorialrat Niethammer eine besondere Hilfe. „Er beschützte mich gegen die Rationalisten. — Ein herrlicher Mann", schreibt Heinrich an den Bruder Leopold [35]. Jetzt, wo der Eintritt in den Dienst der bayerischen Landeskirche jederzeit möglich war, wurde in Schuberts Heimat, in Bärenwalde im Erzgebirge, die Hochzeit gehalten [36]. Karl Ludwig Roth, der Rektor des Nürnberger Gymnasiums, veranlaßte beim Konsistorium, daß Heinrich Ranke an dieser Schule die Erklärung des Neuen Testaments in den obersten Klassen übertragen wurde. Seine Pläne gingen, als die Stelle einem anderen zufiel, noch weiter: Er wünschte in Nürnberg für die 300 Gymnasiasten seiner Schule und die 60 der Dittmar'schen Anstalt eine „Studienkirche" einzurichten, deren Leiter Heinrich Ranke werden sollte. Eine weitere Möglichkeit entnehmen wir einem Brief Heinrichs an Leopold Ranke: „Deine Aufforderung zum akademischen Lehrer traf mit einer Aufforderung zusammen, die ich aufs neue vom Ministerialrat Roth [dem späteren Präsidenten des evangelischen Oberkonsistoriums in München] durch dessen Bruder [den Nürnberger Rektor] bekam, etwas wissenschaftlich Theologisches zu schreiben, wenn es auch nur drei Bogen wären. Du hast nun de Wettes Einleitung ins Alte Testament [37], Du hast Schl[eiermachers] Christlichen Glauben gelesen. Ich möchte vom Biblischen nehmen, was ich wollte (etwas anderes könnte ich vor der Hand gar nicht), so müßte ich in den Kampf treten. Nun weißt Du, wie jene alle mit Philosophie entweder oder mit arabischen, syrischen, chaldäischen, aethiopischen Federn geschmückt sind und jeden Andersdenkenden, der diese nicht hat, als Ignoranten abweisen. Ich habe mit dem Schwersten, dem Arabischen, angefangen und habe im Sinn, mich in Erlangen neben meinen alttestamentlichen Studien über den Koran zu machen, das Syrische und Chaldäische wird dann als das Leichtere bald nachfolgen können. Hat Gott Lust, einen Professor aus mir zu machen, so kann er mich auch unter den Bauern finden. ... O wie sehnte ich mich, den Jünglingen die μεγαλεῖα θεοῦ zu verkündigen!" [38] Heinrich träumte gelegentlich von der Mitarbeit in einer der damals entstehenden Bibelgesellschaften, die Gottes Wort unter die Leute bringen wollten, oder auch in der Heidenmission. Sodann aber hatte sich mehr durch Zufall als durch Planung die Notwendigkeit ergeben, ein paar verwahrloste Kinder ins Haus zu nehmen. Johannes Falk hatte Heinrich bei einem Besuch im Elternhause in Wiehe kennengelernt, die Anstalten der Baseler Mission und des Freiherrn von der Recke-Vollmarstein in Düsseltal selbst besucht. Die Anfänge der Inneren Mission in der Nürnberger „freiwilli-

35 Ebd. Nr. 31.

36 Vgl. die Schilderung bei *G. H. Schubert:* Der Erwerb aus einem vergangenen u. die Erwartungen von einem zukünftigen Leben, Bd. III, 1 (1854) S. 585 ff.

37 *W. M. L. de Wette:* Beitr. z. Einleitung ins Alte Testament, 2 Bde. (1806/07).

38 Briefe Hch. Rankes Nr. 35.

gen Armenschule" wuchsen unaufhaltsam, zumal es auch nicht an Förderern fehlte. Dafür aber ging das eigentliche Gymnasium immer mehr zurück. Schließlich war es unumstößliche Gewißheit: Die Schule war nicht mehr zu halten. Als aller Besitz veräußert und gesichert war, daß Karl von Raumer der Nachfolger Schuberts auf seinem Erlanger Lehrstuhl werden würde, als Schubert selbst nach München ging, war auch für Heinrich der Weg frei. 1827 wurde er auf Empfehlung Niethammers Pfarrer in Rückersdorf bei Nürnberg, einer kleinen Gemeinde von 105 Familien.

Die Jahre des Sturmes und Dranges gingen damit zu Ende. Der gesicherte Hausstand, die wachsende Familie, die regelmäßigen Pflichten des Amtes und die nicht mehr so drückende Sorge für das Lebensnotwendigste machten den jungen Pfarrherrn allmählich zu einem freieren und fröhlichen Menschen, ohne freilich sein Wesen zu ändern. Sein nicht nachlassender seelsorgerisch-missionarischer Eifer fand auch hier ein dankbares Feld. Nach den Jahresberichten an die Kirchenbehörde schienen Heinrich anfangs „Unglaube und Gleichgültigkeit noch das Übergewicht zu haben" [39]; aller geistlichen Arbeit stehe die große Unwissenheit vieler Einwohner entgegen, die das Lesen entweder nie ordentlich gelernt oder längst wieder verlernt hatten, so daß die Bibel ihnen „ein ganz fremdes Buch bleibe". Viel Kraft wurde in die Predigten investiert; den Freitags- und Sonntagsvespern lag ein fortlaufender Bibeltext zugrunde. Einmal im Monat berichtete der neue Pfarrer, „um die Teilnahme der Gemeinde für die gegenwärtigen großen Begebenheiten im Reiche Gottes zu erregen . . ., etwas von der Verbreitung der Bibel und den Fortschritten des Christentums unter den nichtchristlichen Völkern." Auch manche Neuerung wurde eingeführt, vor allem im Winter die wöchentlich abendlichen Versammlungen im Pfarrhaus, das eine Mal der Männer (10—12 Teilnehmer), das andere Mal der Frauen (5—8), das dritte Mal der „jungen Burschen mit dem ausdrücklichen Verlangen, im Worte Gottes weiter unterrichtet zu werden." [40] Der Nachholbedarf der früheren Konfirmanden erstreckte sich bald auch auf Lesen und Rechnen. Um Stoff für Gespräche und Geschichten zum Vorlesen zu gewinnen, übersetzte Heinrich Ranke frei nach dem Englischen John Bunyans „Der Christen Wallfahrt nach der himmlischen Stadt." Für die Drucklegung (1832) steuerte Schubert eine Einleitung bei [41]. Man darf daraus schließen, daß Heinrichs seelsorgerische Arbeit auf den gleichen Ton gestimmt war wie in Nürnberg, nur daß sie nicht mehr die gleiche ungeduldige Penetranz besaß, die ihm so viel Kritik eingetragen hatte. Bei seiner Gemeinde gewann er Ansehen, bei einigen sogar offene Zuneigung, wenn ihm auch in der Rückschau der Jugenderinnerungen manches vergoldeter erschienen sein mag,

39 Lk. Arch. Nbg., Bayer. Dekanat Nürnberg Nr. 555, Bericht v. 19. 8. 1828.
40 Ebd. Bericht v. 25. 8. 1829.
41 7. Aufl. Stuttgart/Calw 1894.

als er es in der Mühsal des Alltags empfand. „Ich sehe", schrieb er im ersten Jahr an den älteren Bruder, „daß auch hier — nicht bloß jenseits des Meeres — der Geist, der Tröster notwendig ist, sehe, daß er auch hier die Totengebeine anwehet und lebendig macht — und damit bin ich zufrieden." [42] Sichtlich gedämpft heißt es ein Jahr später: „Die Kirche wird fleißig besucht, aber die Wirtshäuser sind auch noch voll." [43] Sieben Jahrmärkte im nahen Lauf, dazu die Tanzlustbarkeiten und Märkte in Rückersdorf selbst mit „viel Leichtsinn und Roheit" der jungen Leute erschienen ihm zuviel; man sollte sie wenigstens auf die Wochentage verlegen. Für das Ganze seiner Amtsführung zog Heinrich das Fazit: „Hier muß ich mit tiefer Beschämung bekennen, daß ich nur an einem kleinen Teil der Gemeinde Früchte des Evangeliums zu sehen vermag, obwohl mir öfter gesagt wird, es sei in den letzten Jahre hier viel besser geworden." [44]

So sehr Rückersdorf nach außen einem Idyll glich: seitdem Heinrichs Selbstbewußtsein wieder sicher geworden war, ließen ihm die Pflichten des Landgeistlichen Zeit, seine wissenschaftlichen Studien wieder aufzunehmen. In der Dogmatik suchte er nicht eigentlich neue und tiefere Einsicht, sondern wie alle Orthodoxie im Grunde Bestätigung dessen, was er bereits wußte. „Die neue Ausgabe des ersten Teils der Schleiermacherschen Dogmatik erregte meine größte Teilnahme", berichtete er 1831 an seine kirchlichen Vorgesetzten. „Klar trat mir nun hervor, was bei einer vor acht Jahren angestellten Prüfung noch ziemlich im Dunkeln geschwebt hatte. Aber beistimmen konnte ich diesem ausgezeichneten Theologen um so weniger, da sich der Abstand seines Systems von dem der Offenbarung nun schärfer bemerken ließ. Die Erscheinung Christi ist ihm doch nur etwas Natürliches, ‚eine in der ursprünglichen Einrichtung der menschlichen Natur begründete und durch alles Frühere vorbereitete Tat derselben (nämlich der menschlichen Natur), somit die höchste Entwicklung ihrer geistigen Kraft' (p. 90.91). Hier hätten wir denn einen Heros, vielleicht den größten aller Herren, aber bei weitem nicht den eigenen, den eingeborenen Sohn Gottes, der vom Himmel gekommen ist, der Welt das Leben zu geben." [45] Für Heinrich Ranke gab es in diesen Fragen weder Unsicherheit noch Zweifel; er besaß das Heil und war seiner gewiß.

Anders stand es um die Exegese. Verglichen mit seinen Brüdern, die durch Schulpforta unverlierbar für ihr ganzes Leben den Geist der Antike in sich aufgenommen hatten, tat sich Heinrich auf Grund seiner unvollständigen Ausbildung mit den alten Schriftstellern schwerer. So sehr es ihn auch in seinen reifen Jahren immer wieder reizte, den Tag mit Durchbuchstabieren eines antiken Tex-

42 Briefe Hch. Rankes Nr. 48.
43 Vgl. Anm. 40.
44 Lk. Arch. Nbg., Bayer. Dekanat Nürnberg Nr. 555, Bericht v. 15. 8. 1831; Nr. 552 Bericht v. 20. 1. 1833.
45 Ebd. Nr. 555 Bericht v. 15. 8. 1831.

tes ohne jedes Hilfsmittel zu beginnen: von Ästhetizismus kann da keine Rede sein. Für Heinrich Ranke waren das Exerzitien, die ihn nur um so energischer auf das Bibelstudium hinwiesen. Schon in Nürnberg hatte er, von Leopold dazu ermutigt [46], die kursorische Lektüre der alttestamentlichen Schriften begonnen. Das Pfarramt mit seiner größeren Freiheit eröffnete ihm die Möglichkeit, auf diesem Weg mit mehr System fortzufahren. Die Bibel war ihm nicht historisches Dokument, sondern Quelle der göttlichen Offenbarung schlechthin. Jedes tiefere Eindringen mußte ihn daher, so erwartete er, nur noch tiefer in die Geheimnisse Gottes einführen. Heinrich Ranke sah sich in einem betonten Gegensatz zur zeitgenössischen, seit Rationalismus und Romantik mächtig aufgeblühten Bibelkritik. In ihrem rational-analytischen, historisch-kritischen Verfahren glaubte er nun die Gefahr zu erkennen, daß die in den biblischen Schriften, namentlich im Alten Testament, gegebenen Einheiten aufgelöst würden. „Es ist nun unter den Theologen gewöhnlich geworden", setzte er dem Bruder auseinander, „die Resultate einer so begonnenen Forschung als unbestreitbare Wahrheit anzunehmen und ohne weiteres vorauszusetzen. Man spricht nun stolz von den Resultaten der neueren Kritik, die etwas gegen die Bibelwahrheit austragen sollen, während doch die neue Kritik nur aus dem Unglauben an die Offenbarung hervorgegangen, nur auf diesen gebaut ist, und also gegen die Offenbarung nichts beweisen kann" [47]. Erweckungsbewegung und Orthodoxie sahen sich auf diesem Felde einem gemeinsamen Gegner gegenüber. Zu welchen Ausmaßen dies Arbeitsfeld theologischer Forschung damals schon angewachsen war, ahnte Heinrich offenbar nicht. Mit seinen bescheidenen Mitteln machte er sich daran, gegen die neuere, freilich nicht einheitliche Kritik die Richtigkeit jenes ursprünglichen Gefühls wissenschaftlich nachzuweisen, mit dem er den Anfang der Bibel, die fünf Bücher Mose, zum ersten Mal in Frankfurt/Oder gelesen hatte. „Schon damals sprach mich der Pentateuch durchaus nicht als ein Aggregat von Fragmenten, sondern als ein höchst bedeutendes Ganzes an." [48] Zu Beginn des Jahres 1834 war der erste, Schubert gewidmete Band seiner „Untersuchungen über den Pentateuch aus dem Gebiete der höheren Kritik" fertig. „Ich begreife jetzt kaum", bekannte er Leopold Ranke, „daß ich den Mut gehabt habe, es zu schreiben. Das tröstet mich, daß ein solches Buch, wie ich es beabsichtige, geschrieben werden muß; es ist eins der dringendsten Bedürfnisse unserer Theologie. Genügt mein Buch nicht, warum ist nicht längst ein anderer aufgestanden und hat uns genügt?" „Die Geschichte der Offenbarungen Gottes ist es, die ich suche." [49] Hier wird ein Boden betreten, der auch für die heutige Theologie noch von höchster Aktualität ist. Um Heinrich Rankes „Untersuchungen" geht zwar nicht mehr die

46 Brw. S. 31.
47 Briefe Hch. Rankes Nr. 49.
48 Ebd. Nr. 58.
49 Ebd. Nr. 62.

Diskussion. Es ist auch kaum zu erkennen, welche Wirkungen sie ausgelöst haben [50]. Aber sein Wunsch ist in Erfüllung gegangen: Es sind andere aufgestanden, die das Problem einer christlichen Hermeneutik mit mehr Vollmacht angefaßt und weitergeführt haben.

Heinrich Rankes wissenschaftliche Bemühungen sind zu einem nicht geringen Grade von Verwandten und Freunden ermutigt worden. Seit Schubert nach München übergesiedelt, auch Schelling nach dort zurückgekehrt war, erschienen von Zeit zu Zeit die Kinder und Enkel aus Rückersdorf zu Besuch. Aus diesem Kreis waren es besonders Friedrich Roth und Niethammer, die Heinrich während seiner Nürnberger Jahre zu fördern versucht hatten. Seit Leopold Rankes Auftreten in Berlin bemühten sich die Protestanten, ihn zum Ausgleich gegen die starken katholisierenden Tendenzen für die nach München verlegte Universität zu gewinnen [51]. Dadurch fiel neues Licht auf den Bruder Heinrich. Schon 1826 hatte Roth ihm nahegelegt, mit einer kleinen wissenschaftlichen Arbeit sich um die erledigte Stelle Johann Arnold Kannes in Erlangen zu bewerben, jenes Sonderlings, der als Orientalist in der philosophischen Fakultät die theologischen Kollegen durch seine Bekehrungsversuche an den Studenten zu einer entschiedeneren Haltung dadurch herausforderte, daß er ihnen das Alte Testament auslegte [52]. Heinrich wußte, daß er in der Gunst dieser strengen Lutheraner inmitten einer katholischen Umwelt stand. Der Rückersdorfer Pfarrer wurde immer wieder zu Predigten in der Landeshauptstadt, einmal sogar zu einer vierteljährigen Vertretung an der Münchener evangelisch-lutherischen Gemeinde herangezogen, zu der alle diese Familien gehörten [53]. Vater Schubert lieferte ihm wichtige Bücher für seine theologische Arbeit [54]. Roth berief ihn in die Ansbacher Prüfungskommission der Predigtamtsbewerber. Da Heinrichs Familie ständig wuchs, reichten die Einnahmen aus der kleinen Pfarre allmählich nicht mehr aus. Er sann selber auf eine Veränderung, so ungern er seine Gemeinde aufgab. Was ist da alles projektiert worden, z. T. auf eigene Initiative Heinrichs, z. T. durch Vermittlung des Münchener Oberkonsistoriums, z. T. auch auf Veranlassung Leopold Rankes. Die Zusammenlegung der erledigten Stelle des bedeutenden Erweckungspredigers Otto Jänicke an der Bethlehemskirche in Berlin mit der eines Leiters der neu zu gründenden Berliner Missionsanstalt und ihre Über-

50 *H.-J. Kraus:* Gesch. d. hist.-krit. Erforschung des Alten Testaments von der Reformation bis zur Gegenwart (1956) übergeht Hch. Rankes Werk mit Stillschweigen.

51 Vgl. *B. Hoeft:* Rankes Berufung nach München (1940) S. 6 ff. Hoeft lagen die von mir mitgeteilten Briefe Hch. Rankes (s. oben Anm. 3) bei der Abfassung seines Buches noch nicht vor.

52 *Th. Kolde:* Die Univ. Erlangen unter d. Hause Wittelsbach 1810—1910 (1910) S. 289; *F. W. Kantzenbach:* Die Erlanger Theologie (1960) S. 113 f.

53 Briefe Hch. Rankes Nr. 46. 50.

54 Ebd. Nr. 53.

tragung auf Heinrich Ranke scheiterte an Organisationsfragen [55]. Heinrichs Bewerbung um eine Pfarrstelle in Nürnberg an St. Lorenz, später an Heilig Geist, wurde von Bürgermeister und Ratsherren wegen angeblichen „Mystizismus“ mit allen Zeichen des Schreckens abgewiesen [56]. Die Pfarrstelle Kirchensittenbach und das Dekanat Altdorf, auf die sich Heinrich einige Hoffnungen gemacht hatte, wurden mit anderen Pfarrern besetzt [57].

Inzwischen hatten offenbar seine Freunde im Oberkonsistorium bereits gehandelt. Auf ihre Veranlassung präsentierte ihn Graf Hermann von Giech als ersten Pfarrer, Dekan und geistliches Mitglied des dem Königlichen Oberkonsistorium unmittelbar unterstellten Mediatkonsistorium in Thurnau bei Bayreuth. Am 12. Juni 1834 wurde Heinrich in sein neues Amt eingeführt [58]. Die Aufgaben des Konsistorialrates blieben im wesentlichen die des Pfarrers; nur die Verwaltung des Sprengels und der Filialen, die Durchführung der Bezirkssynoden machten mehr Mühe. Die Familie fühlte sich in der neuen Umgebung sehr wohl. Die Beziehungen zur gräflichen Familie waren herzlich [59]. Nur mit der Erweckungspredigt, die bisher nicht nach Thurnau gekommen war, mußte Heinrich von vorn anfangen. Wieder begann er mit der Intensivierung der Predigttätigkeit. Die Freitagsvespern wurden, da die Gemeinde „einen höchst erfreulichen Anteil“ nahm, vom Winter auf das ganze Jahr ausgedehnt. Sonntag abends versammelte er in seinem Hause einmal die Schüler, ein andermal die Schülerinnen der Sonntagsschule, die freiwillig den Unterricht in der christlichen Lehre zu wiederholen wünschten [60]. Die Unterweisung wie in Rückersdorf auch auf Erwachsene auszudehnen, hatte das Oberkonsistorium aus Sorge vor allzuviel Konventikelgeist Bedenken. Die Feier des Abendmahls wurde wieder mit dem Hauptgottesdienst verbunden [61]. Zur besseren Freizeitgestaltung wurde ein Leseverein eingerichtet [62]. Die ganz besondere Anerkennung des alten Gönners Friedrich von Roth erwarb sich Heinrich bei der Durchführung der Diözesansynoden mit ihren Predigtprüfungen, ihren Vorschlägen für die Verbesserung des sittlichen und religiösen Zustandes der Gemeinden und seinen förderlichen apologetischen Vorträgen [63].

55 Ebd. Nr. 47—49.

56 Ebd. Nr. 55.

57 Ebd. Nr. 56—58. 60.

58 Lk. Arch. Nbg., Konsistorium Bayreuth Nr. 211 I Oberkons. München Nr. 936. Vgl. Briefe Hch. Rankes Nr. 61. 63.

59 Briefe Hch. Rankes Nr. 64. 65. — Vgl. *H. Gollwitzer:* Graf Carl Giech 1795—1863 [= jüngerer Bruder d. Grafen Hermann]. Eine Studie z. polit. Gesch. d. fränk. Protestantismus in Bayern. In: Zs f. bayer. Ldsgesch. 24 (1961) S. 102 ff.

60 Lk. Arch. Nbg., Oberkonsist. München Nr. 1792.

61 Lk. Arch. Nbg., Konsistorium Bayreuth Nr. 2101.

62 Lk. Arch. Nbg., Konsist. Bayreuth F. 45 Nr. 371.

63 Ebd.

Über so vielen praktischen Aufgaben gingen die Pentateuch-Untersuchungen nur langsam voran. Erst 1840 wurde der zweite Band abgeschlossen. Die Einwürfe gegen die Einheit des ersten Buches des Alten Testaments wurden hier zu Ende geführt. Die zentrale Absicht ist für den nicht-theologischen Leser von heute unter der breit angelegten Polemik kaum noch zu erkennen. Leopold Ranke gegenüber formulierte sie Heinrich folgendermaßen: Unter der Arbeit an der Bibel sei ihm ein ganz neuer, fröhlicher Lebensmut gekommen und habe sich „bis heute von Tag zu Tag gemehrt. Ich sehe einer neuen herrlichen Zeit für die Theologie entgegen, einer Zeit, wo man vom göttlichen Wort aus, als dem reinen Ausdruck der göttlichen Idee, das ganze Dasein begreifen wird, wo die Kirche sich wieder begreifen und mit neuer Kraft aufblühen wird. Die Theologen haben, indem sie das Wort des Herrn von sich stießen, die göttliche Weisheit von sich gestoßen und sind seitdem in jene Abirrung geraten, von der es wirklich zu verwundern ist, daß sie unserer Kirche nicht ein schmähliches Ende gemacht hat. Als der Bruder eines Geschichtsforschers und der Sohn eines Naturforschers fasse ich den Mut, die Geschichte der Menschheit, wie sie in der Bibel vorliegt, als eine Natur höherer Art zu erforschen, zu durchdringen, in ihrer göttlichen Gesetzmäßigkeit zu begreifen. Blicke, die mich wenigstens unendlich erfreut, mich zur Anbetung der göttlichen Gnade hingerissen haben, solche Blicke haben sich mir eröffnet. Ich hoffe, daß mit der Geschichte, die mir vorschwebt, die Prinzipien für jede theologische Disziplin gegeben sind. Die heillose Verwirrung in den theologischen Disziplinen scheint mir hauptsächlich, ja einzig daher zu kommen, daß man sich von jener göttlichen Geschichte losgerissen hat“ [64]. Dies Programm hat Heinrich Ranke ebensowenig ausgeführt wie das, das er in der Vorrede seines zweiten Bandes entwarf. Leopold hat sich zur theologischen Arbeit seines Bruders nur in allgemein gehaltenen, respektvollen Wendungen, niemals aber im einzelnen geäußert. Trotzdem hat er von sich aus einiges dazu getan, Heinrich auf die Bahn des wissenschaftlichen Theologen zu bringen. Gleichzeitig verwandte er sich für Heinrichs Berufung an das Predigerseminar Wittenberg, das ihn vor Jahren als politisch verdächtig abgelehnt hatte, und an die Landesschule Pforta [65]. Als Konsistorialrat in Speyer wurde Heinrich ebenso diskutiert wie als Superintendent in Altenburg. Immer gab es Gründe, daß sich solche Projekte zerschlugen.

1840 wurde Heinrich Ranke — für ihn selbst überraschend — als Professor der Dogmatik an die theologische Fakultät Erlangen berufen [66]. Wenn es nach dem Wunsch von Fakultät und akademischem Senat gegangen wäre, so wäre nach dem Tode von Hermann Ohlshausen, des Professors für neutestamentliche

64 Briefe Hch. Rankes Nr. 70.
65 Ebd. Nr. 69. 72—75.
66 *Kolde*, S. 367; *Kantzenbach*, Erl. Theol. S. 144 ff.

Exegese und Dogmatik, im September 1839 entweder August Tholuck in Halle oder Ernst Sartorius in Königsberg an seine Stelle getreten [67]. Beide erschienen aus mancherlei Gründen für Erlangen unerreichbar. Die Fakultät hielt es auch für unwahrscheinlich, daß die eben in einen neuen Wirkungskreis berufenen jüngeren Kräfte von Rang, Julius Müller in Halle und Isaak August Dorner in Kiel, nach Erlangen kommen würden. Nach der Vorstellung der Fakultät sollte daher die Vakanz überhaupt nicht wieder besetzt und der Lehrstoff unter den vorhandenen vier Ordinarien Engelhard, Kaiser, Höfling und Harleß neu verteilt werden. Das hätte für die beiden letzteren die Möglichkeit ergeben, in die besser dotierte dritte und vierte Lehrkanzel aufzusteigen. Die Neuverteilung der Hauptvorlesungen brachte naturgemäß für jeden einzelnen zusätzliche Belastungen mit sich, man konnte sich daher nur unter der Voraussetzung einigen, daß der Privatdozent Johann Christian Konrad Hofmann, Lehrer am Erlanger Gymnasium und Repetent am Ephorat, unter Aufgabe seiner Schulverpflichtungen zum außerordentlichen Professor befördert wurde. Auf diese Weise sollte eingestandenermaßen der einstige Breslauer Professor Johann Gottfried Scheibel ausgeschaltet werden, der nach seiner Entlassung aus preußischen Diensten in Nürnberg lebte und sich um eine Anstellung in Erlangen bewarb. Die Fakultät erklärte sich deshalb gegen ihn, weil sie den so erfreulichen Zuzug preußischer Studenten nicht gefährden wollte. Das zu gutachterlicher Äußerung aufgeforderte Münchener Oberkonsistorium vermochte die Erlanger Resignation auf Gewinnung eines namhaften auswärtigen Gelehrten nicht zu teilen. Bis zum Abschluß entsprechender Verhandlungen sollte die vorgeschlagene Beschränkung auf vier Lehrstühle zurückgestellt werden. Die Kirchenbehörde brachte neue Namen in die Diskussion: Gottfried Christian Friedrich Lücke in Göttingen, Karl Ullmann in Heidelberg, Karl Immanuel Nitzsch und Professor Sack in Bonn [68], fand damit aber bei dem federführenden Innenministerium keinen Anklang, das einen Inländer nach Erlangen zu berufen wünschte. Wer zuerst Gottfried Thomasius, den Pfarrer an der Lorenzkirche in Nürnberg, und Heinrich Ranke genannt hat, ist aus den erhaltenen Akten nicht mehr zu erkennen. Fakultät und Senat konzentrierten sich in ihrer Beurteilung ganz wesentlich auf Thomasius, der durch seine dogmengeschichtlichen Arbeiten sich als hervorragender Forscher und durch sein Lehrbuch der Dogmatik für den Religionsunterricht am Gymnasium auch als Lehrer in diesem Fache ausgewiesen hatte [69]. Es gereicht der theologischen Fakultät nur zur Ehre, daß sie mit Hofmann und Thomasius zwei Gelehrte ins Gespräch brachte, die, als sie später berufen wur-

67 Akten d. theol. Fakultät Erlangen.

68 Lk. Arch. Nbg., Oberkonsist. München Nr. 769.

69 Vgl. die Selbstbiographie von *G. Thomasius* (1842). In: Beitr. z. bayer. Kirchengesch. 24 S. 141 ff.

den, die spezifische Erlanger Schule und damit den Ruhm der Fakultät begründet haben [70]. Demgegenüber arbeitete das Oberkonsistorium nachdrücklich die Vorzüge und besondere Eignung Heinrich Rankes für die fragliche Stelle heraus. Die Fakultät machte den Einwand, daß Ranke doch vornehmlich alttestamentlich gearbeitet habe — der zweite Band der „Untersuchungen über den Pentateuch" war in Erlangen noch nicht bekannt — die Exegese des Alten Testamentes „ohnedies eher vielfach und zum Teil auch auf ausgezeichnete Weise vertreten sei" und es darauf ankomme, einen Dogmatiker zu gewinnen. Dem hielt das Oberkonsistorium entgegen, daß es sich nach Ausweis des Vorlesungskatalogs von der ausreichenden Vertretung der Wissenschaft vom Alten Testament nicht überzeugen könne. Außerdem dürfe man das apologetische Interesse an Rankes Veröffentlichungen nicht übersehen. Er habe bei den jährlichen Prüfungen in Ansbach „von dem größeren Umfang seiner theologischen Gelehrsamkeit und von seiner vertrauten Bekanntschaft mit den wichtigsten Zweigen der Theologie so einleuchtende Beweise gegeben, daß wir unbedenklich versichern zu dürfen glauben, daß durch seine Berufung an die zu besetzende Professur auch ein ausgezeichneter Lehrer für das Fach der Dogmatik gewonnen werden würde". Ausschlaggebend für die Kirchenbehörde — und darin offenbart sich ein politischer Zug — war der bereits im Fakultätsgutachten enthaltene Hinweis auf die „musterhafte Frömmigkeit und die mit segensreichem Erfolg begleitete Wirksamkeit in seinem geistlichen Beruf", der nun erweitert wurde „auf die besondere Wärme und Lebendigkeit in Behandlung theologischer Gegenstände, die wir in allen seinen Arbeiten zu bemerken vielfältige Gelegenheit hatten und die wir für die wahre Bildung künftiger tüchtiger Seelsorger der Gemeinden, die doch immer als die Hauptaufgabe der theologischen Lehranstalten auf der Universität anzusehen ist, höher noch als die Vorzüge spekulativen Wissens, systematischer Gewandtheit und historischer Gründlichkeit anschlagen zu müssen glauben" [71].

Gegen das Votum der theologischen Fakultät wurde Heinrich Ranke durch königliches Dekret mit Wirkung vom 1. Mai 1840 „in provisorischer Eigenschaft zu der Stelle eines ordentlichen Professors der Dogmatik an der Universität Erlangen" berufen. Entsprechend einem Vorschlag des Oberkonsistoriums, den das Ministerium in der gültigen Festsetzung noch einmal nach unten drückte, wurden abgesehen von den Naturalbezügen von dem Gehalt seines Vorgängers 900 fl. einbehalten, mit denen Hofmann als außerordentlicher Professor besoldet wurde. Heinrich Ranke erhielt die fünfte Lehrstelle der Fakultät; die Professoren Höfling und Harleß rückten in die dritte und vierte Stelle auf. Auf Grund der Vorgeschichte war die Stellung des neuen Fakultätsmitgliedes im Kreise seiner Kollegen von Anfang an schief. Sie haben es ihn offenbar nicht

70 *Kolde*, S. 368 ff.; *Kantzenbach*, Erl. Theol. S. 164 ff.
71 Vgl. Anm. 68.

entgelten lassen. Mit Karl von Raumer stellten sich die alten freundschaftlichen Beziehungen sogleich wieder her. Neue wurden besonders zu Friedrich Rückert aufgenommen. Die Geschäfte in Thurnau hatten Heinrich Ranke keine Zeit zur Vorbereitung seiner Vorlesung gelassen. Mit beiden Beinen sprang er in die neue Aufgabe hinein. Im Sommersemester 1840 las er „biblische", im folgenden Wintersemester „kirchliche Dogmatik" [72], zuletzt sechsstündig. Vom Inhalt dieser Vorlesungen wissen wir nichts. An Hörern scheint es ihm nicht gefehlt zu haben; die Hälfte der damaligen Erlanger Studenten studierte Theologie. An Freudigkeit zu der neuen Aufgabe fehlte es Heinrich Ranke nicht. „Ich sehe, wie viel zu tun ist", schrieb er an Leopold, „und ich habe Willigkeit und Hoffnung wie in meiner frischesten Jünglingszeit. Ich komme spät zu diesen eigentlich dogmatischen Studien, nachdem ich mich seit zwanzig Jahren an der heiligen Schrift genährt, mich mit Jung und Alt an ihr erbaut habe. Manchmal scheint mir's, als sei das recht gut gewesen. Ich arbeite gewöhnlich mit großer Lust, und wenn es mir recht lebendig wird, daß diese jungen Leute alle bald in das Amt treten werden, von dem ich herkomme, und daß ich ihnen eben dazu dienen soll, so bin ich der glücklichste Mensch" [73].

Nur eine bittere Enttäuschung hatte Erlangen mit sich gebracht. Das Gehalt, praktisch das gleiche wie das des Konsistorialrats in Thurnau, reichte trotz aller Sparsamkeit nicht, um damit in der soviel teuereren Universitätsstadt sieben Kinder zu unterhalten. Selma Ranke konnte sich mit der neuen Lage nicht abfinden. „Sie kann es nicht verschmerzen, daß ich das Seelsorgeramt aufgegeben habe, an dem sie einen so großen, schönen Anteil hatte. Oft weint sie wie untröstlich darüber, und wir alle weinen mit ihr", heißt es in einem Brief [74]. Ein Teil der Emolumente seiner Stellung wurden ihm — wie üblich — zunächst vorenthalten. Wiederholte Eingaben vermochten nicht, die Behörde zu einer schnelleren Entscheidung zu veranlassen. Zunächst wurden Zinsen aus dem kleinen elterlichen Erbteil, dann das Kapital selbst angegriffen, Wilhelm und Leopold Ranke um bescheidene kurzfristige Darlehen angegangen. Trotzdem wurden die Forderungen kaum geringer. Jubel über den erfüllten Beruf und Niedergeschlagenheit über die wirtschaftliche Existenz lagen nahe beieinander. „Nun ist aber das Schwerste mit Gott gelungen", schreibt Heinrich an Leopold, „ich fühle mich glücklich in meinem Berufe, es ist mir, als wollte sich alles in mir noch einmal verjüngen, und so hoffe ich zu Gott, daß auch das Geringere, das tägliche Brot, uns geschenkt werden wird. Manchmal denke ich, es wäre mir nur durch einen Ruf zu helfen; doch Gott hat ja viele andere Wege, und ich warte seiner Hülfe." [75]

72 Vorlesungskataloge.
73 Briefe Hch. Rankes Nr. 78.
74 Ebd.
75 Ebd. Nr. 79.

Zu Beginn des Wintersemesters 1841/42 — Heinrich Ranke las über die „Psalmen", war also — entgegen seinem eigentlichen Auftrag zu alttestamentlichen Studien zurückgekehrt — wurde er völlig überraschend als zweiter Konsistorialrat mit dem gleichen Gehalt wie in Erlangen nach Bayreuth versetzt. Über die Gründe dieser ungewöhnlichen Maßnahme tappen wir im Dunkeln. Mit Sicherheit sind sie nicht in der Fakultät zu suchen. Heinrichs Briefwechsel hat leider gerade an dieser Stelle eine empfindliche Lücke. Nur mit Mühe unterdrückte er — eben auf der Höhe seiner Jahre — bittere Klage über die unverdiente Zurücksetzung. Seine lutherische Gehorsamsverpflichtung hat nie ein Wort des Zorns oder Grolls über seine Lippen kommen lassen, auch nicht bei den Zurücksetzungen der späteren Jahre. Am schmerzlichsten war ihm, daß er, der sich immer nur als Verkünder der biblischen Botschaft verstanden hatte, sei es auf der Kanzel, sei es auf dem Katheder, nun im wesentlichen mit Verwaltungsgeschäften und Aktenwälzen an den Schreibtisch gefesselt war und zum Predigen sich nur da eine Gelegenheit bot, wo die Kollegen am Ort sie ihm aus freien Stücken anboten. Vier Jahre ertrug er in Geduld diese Fron, wenn auch nicht eben freudig.

Die Versetzung an das Konsistorium Ansbach 1845 [76] hängt unmittelbar mit dem Kniebeugestreit zwischen den bayerischen Protestanten und dem Staatsministerium zusammen. König Ludwig I. und seine Verwaltung betrachteten jede Opposition gegen die Anordnung, wonach auch die Protestanten unter seinen Soldaten bei Prozessionen vor dem Allerheiligsten Sakrament ins Knie zu gehen hätten, als Beleidigung der Majestät. Adolf Harleß, einer der führenden Erlanger Theologen und Sprecher der Protestanten im Landtag, wurde seines Amtes enthoben und als Konsistorialrat nach Bayreuth an Heinrich Rankes Stelle strafversetzt [77]. Infolgedessen wurde Heinrich als zweiter Konsistorialrat nach Ansbach und sein Vorgänger nach München ins Oberkonsistorium befördert. Am gleichen Tage, an dem die Ernennungsurkunde ausgefertigt wurde, bewarb er sich beim Oberkonsistorium um die freigewordene erste Stelle in Bayreuth, mit der die des Hauptpredigers an der Stadtkirche verbunden war. Sein Gesuch enthüllt seinen Herzenswunsch: „Diese Stelle zu erhalten würde mir ... besonders deshalb in hohem Grade erfreulich sein, da ich als Hauptprediger zu einer Tätigkeit zurückkehren würde, in der ich mich früher eine Reihe von Jahren hindurch so glücklich gefühlt habe, während ich in meiner gegenwärtigen Stellung nur selten und ausnahmsweise zu derselben gelangen konnte." [78] Obwohl die Kirchenbehörde seine Bitte unterstützte, entschied das Ministerium gegen ihn.

76 Lk. Arch. Nbg., Oberkonsist. München Nr. 750.
77 *Th. Heckel:* A. v. Harleß (1933) S. 52 f.
78 Vgl. Anm. 76 (25. 3. 1845).

Während der einundzwanzig Jahre, die Heinrich Ranke in Ansbach wirkte, blieb sein Aufgabenkreis im wesentlichen derselbe: Schreibtischarbeit, daneben Visitationen der Pfarrer und Lehrer, Teilnahme an den Synoden in den Dekanaten und an der Generalsynode, Examinieren der ins Studium und später der ins Amt eintretenden Theologiestudenten und Kandidaten. Zur Ansbacher Diözese gehörten auch die von Wilhelm Löhe in Neuendettelsau gegründeten Anstalten. Heinrich Ranke schreibt sich ein gewisses Verdienst daran zu, daß er mit seinen eindringenden Gesprächen mit dazu beigetragen habe, daß dieser entschiedene Mann zusammen mit seiner Gemeinde der Landeskirche nicht den Rücken gekehrt habe.

Für diese Jahre fehlen uns weithin die Zeugnisse, die uns für die früheren Perioden in so reichem Maße zur Verfügung stehen. Der Briefwechsel Heinrichs mit dem Bruder, ohnehin nur noch in großen Abständen geführt, hat sich seit Beginn der fünfziger Jahre nicht erhalten. Mehr und mehr erschöpfte er sich vorher schon in gemeinsamen Jugenderinnerungen, in Mitteilungen über das Ergehen der Schwiegereltern Schubert, in deren Familie er ganz heimisch geworden war, und in Nachrichten über die heranwachsenden Kinder, Gesundheit und Krankheit, Studium und Verlobungen. Selma Ranke und ihre Tochter Malchen, Leopolds Patenkind [79], übernahmen für das stark beschäftigte Familienoberhaupt weithin die Pflicht des Briefeschreibens. Zu einem tieferen Gedankenaustausch zwischen den Brüdern ist es nicht mehr gekommen. Man geht wohl nicht fehl, wenn man es ausspricht: Heinrichs pastoraler Ton war nicht so recht nach dem Herzen des Gelehrten, der es in einem langen Leben gelernt hatte, daß Gott in der Führung des einzelnen und im Weltgeschehen sich verborgener hält, als der fest auf seiner Bibel stehende Pfarrherr es geradehin immer wieder als seine Überzeugung aussprach. Leopolds historische Arbeiten wurden zwar mit ehrlicher Bewunderung für den zu ihnen gehörenden großen Gelehrten bei den Rankes in Bayern dankbar aufgenommen und an den wöchentlichen Leseabenden im Familien- und Freundeskreise vorgelesen [80]. Sie erweckten aber zugleich bei Heinrich auch Gefühle der Scham darüber, daß er seine eigene wissenschaftliche Produktion der Mühle des Amtes hatte opfern müssen. In den Akten der Kirchenbehörde verschwindet sein Name im allgemeinen Grau des ermüdenden Routine-Geschäftsganges. Nirgendwo tritt er bedeutsam hervor. Nur einmal noch, in den ersten Märztagen des Jahres 1848 erklingt in Heinrichs Briefen mit den Erinnerungen an 1813 ein hellerer Ton. „Wenn doch schnell die völlige Preßfreiheit bewilligt würde! Wenn doch über-

79 Amalie Ranke geb. 9. 8. 1828 in Rückersdorf, gest. 1. 6. 1912, verh. mit Hans Helferich, Prof. d. Nationalökonomie in München, nach: *H. Ranke:* Stammtafeln d. Fam. Ranke (^{3}1938) Tafel 5 u. 7.

80 Briefe Hch. Rankes Nr. 81. 82. 87.

haupt der edle König [Friedrich Wilhelm IV.] mit großen, königlichen Bewilligungen für das öffentliche Leben voranging! Namentlich wäre es herrlich, wenn er auf den großen Gedanken an eine würdige Vertretung des deutschen Volkes bei dem Bundestage, den auch König Ludwig ausgesprochen hat, einginge. Ich bin überzeugt, dies würde für Deutschlands Zukunft, für Deutschlands Einheit und Macht, den Fremden gegenüber, entscheidend sein. Daß in Preußen Deutschlands Zukunft liegt, ist gewiß." [81] Solche Wünsche gingen gewiß über die des Berliner Bruders schon weit hinaus. Nachdem aber erst Blut geflossen war, der Lola-Montez-Skandal den bayrischen König hinweggefegt hatte, schwenkte Heinrich Ranke auf die alte konservative Linie ein, sprach „von dem finsteren Geist dieser Zeit" und freute sich, „daß der König [Friedrich Wilhelm IV.] sich nicht verlocken ließ, die Kaiserkrone von der Frankfurter Versammlung anzunehmen".[82]

Von diesem Zeitpunkt an gewinnt man den Eindruck, als stehe Heinrich Rankes geistige Welt still. Im Grunde blieb er religiös der Erweckungsbewegung, politisch dem Vormärz verhaftet. Den Aufgaben und Problemen einer sich wandelnden Zeit hat er sich nicht mehr gestellt. Die Jahre vergingen im Gleichmaß, ohne besondere Höhen und Tiefen. Heinrichs Wünschen und Wollen war an ein Ende gelangt. Er ergab sich im wahrsten Sinne gottergeben ohne ein Wort des Zweifels oder Haders den Weisungen seiner Oberen und den Aufgaben, die der Tag von ihm forderte. Dazu gehörte auch sein Kampf gegen die Armut, den er patriarchalisch und individualistisch aus dem Gebot christlicher Liebe führte, nicht so sehr als gesellschaftliche Frage, sondern um der Verwahrlosung willen, die sie im Gefolge hatte. Über die Gründung eines vorzüglich durchorganisierten Vereins gegen Armut und Bettelei und über ein Rettungshaus für verwahrloste Jugendliche, beide in Ansbach, haben wir nur fragmentarische Kenntnis.

Erstaunlich aber bleibt, daß der wissenschaftliche Theologe nach der Katastrophe von Erlangen sich nie wieder zum Wort gemeldet hat. War es Resignation, war es das Gefühl, daß er den Häuptern der Erlanger Schule, die auf ihn gefolgt waren, nicht mehr gewachsen war? Einen gewissen Ausgleich schuf sich Heinrich Ranke mit der Veröffentlichung seiner Predigten [83]. Ihnen gehörte seine eigentliche Liebe im Beruf; sie haben wohl immer im Zentrum seiner seel-

81 Ebd. Nr. 85.

82 Ebd. Nr. 87.

83 An Predigtveröffentlichungen *Hch. Rankes* liegen vor: 1. Sonntags-Blatt populär religiösen Inhalts, Jg. 4, hg. v. Pfarrer Dr. Hch. Ranke, 52 Nr., Nördlingen 1834. 2. Abschieds-Predigt über 1. Joh. 2, 28, geh. in Rückersdorf am 3. Sonntag nach Ostern [20. 4.] 1834, Nürnberg 1834. 3. Predigten, 3 Teile, Erlangen 1837—42 ([2]1840—51, 1. Teil [3]1861). 4. Die Schwierigkeiten d. christl. Predigt-Amtes in unserer Zeit. Eine Synodal-Rede, Nürnberg 1837. 5. Sprüche, Lieder u. Katechismus für die Kleinen, 2. Ausg. Nürnberg 1839. 6. Zeugnis v. Christo. Predigten über die

sorgerischen Arbeit gestanden. Die meisten stammen aus der Zeit, als er nicht mehr regelmäßig die Kanzel besteigen konnte. Erst 1859 wurde der Stelle des ersten Konsistorialrats in Ansbach auch wieder das Predigtamt an der Stadtkirche zugeordnet [84]. Wer diese Bände durchgeht trifft auf den alten Heinrich Ranke, wie wir ihn kennen. Nur der letzte dieser Bände läßt aufhorchen: „Predigten aus dem Jahre 1848. Ein Zeugnis gegen den Geist der Revolution und des Abfalls von Gott, Erlangen 1849". Zur Charakterisierung genügt es, die ersten Sätze des Vorworts zu zitieren: „Die vorliegenden Predigten aus dem Jahr 1848 ruhen auf der Überzeugung, daß das Heil des deutschen Volkes nicht in der Revolution, sondern allein in Christo zu finden und der Geist der Revolution mit dem Geiste des Abfalls von Gott ein und derselbe sei; eine Überzeugung, die ihrerseits unerschütterlich auf dem Grunde des göttlichen Wortes ruht und in der Geschichte aller Zeiten, in augenscheinlichster Weise aber in der Geschichte der französischen Umwälzung ihre Bestätigung findet. Die Überzeugung auszusprechen fühlte ich mich im Laufe des vorigen Jahres, und zwar in dem Grade entschiedener getrieben, als der Geist der Revolution sich mächtiger in Deutschland regte und als unserem Volk die Gefahr nähertrat, durch die Vorspiegelung eines neuen Glückes um das Höchste, das uns gegeben ist, um den Segen des Christentums betrogen zu werden." Die Predigten selbst sind Paraphrasen dieser Sätze. Es sind Versuche, aus unerschütterter konservativer Gesinnung gegenüber einer wohl nicht verstandenen Zeit eine eigene, engere Welt wie eine Insel abzuschirmen. Das Herrenwort: „Ihr Kleingläubigen, warum seid ihr so furchtsam?" sucht man darin vergeblich.

1866 wurde Heinrich Ranke an das Oberkonsistorium nach München berufen [85]. Sieben Jahre noch hat er ohne erkennbaren Glanz in der obersten Leitung der Evangelischen Landeskirche in Bayern gewirkt. Dann zwangen ihn Krankheit und Müdigkeit, sich in den Ruhestand versetzen zu lassen [86]. Die

Evangelien d. Kirchenjahres, Erlangen 1846. 7. Dass. 2. Sammlung, Erlangen 1848. 8. Vater, verkläre deinen Namen! Predigt am 15. Okt. 1848 zu Ansbach gehalten, Erlangen 1848. 9. Woran wir vor allen Dingen festzuhalten haben in unserer entscheidungsvollen Zeit. Predigt am 12. März 1848 zu Ansbach gehalten, Erlangen 1848. 10. Ich will euch nicht Waisen lassen; ich komme zu euch. Predigt am Schluß d. vereinigten Generalsynode zu Ansbach am 22. Febr. 1849 gehalten, Erlangen 1849. 11. Predigten aus dem Jahre 1848. Ein Zeugnis wider den Geist der Revolution u. des Abfalls von Gott, Erlangen 1849. 12. Das Leben in Christo. Predigten über die Episteln des Kirchenjahres, 3 Teile, Frankfurt/M. 1853—55. 13. Gotthilf Heinr. v. Schubert. Mitteilungen über die letzten Tage desselben. Berlin 1860. 14. Das Wunder von Bethania. 2 Predigten, Ansbach 1862. 15. Abschiedsworte. Predigt, Ansbach 1866. 16. Gebete über Worte d. hl. Schrift. Frankfurt/M. 1867.

84 Lk. Arch. Nbg., Oberkonsist. München Nr. 1488, Ernennungsurk. v. 15. 3. 1859.

85 Lk. Arch. Nbg., Oberkonsist. München Nr. 1311.

86 Ebd. Hch. Ranke hatte seit 1870 die 3. Oberkonsistorialratsstelle inne.

letzten Jahre gehörten der Aufzeichnung seiner „Jugenderinnerungen“. Sie sind nach dem Vorbild Gotthilf Heinrich Schuberts geschrieben und sehen in der verdämmernden Rückschau manches anders, als es die gleichzeitigen Briefe festhalten. Solange Leopold Ranke noch jedes Jahr zu den Sitzungen der Historischen Kommission, seiner eigenen Gründung, nach München fuhr, sahen sich die Brüder wieder regelmäßig. Dabei wanderten ihre Gedanken immer wieder in die gemeinsame Vergangenheit ihrer Jugendtage. Dem ganz einsam gewordenen, pausenlos ein Werk auf das andere türmenden Historiker trat in Heinrich der stille, in sich ruhende Familienvater gegenüber, umgeben von einer großen Kinder- und Enkelschar, die alle zusammen den Namen Ranke in Süddeutschland erst heimisch gemacht haben. Die von Natur gegebene brüderliche Liebe ist zwischen den beiden nie erkaltet. Heinrich war ihm näher als seine anderen Geschwister. Aber diese unbeirrbare Zuneigung hat doch auch die Distanz nicht zu überspringen vermocht, die seit Heinrichs Nürnberger Tagen unausgesprochen zwischen ihnen stand. Als Heinrich Ranke am 2. September 1876 für immer die Augen schloß, schrieb Leopold an die Schwägerin Selma — und man wird jedes Wort wägen müssen —: „Welch ein Glück ist es für mich gewesen, diesen Bruder zu haben — so ganz verschieden von mir und mir doch allezeit so nahe verbunden, wenngleich in weiter Entfernung. Ich konnte immer meine Augen nach ihm richten, dem getreuen, gerechten, gütigen. ... Die Harmonie beruhte auf der inneren Ruhe seiner Seele.“ [87]

Was Heinrich Ranke wollte, dachte, tat, ist mit seinen Erdentagen vergangen. Und doch hinterläßt auch ein solches Leben seine Spur. Heinrich Ranke erhält Licht durch das, was er in all seiner Begrenztheit in der fränkischen Landschaft gewirkt hat. Noch wichtiger ist aber das geworden, was er seinem Bruder bedeutete, der soviel Unvergänglicheres geschaffen hat. Als im gleichen Jahre, in dem er Heinrich verlor, ihm auch Ferdinand Ranke entrissen wurde, mit dem er viele Jahre in Berlin zusammengelebt hatte, schrieb Leopold an Ernst Konstantin, den einzig ihm noch verbliebenen Bruder: „ich sage nicht: Gott hat sie gegeben, Gott hat sie genommen. Das wäre viel zu subjektiv; nein, ich sage: Gott hat sie gemacht, wie sie waren; so, wie sie waren, lebten sie mit mir und werden sie in mir fortleben.“ [88] Damit erinnert der Geschichtsdenker an das, was er einmal seinen Studenten vorhielt [89]. Zum Historiker, so führte er aus, gehörten zwei Dinge: einmal die selbstverständliche Liebe zu dem überlieferten Rest eines vergangenen Lebens, eine Freude vergleichbar der wie beim Anblick einer Blume, ohne alle Frage nach ihrer Stellung im Linné'schen System; zum andern die Fähigkeit, dieses einzelne in den Strom der Zeit hineinzustellen, der auch dies einzelne umgreifend trägt und hält.

87 Brw. S. 538 f.
88 Brw. S. 537.
89 *L. v. Ranke:* Weltgeschichte, Bd. IX, 2 (1888) S. IX f.

7.

Anton Ernstberger 1894—1966

Diese Stunde ist dem Gedenken an Anton Ernstberger gewidmet, der in den Jahren 1947—61 als ordentlicher Professor der neueren und neuesten Geschichte an unserer Universität wirkte und hier am 15. Oktober 1966 gestorben ist.[1] Für die Erlanger Historiker ist es nicht allein ein Akt der Pietät, sondern eine als selbstverständlich empfundene Verpflichtung, vor einem größeren Kreis aus Angehörigen, Kollegen, Schülern und heutigen Studenten der Geschichte Lebensschicksal und wissenschaftliche Leistung des verstorbenen Kollegen noch einmal in der gebotenen Kürze erinnernd zu umreißen, eine Aufgabe, die naturgemäß in erster Linie dem unmittelbaren Nachfolger auf seinem Lehrstuhl zufällt.

Anton Ernstberger war und blieb bis zuletzt Sudetendeutscher, der seine Heimat liebte und nicht vergessen konnte und wollte, „wo ihm Gottes Sonne zuerst schien". Er wurde am 22. November 1894 zu Mallowitz bei Mies in der Nähe von Pilsen im Sudetenland als Sohn eines Bauführers geboren. Die väterliche Familie war schon vor Generationen aus der Oberpfalz nach Böhmen eingewandert. Die Mutter Maria Turba stammte aus dem egerländischen Neumarkt und zählte zu ihrer weiteren Verwandtschaft den Gründer von Marienbad, den Abt des Klosters Tepl Karl Reitenberger. Im Elternhaus ging es einfach und sparsam zu. Trotzdem hat der Vater seinen drei Söhnen — Anton war der jüngste — eine sorgfältige Ausbildung angedeihen lassen. Kurz vor dem ersten Weltkrieg schaffte er es mit mancherlei Entbehrungen, seiner Familie in Mies ein neues geräumiges Haus zu bauen. Mit seinem großen Garten und Hunderten von Rosenstöcken, die er gern selber pflegte, bedeutete es dem jungen Ernstberger den Inbegriff der Heimat. Wenn es nach ihm gegangen wäre, würde er zeit seines Lebens hier seßhaft geblieben sein. Eine Reihe von wissenschaftlichen Arbeiten des reifen Mannes gehen von diesem engsten Umkreis seiner Jugend aus, ziehen allein schon aus der Lokalkenntnis reichen Nutzen und sind geradezu als Versuche zu werten, die eigenen Wurzeln recht tief in diesen Boden zu senken, indem er ihn sich geschichtlich aufschloß.

Nach dem Besuch der Volksschule in Welperschitz bei Mies und des Konviktsgymnasiums in Duppau begann Anton Ernstberger 1913, 19jährig, an der Uni-

1 Gedenkstunde der Erlanger Historiker am 14. Febr. 1967. Die Form der Rede ist beibehalten.

versität Wien mit dem Studium der Rechtswissenschaft. Der Ausbruch des ersten Weltkrieges führte ihn zuerst in einem bosnischen Jägerbataillon, später in einem der zu besonderem Einsatz gebildeten Sturmbataillone auf verschiedene Kriegsschauplätze, zuletzt an die so schwer umkämpfte Isonzo-Front. Am 15. Juni 1918 wurde der mit drei Tapferkeitsmedaillen ausgezeichnete Leutnant der Reserve bei Asiago schwer verwundet. Er lag bereits bei den für die Bestattung Vorgesehenen. Einem aufmerksamen Kameraden ist es zu verdanken, wenn er unter die Lebenden zurückgeholt wurde. Die Verwundung und ein bei einer Verschüttung erlittener schwerer Nervenschock machten Anton Ernstberger noch in seinen letzten Lebensjahren zu schaffen. Nachdem das Kriegsende die österreichisch-ungarische Monarchie zerschlagen und seine Heimat dem neu gegründeten tschechoslowakischen Staat eingegliedert hatte, ging der Wiedergenesene zur Fortsetzung seines juristischen Studiums an die Universität Prag und promovierte hier nach dem Staatsexamen 1921 zum Doctor iuris.

Die Wahl seines Studienfaches und der schnelle Abschluß des Studiums gingen wohl auf den Wunsch zurück, in den nach dem Kriege völlig ungewiß gewordenen Zeitläuften möglichst bald gesicherten Boden unter die Füße zu bekommen und selbständig zu sein. In Wirklichkeit gehörte Anton Ernstbergers Liebe damals bereits den geschichtlichen Studien. Schon während seines Jurastudiums hörte er bei Hofrat Werunsky, seinem Landsmann aus Mies, und Ottokar Weber mittelalterliche und neuere Geschichte. Für seine ausgezeichneten Kenntnisse in der Urkundeninterpretation erhielt der stud. iur. sogar eines der damals üblichen Stipendien des Historischen Seminars. Die Studienjahre in Prag unmittelbar nach dem Kriege waren durchtobt von einem leidenschaftlichen Kampf um den nationalen Charakter der Universität. Auch Anton Ernstberger hat in diesem Tagesstreit Partei ergriffen. Bei einem großen Disput deutscher und tschechischer Gelehrter im Prager Carolinum lieferte er ruhig und überlegen, wie es damals schon seiner Art entsprach, den historischen Nachweis, daß die tschechische These von der 1348 durch Kaiser Karl IV. erfolgten Gründung einer „Böhmischen Landesuniversität“ mit Vorherrschen der böhmischen Sprache nicht zutraf, daß vielmehr unter den in Prag vertretenen „nationes“ außer bei den Böhmen bei den Polen, Sachsen und Bayern das deutsche Element das Übergewicht hatte. Seine Argumente waren so fundiert, kenntnisreich, abgewogen und klar vorgebracht, daß die tschechischen Redner erklärten, sie erst prüfen zu müssen, bevor sie auf die Einwände antworteten[2]. Im Grunde ging es hier gar nicht um eine Frage des historischen Rechts, sondern um eine politische Entscheidung. Die Entgegnung ist nie zustandegekommen. Das Staatsgesetz entschied autoritativ zu Gunsten der tschechischen These.

2 Dr. *Weschta* in seinem Nachruf in „Wacht an der Wiesa“, Jg. 60, Folge 144 (15. 12. 1966) S. 710—712.

Nach Abschluß des juristischen Studiums wurde Anton Ernstberger an ein kleines slowakisches Gericht versetzt, wo er weder die Sprache seiner Mandanten verstand, noch die Überzeugung gewann, daß diese Form des Broterwerbs sein Leben auszufüllen vermöge. 1923 kehrte er an die Universität Prag zurück und nahm eine zweite Fachausbildung in der philosophischen Fakultät mit den Fächern Geschichte, Germanistik und Geographie in Angriff. Drei Jahre später promovierte er bei Theodor Mayer zum Dr. phil. mit seiner Dissertation über „Wallenstein als Volkswirt im Herzogtum Friedland"[3]. Damit wurde zum erstenmal einer der Themenkreise um den faszinierenden kaiserlichen Generalissimus, den 30jährigen Krieg und das Zeitalter der Glaubenskämpfe angeschlagen, dem Anton Ernstberger als Gelehrter einen großen Teil seiner Kraft widmen sollte. 1926—30 ermöglichte ihm ein Stipendium ausgedehnte Quellenstudien in Wien und Berlin. Der Aufenthalt in beiden Metropolen brachte ihn in Berührung mit den bedeutendsten Historikern jener Jahre: in Wien mit Heinrich Ritter von Srbik, Ludwig Bittner, Lothar Groß, Otto Brunner, in Berlin mit Friedrich Meinecke, Fritz Hartung und Paul Kehr. Ein Rockefeller-Stipendium führte ihn für fast drei Jahre nach London, wo er Mitglied des Institute for Historical Research wurde und sich zwangsläufig sein Blick auf Europa und die Welt ausweitete. Ersten Niederschlag fanden seine Studien in der Habilitationsschrift bei Wilhelm Wostry in Prag über „Österreich-Preußen von Basel bis Campoformio 1795 bis 1797"[4]. Auch zu diesem, hier zum erstenmal berührten Themenkreis über die französische Revolution und ihre Folgen, Österreich und Preußen im Ringen um die Zukunft des altes Reiches, Napoleon und den von ihm ausgelösten Widerstand ist Ernstberger immer wieder zurückgekehrt.

Auf Grund von Ausbildung und Leistung begann nun der akademische Aufstieg Anton Ernstbergers, der an die Universität seiner Heimat, an Prag gebunden blieb. Seit 1931 war er Assistent am Historischen Seminar, 1933 wurde er zum Dozenten für allgemeine Geschichte der Neuzeit ernannt und zwei Jahre später für das gleiche Fach als ordentlicher Professor berufen. Es war eine für deutsche Gelehrte in Prag sehr schwierige Zeit voller nationaler, politischer und weltanschaulicher Spannungen, ganz besonders naturgemäß für einen Vertreter der deutschen Geschichte. Über Anton Ernstbergers Stellung zu den Ereignissen, die seine Heimat direkt betrafen: den Anschluß Österreichs, das Münchener Abkommen und die Angliederung des Sudetenlandes an das Reich, die Errichtung des Protektorats Böhmen und Mähren, den Ausbruch des zweiten Weltkriegs wissen wir so gut wie nichts. Seine damals veröffentlichten Arbeiten kreisen aus-

3 Prager Studien aus d. Gebiet d. Gesch.wiss., hg. Th. Mayer, W. Wostry H. 19, Reichenberg i. B. 1929.

4 Teil I: Der Westen. Krieg u. Frieden mit Frankreich (Quell. u. Forsch. aus d. Gebiet d. Gesch., hg. Hist. Kom. d. Deutsch. Gesellsch. d. Wiss. u. Künste Bd. 12), Prag 1932.

nahmslos um die beiden schon genannten Themen und enthalten kein Wort zu den Fragen des Tages. Einer seiner Freunde bezeugt, daß Anton Ernstberger „mit dem ihm eigenen Fingerspitzengefühl Widerwärtigkeiten abwenden" konnte[5]. Rufe an andere Universitäten ließen sich entweder nicht realisieren oder scheiterten an Ernstbergers Ablehnung. Graz, Halle und Jena waren im Gespräch. 1942 wurde er Mitglied der deutschen Akademie der Wissenschaften in Prag.

Die Katastrophe von 1945 entzog Anton Ernstberger mit einem Schlage die Basis seiner materiellen und geistigen Existenz. Haus und Garten in Mies, in dem der Prager Professor in all den Jahren seiner Lehrtätigkeit gewohnt hatte, wurde von den einrückenden Amerikanern beschlagnahmt, die deutsche Bevölkerung von den Tschechen, nach Männern und Frauen getrennt, in Lagern interniert, Frau und Tochter nach Wien abgeschoben. Die deutschen Professoren der Universität sahen einer pauschalen Bestrafung von mehreren Jahren Gefängnis oder Lager entgegen. Ernstberger selbst wurde unter tschechischem Kommando zur Handarbeit eingesetzt, wobei oft genug aus unverhohlenem Sadismus die schmutzigsten Arbeiten für die angesehensten Bürger gerade gut genug waren. Aber eben in diesen Monaten, in denen er das schwere Los von Millionen seiner Landsleute teilte, durfte Ernstberger die überraschende Erfahrung machen, daß auch das Wirken des Gelehrten und akademischen Lehrers Früchte zeitigen kann, wo er sie gar nicht erwartet.

Anton Ernstberger wurde im Sommer 1945 mit einer Handvoll anderer Internierten in seiner Heimatstadt Mies unter tschechischer Bewachung zum Räumen eines ekelhaften Abwässerkanals befohlen. Einem vorübergehenden amerikanischen Major fiel der Brillenträger auf. Auf die englisch an Ernstberger gerichtete Frage, er habe ja wohl auch mal bessere Tage gesehen, erhielt er zur Antwort: ja, das habe er; er sei einmal Professor in Prag gewesen. What's your name? Ernstberger. Nach einigem Zögern: Wallenstein-Ernstberger? Ja, der sei er. Der Amerikaner gab sich gleichfalls als Historiker zu erkennen, der Ernstbergers Arbeiten kannte. Spontan versprach er dem deutschen Kollegen: I will help you. Ernstberger war geistesgegenwärtig genug, den Offizier noch zu bitten, wenn es ihm mit seiner Hilfe ernst sei, um der bereits aufmerksam gewordenen tschechischen Wache willen ihn gehörig anzuschnauzen. Das geschah. Am nächsten Tage ließ sich der Amerikaner — sein Name ist leider nicht mehr zu ermitteln — den Internierten vorführen und nahm ihn auf der Stelle als Dolmetscher und Gehilfen für seine persönlichen Dienste mit. Wohin? In Ernstbergers eigenes Haus, eines der schönsten im Ort. So konnte Anton Ernstberger einige Wochen lang, äußerlich aufs beste gehalten, formell als Dienstbote des Amerikaners, sein Haus und den geliebten Garten in Ordnung halten und dabei einige Manuskripte und eine wertvolle Lutherbibel seiner Bibliothek dem Ortspfarrer zur Aufbewahrung übergeben.

5 Vgl. Anm. 2.

Als die Amerikaner die Gegend von Pilsen den Russen übergaben, nahm unser amerikanischer Historiker Anton Ernstberger als seinen Dolmetscher mit nach Bayern. Außer dem, was er auf dem Leibe trug, durfte er nichts von seiner Habe mitnehmen, kein Buch, kein Manuskript. Am 22. November 1945, seinem 51. Geburtstag, kam Anton Ernstberger im Troß der Amerikaner in Nürnberg an. Er wandte sich sogleich nach Erlangen, wo ausgebombte Verwandte zusammen mit 60 anderen Schicksalsgefährten notdürftig im damaligen Theaterrestaurant hausten. Da die Amerikaner Ernstberger ohne alle Papiere entlassen hatten, war es für ihn geradezu aussichtslos, in Erlangen Fuß zu fassen: er war im wahrsten Sinne Freiwild. Jeden Augenblick mußte er gewärtig sein, aufgegriffen und erneut mit ungewisser Zukunft in ein Lager eingeliefert zu werden. Welch freudiges Erschrecken aber, als bei einem der ersten Gänge durch die Stadt ein Polizeibeamter, der ihn ansprach, sich nicht als einer der gefürchteten Ausweis-Kontrolleure, sondern als ein ehemaliger Hörer seiner Vorlesungen in Prag herausstellte, der sich erbot zu helfen, wo immer er konnte. Er war es, der dem Heimatlosen einen Paß und eine Aufenthaltsgenehmigung beschaffte. Und die gleiche Überraschung, als bei der Ausgabestelle der Lebensmittelkarten, auf die es in jenen Hungermonaten wenig genug Ware gab, die Beamtin den immer noch Verschüchterten in barschem Ton an das Ende der Schlange verwies und keinen Widerspruch duldete. Als Ernstberger dann endlich an der Reihe war — nun stand er allein vor dem Schalter — da gab auch sie sich als eine seiner Prager Hörerinnen zu erkennen und stattete ihn über Erwarten reichlich mit den begehrten Marken aus.

Die Erlanger Anfänge waren im übrigen bitter genug. Ein Unterkommen fand sich zunächst allein im Altersheim. Später wurde Ernstberger in die Familie des Kollegen Nöbeling eingewiesen, die an Wohnung und Heizung während des Winters selbst nur das Allernotwendigste besaß. Das Provisorium dauerte ganze zwei Jahre. Das Schicksal von Frau und Tochter war lange ungewiß. Als die Verbindung wieder hergestellt war, trafen sich die getrennten Teile der Familie im Purtscheller-Haus, das von der deutsch-österreichischen Grenze in der Mitte durchschnitten wird und unter Eingeweihten, die die Grenze nicht überschreiten durften, ein bekannter Treffpunkt war. Was es für einen Gelehrten auf der Höhe seiner Jahre bedeutet, seine ganze Bibliothek, alle Aufzeichnungen und Notizen zu abgeschlossenen und unvollendeten Arbeiten, Vorlesungen und Vorträgen zu entbehren, das vermögen wir in unserer heutigen Sekurität kaum noch nachzuempfinden. Nach und nach kam freilich das eine oder andere Manuskript zum „Hans de Witte“ [6], zum „Schill“ [7] und noch nicht ausgewertete Exzerpte der reichen Archivstudien aus den Verstecken in der Tschechoslowakei mit treuen Hel-

6 Vjschr. f. Sozial- u. Wirtsch.gesch., Beih. 38 (1954).

7 J. G. v. Schill 1736—1822. Der Vater d. Freiheitskämpfers Ferd. v. Schill (1959).

fern über die Grenze. Doch waren es stets nur Teile einer einmal sinnvoll und im Zusammenhang investierten Arbeitsleistung, die in vielen Fällen der Ergänzung bedurfte, in nicht wenigen Fällen aber ganz von neuem erbracht werden mußte. Unsere Generation ist heute stolz darauf, was sie in den Nachkriegsjahren an sichtbarem Wiederaufbau aus den Trümmern des Krieges geleistet hat. Darüber sollte das unauffällige, entsagungsvolle Heldentum der Gelehrten nicht vergessen werden, die nach der Vernichtung ihres bisherigen Lebenswerkes und ihres gesamten Handwerkszeuges sich wieder an die Arbeit machten, um das Angefangene noch einmal zu schaffen und weiterzuführen.

Nach tastenden Versuchen, wieder eine Existenzgrundlage zu gewinnen, konnte Anton Ernstberger 1947 die Lehrtätigkeit an der Philosophisch-Theologischen Hochschule in Bamberg und Regensburg aufnehmen. Was Wunder, wenn er in der alten Donaustadt in besonderer Weise zu den Landsleuten sich hingezogen fühlte, Freunden und Schülern, auch früheren Kollegen aus Prag: Ernst Schwarz, Alois Gotsmich, Lothar Zotz. Noch im gleichen Jahr wurde Anton Ernstberger als Ordinarius für neuere und neueste Geschichte an die Friedrich-Alexander-Universität in Erlangen berufen. Damit hatte er wieder festen Boden unter den Füßen. Die Berufung gerade nach Erlangen empfand Ernstberger deshalb als eine besonders glückliche Fügung, weil seine Vorfahren einst von Franken aus nach Böhmen gelangt waren. In Franken wurde ihm noch einmal ein Stück Heimat geschenkt, von der die Straßen direkt in das Land seiner Jugend hätten laufen können, wenn nicht eben die Grenze gewesen wäre. Prag, Pilsen und das Egerland hat er nie wiedergesehen. Als 1949 ein Ruf an die Universität Wien an Ernstberger erging, konnte er sich nicht entschließen, Erlangen zu verlassen, obwohl er nach Temperament und Wesen so viel von einem Österreicher hatte. 1950 gelang endlich die Zusammenführung der Familie. Langsam regten sich auch wieder die schöpferischen Kräfte. Die Nürnberger Archive boten ihm Material genug, um an den alten Schwerpunkten neue Studien anzusetzen.

Anton Ernstberger gehörte nicht zu denen, die im Alltag der Universität sonderlich in Erscheinung traten. Dafür war er durch das eigene harte Schicksal zu sehr geprägt und seine Gesundheit zu zart. Seine Verläßlichkeit und Liebenswürdigkeit erwarben ihm aber die Achtung und Zuneigung seiner Kollegen. 1954/55 wurde er zum Dekan der Philosophischen Fakultät gewählt. Daß die wissenschaftlichen Institutionen seiner Landsleute bei dem mit der Geschichte ihrer Heimat so nahe Vertrauten Rat und Hilfe suchten, versteht sich von selbst: Anton Ernstberger gehörte der Historischen Kommission der Sudetenländer in Heidelberg und dem Collegium Carolinum in München an. Die Bayer. Akademie der Wissenschaften wählte ihn 1955, die Historische Kommission bei der Bayer. Akademie der Wissenschaften 1958 zum ordentlichen Mitglied. 1961 trat Anton Ernstberger, 67jährig, in den Ruhestand.

Die letzten Jahre waren der stillen Arbeit in der eigenen Häuslichkeit gewidmet. Eine Reihe vornehmlich kulturgeschichtlich ausgerichteter Aufsätze und Untersuchungen stammt aus dieser Zeit. Besonders gern nahm Anton Ernstberger an den Sitzungen der Münchener Akademie teil, ein gewisser Ersatz für den geistigen Austausch, wie er früher unter den Erlanger Kollegen stattgefunden hatte. Unmittelbar nach einer gelungenen Ferienreise nach Italien im Herbst des Vorjahres erlitt er einen Schlaganfall. Ohne lange leiden zu müssen, ist er am 15. Oktober entschlafen.

Von der wissenschaftlichen Lebensleistung Anton Ernstbergers wird man ohne Umschweife und Einschränkungen sagen müssen: Er war ein Mann für sich selbst, der in einer heute kaum noch üblichen Unabhängigkeit von wissenschaftlichen Strömungen und Schulmeinungen in unserm Fach seinen Weg gegangen ist. Gewiß hat er es an menschlicher Verbundenheit und Dankbarkeit gegenüber seinen akademischen Lehrern, besonders gegenüber Wilhelm Wostry, dem er eine Festschrift[8] ausrichtete, nicht fehlen lassen. Aber im Grunde ist er von ihnen genauso unabhängig geblieben wie von den Historikern, die zu seiner Lebenszeit das Fach nachhaltig geprägt haben. Mit methodologischen, grundsätzlichen und abstrakt gehaltenen Arbeiten die erwählte Wissenschaft fördern zu wollen, ist Anton Ernstberger nie in den Sinn gekommen. Eine bestimmte historische Schule zu repräsentieren oder gar selbst zu bilden, lag ihm völlig fern. Seine Stärke war die unmittelbare historische Anschauung — um mit Ranke zu sprechen: die Freude an dem Überrest eines geschichtlich einmal Gewesenen, eine Freude vergleichbar nur mit der, die wir beim Anblick einer einzelnen Blume empfinden, ohne danach zu fragen, an welcher Stelle im Linné'schen System der Pflanzen sie steht. Das bedeutete ganz und gar nicht, wahllos Trümmer eines vergangenen Lebens aufzulesen und abzubilden. Die Gegenstände, mit denen er sich in seiner historischen Forschung beschäftigte, stehen mit seiner eigenen Existenz in engstem Wechselverhältnis, auch wenn es ausdrücklich nicht ausgesprochen worden ist.

Als geradezu elementarer Antrieb für seine Geschichtsschreibung muß seine Liebe zur Heimat gelten. Diese Liebe hat nichts Sentimentales, sie entspringt vielmehr in hohem Maße gesamtdeutscher, ja europäischer Verantwortung.

Daß der junge Historiker von der Gestalt Wallensteins angezogen wurde, ist nur zu verständlich. Es ist das bedeutende Verdienst bereits der Dissertation, herausgearbeitet zu haben, daß der einzigartige Aufstieg des kaiserlichen Feldherrn, das schnelle Versagen seines Nachfolgers Tilly und der Erfolg des zweiten Generalats — von allen persönlichen Vorzügen und Schwächen des Generalissimus abgesehen — vornehmlich darauf beruht, daß er systematisch und rational, so wie es sonst in seiner Zeit nicht wieder beobachtet wird, die volkswirtschaftlichen Voraussetzungen für Aufbau und Unterhalt seines zeitweise 150 000 Mann starken Heeres sich selbst schuf. Wie die strenge, auf ein einziges Ziel ausgerichtete Verwaltung die wallensteinschen Territorien zur wirtschaftlichen Produk-

8 Heimat und Volk. Festschr. f. Wilhelm Wostry, hg. *A. Ernstberger* (1937).

tionsstätte und Nachschubbasis für schlechterdings alles machte, was ein Heer braucht, zeigt die Erstlingsarbeit von 1929. Ein großer Wurf gelang Ernstberger in der schon während der 30er und 40er Jahre verfaßten, aber wegen der Kriegsverhältnisse erst 25 Jahre nach der Doktorarbeit erschienenen Biographie des „Hans de Witte, Finanzmann Wallensteins" (1954), die ausführliche Lebensgeschichte eines Mannes, den die doch gewiß umfangreiche Forschung zur Geschichte des Dreißigjährigen Krieges bis dahin nicht einmal dem Namen nach kannte und die Ernstberger zum erstenmal aus den Archiven vor uns erstehen läßt: die Geschichte eines Antwerpener Calvinisten, der als Handelsmann und Faktor im Stile der früheren Fugger, angezogen von dem Reichtum Kaiser Rudolfs II., nach Prag kommt, wegen seiner Verdienste als einflußreicher Kaufmann bei Hofe und kaiserlicher Bankier in den erblichen Reichsadel aufgenommen wird, in einer über ganz Mitteleuropa weit verzweigten Organisation von Bank- und Wirtschaftsverbindungen kühne und kühnste Geschäfte macht, bis sich sein Schicksal mit dem Wallensteins verbindet, dem er während seines ersten Kommandos für Heeresunterhalt und Kontributionsnutzung als Großunternehmer in vielen Wirtschaftssparten reichlich bedenkenlos von überall her gewaltige Summen an privatem Kapital beschafft, bis er selber unter dem Eindruck von Wallensteins Abberufung 1630 das Opfer seiner Vorschußspekulationen wird und Selbstmord begeht. Beide Forschungsbereiche sind in verschiedenen Arbeitsgängen auf Grund zusätzlicher Aktenfunde in den folgenden Jahren weiter ausgebaut worden. Die Wallenstein betreffenden Arbeiten umfassen den vierten Teil aller Ernstbergerschen Titel.

Was aber alle diese Untersuchungen mit Liebe zur Heimat, mit seinem historisch-politischen Denken als einen Teil der Ernstbergerschen Existenz zu tun haben, das kommt fast scheu und zurückhaltend, aber dennoch überzeugend in einem zusammenfassenden Artikel zum Ausdruck, der Wallensteins Leben auf wenigen Seiten zusammenrafft, wo Ernstberger über des Feldherrn Pläne kurz vor seinem Sturz meditiert:

> „Er wußte: Das Schicksal des böhmischen Landes war vom Schicksal des Reiches nicht zu trennen, ob dieses Reich einen katholischen Habsburger oder einen protestantischen Wasa zum Kaiser hatte. Böhmen war Glied und Teil des Ganzen und würde es sein. Er wußte: Mit der Entscheidung über das Schicksal des Reiches fiel auch die Entscheidung über das Schicksal jedes seiner Länder. Das Ganze stand über dem Teil, auch für ihn. Frieden im Reich hieß ihm Rettung des Reiches, Rettung des Ganzen und aller seiner Teile, auch Böhmens ... Fast möchte man wünschen, Wallensteins Plan, von einseitigem Urteil und befangenen Urteilern nur zu leichthin als „Verrat" gestempelt, wäre gelungen, jenes tollkühne Unterfangen eines einzelnen, sich dem ineinander verzahnten und verbissenen Radwerk einer von Elementarkräften des Glaubens- und Völkerhasses getriebenen Geschehnismühle entgegenzustemmen und es mit einem Ruck aus seinen Trieblagern zu reißen. Man wünschte, es hätte jenes auf Tod und Leben gehende Zwischenspiel Wallensteins Erfolg gehabt, das sich in selbstverachtender Anmaßung zwischen zwei im

Ringen ineinander verkrampfte, tief verfeindete Massengegner zwängte, nicht, um sie unversöhnt voneinander zu trennen, sondern um sie versöhnt miteinander zu verbinden" [9].

Es ist gewiß keine gewaltsame Interpretation, wenn man diese Sätze als die eines gesamtdeutsch denkenden Österreichers versteht. Die einzige, nur in großen Zügen skizzierende Epochendarstellung, die wir aus Anton Ernstbergers Feder besitzen, „Böhmens außenpolitische Stellung in der Neuzeit" (1937), sagt es noch deutlicher. Sie beginnt lapidar:

„Böhmens außenpolitisches Schicksal in der Neuzeit heißt Österreich" [10],

und schließt beim Jahre 1918:

„Die Teile wollten das Ganze nicht mehr, jene Teile, die sich einst zusammengeschlossen hatten, als jeder für sich allein kaum hätte bestehen können. Nun traten sie aus dem Staatsverbande, den sie gebildet hatten, wieder zurück in die Sonderung, aus der sie gekommen waren. Wenn auch selbst nach außen und innen umgestaltet, es waren Teile eines ehemaligen, Jahrhunderte alten Ganzen. Die politische Sendung Österreichs hatte sich erfüllt... Mit dem Weltkrieg endete die fast 400jährige österreichische Geschichte Böhmens. Es war ein Stück Weltgeschichte" [11].

Der schmerzliche Unterton über den Untergang des alten Österreich, dem er sich in erster Linie zugehörig fühlte, und die Distanz zu dem neuen, gewaltsam geschaffenen Staat seiner Heimat, der gewachsene Bande durchschnitt, ist unüberhörbar.

Anton Ernstberger folgte einem Gesetz innerer Logik, wenn er in einem großen Themenkreis dem werdenden Nationalismus und seinen Problemen nachging, wie sie im Gefolge der französischen Revolution entstanden, und dabei seine Aufmerksamkeit insbesondere der Umbruchzeit seit der Auflösung des alten Reiches mit den Kämpfen gegen Napoleon zuwandte. Nach der Habilitationsschrift von 1932 bildete er einen Schwerpunkt vielschichtiger Studien beim Jahre 1809, als das alte Österreich vergeblich den Versuch unternahm, die gesammelten deutschen Kräfte gegen die Fremdherrschaft anzusetzen. Die Einzelthemen dieses Bereiches streben sehr viel mehr auseinander als beim ersten. Man spürt es geradezu, wie die lange Abschnürung von den Prager und lange auch den Wiener Quellen infolge der Vertreibung und der pauschalen Verurteilung der deutschen Professoren der Karls-Universität Anton Ernstberger um den gemeinsamen Richtpunkt seiner Studien gebracht haben, der dem Wallenstein hätte entspre-

9 Albrecht v. Wallenstein (1934). Wieder abgedr. in: Franken — Böhmen — Europa. Ges. Aufsätze (1959) S. 264 f.

10 Ebd. S. 654.

11 Ebd. S. 707.

chen können. Ein gewisser Ersatz dafür, wenn auch von geringerem Gewicht, ist das in wesentlichen Teilen bereits in Prag entstandene, aber erst 1959 erschienene Buch „Johann Georg von Schill 1736—1822. Der Vater des Freiheitskämpfers Ferdinand von Schill“, ein Buch, dessen noch nicht ganz abgeschlossenes Manuskript ihm ebenfalls nach langen Jahren des Wartens von einem getreuen Helfer über die Grenze geschmuggelt wurde. Es ist wiederum die Biographie eines bisher weithin Unbekannten, eines verwegenen, ungebärdigen Haudegens und Freikorpsführers in österreichischen, polnischen, preußischen und wiederum österreichischen Diensten, der eine Zeitlang sogar das Vertrauen Friedrichs des Großen genoß. Der Bezug zur böhmischen Heimat liegt hier unmißverständlich bereits im Untertitel „Vom Egerländer Häuslerssohn zum Reichsadeligen“. Noch deutlicher heißt es in der vorausgestellten „Widmung“:

> „Dieses Buch widme ich der Heimat Johann Georg von Schills, die auch meine Heimat ist, dem Egerland, den Egerländern und allen Sudetendeutschen ... Zu dem vielen, was Heimat heißt, zu dem greifbaren und ungreifbaren, dem körperlichen und seelischen Besitz, der jedem Menschen mit der Heimat gegeben ist, gehört auch ihre Geschichte, ihre Vergangenheit. Es ist die Wurzel, aus der wir wuchsen, mit der wir in unmittelbarem, unlöslichem Lebenszusammenhang stehen. Es ist das Erbe aus Mütter- und Väterhand. Zudem ist es ein Gut, das uns niemand rauben kann“ [12].

Und wie zur Erhärtung dieser Sätze heißt es im Vorwort über die Anlässe zu diesem Buch:

> „Meine Mutter war als Bauerntochter in demselben Dorf geboren und aufgewachsen, das schon seit den Tagen vor dem Dreißigjährigen Kriege auch die Stammheimat der Bauernfamilie Schill war. Es ist das Dorf Schwitz bei Neumarkt im Teplerland. So fügte es sich, daß ich, der Familie meiner Mutter nachspürend, auf die Familie Schill stieß. Damit war der Faden am richtigen Punkt aufgegriffen. Alles andere ergab sich daraus“ [13].

Der dritte Themenkreis seiner Studien wuchs Anton Ernstberger in seiner neuen Heimat, in Franken zu. Die reichen Schätze der Nürnberger Archive lieferten ihm immer wieder Materialien zu den alten Gegenständen, die vornehmlich der politischen Geschichte angehörten. Die Geschichte der alten Reichsstadt hat Anton Ernstberger vornehmlich in mit feinem Pinsel gemalten kulturgeschichtlichen Essays gefördert. „Nürnberger Patrizier- und Geschlechtersöhne auf ihrer Bildungsreise durch Frankreich 1608—10“, „die feierliche Eröffnung der Universität Altdorf“ (1623), „Liebesbriefe Lukas Friedrich Behaims an seine Braut Maria Pfinzing 1612—13“, „Kurfürst Maximilian I. und Albrecht Dürer“, „drei

12 Vgl. Anm. 7, S. 6.
13 Ebd. S. 7.

junge Deutsche reisen nach Jerusalem 1611/12", „Nürnberg im Widerschein der französischen Revolution", „kaiserliche Soldateska auf Nürnberger Gebiet 1635", „Plünderung des Leipziger Messegeleites Nürnberger und Augsburger Kaufleute 1638", „Abenteurer des dreißigjährigen Krieges": das sind nur einige der Nürnberg vornehmlich im 17. Jahrhundert betreffenden Titel, die insgesamt wiederum ein Viertel des gesamten Ernstbergerschen Opus ausmachen und in den „Mitteilungen des Vereins für Geschichte der Stadt Nürnberg", in der „Zeitschrift für bayerische Landesgeschichte", im „Jahrbuch für fränkische Landesforschung" oder in den „Sitzungsberichten der Bayer. Akademie der Wissenschaften" erschienen sind.[14] Ich muß es mir versagen, im einzelnen aufzuzeigen, wie diese Aufsätze und Bücher untereinander zusammenhängen, was für Neuland sie erschließen und was sie für die historische Forschung bedeuten. Auch in diesen Arbeiten treten immer wieder scharf gezeichnete Persönlichkeiten in den Vordergrund, aber weniger um ihrer selbst willen, sondern als Brennpunkte von Zeit und Umwelt.

Für Anton Ernstbergers Forschung und Geschichtsschreibung scheinen mir insgesamt zwei Gesichtspunkte besonders erwähnenswert. Zum einen: Es entsprach seiner inneren Selbständigkeit und Unabhängigkeit, daß er in seinem ganzen Leben das l'art pour l'art der historischen Wissenschaft vermieden hat, nie ausschließlich für Gelehrte um des Fortschritts abstrakter historischer Erkenntnis willen schrieb, sondern sich stets an ein breites Publikum wandte. Manche dieser Arbeiten sind als Vorträge entstanden. Dem ist aber sogleich hinzuzufügen: jede leichte, vordergründige Aktualisierung seiner Stoffe war Anton Ernstberger fremd. Er hat, so weit ich sehe, seine eigene bewegte Gegenwart nicht ein einzigesmal mit seinen Gedanken angesprochen. In der Art, wie er schrieb, scheint er sich Leser gewünscht zu haben, die seine Anlässe und Zielrichtungen verstanden, auch ohne daß sie ausdrücklich darauf hingewiesen wurden. Es war sicher ganz in seinem Sinne, wenn das Institut für fränkische Landesforschung unter Karl Hauck 1959 zu seinem 65. Geburtstag die oft an versteckten, nur schwer zugänglichen Stellen gedruckten Aufsätze in zwei Bänden unter dem Titel „Franken — Böhmen — Europa" zusammenfaßte und ihm zum Geschenk machte.

Zum anderen — und daran erweist sich nun, daß Anton Ernstberger ein Mann für sich selbst war —: Ausgetretene Pfade historischer Forschung liebte er nicht. Schlechthin alles, was er geschrieben hat, ist aus archivalischen Quellen gearbeitet. Das hängt sowohl mit seinem Verlangen nach geschichtlicher Anschauung wie mit seiner unbestechlichen Wahrheitsliebe zusammen. Der Fleiß, die Mühe, die Entsagung, mit denen er seine Gegenstände bis in die entlegensten Fundorte verfolgte, sind einmalig und bewundernswert. In seinem „Hans de Witte", einem

14 Vgl. das Schriftenverzeichnis von Anton Ernstberger. In: Jb. f. fränk. Ldsforsch. 27 (1967) S. 13 f.

Mann, den er sozusagen aus den Akten erst wieder zum Leben geweckt hat, spricht Anton Ernstberger selbst von der „wissenschaftlichen Bergmannsarbeit",

> „um auf ihn zu stoßen und ihn aus der Tiefe ans Licht zu fördern ... Es hieß, ins Dunkel unerschlossener oder noch nicht ausgewerteter Aktengebirge einzudringen, in vielen Archiven Stollen um Stollen zu graben und hier im wirr durcheinander geworfenen Ablagerungsgeröll der Jahrhunderte nach den Trümmern einer zersplitterten Figur zu suchen, die einmal frei vor aller Augen und hoch emporragend stand, dann aber von der Katastrophe eines Bergsturzes hinweggerissen, unter Massen von Bruch, Wust und Staub verschüttet wurde und so, zerschlagen und in nichts zerfallen, dem Auge und dem Gedächtnis völlig entschwand. Diese Trümmer und Reste aufzuspüren, sie prüfend und probend aneinanderzupassen, Teil um Teil zum Ganzen zu fügen, war eine lange, mühselige, oft hoffnungslos erscheinende, mehr als einmal enttäuscht unterbrochene, aber immer wieder mit Zuversicht aufgenommene Arbeit. Was sie ergab, liegt vor. Es ist das Bild einer neuentdeckten historischen Gestalt" [15].

Karl Siegfried Bader hat daran die tiefsinnige Bemerkung angeschlossen:

> „Was wissen wir vom Wesentlichsten in der Geschichte, von der menschlichen Persönlichkeit? Und wieviele Wittes mag es noch geben, die in unseren eigenen Archiven begraben liegen? ... Pulvis et umbra sumus. Soll man Gestalten aus Staub und Dunkel erwecken? Was sollte den Historikern verhindern, es zu tun? Der Drang nach Wahrheit und — ja, auch dies — nach Gerechtigkeit verlangt solche Ausgrabarbeit, wie sie hier Ernstberger gelungen ist" [16].

Aber abgesehen von aller Mühe: Es war Anton Ernstberger auch eine ehrliche Freude, wenn er in seinem Aktenbergwerk immer wieder auf Silberadern stieß, die ihm reiche Ausbeute verhießen. Vielleicht hat er — und in solchem Unheil zeigt sich der schnelle Wechsel der Generationen — diese Freude in der „Andacht zum Unbedeutenden" gelegentlich zu weit getrieben, wo wir Ungeduldigen uns mehr Prägnanz wünschten. Aber welcher Historiker bringt es schon übers Herz, eine mühsam erschlossene neue Quelle nicht bis auf den Grund auszuschöpfen?

Anton Ernstberger hat selbstverständlich gewußt, daß — der Strom der Quellen mag noch so reichlich fließen — sie nie ausreichen, um alle an sie gerichteten Fragen zu beantworten. Daraus erklärt sich sein drängender, pleonastischer, die Fragen immer wieder von neuen Gesichtspunkten her stellender Stil. Einer seiner Rezensenten hat von „hämmernder Rhetorik" gesprochen [17], schöner Gerhard Pfeiffer in seiner Grabrede, als er den Künstler Anton Ernstberger zeichnete, der

15 Vgl. Anm. 6, S. X.
16 Rez. in: Hist. Jb. 76 (1957) S. 384.
17 Rez. *A. Duch.* In: HZ 182 (1956) S. 474.

„mit einem gewissen Stolz sich als Sproß einer alten Baumeisterfamilie wissend", „wie es der Baumeister zur Errichtung eines Gebäudes mit den Bausteinen tun läßt, Wort um Wort und Satzteil um Satzteil aufeinander fügte, um in einem stetigen Wachsen der Gedanken die Architektur seiner Darstellung erstehen zu lassen".

Am schönsten hat es Karl Hauck gesagt, als er die beiden Bände der Abhandlungen und Aufsätze Anton Ernstberger zum 65. Geburtstag übergab in der Erwartung,

„daß von dem hier vorgelegten Buch vor allem auch die Freunde meisterhaft erzählter Geschichte und liebevoll gemalter kulturhistorischer Miniaturen erreicht werden. Der Doppelband vereinigt Perlen historischer Darstellungskunst. Sie versteht es, kleine Züge zur Beleuchtung der großen Lebensfragen ebenso auszunützen, wie sie den ganzen Reichtum menschlichen Daseins warmherzig nachfühlt. Sie ist der Tragik und allem Unheil in der Geschichte gegenüber ebenso offen wie den erhaltenden Kräften der heimatlichen heilen Welt. Sie verschließt die Augen nicht vor historischen Szenen, die einen Goya immer wieder engagieren würden, und sie wendet das Herz nicht zuletzt den zartesten Blumenwundern zu, die auch in dem geschichtlich gewordenen Alltag zu treffen sind" [18].

Damit bin ich abschließend bei dem akademischen Lehrer und Menschen Anton Ernstberger, über den Betrachtungen anzustellen mir am wenigsten zukommt. Doch auch dafür gibt es Zeugnisse. Wie seine Prager Schüler ihm gedankt haben, davon war schon die Rede. Die ihm in Erlangen zu Füßen saßen, besonders die Studenten der ersten Nachkriegsjahre, die ähnlich wie ihr Lehrer z. T. schwerste Schicksale zu bewältigen hatten, rühmen ihm nach, daß er in ungewöhnlicher Weise Zutraulichkeit ausgeströmt habe, und der, weil ihm selbst, dem durch zwei Weltkriege gezeichneten, nichts Menschliches fremd war, der Beichtvater seiner Studenten gewesen sei. Dabei hat er es ihnen im Seminar und in den Examina nicht leicht gemacht. Trotz aller österreichischen Liebenswürdigkeit bewertete er streng. Zur Zucht wissenschaftlicher Arbeit gehörte bei ihm als notwendige Ergänzung menschliche Offenheit und Zuwendung. Gern erzählte er aus seinem Leben, und besondere Höhepunkte müssen es gewesen sein, wenn seine schauspielerische Begabung ihn zur Imitation anderer Persönlichkeiten, historischer und lebender, hinriß. Seine Schüler sind der Meinung, daß er sein Bestes in den Vorlesungen gegeben habe, in denen er in ganzer Breite Epochen der europäischen Geschichte heraufbeschwor. Im Unterschied zu seinen literarischen Arbeiten malte er in der Rede mit breitem Pinsel große Zeiträume, eindringlich und einprägsam, hin und wieder — seiner innersten Neigung entsprechend — von Passagen in dichterischer Sprache unterbrochen, in denen er im Kleinen das Große zu zeigen verstand.

18 Franken — Böhmen — Europa. Ges. Aufsätze (1959) S. V f.

Gerade darin zeigt sich, daß wir 10, 20, 30 Jahre jüngeren von heute seinem Beispiel nicht leicht zu folgen wagen. Die Geschichte, namentlich die Geschichte als Wissenschaft ist uns nicht mehr wie Anton Ernstberger ein selbstverständlich Gegebenes und zu unserer Verfügung Stehendes. Wir mühen und quälen uns um ihren Sinn, im besonderen um ihre Funktion in unserer Zeit. Unsere Aussagen fallen uns schwerer. Wir leben wieder in einem Lande und einer Zeit, wo es not tut zu urteilen und Meinungen auszusprechen, nicht, wie es Anton Ernstberger in entscheidenden Jahren tun mußte, sie unter historischen Stoffen zu verbergen. Das aber werden wir nicht übersehen dürfen: Als der von Herz und Berufs wegen mit der Geschichte, im besonderen mit der Geschichte der Heimat im weitesten Sinne befaßte hat uns Anton Ernstberger vorgelebt, was es heißt, sie niemals zu vergessen, zugleich aber als unwiederbringlich darunter einen Strich zu ziehen und mit ihrem verwandelten Erbe in Herz und Sinn neuen Ufern entgegenzugehen, die jeder Generation aufgegeben sind. So sehr wir also in manchem sein Anderssein empfinden: es wird uns nicht daran hindern, uns dankbar als Erben Anton Ernstbergers zu empfinden, dessen Lebensschicksal und Lebensleistung Respekt abnötigen und dessen Andenken wir gerade darum in Ehren halten werden, weil er in unserer Wissenschaft ein Mann für sich selbst war.

8.

Die weltgeschichtliche Bedeutung der Reformation[1]

Die Reformation ist eine Epoche der deutschen Geschichte, die mit dem gesamten deutschen Schicksal bis in unsere Tage hinein auf das tiefste und nachhaltigste verknüpft ist. Darum gehört sie nicht einer Konfession allein; sie muß von allen ernst genommen werden. Diese Einsicht ist für das historische Bewußtsein in der *breiten* Schicht unseres Volkes keineswegs gesichert. Natürlich ist das eine Folgeerscheinung der mit der Reformation selbst eingetretenen konfessionellen Spaltung. Dies ihr bleibendes Ergebnis ist und bleibt ein Ärgernis. Die christliche Wahrheit, die ihrem Wesen nach nur eine und unteilbar sein kann, wird von wenigstens zwei großen Bekenntnisgruppen in Anspruch genommen. Jede von ihnen fordert die ausschließende Absolutheit für sich. Dieser Widerspruch in sich selbst ist weder logisch noch religiös, sondern allein historisch verständlich. Die Spaltung ist seit mehr als 400 Jahren in besonderem Maße ein deutsches Lebensgesetz. Es wäre ebenso widersinnig wie lebensfeindlich, es zu verleugnen. Darum ist es auch nicht mehr angebracht, in apologetischer Weise die Rechnung über Nutzen und Nachteil der Reformation aufzustellen. Das Faktum, daß wir in unserem gemeinsamen Hause mehrere christliche Bekenntnisse beherbergen, steht unverrückbar fest. In der Tiefe geht es dabei, wenn wir von der bloßen Konvention absehen, noch immer um Entscheidungen des Gewissens. Von ihm heißt es: „Was hülfe es dem Menschen, so er die ganze Welt gewönne und nähme doch Schaden an seiner Seele." Zu den beiden christlichen Gruppen tritt noch eine weitere, die nicht übersehen werden kann: die Gruppe derjenigen, die von der Verkündigung der Kirchen nicht mehr erreicht werden und denen der konfessionelle Blickpunkt unverständlich geworden ist. Um so dringender ist also geboten, ohne Haß und Bekehrungseifer, mit Respekt und Ehrfurcht von den historischen Tatbeständen zu sprechen. Es gilt, sie in ihrem Gewordensein zu begreifen, nicht aber durch List oder Gewalt sie zu ändern. Fragen wir nach der weltgeschichtlichen Bedeutung der Reformation, so bietet sich eine große Fülle von Gesichtspunkten an. Wir können nur einige wenige herausheben, die besonderes Gewicht haben.

1 Vortrag im Sender Stuttgart am 31. Oktober 1954 und am 12. November 1954 in der Staatlichen Akademie Calw. Zur Sache bin ich besonders den Arbeiten von Gerhard Ritter und Hermann Heimpel verpflichtet.

Renaissance und Reformation stehen am Beginn der Neuzeit. Die dahinter liegende Welt des Mittelalters ist nicht durch ein bestimmtes Datum von ihnen geschieden. Mittelalter und Neuzeit greifen tief ineinander über; auf den verschiedenen Lebensgebieten laufen sie lange nebeneinander her; selten ist irgendwo ein glatter Bruch zu erkennen. So farbige und ansprechende Vorstellungen wir auch mit den Epochenbezeichnungen verbinden, so schwer ist es, sie auf erschöpfende Formeln zu bringen. Solche bequemen und handlichen Verkürzungen sind ständig in Gefahr, die Wirklichkeit zu vergewaltigen. Jacob Burckhardt hat für das Mittelalter eine berühmt gewordene Charakterisierung gegeben: „Im Mittelalter“, so sagt er, „lagen die beiden Seiten des Bewußtseins — nach der Welt hin und nach dem Inneren des Menschen selbst — wie unter einem gemeinsamen Schleier träumend und halbwach. Der Schleier war gewoben aus Glauben, Kindesbefangenheit und Wahn; durch ihn hindurchgesehen erschienen Welt und Geschichte wundersam gefärbt, der Mensch aber erkannte sich nur als Rasse, Volk, Partei, Korporation, Familie oder sonst in irgendeiner Form des Allgemeinen.“ Man kann es heute schwerlich besser sagen. Das Allgemeine, das ist ein von göttlichen Kräften durchwalteter Kosmos, in dem sich Erde und Himmel, Reich der Welt und Reich Gottes, Diesseits und Jenseits, Ich und Welt tausendfach ineinander verweben, der überschaubare Erdkreis eine große ungeteilte Gemeinschaft, die sich als Gefolgschaft Christi versteht. In diesem Universum hat auch weltliche Herrschaft — wir dürfen vergröbernd sagen: der Staat — seinen bestimmten Ort. Seine Autorität ist gegründet, gehalten und begrenzt in Gottes Gebot. Seine Ordnung, sein Gesetz der natürlichen Vernunft ist Abglanz und Spiegel des alles umfassenden Wesens. Nach den großen Theoretikern des Mittelalters hat Gott zwei Schwerter errichtet, mit denen er die universale Christenheit regiert: sacerdotium und imperium, Kirche und weltliches Regiment. Die Kirche, die eigentliche und wesentliche Gemeinschaft, das Gottesreich auf Erden, regiert er unmittelbar durch seinen Stellvertreter, den Papst. Sie ist das große Licht. Von ihr empfängt die weltliche Herrschaft, das Reich, die Leuchtkraft wie der Mond von der Sonne. In der realen Welt der harten Interessengegensätze hat sich freilich diese ideale Konstruktion selten so harmonisch verwirklicht. Über Investiturstreit, Schisma der Kirche und Reformkonzilien haben die Lebensprinzipien beider Gewalten in blutigen Kämpfen um die gegenseitige Abgrenzung ihrer ineinander liegenden Kreise gerungen: die Kirche um ihre äußere Unabhängigkeit, die Freiheit ihres geistig-religiösen Besitzes und die ständige Erweiterung ihrer Macht, der Staat gegen die Einschränkung seiner Souveränität, die sein Leben bedroht. Die Kirche ist darüber aus der rein geistigen Gemeinschaft zu einer riesigen, zentral geleiteten Rechtsanstalt geworden, die auch materielle Machtmittel und äußere Zwangsgewalt nicht verschmäht und sie mehr und mehr zur Erreichung rein machtpolitischer irdischer Zwecke einsetzt. Die weltliche Obrigkeit auf der andern Seite hat sich der Kirche als ihr weltlicher Arm oft genug zu rein geistigen Aufgaben zur Verfügung gestellt — man denke an die Kreuzzüge, die geistlichen Ritterorden —, sie hat darüber vielfach ihre eigensten Interessen und Pflichten aus dem Auge verloren und in zahllosen Fällen selbst in das innere Kirchenregiment eingegriffen. Trotz des offensichtlichen Auseinanderklaffens bleibt es gerade für den deutschen Raum überaus charakteristisch, daß das Jahrhunderte alte Sinnen über die Reform von Reich und Kirche sich bis tief in das 15. Jahrhundert hinein an der eigenen Geschichte, an dem Eingebettetsein beider Gewalten in den großen, alles umfassenden göttlichen Zusammenhang orientiert. In einer Welt, die ringsumher längst begonnen hat, in Nationen auseinanderzutreten, drängen die Deutschen nicht nach grundsätzlich Neuem, nach Revolution, sondern nach konservativer Restauration, nach Wiederherstellung des bewährten Alten, geschichtlich Bezeugten und angeblich von Gott Gewollten. Selbst da, wo den gemeinen Mann, den Bauern und Stadtbürger, wirtschaftliche und soziale Spannungen, wie er meint, sein gemindertes Recht, zu gewaltsamen Entladungen drängt, bleibt die Idealvorstellung das gute alte Recht, bildhaft gesprochen der gerechte Kaiser, der im weißen Gewande aus dem Berge hervortritt und das Recht aufrichtet. Und ebenso ist in der gleichen Zeit das Übermaß an frommen Übungen nicht korrupt und veräußerlicht, wie eine einseitig übertreibende protestantische Geschichtsschreibung wohl behauptet hat. Aber es findet kein Genüge mehr in einer Kirche, die solches Verlangen über vordergründigen Finanz- und Machtinteressen nicht mehr zu befriedigen vermag. Durch den Blick nach rückwärts erhalten alle deutschen Entscheidungen des späten Mittelalters in einer kraftvoll sich wandelnden Welt etwas Schwebendes, Unentschiedenes, Illusionäres.

Der Bannkreis dieser Einheitsvorstellungen wird an zwei Stellen entscheidend durchbrochen in der Renaissance und in der Reformation: In den italienischen Staaten der Renaissance erscheint zum erstenmal der rein säkulare, sein Gesetz nur aus sich selbst nehmende Machtstaat wahrhaft moderner Prägung. Machiavelli, der Zeitgenosse Martin Luthers, hat sein Wesen beschrieben als naturhaftes, rohes Machtstreben, für das alle kirchlichen und sittlichen Bindungen nicht mehr zu existieren scheinen, kaum daß es noch durch heroische Tugenden gebändigt wird. Auf dem gleichen Boden, auf dem imperium und sacerdotium in Jahrhunderten ihre Kämpfe ausgetragen haben, treten nun, da Universalkirche und Universalreich matt geworden sind, gleichberechtigte, voll entwickelte staatliche Individualitäten zum Kampfe an. Sie bilden miteinander das europäische Staatensystem, das in Spanien, Frankreich, England tief ins Mittelalter zurückreicht. In den Kämpfen um Italien aber tritt es in eine neue Phase ein, die bis zum Beginn unseres Jahrhunderts dauert. Erst von den großen Blockbildungen in West und Ost wird es abgelöst. Das Gleichgewicht der Mächte untereinander, d. h. das Prinzip, das verhindert, daß eine Macht die Vorherrschaft über die anderen gewinnt, ist, wenn auch noch nicht theoretisch formuliert, die Leitidee für das scheinbar regellose Hin und Her der Bündnisse und Machtkombinationen, die rein nach den Bedürfnissen des Augenblicks geschlossen werden. Nicht eigentlich die Völker, also nationale Prinzipien, sind es, die hier zum Kampf antreten, sondern die dynastischen Interessen der Herrscherhäuser, die ihre Auseinandersetzungen als Kabinettskriege mit geworbenen Söldnern ohne innere Anteilnahme der Völker führen. Auch Deutschland ist in diesen Kampf verwickelt. Burgund und Italien sind die Schauplätze dieses Ringens. Aber Deutschland tritt in das Zeitalter nationaler Staaten immer noch unter der Notwendigkeit ein, sein nationales Dasein als das Reich zu verstehen. Karl V. lebt noch ganz in den Überlieferungen des römischen Kaisertums. Wie wenig aber die Wiederherstellung der universalen Idee imstande war, die Welt zu gestalten, hat gerade er auf das schmerzlichste und schließlich resignierend erfahren. Die Gründe dafür liegen nicht allein in dem aufreibenden Gegensatz zu dem Franzosen Franz I., der aus rein weltlichen machtpolitischen Motiven die Umklammerung durch den Habsburger sprengen mußte. Entscheidender für sein Scheitern war der Umstand, daß auch das Haupt der Christenheit als weltlicher Herr des Kirchenstaates dem Gesetz der Staatsräson sich unterwarf und sich dem Zusammenwirken mit dem Kaiser versagte. Er konnte nicht mehr wünschen, daß sein Besitz und die Unabhängigkeit seiner Stellung wieder wie in den Tagen der staufischen Kaiser bedroht wurde. Aus all dem wird deutlich, daß längst vor der Reformation und zum Teil neben ihr aus ganz eigenen spezifischen Gründen in der Tiefe sich eingreifende Wandlungen vollzogen haben, Bestrebungen, die weltliche Gewalt aus der kirchlichen Bevormundung zu lösen und auf das rein natürliche Denken zu gründen, Bestrebungen, die den gewaltigen Bau der hierarchisch geordneten Priesterkirche unterwühlen und erschüttern und die unwahr und morsch gewordene mittelalterliche Einheitskultur zerstören. Zugleich aber ist deutlich, daß gerade Deutschland sich solchen Bestrebungen besonders lange verschlossen hat, weil es sich politisch-religiös als Reich begriff und den universalen Vorstellungen des Mittelalters auch dann noch verhaftet blieb, als sie schon längst kraftlos geworden waren.

Es ist ein Mißverständnis der liberalen Geschichtsbetrachtung des ausgehenden 19. Jahrhunderts, die Reformation als eine Teilerscheinung in diesem großen Prozeß des Weltlichwerdens der abendländischen Kultur zu verstehen. Wer von der Reformation erwartet, hier die freie individualistische Geisteshaltung des modernen Menschen und den von der Kirche emanzipierten Nationalstaat vorgebildet zu finden, muß enttäuscht werden. Die Reformation ist viel eher ein gewaltiger Felsblock, der dieser unaufhaltsamen Entwicklung sich in den Weg stellt. Sosehr sie die Welt verändert hat — wir werden noch davon sprechen —, so wenig ging es ihr darum, der Welt etwas unerhört Neues zu schenken. Viel eher wollte sie alte, urchristliche, aber verschüttete Quellgründe wieder zum Strömen bringen. Die Geschichtswissenschaft, namentlich auch die katholische, hat sich lange mit der Frage nach den Ursachen dieser Erscheinung beschäftigt. Die sogenannten „Vorreformatoren“, angefangen von den Mystikern, John Wicliff in England, Johannes Hus in Böhmen bis Nicolaus von Cues u. a. in Deutschland vermögen nichts zu erklären. Ihrer Reformfreudigkeit kann sich niemand verschließen. Aber keiner von ihnen hat den entscheidenden Schritt getan, mit der hierarchischen Weltordnung und der Kirche als der Verwalterin der Sakramente zu brechen. Auch die von katholischen Forschern nicht mehr geleugnete, oft geschilderte Verderbtheit der Kirche des späten Mittelalters ist bei Licht besehen keine Ursache, viel eher eine Voraussetzung für die Breitenwirkung der Reformation. Auf seiten der Humanisten, des ständischen Reichsregiments, der Landesherren und städtischen Obrigkeiten verzeichnen wir zahllose Kundgebungen, die als Proteste des Laienelements gegen die sinkende Autorität der Kirche verstanden werden müssen und übereinstimmen in der Ablehnung der übernationalen Herrschaft der Kurie und des Klerus. Aber dabei handelt es sich um Reformgedanken einer Oberschicht, die nicht als Wegbereiter der späteren religiösen Umwälzung angesehen werden können. Die Reformation hat nur eine Ursache: die von dem Mönch Martin Luther in der tiefsten einsamsten Not seines Herzens gestellte religiöse, von aller Politik himmelweit entfernte Frage: Wie bekomme ich einen gnädigen Gott?

Täuschen wir uns nicht: Luthers Grunderfahrung im strengsten und weltflüchtigsten Kloster, das er in seinem Umkreis finden konnte, ging um ein Problem, das für den Menschen von heute kaum nachvollziehbar ist. Der Abstand zwischen Gott und Mensch, Gottes unendlicher Heiligkeit und Gerechtigkeit und des Menschen unüberschreitbare Sündhaftigkeit und Ungerechtigkeit ist hier durchlebt und durchlitten worden wie nie zuvor. Die Schulmeinung der via moderna lehrte Luther in der Nachfolge Wilhelm von Occams, Gott als absoluten Willen begreifen, der in unbeschränkter, unberechenbarer, rücksichtsloser Willkür den Menschen zur Seligkeit oder zur Verdammnis bestimmt. Dem Menschengeschöpf bleibt nur, kraft eigenen Willens sein Möglichstes zu tun, um sich dem gerechten Gott anzunähern und für den unüberbrückbaren Rest auf seine Gnade zu bauen. In der Willensschulung der Möncherei hat sich Luther nicht genug tun können, um sich den Himmel zu verdienen. Die Gewißheit des Heils aber, die er suchte, blieb ihm auf diesem Wege versagt. Je tiefer er als Doctor der hl. Schrift in die Bibel eindrang, um so quälender empfand er den unermeßlichen Abgrund zwischen der Majestät des Heiligen und dem Sünder, zwischen Schöpfer und Kreatur, zwischen der Gerechtigkeit Gottes und der von Adam an verderbten und durch nichts über sich selbst hinaus zu steigernden Natur des Menschen. Bis er im Studium der Bibel selbst die Lösung fand: die Gerechtigkeit Gottes ist nicht die vom Menschen zu fordernde Eigenschaft, die er weder durch Anspannung des Willens noch durch gute Werke, noch durch kultische Weihe sich selbst verschafft, sondern die Gerechtigkeit, mit der Gott den Menschen gerecht macht, was geschieht durch das Geschenk des Glaubens.

Diese Erfahrung von der Rechtfertigung allein durch den Glauben ist das Kernstück der Reformation. Was später zu dogmatischer Lehre sich verhärtet hat, ist bei Luther selbst noch ganz durchlebte Wirklichkeit. Er hat sich nie eingebildet, damit etwas gefunden zu haben, was bis dahin in der Welt noch nicht existierte. Auch die Kirche hatte Raum für seine Erfahrung. Aber nicht das war entscheidend, was in den Schriften einiger Kirchenlehrer verborgen war, sondern was in einer dogmatisch unsicher gewordenen Zeit auf dem Markte geschah. Das hatte allerdings mit der neu gewonnenen Freiheit nichts zu tun. Für Luther bedeutete sie das wiedergefundene Evangelium selbst. Es wieder ans Licht und ins Volk zu bringen, ist er ein Leben lang nicht müde geworden. Es geschah nicht in einem ausgewogenen scholastischen System, für die kleine Oberschicht der akademisch Gebildeten oder in selbstgenügsamer Weltflucht in einem stillen Kirchenwinkel, sondern predigend und schreibend in einem ungeheuer breiten Werk, das jeweils von den Gegebenheiten und Nöten des Tages ausging. Wir haben hier nicht zu schildern, wie es zum Zusammenstoß mit der alten Kirche gekommen ist, wie Luther sich in der Auseinandersetzung mit ihr immer tiefer davon überzeugte, daß sie im Irrtum befangen war. Genug, daß vor dem Ernst des persönlichen Ringens die sakramentalen Mittel der Kirche weithin verblaßten, die Persönlichkeit des einzelnen Christen frei wurde, nicht von Glaubenssätzen und Gottes Geboten, aber vom Spruch des Priesters und vom kirchlichen Recht, nicht in eigener Herrlichkeit, aber in eigener Verantwortung.

Was in ihrem Beginn eine stürmische Seele in der ungeheuren Empfindlichkeit ihres Gewissens als Erlösung und Befreiung erfuhr, das trat nun hinaus in die Welt. Sie ist darüber tiefgreifend verwandelt worden. Nicht durch Gewalt oder Organisation. Die Predigt allein sollte sie von innen heraus bis in den letzten Winkel verändern. Dieser totale Anspruch hat Luther die Herzen gewonnen. Aber ihm ist auch die Erfahrung nicht erspart geblieben, daß seine Botschaft mißverstanden wurde. Nicht nur Franz von Sickingen und Ulrich von Hutten, fechtende und schreibende Ritter, glaubten seine innere Freiheit vor ihre Interessen spannen zu können. Auch die Bauern haben in ihrer Weise die Freiheit des Christenmenschen als Freiheit von aller sozialen und ständischen Belastung, als Rückkehr zum alten Recht mißverstanden. Luther hat gewarnt und belehrt, aber dann, als man ihn nicht hören wollte, mit brutaler Rücksichtslosigkeit sich auf die Seite der bedrohten Obrigkeit gestellt. Die Nation hat dadurch ihren Helden verloren. Aber eben das konnte und wollte Luther nicht sein. Er war ganz Prophet, ganz religiöses Genie, sonst nichts. So ist er sich treu geblieben.

Und doch hat sein Werk weltgeschichtlich gewirkt, und zwar in mehr als einer Hinsicht. Was zunächst die organisierten Kirchen, die Frontstellung der neuen gegen die alte und umgekehrt betrifft, so ist gerade hier Luthers Mangel an konstruktiver und organisatorischer Begabung besonders spürbar. Über Notlösungen ist er im Grunde nie hinausgekommen. Es ging ihm ja nicht um Revolution um jeden Preis, um Gründung einer neuen Kirche, sondern um Rückbesinnung auf das von Gott selbst in der hl. Schrift Bezeugte und Gebotene, um Reformation im eigentlichsten Sinn. Die singende und betende Gemeinde der Gleichgesinnten und Gleichgerichteten, die der Welt den protestantischen Choral schenkte, sollte sich ihre Ordnungen und Gesetze selbst geben, bis die ganze Kirche für seine, die evangelische Wahrheit gewonnen war. Noch heute bekennen Katholiken wie Protestanten im Apostolicum „eine hl., allgemeine, christliche Kirche". Erst als diese Erwartung sich nicht erfüllte, die Gemeinden sich als innerlich zu schwach erwiesen, um sich selbst zu behaupten, die alte Kirche die lutherische Häresie ausschied und mit Gewalt zur Rekatholisierung der verlorenen Gebiete schritt, erst da mußte die Reformation, weil die bestellten Diener der Kirche sich versagten, sich an das längst bekannte und geübte Notrecht der weltlichen Obrigkeit wenden und eine evangelische Kirche bauen. Auch die katholische Kirche hat, zwar erst nach Luthers Tode, von der Reformation einen neuen, bis heute noch wirkenden Impuls erfahren, als sie mit der eigenen Reform sich der Reformation entgegenstellte. Sosehr auch die Erneuerungsbewegung des Trienter Konzils und der Gesellschaft Jesu aus eigenen Wurzeln sich nährt, mittelbar ist auch sie eine weltgeschichtliche Folge der Reformation. Gerade die religiösen Motive der ketzerischen Bewegung zwangen die Papstkirche, ihren religiösen Besitz neu zusammenzufassen. Leider ist es nicht beim Kampf der Geister geblieben. Eine noch heute erkennbare Grenzlinie zwischen katholisch und protestantisch läuft seitdem durch Deutschland. Die Reformation und die von ihr ausgelöste Bewegung haben den Anlaß gegeben, daß für mehr als ein Jahrhundert das Verhältnis der Staaten zueinander nicht allein von den realen weltlichen Macht- und Interessengegensätzen, sondern im großen wie im kleinen Kreis von religiösen und schließlich konfessionellen Gegensätzen bestimmt wird. So töricht es wäre, der Reformation eine aktive Schuld am Zeitalter der Glaubenskriege zuzuschreiben, die so verheerend und vergiftend gewirkt haben, so zweifellos liegen Voraussetzungen dazu in dem religiösen Gesetz, das sie aufgerichtet hat.

Vergessen wir nicht, daß der Protestantismus in der Welt nicht allein auf die deutsche Reformation zurückgeht. Die Niederlande, England und Nordamerika sind ihm von dem Franzosen Calvin gewonnen worden, von dem Manne der zweiten Generation, der schon als gesicherten geistigen Besitz vorfand, was der deutsche Reformator erst hatte erkämpfen müssen. Die Grenze der deutschen Reformation wird in der Gegenüberstellung der beiden für den Gesamtprotestantismus so entscheidenden Männer besonders deutlich. Sie entwickelt sich aus ihrem unterschiedlichen Verhältnis zum Staat.

Luther war weder theoretischer Systematiker noch praktischer Politiker. Seine Anschauungen über den Staat — Luther redet von der „Obrigkeit" — bilden kein geschlossenes Ganzes. Weil die Kirche für ihn nicht mehr Heilsanstalt sein konnte, hatte ihre mittelalterliche Überordnung über die weltliche Gewalt auch keine Bedeutung mehr. Mit der päpstlichen Bulle, die ihn in den Kirchenbann tat, verbrannte er die Bücher des kanonischen Rechts. Der Staat war freigesetzt. Zwei Entwicklungslinien gehen von diesem Punkte aus.

Auf der einen Seite hat nach Luthers Vorstellung der Gehorsam, den die Obrigkeit fordert, mit dem, was sie glaubt und lehrt, nichts zu tun. Das Gebot des

Paulus, Röm. 13, „Jedermann sei untertan der Obrigkeit, die Gewalt über ihn hat; denn es ist keine Obrigkeit ohne von Gott" galt für ihn absolut. Er hätte es ebenso formulieren können wie Calvin in seiner Institution: „Daß auch der verworfenste und unwürdigste Mensch, wenn er nur der Träger der öffentlichen Gewalt ist, mit derselben Herrlichkeit bekleidet erscheint und denselben Gehorsam zu beanspruchen hat wie der beste König ... Aber, so fragt man, die Fürsten haben auch ihre Pflichten gegen die Untertanen. Gewiß: wer aber daraus folgert, daß man nur einer gerechten Obrigkeit gehorchen muß, macht einen Fehlschluß. Wenn wir von einem grausamen Fürsten gequält, von einem verschwenderischen ausgeraubt, von einem trägen vernachlässigt, von einem gottlosen um des Glaubens willen verfolgt werden, sollen wir zuerst an unsere Sünden denken, welche der Herr ohne Zweifel mit solchen Geißeln züchtigen will. Dann wird Demut unsere Ungeduld zügeln. Sodann sollen wir uns sagen, daß es nicht unsere Sache ist, solche Übel zu heilen, und daß nichts übrig bleibt, als um die Hilfe des Herrn zu bitten, in dessen Hand die Herzen der Könige sind." In dieser Gedankenwelt ist ein aktives Widerstandsrecht unmöglich. Aufruhr verbietet die Schrift, darum hat Luther, obwohl er mit Ermahnungen an seine Fürsten nicht sparte, 1525 sich gegen die Bauern gestellt, als sie zur Selbsthilfe griffen. Nur mit Mühe haben ihn die Politiker des Schmalkaldischen Bundes, vor allem der Landgraf Philipp von Hessen davon überzeugt, daß der Widerstand der Fürsten gegen den Kaiser, der sie zu überziehen drohte, ihr ständisches positives, verbrieftes Recht sei. Als Theologe wollte Luther für diese Begründung keine Verantwortung übernehmen; die schob er den Juristen zu.

Auf der anderen Seite kann die Obrigkeit auch eine christliche sein. Dann hat sie als Glied der christlichen Gemeinde ein Amt wie Schuster, Schneider und Bauer. Aus Liebe des Nächsten ist es dann ihr Beruf, das Schwert zu führen, um die Bösen zu strafen und das Häuflein der wahren Christen zu schützen. Man erkennt die Unsicherheit, wo der zerstörten alten Welt nicht eine ebenso geschlossene neue entspricht. Darin ist Luther ganz mittelalterlich, daß er der christlichen Obrigkeit auch polizeiliches Aufsichtsrecht über die Kirche zuerkennt. Uneinheitliche Lehre führt zum Aufruhr; ein Land mit zwiespältigem Glauben ist nicht zu regieren. Weil die wahre Kirche, die Gemeinschaft der Heiligen, unsichtbar ist und die sichtbar verfaßte Gemeinde wahre Christen und Scheinchristen umfaßt, deshalb muß weltliche Obrigkeit auch ihren Schutz übernehmen, deshalb deckt sich praktisch kirchliche und politische Gemeinde oder Untertanenverband, deshalb ist die Landesherrschaft auch das Kirchenregiment.

Der Unterschied zwischen Luther und Calvin besteht nicht im System, sondern in ihrer geschichtlichen Situation. Der eine war Untertan eines deutschen Fürsten, der andere Herr eines protestantischen Stadtstaates. In Genf gelang der Aufbau einer Gemeinde von bemerkenswerter Straffheit und Disziplin, weil Calvin neben den Gedanken der Rechtfertigung den von Gottes Ehre stellte, die sich in der öffentlichen Bezeugung manifestiert. Damit hatte er das sittliche Leben seiner

Gemeinde durch Zucht, öffentliche Prüfung und Kontrolle fest in der Hand. Entscheidend ist wohl, daß er größeres Gewicht auf die Prädestination legt, woraus sich eine größere Schätzung der Werke ergibt. Als Verdienste, mit denen man die Rechtfertigung vor Gott erwerben kann, werden sie von beiden verworfen. Für Luther waren die Werke Zeichen und Früchte des Glaubens, für Calvin Zeichen der göttlichen Erwählung.

Der Unterschied zwischen den beiden Reformatoren trat erst in den folgenden Generationen klar zutage. Luther hatte wohl den gewaltsamen Widerstand gegen die Obrigkeit verworfen, aber doch nie auf die offene Kritik an ihr verzichtet. Sein furchtsamerer Freund Melanchthon aber predigte die höhere Weisheit der Obrigkeit. Sie hatte in der Regel die neue Lehre eingeführt, sie schützte sie, ihr gaben die lutherischen Gewissens- und Beichträte ihre Ratschläge. Was gab es da noch, gegen das man als Christ hätte Widerstand leisten oder Kritik führen sollen? Das Bündnis von Thron und Altar wird sichtbar, das für die deutsche Entwicklung bis in das 19. Jahrhundert hinein so folgenschwer geworden ist. Innere Widerstände gab es für das lutherische Landesfürstentum am Ende der Reformation keine mehr: Bauern und Städte waren besiegt. Die Stände hatten in der Regel bereits bei der Einführung der neuen Lehre mitgewirkt. Der Feind stand immer nur draußen, auf der katholischen Seite, beim Kaiser oder beim Papst und ihren Hilfstruppen. So ist Luthers Verkündigung in Deutschland unter dem Schutz des Landesfürstentums weithin eine Ethik des Gehorsams geworden, die sich aus der öffentlichen Verantwortung zurückzog in die private Religion des Herzens und des stillen Kämmerleins.

Ganz anders in Westeuropa. Die Genfer Reformation war eine Religion von internationalen Emigranten, die um ihres Glaubens willen aus ihren Vaterländern vertrieben worden waren, aber zurückstrebten, um auch die Heimat für die neue Botschaft zu gewinnen. Dabei traf sie in Frankreich und Schottland auf die katholische Monarchie, in England auf den Anglikanismus, in jedem Falle in nationalen Staaten auf absolutistische Regierungsformen, die in leidenschaftlichem Kampfe mit ihren Ständen lagen. Hier nun, wo die ständische Bewegung gegen die absolute Monarchie immer zugleich ein Kampf gegen Katholizismus oder Anglikanismus war, hat das Pathos der religiösen Freiheit, das aus der Reformation stammt, das Pathos der politischen ständischen Freiheit beflügelt. Ja, religiöse Freiheit wurde mit der politischen Freiheit identisch. Auf dem Wege nach den nordamerikanischen Kolonien haben sich aus der Freiheit der Gewissen die politisch-moralischen Menschenrechte entwickelt, die in verweltlichter Gestalt in das Frankreich der großen Revolution zurückgekehrt sind und von dort ihren Siegeszug über die Welt angetreten haben. An den Wurzeln liegt es, wenn im Westen der Anspruch der religiösen Freiheit immer zugleich eine öffentliche Verantwortung bedeutet, wenn im Westen bis auf den heutigen Tag Freiheit, Demokratie immer auch ein religiöses Pathos besitzt, das ihnen in Deutschland fehlt, wenn im Westen bis auf den heutigen Tag der Gedanke des Kreuzzuges christlicher Soldaten gegen die Feinde der Freiheit und der Demokratie eine Realität ist. Auch das ist eine weltgeschichtliche Folge der Reformation. Darum geht sie uns alle an. Gerade die Ergebnisse der katholischen reformationsgeschichtlichen Forschung aus den letzten Jahren berechtigen zu der Hoffnung, daß die Tage des Hasses der Konfessionen gegeneinander vorüber sind und wir uns einigen können in ihrem geschichtlichen Verständnis, ohne unserem Gewissen etwas zu vergeben.

9.

Willibald Pirckheimer

1.

Das Urteil der Historiker über Willibald Pirckheimer ist einmütig: er gilt als eine der bedeutendsten Gestalten des europäischen Humanismus. Wer aus Anlaß des 500. Geburtstages es unternimmt, die besondere Artung dieses Mannes kritisch zu überprüfen und das neu gewonnene Bild mit Fragestellungen in Verbindung zu bringen, die die neuere Forschung über die Nürnberger Stadtgeschichte, die Kirchen-, Geistes-, Sozial- und Wirtschaftsgeschichte um die Wende zwischen dem 15. und 16. Jahrhundert aufgeworfen hat, sieht sich der befremdlichen Tatsache gegenüber, daß dafür wichtige Voraussetzungen fehlen.*

Was Pirckheimers Urenkel Hans Imhoff in seinem „Tugendbüchlein" von 1606 seinen Söhnen zur Nachahmung vom Leben des Ahnherrn in volkstümlicher Form erzählt hat, fußend auf dessen kurzer, lateinisch geschriebener Selbstbiographie, vermag heute ebensowenig zu befriedigen wie das, was die Nürnberger aus Liebe zu ihrer Vergangenheit an nicht immer gesicherten Zügen in das Lebensbild ihres bedeutenden Sohnes eingezeichnet haben. Schlimmer ist, daß ein beträchtlicher Teil der unmittelbaren Quellen zu Pirckheimers Lebensgeschichte sich dem Zugriff entzieht.

Was er als langjähriges Mitglied des Nürnberger Rates an Schriftstücken, Gutachten und Briefen zu den Problemen des Tages geliefert hat, ist nur insoweit erhalten, als das Stadtregiment es als seine eigenen Meinungsäußerungen weitergegeben hat. Zum überwiegenden Teil müssen diese Schriftsätze als verloren gelten. Wir sind außerstande, wie es jüngst Heinrich Lutz für Conrad Peutinger von Augsburg getan hat [1], Pirckheimers Wirksamkeit als Politiker bis ins einzelne nachzuzeichnen. Zum Glück liegt hier nicht die Mitte seines Lebenswerkes. Seine persönliche Korrespondenz, die die tiefsten und unmittelbarsten Einblicke in seine Wesensart gestattet, wird nach vielen Irrfahrten — von versprengten Stükken abgesehen — in der Nürnberger Stadtbibliothek aufbewahrt, ist aber in einer

* Vortrag aus Anlaß des „Dürer-Jahres 1971" im Rahmen einer gemeinsam vom Bildungszentrum der Stadt Nürnberg und dem Verein für Geschichte der Stadt Nürnberg veranstalteten Vortragsreihe.

1 *H. Lutz:* C. Peutinger. Beiträge zu einer politischen Biographie (1958).

erschöpfend kommentierten wissenschaftlichen Ausgabe in mehr als 50 Jahren nur bis 1515 gediehen [2]. Für Pirckheimers letzte 15 Lebensjahre, die wichtigsten, bleiben wir wahrscheinlich noch lange im Ungewissen.

Was er selbst von seinen Schriften hat drucken lassen, hat nach fünf Jahrhunderten äußersten Seltenheitswert. Die 1610 im Auftrage der Erben seines Nachlasses veranstaltete Ausgabe von gedruckten und ungedruckten Traktaten [3] ist so barbarisch willkürlich zurechtgeschnitten, hat alles angeblich Anstößige und nur Persönliche so unwiederbringlich vernichtet und ist in dem Wiedergegebenen so nachlässig und fehlerhaft gearbeitet, daß die Sammlung nur begrenzten Ansprüchen gerecht werden kann.

Pirckheimers selbständige literarischen Schöpfungen machen unter seinen Arbeiten nur die Minderzahl aus; die meisten sind lateinische Übersetzungen aus dem Griechischen. Ein Teil der Manuskripte, heute im Britischen Museum aufbewahrt, ist nie veröffentlicht worden, die Zahl ihrer wirklichen Kenner daher klein. Rechnet man noch hinzu, daß Pirckheimers gesamtes literarisches Opus, das gedruckte wie das ungedruckte, an keiner Stelle erschöpfend verzeichnet ist, so ergibt sich für die Forschung ein beachtlicher Nachholbedarf, bis man sich mit Pirckheimer so wird vertraut machen können, wie es mit Erasmus von Rotterdam und Ulrich von Hutten der Fall ist. Unter diesen Voraussetzungen behält einstweilen jeder Versuch, Lebensgang und Lebensleistung des Nürnberger Humanisten darzustellen, den Charakter des Vorläufigen [4].

2.

Die Pirckheimer gehören nicht, wie Willibald selbst meinte, zu den ältesten patrizischen Familien in Nürnberg [5]. Der erste Pirckheimer, von dem wir sichere Kunde haben, wurde 1359 in das Nürnberger Bürgerbuch eingetragen. Ob die Familie im mittelfränkischen Birkach bei Langenzenn oder in Lauingen an der Donau im bayerischen Schwaben ihren Ursprung hat, ist mit Sicherheit nicht

2 *W. Pirckheimers* Briefwechsel, hg. v. *E. Reicke,* 2 Bde., Veröffentlichungen d. Kom. z. Erforschung d. Geschichte d. Reformation u. Gegenreformation, Humanistenbriefe IV. V. (1940—56).

3 *Pirckheimeri* Opera, ed. *M. Goldast Haiminsfeldius.* (Frankfurt 1665).

4 Besonders verpflichtet bin ich *E. Reicke:* W. P. Leben, Familie u. Persönlichkeit. Deutsche Volkheit [o. J. = 1930]; *H. Rupprich:* W. P. u. die erste Reise Dürers nach Italien (1930); *C. J. Burckhardt:* W. P., akad. Vortrag 1937. In: Gestalten u. Mächte (1937) S. 47 ff.; *H. Rupprich:* W. P. Beiträge zu einer Wesenserfassung. In: Schweiz. Beitr. z. allgem. Gesch. 15 (1957) S. 64 ff.

5 *A. Reimann:* Die älteren Pirckheimer, hg. v. *H. Rupprich* (1944).

mehr auszumachen [6]. Als Hans Pirckheimer († 1375) Nürnberger Bürger wurde, war er ein vermögender Mann. Die Pirckheimer-Gesellschaft, ein Zusammenschluß von Kaufleuten verschiedener Familien, gehörte, solange die Augsburger den Nürnberger Handel noch nicht überflügelt hatten, zu den bedeutendsten Handelshäusern in Mitteleuropa [7]. Der Fernhandel dieser Gesellschaft vornehmlich mit Gewürzen, Seidengeweben, Brokatstoffen und Edelmetallen für die Münze in Venedig reichte von Böhmen bis Brabant, von den Schweizer Alpenpässen bis in die Sudeten- und Karpatenländer, von Venedig bis Lübeck und Schweden. Hans Pirckheimers Sohn, gleichfalls Hans mit Namen, öffnete sich nicht so sehr durch sein Vermögen, sondern vor allem durch seine Heirat mit der Tochter des Ratsherrn Hans Teufel, seines Teilhabers, den Weg in den Inneren Rat der Reichsstadt. Der Besitz an Gütern und Firmenanteilen, den er seinen Söhnen hinterließ, rechnete zu den vier größten Vermögen, die zu Beginn des 15. Jahrhunderts in Nürnberg verzeichnet wurden, und wurde im gleichzeitigen Deutschland nur von wenigen übertroffen.

Die weltweiten Handelsbeziehungen der Pirckheimer und anderer Nürnberger Familien haben das Ihre dazu beigetragen, anfangs gegen erheblichen Widerstand der konservativen Elemente, die spätmittelalterliche Stadt nach und nach mit vielfältigen geistigen Anregungen zu erfüllen. In der sozialen Oberschicht wirkten sie sich als großzügiges Mäzenatentum für Künste und Wissenschaften aus und erschlossen zugleich einem beachtlichen Teil auch der gewerbefleißigen Bürgerschaft Horizonte, die weit über Nürnbergs Mauern hinauswiesen. Willibald Pirckheimer steht mitten in diesem Strom. Als unmittelbarem Nutznießer des von seinen Vorfahren überkommenen, gepflegten und gemehrten Reichtums flossen ihm, abgesehen von seinem festgelegten Besitz an Barschaft und Kostbarkeiten, aus liegenden Gütern — davon allein 60 Eigenhäuser in der Stadt — und aus dem Kapital, mit dem er sich am Handel der Brüder Pfinzing und der Imhoff beteiligte, regelmäßige Einnahmen von jährlich 720 fl. zu. Diese Summe allein hätte ausgereicht, sein Ansehen als reicher Mann zu begründen. Sie gestattete ihm eine höchst individuelle Lebensführung. Dieser Reichtum ist um so bemerkenswerter, als infolge des Umschwungs der weltwirtschaftlichen Konjunktur und des Niedergangs der Edelmetallgewinnung in den Karpatenländern die Vorrangstellung der Pirckheimer-Gesellschaft bereits in der ersten Hälfte des 15. Jahrhunderts zu Ende ging und kein Pirckheimer gegen Ende des Jahrhunderts mehr aktiv als Unternehmer tätig war. Willibald betrachtete den ihm zugefal-

6 *W. Kraft:* Woher stammt das Geschlecht der Pirckheimer? In: Altnürnberger Landschaft, Mitt. 6 (1957) S. 37 ff.; *W. v. Stromer:* Zum ersten Auftreten der Pirckheimer in Nürnberg, ebd. S. 82 ff.

7 *W. v. Stromer:* Die wirtschaftliche Umwelt Will. Pirckheimers. In: W. P. 1470/1970. Dokumente, Studien, Perspektiven (1970) S. 84 ff.

lenen Besitz und angemessenen Lebensstil als Naturgegebenheit und machte selbst, indem er ihn genoß, davon nicht viel Aufhebens.

Vielmehr tat er sich etwas darauf zugute, daß längst vor ihm seine Familie Freunde der gelehrten und besonders der humanistischen Studien hervorgebracht hatte. In Italien erlebte die Renaissance der Antike ihre erste Blüte und gelangte erst mit Verzögerung nach Deutschland. Die wirtschaftlichen Verbindungen der freien Reichsstadt Nürnberg nach dem Süden waren gewiß maßgebend daran beteiligt, wenn an die Stelle von Leipzig, wo die gelehrten Nürnberger bisher ihre Bildung erworben hatten, die italienischen Universitäten traten. Sie besaßen nicht allein die bedeutendsten Interpreten des römischen und kanonischen Rechts, das immer dringlicher für die Bewältigung der Wirklichkeit in Kaufmannschaft und obrigkeitlicher Verwaltung gebraucht wurde, sondern auch die Pflanzstätten der von der scholastischen Tradition abweichenden neuen Studien, und mancher, der an den hohen Schulen Italiens nur ein tüchtiger Jurist hatte werden wollen, zog tief von dem neuen Geist angerührt nach Hause.

Zu den ersten Schrittmachern der neuen Bildung, die Willibald Pirckheimer in eigener Person in seiner Familie kennen lernte, rechnete er seinen Großvater Hans Pirckheimer. Wie auch dessen Brüder Franz und Thomas war Hans in jungen Jahren zum Studium gezogen. Selbst die Großtante Katharina, die Willibald noch als Knabe erlebte, rühmt er in seiner Selbstbiographie als gelehrte Unterweiserin seiner Schwester Charitas und als Zierde der Familie. Hans Pirckheimer war zunächst in Köln immatrikuliert. Heimgekehrt widmete er sich dem Kaufmannsberuf. Als er 1447 seine erste Frau, die Tochter des Losungers Karl Holzschuher, verlor, trieb es ihn nach Perugia, Bologna und Padua zu juristischen und nun auch humanistischen Studien. 1453 gelangte er in den Nürnberger Inneren Rat, zu dieser Zeit unter den führenden Patriziern mit Sicherheit nicht der einzige, der den neuen artes liberales anhing. Seine oratorische Ausbildung prädestinierte ihn im Dienste der Stadt für diplomatische Missionen. Reizbar und herrisch wie alle seine Nachkommen, überwarf er sich mit einem Teil seiner Amtsgenossen, wurde sogar zwei Monate lang in einen der Nürnberger Türme gesperrt, rehabilitiert, aber 1469—76 in das einflußreiche Amt eines Alten Bürgermeisters gewählt. Nach seinem Ausscheiden aus allen städtischen Ämtern lebte er bis zu seinem Tode 1492 zurückgezogen, nur noch mit seinen Studien beschäftigt, in seinem Hause am Nürnberger Markt. Ein Teil seiner Kolleghefte, Handschriften und Bücher hat sich erhalten, aus denen sein Bildungsweg sich rekonstruieren läßt. Aus den Randglossen seiner Inkunabeln und den eigenhändig abgeschriebenen und kommentierten Codizes läßt sich erkennen, daß neben der lateinischen und der ins Lateinische übersetzten griechischen Dichtung namentlich ethische Probleme ihn beschäftigten. Die den Alten gestellten Fragen und die aus ihnen kompilierten Antworten zeigen, wie weit unter den scholastischen Schemata die kirchlichen Autoritäten bei Hans Pirckheimer bereits zurückgedrängt und durch die Weisheit der Antike ersetzt waren. Arnold Reimann, der einzige

Kenner dieser vielschichtigen und auch krausen Hinterlassenschaft, rückt diesen Pirckheimer „in die vorderste Reihe der deutschen Frühhumanisten“ [8].

Es ist nicht verwunderlich, daß er seinen Sohn Hans, Willibalds Vater, ebenfalls zum Studium nach Italien schickte. In Padua war er — sicher ein Beweis für seine Gelehrsamkeit — zeitweilig juristischer Lektor und von der deutschen Nation gewählter Consiliarius der Juristenfakultät. 1465, nach sieben Studienjahren, erwarb er in Padua die juristische Doktorwürde. Er hat sicher gewußt, daß er mit dieser wissenschaftlichen Auszeichnung sich den Eintritt ins Nürnberger Ratskollegium versperrte. Die Nürnberger huldigten dem Grundsatz „nemo doctor in consilio“. Für eine Reichsstadt, die keine andere Obrigkeit über sich anerkannte als die des Kaisers, ist eine solche Richtschnur bei der wachsenden Bedeutung des römischen Rechts schwer verständlich. Auf gelehrte Konsulenten waren die städtischen Entscheidungsgremien Tag für Tag angewiesen. Sie sollten aber nach ihrem Willen außerhalb des Rates bleiben. Das sieht zwar nach Bildungsfeindlichkeit aus, erklärt sich aber aus den besonderen Verhältnissen der patrizischen Oligarchie. Im Unterschied zu anderen vergleichbaren Städten hatte Nürnberg seit der Mitte des 14. Jahrhunderts keine Zunft- und Handwerkerkämpfe erlebt. Die patrizische Oberschicht hielt das Heft fest in der Hand. Wer in Nürnberg Ratsherr werden wollte, mußte zahlreiche Vorbedingungen erfüllen, zu den ratsständischen Familien gehören, was evtl. durch Einheirat möglich war, auf Grund von Vermögen und Besitz an liegenden Gütern mit zahlreichen Abhängigen ein halbadliges Leben führen können, Tüchtigkeit in Kaufmannschaft oder Unternehmertum und tunlichst schon durch Generationen in der Familie Leistungen für das allgemeine Beste bewiesen haben. Um die Gleichheit der Machtchancen in dieser, gegenüber der übrigen Bevölkerung genau abgegrenzten Oberschicht zu erhalten, paßte in den Katalog ratsfähiger Tugenden keine akademische Graduierung.

Es gab einen weiteren, mehr persönlichen Grund, der Hans Pirckheimer den Nürnberger Rat zunächst meiden ließ: seine Ehe mit der 18jährigen, schönen und reichen Barbara Löffelholz. Es wirft nicht gerade ein günstiges Licht auf die Sittsamkeit der reichen Nürnberger Bürgertöchter, wenn 1465 Sigmund Stromer von der Rosen aus einem der ältesten Nürnberger Patriziergeschlechter wegen eines gebrochenen Eheversprechens vor dem Gericht des Domdechanten in Bamberg gegen die Braut klagte. Man kann sich vorstellen, zu wieviel Klatsch und Spottlust dieser mit Klagen, Verteidigungen und Gutachten sehr offenherzig verhandelte Prozeß Anlaß gab, auch nachdem das geistliche Gericht zugunsten des Pirckheimer-Löffelholzschen Ehebündnisses entschieden hatte.

Hans Pirckheimer litt es jedenfalls nicht länger in der Stadt. Gleich nach der Hochzeit wurde er bei seinem Studienfreund, dem Bischof Wilhelm von Rei-

8 *Reimann* S. 120.

chenau in Eichstätt, bischöflicher Rat. Die bescheidene Residenz beherbergte einen kleinen Kreis von Humanisten, die sich besonders mit juristischen Studien befaßten. Hans Pirckheimer war bei ihnen zunächst in seinem Element. Die anfangs so gefährdete Ehe scheint nach erhaltenen, etwas hölzernen lateinischen Epigrammen des Eheherrn glücklich gewesen zu sein. Frau Barbara gebar 12 Kinder, drei Söhne und neun Töchter, von denen zwei Söhne früh starben und acht Töchter, darunter auch die älteste Charitas, schon in sehr jungen Jahren ins Kloster gingen. Am 5. Dezember 1470 kam nach drei voraufgegangenen Schwestern Willibald Pirckheimer zur Welt. Bischof Wilhelm von Eichstätt hob ihn aus der Taufe und gab ihm den Namen des Schutzpatrons des Eichstätter Bistums. 1475 trat Hans Pirckheimer in die Dienste des Herzogs Albrecht IV. von Bayern und siedelte, da ihm der Herzog das Doppelte der bisherigen Besoldung anbot, mit der Familie nach München über. Drei Jahre später wurde er wegen seiner prudentia und sapientia zusätzlich auch noch Rat des mit Herzog Albrecht eng befreundeten Grafen Sigmund von Tirol, so daß Hans Pirckheimer von nun an die eine Hälfte des Jahres in München, die andere in Innsbruck zubringen mußte. 1488 — Willibald war 18 Jahre alt — starb seine Mutter. Der Vater hatte bereits 1484 aus der Ferne mit Hilfe seiner eichstättischen Freunde an der neuen Kodifizierung des Nürnberger Zivilrechts, der sogenannten „Reformation", mitgewirkt. Einsam geworden und vielleicht auch des Hofdienstes überdrüssig, verlegte er nach dem Tode seiner Frau den Wohnsitz wieder nach Nürnberg und war als freier Rechtskonsulent im Dienste der Vaterstadt tätig.

Wie stark ihn sein Leben lang die humanistischen Studien beschäftigten, bezeugt seine im 17. Jahrhundert ins Britische Museum gelangte Bibliothek. Ihr umfangreichster juristischer Teil hat an Größe wohl bei keinem seiner Zeitgenossen ihresgleichen. Mit ungeheuerer Arbeitskraft und großer Energie eignete sich Hans Pirckheimer diesen Schatz an, wie die eigenhändig angelegten Glossen, Noten, Verweise, Übersichten, Register und Sammelschriften ausweisen. In seinen Mußestunden traktierte er vergleichend, korrigierend, ergänzend die Dichter der alten und neueren Zeit und verschmähte neben Astrologie, Naturwissenschaften und Medizin auch nicht die deutschen Geschichtsschreiber bis herauf zu Einhard und Otto von Freising. Den tiefsten Einblick in seine Wesensart vermitteln seine ethischen Interessen, das Verlangen, nach den Alten das eigene Tun auszurichten. Je älter er wurde, um so mehr grübelte er über Marsilius Ficinus, den Neuplatoniker der Florentiner Akademie, dem es darum ging, Gedanke und Wirklichkeit, soweit sie überhaupt erkennbar war, in ein großes umspannendes Gedankengebäude zusammenzufassen. Das alles hat den Grübler Hans Pirckheimer indessen nicht von der Kirche und dem traditionellen Glauben getrennt. Als alter Mann trat er, wie es zu seinen Zeiten öfter geschah, in das Nürnberger Franziskanerkloster ein, das er wie schon sein Vater immer wieder gefördert hatte. Die Sicherheit seines Seelenheiles war ihm offenbar diesen Preis wert. Noch der Sohn, dem er alle Sorgen für die wirtschaftlichen Interessen der Familie überließ, mußte bösen Nachreden entgegentreten, Hans Pirckheimer habe die Zuflucht ins Mönchtum nur gewählt, um sich der Strafe für allerlei verborgene Verfehlungen zu entziehen. Bei den Barfüßern ist er 1501 gestorben und im Augustinerkloster begraben worden [9].

Zieht man eine Bilanz in bezug auf das, was Willibald Pirckheimer von Eltern und Vorfahren mitbekommen hat, so erscheinen unter dem Strich: Sorglosigkeit der äußeren Lebensgestaltung, Zugehörigkeit zur Nürnberger Oberschicht, reizbares Naturell, vor allem aber das zu einem bestimmenden Wesenszug gewordene Interesse für alle Sparten der von humanistischem Geist geprägten wissenschaftlichen und literarischen Studien.

3.

Von der Kinderstube Willibald Pirckheimers haben wir keine Nachrichten. Aus seiner Lebensbeschreibung wissen wir nur, daß der Vater zu seinen Lebzeiten die für alle wichtigen Entscheidungen bestimmende autoritäre Figur war. Trotz notorischer schwerer Verträglichkeit im Umgang mit Menschen bei Vater und Sohn scheint es nie zu einem Konflikt gekommen zu sein. Dem einzigen, ihm verbliebenen Sohn schenkte Hans Pirckheimer offenbar besondere Zuneigung. Er leitete selbst seinen Unterricht. Um ihm die Welt zu zeigen, nahm er ihn, sobald er im Sattel sitzen konnte, auf seine dienstlichen Reisen mit nach Tirol, der Schweiz, den Niederlanden, wahrscheinlich auch nach Italien und hörte auch unterwegs nicht auf, ihm solide Kenntnisse im Latein beizubringen. Im Alter von 16 Jahren wurde der junge Pirckheimer zur höfischen Erziehung nach Eichstätt gegeben. Er tat sich schnell in allen ritterlichen Übungen wie Ringen, Werfen, Laufen, besonders im Pferdesprung hervor und nahm als Soldat im Dienste des Bischofs an Auseinandersetzungen mit aufsässigen Nachbarn mit Auszeichnung teil. Die zwei Jahre rittermäßigen Lebens, etwas völlig Exzeptionelles für einen Nürnberger Bürgersohn, gefielen dem jungen Pirckheimer so sehr, daß er, wäre es nach seinem Willen gegangen, am liebsten Soldat geblieben wäre und im Kriege Maximilians gegen Franz I. von Frankreich auf der Seite des Kaisers Dienste genommen hätte.

Das aber entsprach nicht den Vorstellungen des Vaters. Mit 18 Jahren schickte er den Sohn zum Studium nach Padua. Trotz anfänglichen Widerstrebens fühlte sich Willibald bald schon sehr viel mehr als von der trockenen Juristerei vom humanistischen Geist angesprochen. Er lernte die im Mittelalter vernachlässigten oder vergessenen lateinischen Klassiker schätzen, vervollkommnete seinen lateinischen Stil, lernte gut und rasch Griechisch und verstand sich auf Orgelspiel und Lauteschlagen. Seinen Umgang suchte er statt bei den in Padua zahlreich vertre-

9 *Reicke,* Brw. I S. 71 f.

tenen, gern zechenden, spielenden und raufenden Landsleuten lieber bei den nach feineren Sitten und regerer Bildung strebenden aristokratischen Italienern. Studium des Platon und des Aristoteles, Neigungen zur Stoa, zu neuplatonischer Mystik und heidnischer averroistischer Philosophie konnte seine traditionelle kirchliche Frömmigkeit nicht wanken machen. Wie im Rausch scheint sich Pirckheimer diesen neuen, z. T. sich gegenseitig ausschließenden Gedanken hingegeben zu haben. Erst sein späteres Leben sollte zeigen, daß sie doch auch Spuren in seinem Denken hinterlassen haben. Bei allem Verständnis für die Studia humanitatis mahnte der Vater schließlich, die Allotria nicht zu einseitig zu betreiben; er wollte schließlich einen tüchtigen Juristen aus dem Sohn machen. Die Mahnung bewirkte auf der Stelle die Übersiedlung nach Pavia, der Universität der Herzöge von Mailand. An ihrem geistreichen Hof schloß Willibald ein paar Freundschaften, die sein Leben lang gehalten haben. Für vier Jahre widmete er sich in der Hauptsache dem Studium der Rechte. Als Karl VIII. von Frankreich im Herbst 1494 in Oberitalien einbrach, Pavia, Florenz [10] und Rom besetzte, scheint der Studiosus zu Beginn des folgenden Jahres für wenige Monate die ewige Stadt besucht zu haben [11].

Über Pirckheimers Studienzeit in Italien besitzen wir nur einige wenige schriftliche Zeugnisse. Die Geisteswelt, in die er hier eintrat, läßt sich im Wesentlichen nur aus den Schriften seiner Lehrer erschließen. Dennoch kann kein Zweifel sein, daß diese Jahre seine Persönlichkeit entscheidend geformt haben. Während dieser Zeit ist er dem ästhetischen Individualismus und der Lebenskultur der Renaissance nicht nur äußerlich begegnet, er hat sie vielmehr in sich aufgenommen und damit unverlierbar etwas gefestigt, was sein Elternhaus ihm in ersten Ansätzen nahegebracht hatte. In engstem Zusammenhang damit steht die formale rhetorische und literarische, auch die juristische Bildung, die ihm bei der gesellschaftlichen Stellung seiner Familie einen schnellen Aufstieg in der Führungsschicht seiner Vaterstadt möglich machen sollte.

1495 — sieben Studienjahre waren inzwischen verstrichen — rief Hans Pirckheimer den Sohn nach Hause zurück. Es scheint dem jungen Pirckheimer nicht leicht gefallen zu sein, sich aus der lieb gewordenen italienischen Welt zu lösen. Am liebsten hätte er das Studium mit dem Doctor utriusque abgeschlossen, um dann als Rat und Diplomat in kaiserliche Dienste zu treten. Der Vater aber wollte, nachdem er in Nürnberg wieder zu Ehren gekommen war, einen Ratsherrn aus ihm machen. Dafür wäre der Doctor iuris nur ein Hindernis gewesen. Da außerdem Junggesellen im Nürnberger Rat nicht geduldet wurden — man

10 Vgl. P.'s Schilderung im Brief an den Vater, *Reicke,* Brw. I Nr. 3.

11 Die Frage, ob Dürer ihn dabei begleitete, ist strittig, vgl. *H. Rupprich,* W. P. u. die erste Reise A. Dürers S. 41 ff. und die Besprechung von *E. Reicke.* In: Mitt. Ver. f. Gesch. d. Stadt Nürnberg 30 (1930) S. 385 ff.

traute ihnen offenbar nicht genug Lebenserfahrung zu — mußte Willibald Pirckheimer so bald wie möglich verheiratet werden. Auch hier hatte der Vater seine Hand im Spiel. Wenige Wochen nach seiner Rückkehr ehelichte Willibald die vornehme und reiche Crescentia Rieter aus einer Nürnberger Patrizierfamilie, die im 18. Jahrhundert ausgestorben ist. In seiner kurzen lateinischen Lebensbeschreibung, in der er von sich selbst in der dritten Person spricht, hat Pirckheimer nicht verschwiegen, daß er seine Ehe gezwungen geschlossen habe. Geliebt hat er offenbar seine Ehefrau nicht. In Pavia ließ er eine Buhle zurück, die dort unter den begüterten Studenten und Adligen von Hand zu Hand ging und sich gern den kostbaren deutschen Vogel für die Dauer eingefangen hätte[12]. Ein bißchen Herz scheint er hinter sich gelassen zu haben, als er nach Hause aufbrach. Italienischen Boden hat er nie wieder betreten.

Die Verbindung mit einem der längst ratssässigen Nürnberger Geschlechter hatte auf der Stelle die gewünschte Wirkung. Schon 1496 — nach einem knappen halben Jahr — wählte man den eben Vermählten als Jungen Bürgermeister in den Inneren Rat. Ihm wurde auch die Protokollführung der Ratssitzungen anvertraut, die so gut wie täglich, sogar an Feiertagen stattfanden und meist mehrere Stunden dauerten. Seine profunden Rechtskenntnisse scheinen ihm schnell allgemeines Ansehen erworben zu haben. Sie machten ihn zusammen mit den Nebenprodukten seiner humanistischen Erziehung, Beherrschung der guten Formen und der Eloquenz, besonders geeignet, als Gesandter auf Tagsatzungen die Stadt zu vertreten, wo es vornehmlich auf diplomatisches Geschick im Zusammenwirken mit anderen Nürnberger Räten ankam, die schon um der städtischen Reputation willen stets zu mehreren aufzutreten pflegten.

Diese Fähigkeit, weniger die gewiß bescheidenen Kriegskünste, die er sich in eichstättischen Diensten angeeignet hatte, dürfte auch den Ausschlag dafür gegeben haben, daß Pirckheimer 1499 zum Hauptmann eines kleinen Kontingentes von Reisigen und Landsknechten, Feldschlangen und Rüstwagen ernannt wurde, das Nürnberg dem Kaiser Maximilian in seinem Krieg mit den Schweizer Eidgenossen zuzuführen hatte. Wir besitzen aus Pirckheimers Feder eine eingehende Schilderung des Schweizer- oder Schwabenkrieges, sowohl der Vorgeschichte wie der persönlichen Erlebnisse des Verfassers. Dies „bellum Suitense“ stammt zwar aus Pirckheimers letzten Lebensjahren und ist erst 80 Jahre nach seinem Tode gedruckt worden[13]. Trotz des zeitlichen Abstandes von den Ereignissen hat die kleine Schrift ihre Stelle in der Geschichtsschreibung des 16. Jahrhunderts, weil sie aus eigener Anschauung sonst nicht bezeugte Nachrichten über eine Auseinandersetzung enthält, die die Schweiz für dauernd aus dem deutschen Reichsverband hinausführte. Die größeren politischen Zusammenhänge sind in-

12 *Reicke,* Brw. I Nr. 4.

13 *K. Rück:* W. P.'s Schweizerkrieg mit Pirckheimers Autobiographie (1885).

dessen gar nicht angesprochen. Pirckheimer hat weder an einer offenen Feldschlacht noch an einem größeren Treffen teilgenommen. Aber was vor Augen war, die Grausamkeit des Krieges sowohl bei den Landsknechten, die ihn führten, wie bei der Bevölkerung, die ihn bei Verlust von Hab und Gut erduldete, ist ihm lebhaft in Erinnerung geblieben.

Pirckheimers vielfältige Fähigkeiten haben ihn auf sehr weit auseinanderliegenden Feldern für die Stadt Nürnberg tätig werden lassen: in der hohen Verwaltung, bei den Finanzen, in der Praxis der Steuererhebung, bei der Rechtsprechung, der Schulpflege, beim Verlags- und Bibliothekswesen, ganz besonders aber bei den unaufhörlichen, fast täglichen Querelen mit unleidigen Nachbarn. Seit Jahrzehnten lag Nürnberg im Streit mit dem Markgrafen von Brandenburg über Hoheitsrechte, Zölle, Ausfuhr- und Durchgangsverbote. Von Ansbach, Kulmbach, Bayreuth und Schwabach her drangsalierten sie die Nürnberger „Pfeffersäcke", allzu oft auch im offenen oder geheimen Bunde mit dem ungebärdigen und aufsässigen fränkischen Adel, der mit seinen räuberischen Überfällen auf die Nürnberger Warenzüge sein Daseinsrecht in einer Zeit behauptete, die bereits über ihn hinweggeschritten war. Als es 1502 Pirckheimer nicht gelang, den bis unter die Stadtmauern den fliehenden Nürnbergern folgenden Ansbacher mit einem Ersatzkontingent zur Umkehr zu zwingen — das besorgte besser das Geschütz auf Türmen und Mauern — wurde er zum Sündenbock für die Schlappe. Tagelang durfte er sich nicht auf den Straßen blicken lassen, um nicht offenen Beleidigungen oder Gewalttaten ausgesetzt zu sein.

Sein städtisches Amt war ihm schon vorher verleidet. Zu Ostern 1502 schied er aus dem Rat aus mit der Begründung, seit dem Tode des Vaters müsse er sich mehr um die Verwaltung seines Vermögens kümmern. In Wirklichkeit hatte er sich aus Gründen, die wir nicht kennen, die Feindschaft des vordersten Losungers Paulus Volckamer zugezogen. 1504 verlor er nach 8½ Ehejahren seine Frau bei der Geburt ihres siebten Kindes, nach lauter Mädchen des ersten Knaben, der mit ihr starb. Eine seltsame Unruhe und Ziellosigkeit muß Pirckheimer in diesen Jahren ergriffen haben. Aus dem stillen Studium der Griechen, das er sich vorgenommen hatte, war nicht viel geworden. Wiederholt sprach er davon, in Italien sein Studium mit dem Doktor der Rechtswissenschaft abzuschließen; die Pest und drohende Kriegsgefahr hielten ihn zu Hause zurück. Wir besitzen sein Kohleportrait von Albrecht Dürer aus dem Jahre 1503 [14], das Antlitz eines leidenschaftlichen und klugen Mannes. Das träumerische Auge unter der hohen Stirn ist in die Ferne gerichtet. Von der charakteristischen Höckernase läuft die Umrißlinie über einen schön gezeichneten Mund voll verhaltener Bitterkeit, ein energisch vorstoßendes Kinn in eine ungestalte fleischige Wange und endet in einem verfetteten mächtigen Hals und Nacken. Dem Ohr unter der hohen Kappe

14 *F. Winkler:* Die Zeichnungen A. Dürers II (1937) Nr. 268 u. 270.

hat der Maler große Aufmerksamkeit geschenkt, als lausche es auf etwas Fernes, nicht recht Faßbares. Carl Jacob Burckhardt hat das Blatt charakterologisch gedeutet: „Rasse und ungeformte Schwere, Ernst und Stumpfheit und ein fast niedriges Sichgehenlassen ist in diesem Haupt gegensätzlich vereinigt.“ [14a]

Die Freunde rieten Pirckheimer, sich bald wieder zu verheiraten, wie es der Brauch war. Davon wollte er nichts wissen. Er bewies ihnen, wie es in seiner Selbstbiographie heißt, „aus mancherlei Gründen, daß es sich unter keinen Umständen für ihn schicke, nochmals seinen Nacken unter das eheliche Joch zu beugen.“ Den wahren Grund verschweigt er und verteidigt sich nicht einmal, als man in aller Öffentlichkeit über ihn redete. Er war ein arger Schürzenjäger, stellte Frauen und Jungfrauen nach, hohen und niederen, alten und jungen, und das nicht allein in der Faschingszeit. Der Bamberger Freund Kanonikus Lorenz Beheim, der seit seinem Aufenthalt am Hofe der Borgia in Rom Pirckheimer an Sinnenfreudigkeit schwerlich nachstand, läßt es in seinen Briefen nicht an Anzüglichkeiten fehlen, und selbst Dürer neckt aus Venedig, seinem Mäzen und Freund werde ein Monat wohl nicht ausreichen, alle seine Buhlschaften zu besuchen [15]. Daß Pirckheimer auf der Höhe seiner Jahre die Freuden des Daseins und die ihm zugefallenen Güter des Lebens unbekümmert um Sitte und Brauch, gesellschaftliche und kirchliche Vorschriften sinnenhaft genossen hat, kann nicht bezweifelt werden. Aber man sollte ihm deswegen nicht mit kleinlicher Moral zu nahe treten, wie es die Nürnberger taten. Die Ungebundenheit, die er für sich in Anspruch nahm, war auf der einen Seite der Mangel an tiefer menschlicher Geborgenheit, wie Liebe sie bewirkt, eine Geborgenheit, die Pirckheimer wohl nie erfahren hat, auf der anderen Seite die Form, wie souverän er sich selbst das Gesetz des Handelns setzte. Auch die Kehrseite seiner Freiheit, Enttäuschung und Bitterkeit, ist ihm nicht erspart geblieben. Unter seinen nachgelassenen Papieren findet sich neben gelegentlich ungefüger deutscher Liebeslyrik eine kleine Sammlung „in mulierem“, über das Weib, voll boshafter Bemerkungen wie dieser: „Es sei besser, ein Weib zu beerdigen als zu heiraten, daß die Frau nichts gelernt habe als zu „wollen“, daß sie keine Treue besitze, eine Quelle der Schmerzen, ein Schatz der Leiden sei, daß das Weib für die Männer nur ein angenehmes Übel bedeute und daß Feuer, Wasser und Weib der Übel drei seien“ [15a] und dergleichen mehr [16].

Solche Bosheiten aus seinem Munde dürften in Nürnberg weiter verbreitet gewesen sein, als dem ehrbaren Regiment lieb sein mochte. Wahrscheinlich ist die

14a W. P., akad. Vortrag 1937. In: Gestalten und Mächte (1941) S. 55.

15 *Reicke,* Brw. I Nr. 118 (S. 386 Z. 14—18); *H. Rupprich:* Dürers schriftlicher Nachlaß I (1956) S. 52 Z. 19—21.

15a Nach *E. Reicke,* W. P., Leben, Familie u. Persönlichkeit S. 47.

16 *Reicke,* Brw. I S. 391 ff.

üble Nachrede über Pirckheimer einer der Gründe dafür gewesen, warum die Ratsgenossen, die ihn ohnehin wegen seines selbstsicheren und hochfahrenden Wesens nicht sonderlich schätzten, ihn nicht zu höheren Ehren aufsteigen ließen, wozu er gewiß alle Voraussetzungen besaß. Immer wieder war er, nicht immer grundlos und unschuldig, in Affären verwickelt: sei es, daß er persönliche Beschimpfung mit der Faust abwehrte und dafür zwei Tage in den Turm geworfen wurde, sei es, daß er des Strebens nach Alleinherrschaft in der Stadt oder des Betrugs in Kaufmannsgeschäften bezichtigt wurde, sei es, daß man ihm unerlaubte Advokatenpraktiken vorwarf. Das alles sind Hinweise auf die Ausnahmestellung vom Hergebrachten und Geltenden, die er für sich in Anspruch nahm, zugleich aber auch Ausdruck bürgerlicher Engherzigkeit und Sorge vor einem Stärkeren. Konnte man auf die Dauer noch nicht auf ihn verzichten, oder war er selbst aus Instinkt und Tradition noch nicht bereit, sich dem Dienst am Gemeinwesen zu entziehen? Jedenfalls wurde Pirckheimer Ostern 1505 nach dem Tode seines stärksten Widersachers Paul Volckamer mit großer Mehrheit wieder in den Rat gewählt. 18 Jahre lang gehörte er ihm an in der Stellung eines Alten Genannten, war einer der fünf Wähler, die jährlich um die Osterzeit den neuen Rat zu wählen hatten. In der Stadtverteidigung übte er wie schon sein Großvater Hans um Rathaus und Markt das Amt des Viertelmeisters aus. Das bedeutete, daß er ein Achtel des Nürnberger Bürgeraufgebotes zu befehligen, einen bestimmten Teil der Stadtmauer laufend zu inspizieren und im Falle der Gefahr zu verteidigen hatte. Die Ratssitzungen gehörten nach wie vor zu seinem täglichen Arbeitspensum. Im Grunde aber war sein Ehrgeiz auf Höheres gerichtet, das Neid und Mißgunst, wie er meinte, ihm vorenthielten. Bis zu seinem Ende hat er seinen Widersachern die Hindernisse nicht verziehen, die sie ihm in den Weg legten, und kalte Genugtuung empfunden, wenn einer der Gegner wie der mächtige und ehrgeizige Losunger Tetzel sich in den Netzen verfing, die sie ihm selbst ausgestellt hatten.

Die wertvollsten öffentlichen Dienste hat Pirckheimer seiner Stadt bei Gesandtschaften geleistet. Auf Reichstagen und Tagsatzungen des Schwäbischen Bundes glänzte er mit seiner Beredsamkeit, Schlagfertigkeit, Geschäftskenntnis und seinem phänomenalen Gedächtnis, wenn er in freier Rede bis zu 60 Punkte der Gegenseite nicht nur zu rekapitulieren, sondern auch mit treffenden Argumenten auszumanövrieren verstand. Dabei ging es stets um Lebensfragen für Nürnberg, entweder um die Politik der fürstlichen Nachbarn, die nur zu gern die reiche Stadt ihren Territorien einverleibt hätten, oder um räuberische Schindereien und Überfälle von Heckenschützen und Strauchdieben, die nicht abreißende Plage der reisenden Kaufleute. Erst 1523 zog sich Pirckheimer von allen Ämtern endgültig zurück. Die Gicht plagte ihn inzwischen so, daß er nicht einmal mehr aufs Pferd gehoben werden konnte, um den kurzen Weg von seinem Hause am Markt zum Rathaus zurückzulegen.

4.

Der 53jährige war längst über Nürnbergs Mauern hinaus ein berühmter Mann als Gelehrter und Humanist. Nicht einmal seine städtischen Widersacher wagten um dieses Ruhmes willen, ernsthaft etwas gegen ihn zu unternehmen, so bissig, zynisch, gelegentlich sogar handgreiflich er ihnen auch entgegentrat. Pirckheimer hat in den letzten Lebensjahren die Stadt nicht mehr verlassen, dafür aber um so intensiver in seiner Bibliothek, seinen Sammlungen und Kostbarkeiten sich seine eigene Welt geschaffen. Hier liegt seine eigentliche Lebensleistung.

Die gesammelten Schätze waren zum guten Teil bereits vorväterliches Erbe. Der ständige Umgang mit der humanistischen Familientradition bewahrte Pirckheimer inmitten vielfältiger Geschäfte für seine Vaterstadt vor der Halt- und Ruhelosigkeit so vieler seiner Gesinnungsfreunde und gab ihm die Konstante, die Richtung auf geistige Lebensgüter. Am Ausbau seiner Sammlungen arbeitete er unablässig, seit er aus Italien zurück war. „Wozu lebt man denn, wenn man nicht studieren kann?“, heißt es 1517 in seinem Brief an Bernhard Adelmann. Weil er ein Büchernarr war, scheute er keine Ausgabe, um die wichtigsten erreichbaren Drucke alter und neuer Literatur in prachtvollen Einbänden, z. T. von Dürers Hand illuminiert, um sich zu versammeln. Neben den Werken der Dichter, Philosophen, Theologen und Juristen standen in erstaunlich großer Zahl die Werke der Naturwissenschaftler, Mathematiker, Physiker und Mediziner, dazu die der in seiner Zeit besonders verbreiteten Geheimwissenschaftler, der Alchimisten und Astrologen, deren Künsten auch Pirckheimer zugetan war. Seine Bibliothek war zu seiner Zeit die reichste humanistische Büchersammlung diesseits der Alpen[17]. Noch wichtiger ist: Sie war nicht allein Besitz, sondern Arbeitsinstrument für vielfältigste Studien. Die Universalität der Wissenschaften, für so viele Humanisten bloß fernes Ideal: Pirckheimer hat sie in der Breite seiner Studien und in der Kultur seiner Persönlichkeit tatsächlich gelebt.

Seine literarische Tätigkeit war zum überwiegenden Teil Übersetzungen aus dem Griechischen ins Lateinische, aus beiden Sprachen ins Deutsche sowie der Herausgabe griechischer und lateinischer Schriftsteller gewidmet. Vieles von dem Niedergeschriebenen hat er selbst zum Druck gebracht, anderes ist erst nach seinem Tode veröffentlicht worden, manches, namentlich seine Übertragungen ins Deutsche, ist uns nur als Manuskript bekannt, vieles bisher kaum gründlich durchforscht. Besonders fühlte sich Pirckheimer Lukian, dem Spötter über Aberglauben, unechte Moral, Überheblichkeit und Scheinheiligkeit, und Plutarch wesensverwandt, so weit er moralischen und sittlichen Fragen des täglichen Lebens zugewandt ist. In das Jahr 1521 fällt eine Sammelausgabe von übersetzten Dialogen und Schriften, die er fälschlich Platon zuwies[18].

17 *E. Offenbacher:* La bibliothèque de W. P. In: La Bibliofilia 40 (1938) S. 241 ff.

18 In der Widmung an Bernhard Adelmann P.'s berühmte Schilderung des ländlichen Lebens in seinem Refugium Neunhof, übersetzt: W. P. 1470/1970 S. 131 ff.

In den Vorreden oder Widmungen zu den einzelnen Arbeiten — auch seine lateinischen Übertragungen früher griechischer Kirchenväter gehören dazu — hat Pirckheimer den Sinn seiner vermittelnden und aufschließenden Tätigkeit ausgesprochen. Wie die Renaissance-Philosophie war er von der Übereinstimmung von Antike und Christentum überzeugt und wollte mit den übersetzten, vornehmlich ethisch orientierten Traktaten die Verbindung dokumentieren und erhärten. Aber das Gleichgewicht zwischen beiden Geisteswelten, zwischen Glauben und Wissen, dogmatischen Lehren und antiker Weltanschauung ist bei ihm weniger systematisch reflektiert als souverän gesetzt. So sehr Pirckheimer in seinen frühen theologischen Abhandlungen die Anerkennung und Unterordnung unter die Sätze der Kirche fordert, so sehr hat er doch auch betont, daß er für seine Person das Streben nach reiner Wahrheit durch nichts behindern lasse. Er mochte sich für einen gläubigen Christen halten. Wenn aber Platon ihm im Grunde mehr gilt als das Wort der Heiligen Schrift, so sind Philosophie und Theologie getrennte Autoritäten, und in der Verschmelzung von Antike und Christentum ist die postulierte Gleichwertigkeit beider bereits aufgegeben.

Den Raum des alten Hellas überschritt Pirckheimer mit der nach Ägypten und dem Orient weisenden Übersetzung der „Hieroglyphica" des Horapollon, eines sehr schwer zu verstehenden Werkes, das wegen seiner Symbollehre zum erstenmal in der Florentiner Akademie zum Ausbau mystischer und theosophischer Spekulationen verwendet worden war. Kaiser Maximilian I. gab die lateinische Übersetzung bei Pirckheimer in Auftrag: Dürer mußte sie illustrieren, und so sind die beiden Freunde Vermittler einer neuen Symbolkunde in Deutschland geworden, der der Kaiser in seinen Holzschnittwerken „Ehrenpforte" und „Triumphwagen" einen spektakulären Rahmen schuf. Die größte philologische Gelehrsamkeit entfaltete Pirckheimer bei der in zwei Bänden 1525 in Straßburg erschienenen Geographie des Ptolemäus. Aus der in Nürnberg verbliebenen Bibliothek des Regiomontan und seines Schülers Bernhard Walther erwarb Pirckheimer die Vorarbeiten der beiden Astronomen, Mathematiker und Geographen und stellte in seiner eigenen lateinischen Übersetzung und Kommentierung durch Rückgriffe auf den griechischen Urtext das richtige Verhältnis von Sprache und mathematischen Berechnungen des großen Alexandriners wieder her. Die sprachlichen und fachlichen Schwierigkeiten hatte Pirckheimer nach seiner eigenen Übersetzung nicht voll überwunden. Er trug sich daher im Verlangen nach wissenschaftlicher Reife mit dem Gedanken, wenigstens das erste Buch zugleich in griechischer und erneuerter lateinischer Fassung zu veröffentlichen. Daraus ist nichts mehr geworden.

Niemand wird heute noch auf den Gedanken kommen, über antike Schriftsteller sich bei Pirckheimer Rat zu holen. Mit der größeren Verbreitung griechischer Kenntnisse sind seine philologischen Bemühungen überholt und überflüssig geworden. Bleibende Bedeutung haben sie aber als Stationen auf dem Wege, wie über das Lateinische als Gelehrtensprache griechische Literatur,

Philosophie und Wissenschaft der deutschen und europäischen Geisteswelt erschlossen wurden. Darin ist die Hoffnung der ganzen Renaissance lebendig, daß aus dem Geist des Altertums und dem davon nicht wesenhaft verschiedenen gereinigten Christentum ein neues Zeitalter entstehen werde. Schönheit, Leistung und Wesen der Alten in Deutschland bekannt zu machen, war für einen Mann wie Pirckheimer eine um so dringlichere Aufgabe, als es in seiner Heimat noch kaum möglich war, Griechisch zu lernen. Er machte es sich zur Regel, nicht wortgetreu, sondern dem Sinn entsprechend zu übersetzen. Dabei stritt er dem Deutschen nicht grundsätzlich die Ebenbürtigkeit mit dem international gebrauchten Latein ab. Aber gerade seine Bemühungen um deutsche Übersetzungen, um Gedichte und Sprüche im deutschen Idiom zeigen, wie sehr er an Farbigkeit und Plastik des Ausdrucks, an Kraft und Originalität den deutsch schreibenden Schriftstellern seiner Zeit nachsteht. Sein an den klassischen Mustern der Alten geschultes lateinisches Sprachgefühl besitzt Klarheit, Durchsichtigkeit, Eleganz, zeigt aber zugleich, wie bei Pirckheimer wie bei all diesen lateinisch schreibenden Humanisten das sinnliche Element der Sprache zu kurz kommt. Auch wem das Latein keine unübersteigbare Schranke bedeutet, kann sich nicht ganz frei machen von dem Verdacht, daß allzu oft die Worte sich nicht mit dem decken, was sie sagen sollen und wollen, daß wohlklingende Formeln aus dem klassischen Fundus gern verwendet werden, weil sie sich gut ausnehmen und, statt für die gemeinte Sache den adäquatesten Ausdruck zu finden, lieber prahlerisch Belesenheit zur Schau stellen. Pirckheimers Sprache ist die der aus der Masse herausgehobenen und Abstand wahrenden Gebildeten seiner Zeit. Sie konnte und wollte ebensowenig Sprache des Volkes werden, wie auch der Patrizier gesellschaftlichen Abstand hielt.

Die gleiche Distanz, die historisches Verständnis erst überwinden muß, zeigen Pirckheimers an Zahl weit geringeren ureigensten schöpferischen Leistungen als Schriftsteller. Wenn er auf die Bedeutung von Münzen und Inschriften als geschichtliche Quelle aufmerksam macht oder aus den Autoren der Antike die mit Germanen und Deutschen in Zusammenhang stehenden Namen für Wohnsitze, Gebirge, Wälder und Flüsse mit den gegenwärtigen Bezeichnungen identifiziert — damit wurde der Grund zur historischen Geographie gelegt —, so sind das Ergebnisse seiner antiquarischen Gelehrsamkeit. Als zeitlos und besonders gefällig ragt unter den opuscula die „Apologia seu Podagrae laus“ nach dem Vorbild des von Erasmus verfaßten „Lob der Torheit“ hervor. Torheit oder Narrheit war dem Humanistenfürsten eine Haltung, die den Weisen über die Ungereimtheiten des Lebens und der Welt erhebt und ihn lachen macht. Das Fräulein Podagra des Willibald Pirckheimer ist seine eigene Krankheit, die er acht Jahre lang in tagebuchartigen Aufzeichnungen beobachtet hatte. Nun wird die Dame vor ein Gericht gestellt, vor dem sie sich so launig verteidigt, daß die Richterrunde nicht umhin kann, trotz der Schmerzen, die sie bereitet, ihr noch Lob zu spenden, weil sie am Ende doch nur Gutes schafft.

Pirckheimer als universalem Geist ist schon zu seinen Lebzeiten hoher Respekt gezollt worden. Was unter den zeitgenössischen Humanisten Rang und Namen besaß, stand mit ihm im Briefwechsel, in der überwiegenden Mehrheit allerdings Deutsche. Sogar Erasmus, das Haupt dieser Gelehrtenrepublik, rechnete es sich zur Ehre an, Pirckheimers „Freundschaft“ zu gewinnen. Selbst in den Briefen, nach Humanistenart von den Schreibern vielfach als literarische Werke konzipiert, drängt sich oft genug das Formale und Stilisierte auf Kosten des spontanen Empfindens vor. Für moderne Ohren ist da viel Wortgeklingel, Gekünsteltes und Ausgedachtes, versöhnend nur durch Prisen von Spott und Ironie. Das Humanum dieser geistigen Welt hat Mühe, sich auszusprechen. Für Pirckheimer bedeutete die Stoa den Kern seiner Überzeugungen. Das war die Philosophie des tätigen Menschen mit dem Wissen um die Grenzen seiner Möglichkeiten: daß die Veränderung der Welt und das eigene Heil nicht allein Sache des Willens sind, Enttäuschungen und Rückschläge als ständige Begleiter mit einem trotzigen, vielleicht sogar bitteren oder auch getrosten Dennoch immer wieder neu bezwungen werden müssen. An die Schwester Charitas schreibt Pirckheimer: „So sollen wir nun mit der Philosophie versehen bewehrt und gewappnet sein und Fleiß anwenden, daß wir alles Ungemach beherzt und großmütig ausstehen“. Im „Lob des Podagra“ klingt die gleiche Maxime ganz pragmatisch: „unerschrocken und nicht im geringsten furchtsam sein, das Niedrige verachten und nur nach dem Erhabenen und Großen streben, um der Tugend willen auch das Rauhe und Schwierige ertragen, standhaft bei dem gefaßten Vorsatz bleiben.“ [19] Stünde hinter solchen farblosen Worten nicht ein Mann, strotzend vor Kraft und Lebensfülle, man würde ihm keinen Glauben schenken.

5.

Man kann überhaupt zweifeln, ob Pirckheimer nicht mehr durch seine erfüllte Gegenwart und pralle Lebenshaltung gewirkt hat als durch humanistische Gelehrtenweisheit. Von der großartigen Gastlichkeit seines Hauses wissen alle zu berichten, die bei ihm einkehrten. Auf der gleichen Ebene steht seine öffentliche Parteinahme für die Freunde, wo er Unrecht, Unduldsamkeit, Aufsässigkeit witterte. Als Johannes Reuchlin wegen seiner Verteidigung der jüdischen Bücher in die Fangstricke des Renegaten Pfefferkorn und der Dominikaner geriet, verteidigte Pirckheimer den Bedrohten 1517 in der Vorrede zu einem Dialog Lukians „der Fischer“ und nahm damit entschieden auf der Seite der „Dunkelmännerbriefe“ gegen die Dummheit der Pfaffen Partei. Was Pirckheimer von

19 Nach: *W. Dilthey:* Weltanschauung und Analyse des Menschen seit Renaissance und Reformation. Ges. Schriften II (1929) S. 49 f.

einem wahren christlichen Theologen forderte, hat er an der gleichen Stelle ausgesprochen: Kenntnis des Aristoteles und des Platon, scharfes kritisches Unterscheidungsvermögen in der religiösen und kirchlichen Tradition, Schulung im weltlichen und geistlichen Recht, Studium von Luther, Erasmus, Johannes Eck und Pico della Mirandola, ohne sich den Sinn für das reine Evangelium zu verkümmern. Daß hier Unvereinbares zusammenaddiert wurde, ist Pirckheimer gar nicht zum Bewußtsein gekommen.

1518 saß Luther auf der Flucht von Augsburg nach dem Verhör bei Cajetan in seinem Hause ihm gegenüber. Aus seinen Schriften kannte Pirckheimer ihn längst. Für ihre schnelle Verbreitung sorgten die Nürnberger Handelsverbindungen. Wie alle christlichen Humanisten, voran Erasmus, hatte Pirckheimer Luthers Auftreten gegen die verweltlichte Kirche für die Reinheit ihrer Verkündigung begrüßt. In seiner Tiefe den Wittenberger Mönch zu begreifen, vermochte er nicht. Hier standen sich bei aller gegenseitigen Achtung einander gegenüber der im biblischen Wort und in seinem Gewissen begründete homo religiosus, der mit schier nachtwandlerischer Sicherheit, ohne zurückzuschrecken, von einer Konsequenz zur andern schritt, und die kraftvolle, viel mehr dem Irdischen zugewandte Persönlichkeit des Humanisten, der, ohne ein eigentlich religiöses Sensorium zu besitzen, auf moralischer Grundlage eine aus Antike und Christentum gespeiste elitäre Bildungsreligion vertrat. Schon die Leipziger Disputation zwischen Eck und Luther schied im Grunde die Geister. Eck hielt den Nürnberger — wohl zu Unrecht [20] — für den Verfasser des saftigen lateinischen Pamphlets „Eckius dedolatus" (der gehobelte, enteckte Eck), das den Eiferer dem Gelächter der Gelehrten preisgab. Ecks Rache bestand darin, daß er aus päpstlicher Vollmacht Pirckheimers Namen zusammen mit dem des Nürnberger Ratsschreibers Lazarus Spengler und die von vier Theologen in die Bannbulle aufnahm, die über sie alle mitsamt Luther die schwerste Kirchenstrafe aussprach. Es kann keine Rede davon sein, daß Pirckheimer um seines Seelenheiles willen sich wiederholt schriftlich gerechtfertigt, unter großen Schwierigkeiten seine Absolution betrieben und sich schließlich unterworfen habe. Das war keine schlichte Rückkehr, nicht einmal eine formale Anerkennung der alten Kirche, sondern ein aus Gründen politischer Zweckmäßigkeit geführter Prozeß im Auftrage des Nürnberger Rates [21]. Als der Ratsherr endlich im August 1521 zuerst durch Eck, dann durch die päpstliche Kurie losgesprochen wurde, waren die Ereignisse über die akute Gefahr längst hinweggegangen.

Je mehr aber die evangelische Bewegung auch in Nürnberg um sich griff, desto mehr zog sich Pirckheimer zurück. An den Zusammenkünften der von

20 Die Frage nach dem Verfasser, wiederholt in Angriff genommen, ist nicht abschließend geklärt.

21 *H. v. Schubert:* Lazarus Spengler und die Reformation in Nürnberg (1934) S. 201 ff.

Luthers volkstümlichen Schriften und von der neu erwachten Laienfrömmigkeit Ergriffenen nahm er nicht teil. Da war doch ein anderer Geist wirksam, als der ihn beseelte, ganz abgesehen von der patrizischen Würde, die ihm aus Instinkt Zurückhaltung gebot. Der von der Obrigkeit verordneten neuen Ordnung des Gottesdienstes stellte es sich nicht entgegen, wie er sich überhaupt lange darum bemühte, die Gegensätze zu dämpfen. Als aber Gewalt angewendet wurde, zuerst bei den Bauern und den mit ihnen heimlich verbündeten unteren Schichten der Stadt, dann von den Prädikanten mit ihrem Anhang, die die Grundlagen der bestehenden Ordnung und Kultur erschütterten und den neuen Glauben durch Zwang verordnen wollten, da stellte sich Pirckheimer schützend auf die Gegenseite. Wiederum hat das nichts mit schlichter Rückkehr zur überkommenen Kirche zu tun. Die Turbulenz bei der Aufhebung der Klöster, der Neuordnung der Pfarrbesoldung, bei den Bilderstürmen, dem Ehegericht, dem Streit um das Abendmahl: das alles schien ihm mißverstandene christliche Freiheit, sittliche Verwilderung, revolutionäres Aufbegehren. Der bloße Verdacht, daß sie mit Thomas Müntzers Geist sympathisieren könnten, ließ ihn einstige Freunde als seine Feinde behandeln.

Solche Erfahrungen mögen dazu beigetragen haben, Pirckheimers Pflichtbewußtsein gegenüber der Gemeinschaft zu schwächen. Er schied aus allen Ämtern aus. Die letzten Jahre waren, wie es seiner Gewohnheit entsprach, mit rastloser Arbeit erfüllt. Dürers Stich von 1524, auf Vervielfältigung angelegt, gibt einen Begriff davon, wie der Malerfreund ihn sah, wie Pirckheimer vielleicht sogar selbst gesehen sein wollte: über dem mit breitem Pelz verbrämten Umhang auf einem schweren, fast ohne Übergang aus dem Nacken aufsteigenden Hals ein gewaltiges schweres Haupt, im Halbprofil dem Beschauer zugewandt, die sinnenden Augen groß unter schweren Lidern, müde, die fleischige Nase offenbar absichtsvoll verschönt, der kleine Mund verkniffen, voller Resignation, das Ohr von üppigem Haar verdeckt, das Ganze von einer befremdenden Abständigkeit, ja Melancholie, das Bildnis eines Mannes wohl voller Würde und Kraft, der aber seine Höhe überschritten hat und gefaßt wartet. Auf was er wartet, hat Dürer auf dem Epitaph angegeben: Vivitur ingenio, caetera mortis erunt (Weiter lebt nur der Geist, das andere wird Beute des Todes). Da Dürer nur begrenzt das Latein beherrschte, wird man annehmen dürfen, daß Pirckheimer selbst diese Unterschrift gewählt hat.

Nach allem, was wir wissen, scheint es in den letzten Lebensjahren einsamer um Pirckheimer geworden zu sein, besonders nach Dürers Tod 1528, auf den der an Gicht und Stein Leidende eine ergreifende, alle bloß humanistischen Finessen hinter sich lassende Totenklage dichtete, eines seiner schönsten und reinsten Gedichte[22]. Wie weit der Gelehrte an den theoretischen Versuchen des fast Gleich-

22 Vgl. W. P. 1470/1970 S. 137 f.

altrigen teilhat, auf rationalem Wege hinter die Gesetze der Malerei zu kommen, wissen wir nicht. Daß Pirckheimer in den letzten Jahren mit der Kirche keine Gemeinschaft hatte, ist sicher. Ohne Beichte und Sakrament ist er kurz vor Weihnachten 1530, am 22. Dezember in den Tod gegangen. An seinem Sterbelager stand sein unehelicher Sohn Sebastian. Pirckheimer war der letzte seines Stammes.

Seine letzten Worte sollen gewesen sein: „Möchte es doch nach meinem Tode meinem Vaterland gut gehen! Möchte doch die Kirche in Ruhe kommen!" Wenn diese Überlieferung richtig ist, dann hätte der auf Abstand bedachte Patrizier und Individualist, der in eigener Souveränität sich die Gesetze des Lebens und Handelns gab, noch einmal dokumentiert, daß die großen sozialen und religiösen Zusammenhänge ein ständiges Korrektiv seiner so eigenwilligen und selbständigen Lebenshaltung waren. Pirckheimer gehört zu den zahlreichen Gestalten der Reformationszeit, deren Lebenslinie einen deutlichen Bruch zeigt. Die Welt aus dem Geiste der Antike und des Christentums zu verändern, ist ihm so wenig gelungen wie seinen Gesinnungsfreunden. Er blieb eine besondere Erscheinung, nur im kleinen Kreis der Freunde und Gelehrten voll gewürdigt. Das Dunkel, die Unruhe, die er am Ende auf die Welt des Geistes und der Wissenschaft zukommen sah, haben sich nicht ausgebreitet. Welche neuen Formationen sich aus ungeahnten Tiefen gerade auch der Massen erheben können, das lehrte ihn zwar seine eigene Zeit, aber Pirckheimer hat an diese Lehrer, weil er ein Besonderer war, nicht geglaubt. Darin liegt seine Größe und seine Grenze.

10.

Der Bauernkrieg von 1525 als Massenphänomen[1]

1.

Der bewußt lebende Mensch, der dazu neigt, Rationalität höher zu bewerten als Emotion, hält sich von je her zu allen kollektiven Aktionen in betonter Distanz. Das gilt selbst da, wo er ganz oder teilweise die Mentalität oder das Programm anerkennt, aus denen solche Handlungen entstehen. Für das rational sich kontrollierende Bewußtsein gibt es da, wo die Vielen handeln, in der Regel zu viel Unübersichtliches, Unkontrolliertes, Anonymes, daher Fremdes und Abstoßendes, als daß eine persönliche Identifizierung mit dem Geschehen in Betracht käme. Wir reden hier nicht von naturgegebener Konformität in Sitte, Brauch, Gewohnheit, Herkommen, auch nicht von den Fällen, wo instinktives Verlangen nach Macht Situationen führend ergreift und gestaltet, wo Massen in Bewegung geraten. Der kochenden Volksseele in statu nascendi wünscht der Intellektuelle im allgemeinen nicht gern zu begegnen und überläßt es lieber anderen, auf die Straße zu gehen, um für eine unter Umständen ausdrücklich gutgeheißene Sache zu demonstrieren. Erst aus dem zeitlichen Abstand, wenn Erfolg, Nebenwirkung oder Scheitern zu übersehen sind, wächst die Bereitschaft, bejahend oder verneinend Stellung zu nehmen. Für den, der nicht gerade als Revolutionär angelegt ist, gilt für seine Teilhabe an Handlungen der Masse die Charakterisierung: gedankenvoll, aber tatenarm. Solcher Abstand scheint mit dem sozialen Prestige sich zu vergrößern.

Eine solche Disposition erschwert, sofern sie nicht unter Kontrolle genommen wird, auch die sachgerechte Beurteilung historischer Phänomene, wo Massen aktiv das Geschehen an sich reißen. Die List der sich aristokratisch gebenden Vernunft ist schier unerschöpflich, dem plebejisch vorgestellten Massen-Handeln mit Urteilen zu begegnen, die es in Sein und Wert verzerren. Das gilt auch für das landläufige Urteil „gesund" und „krank", Wertungen, die für das geschichtliche Verstehen ebenso wenig feststehen wie in der individuellen Medizin und Psychologie. Zu diesen in uns selbst liegenden Blockierungen bei der Erfassung historischer Massenbewegungen tritt in vielen Fällen noch die Dürftigkeit und

1 Heinrich Kuen zum 65. Geburtstag. Vortrag anläßlich der Tagung der Stuttgarter Gemeinschaft „Arzt und Seelsorger" im Sommer 1964.

Einseitigkeit der überlieferten Quellen. Sie bleiben auf so präzise Fragen, wie sie der soziologischen Felduntersuchung, der psychologischen Anamnese oder der psychiatrischen Diagnostik geläufig sind, vielfach die Antwort schuldig. Wir haben also allen Grund, recht bescheiden zu sein hinsichtlich der Vergleichsmöglichkeit, die die aufgehellte Vergangenheit zur Bewältigung der unserer Gegenwart aufgegebenen Fragen liefern kann.

2.

Das gilt auch für die größte politisch-soziale Massenerhebung der deutschen Geschichte, den Bauernkrieg von 1525. Seine reiche Überlieferung gestattet uns einen Blick in die innere Mechanik, die weit entfernt ist von bloßer Blindheit und Emotion. Was die Bauern zum Aufstand bewegte, war nach ihrem eigenen Ausspruch die Wiederherstellung des Rechts — sei es des alten, sei es des göttlichen Rechts. Bis auf ganz vereinzelte Ausnahmen haben die Bauern die geschichtlichen Zusammenhänge zwischen diesen längst bestehenden Motivreihen und ihrem eigenen Verlangen nicht gekannt. Für sie war jedes Aufbegehren ein neues spontanes Ereignis. Die bäuerlichen Verhältnisse lassen sich um die Wende vom 15. zum 16. Jahrhundert in den verschiedenen Landschaften des Aufstandsgebietes, selbst innerhalb ein und derselben Herrschaft, kaum auf einen Nenner bringen. Objektiv und aufs Ganze gesehen stießen in all den isoliert voneinander verlaufenden Aufständen bei dem unaufhörlichen Rückgang der kaiserlichen Reichsgewalt bäuerliches Leben und Recht mit den Anstrengungen der Landesherrschaften, den werdenden Territorialstaaten zusammen. In der Konkurrenz untereinander und zur Durchsetzung ihres Eigenrechts gegen die nachlassende Zentralgewalt waren diese partikularen Mächte darauf aus, bisher nicht wahrgenommene Staatsaufgaben aufzugreifen, auszuweiten, zu intensivieren und auf die Dauer zu rationalisieren. Zur Deckung der Kosten waren erhöhte Einnahmen notwendig. Sie wurden eingebracht mit Hilfe des gelehrten römischen Rechts, das den Bauern nicht verständlich war, aber die ungeheuer zersplitterten Rechtsverhältnisse einheitlich zusammenfaßte, durch Herstellung eines einheitlich regierten, möglichst geschlossenen Untertanenverbandes unter gleichzeitiger Steigerung von Abgaben und Diensten, Einschränkung der bäuerlichen Autonomie, des Gemeindebesitzes und seiner Nutzungen, weithin auch unter Heranziehung nicht ausgeschöpfter oder in Vergessenheit geratener obrigkeitlicher Rechtsansprüche. Demgegenüber bestanden die Bauern als konservatives Element, denen sich zahlreiche städtische Gemeinden anschlossen, auf der Erhaltung des Herkommens, weil sie die Neuerungen weder verstanden noch billigten. Es war also nicht so sehr die wirtschaftliche Bedrängnis der Armen — wenn sie auch nicht ganz fehlte —, sondern das Gefühl der Rechtsunsicherheit, das gerade angesehene und wohlhabende Bauern die Führung des Widerstandes übernehmen ließ. Festzuhalten ist: Es war der *politische* Gegensatz zwischen dem um sich greifenden, noch werdenden Territorialstaat und den in ihren Rechten reduzierten bäuerlichen Genossenschaften, der sich in Unruhen Luft machte.

Gegenüber den Beschwerden über die Landesherrschaft treten die über die Grundherren zurück. Der Leibeigenschaft kam in weiten Gebieten Deutschlands schon keine Bedeutung mehr zu. Auch Fronden und Abgaben hielten sich im allgemeinen in erträglichen Grenzen. Den Bauern waren sie so selbstverständlich, daß in der Regel nicht einmal die Aufständischen daran dachten, sie vollständig abzuschaffen. Nur da, wo geistliche Korporationen und kleine Adlige als Grundherren versuchten, den wirtschaftlichen und rechtlichen Lebensraum ihrer abhängigen Bauern zu beschränken, um mit den aus ihnen herausgezogenen Mehreinnahmen allmählich zur Landesherrschaft aufzusteigen, wo — wie in dem besonders zerrissenen Südwesten des Reiches — auf kleinstem Raum die verschiedenartigsten Rechtsansprüche der Leib-, Grund-, Gerichts- und Landesherrn sich unüberschaubar überschnitten, nur da kann ernstlich von einem Herabdrücken abhängiger Bauern auf eine wirtschaftlich schlechtere Stufe die Rede sein, was begreiflicher Weise Widerstand auslöste.

Die in den bäuerlichen Forderungen zutagetretende Kritik an der bestehenden wirtschaftlichen, sozialen und politischen Ordnung rückte durch die reformatorische Bewegung in einen auch religiös bestimmten Zusammenhang. Zu der unverständlich gewordenen weltlichen Obrigkeit — oft genug wurde sie durch geistliche Herren ausgeübt — gesellten sich die kirchlichen Autoritäten. Die reformatorische Verkündigung stellte sie nicht allein in ihrem geistlichen Anspruch in Frage, sondern brandmarkte sie als antichristlich. Ein Bauernvolk, das nun selbst die Bibel in die Hand nahm oder durch Prädikanten und Wanderprediger darin unterrichtet wurde, dem zahllose Flugschriften seinen „Witz" bescheinigten, ein solches Bauernvolk konnte den bedingungslosen Gehorsam gegen die so vielfach in Frage gestellten Oberen nicht mehr als selbstverständliche Pflicht betrachten. Diese Wandlung ist nicht von heute auf morgen eingetreten. Seit dem Ausgang des Mittelalters stand alles weltliche und geistliche Leben im Zeichen der Reform. Die protestantische Reformation ist nur ein Teil dieser großen Jahrhunderte übergreifenden Bewegung, allerdings der stürmischste und erfolgreichste, während alle alten Gewalten, geistliche und weltliche, sich an das klammerten, was sie hatten. Wo also im Bauernstande überhaupt noch Hoffnung auf Änderung des „gemeinen Wesens" vorhanden war, wurde sie von der reformatorischen Bewegung erwartet.

Es ist nicht zu leugnen, daß sich in diese durchgehende Gesinnung viel Urväterhausrat des apokalyptischen Säkulums mischte und mit der neuen Predigt die seltsamsten Mixturen hervorbrachte. Die Hauptlinie ist davon nicht berührt worden: Die Autorität dafür, daß die bäuerlichen Forderungen der hl. Schrift gemäß seien, war Luther. Die „zwölf Artikel der Schwarzwälder Bauern", nach deren Vorbild zahllose Beschwerdeartikel in allen Teilen Deutschlands aufgestellt wurden, forderten ihn zum Schiedsrichter in dieser biblischen Frage auf, und sie zweifelten nicht daran, daß er sich auf ihre Seite stellen werde. Luthers Antwort vernichtete die Sache der Bauern bis ins Mark. Drohte er auch auf der einen Seite dem verstockten Sinn der Fürsten und Herren, daß Gott die aufständischen Bauern als Zuchtrute gegen ihr Schinden und Schaben gebrauchen werde, so fanden auf der andern Seite die Verweigerung von Zinsen, Zehnten und Fronden als wirksamste Form des kirchlichen Widerstandes und die Aufsage von Treue und Gehorsam nach seinem Verständnis in der Bibel keine Begründung. Das blanke Entsetzen faßte ihn, daß seine Predigt von der Freiheit des Christenmenschen von den Bauern „fleischlich" verstanden wurde, daß er, der Theologe, Richter über Forderungen sein sollte, die nach seiner Meinung vor den Juristen gehörten. Ungehorsam, Aufruhr gar, griff der Obrigkeit, sie mochte so böse sein, wie sie wollte, in ihr von Gott verordnetes Amt. Waren die christlichen Bauern nicht zum leidenden Gehorsam bereit, den Gott gebot, so mußten sie mit Gewalt dazu gebracht werden. Es sind an Grausamkeit nicht zu überbietende Sätze, die Luther damals gegen die Bauern geschrieben hat.

Seiner Aufforderung, ihre Untertanen mit aller Macht zu strafen, bedurften die Landesherren nicht. Sie hatten die Bauern durch Verhandeln eine Weile hingehalten, während sie ihre kriegerischen Vorbereitungen trafen. Dann stellten sie sich ihnen mit ihren Heeren entgegen, die doch auch aus Bauern bestanden. Vor der konzentrierten, sicher geführten und überlegenen Gewalt der Waffen liefen die nur lose organisierten Bauern in wilder Flucht davon und wurden fliehend niedergemacht. Man schätzt die bäuerlichen Verluste ungefähr auf hunderttausend Mann. Die notorischen Führer wurden hingerichtet. Die Überlebenden mußten nicht allein zum Zeichen ihrer Ehrlosigkeit alle Waffen abliefern, sondern in den Aufstandsgebieten hatte jede Hofstatt unabhängig davon, ob sie beteiligt gewesen war oder nicht, die gleiche hohe Geldbuße zu zahlen, mit der die Obrigkeit ihre Unkosten beglich.

Als Ganzes bedeutet der Bauernkrieg weit über die Geschichte der Reformation hinaus eine tiefe Zäsur. Die seit Jahrhunderten, wenn auch in wechselndem Umfang geübte bäuerliche Selbstverwaltung wurde eine leichte Beute des Landesfürstentums, des eigentlichen Siegers. Den der Landesherrschaft widerstrebenden Adel hatten die Bauern mit dem Sturm auf die festen Schlösser selbst erobert. Mit den unterworfenen waffenlosen Bauern war der einheitliche Untertanenverband schneller und leichter zu erzielen als mit selbstbewußten, auf ihr Recht pochenden. Schlimmer waren die seelischen Folgen. Luther hatte bei seiner Verkündigung auf die spontane Kraft der einzelnen Gemeinden gerechnet. Damit war es weithin nun vorbei. Die religiös erweckten Teile des Bauerntums verfielen aus Enttäuschung, Verzweiflung oder Verstocktheit der Dumpfheit. In den sächsischen Visitationsprotokollen der folgenden Jahre findet sich der Satz: „Was redet der lose Pfaffe von Gott? Gott ist tot." Viele, so weit sie nicht gleichgültig wurden, wandten sich wieder dem alten Glauben zu oder schlossen sich den Täufern und Sekten an, die in Heimlichkeit und Stille eine den einzelnen sehr viel stärker verpflichtende Frömmigkeit lebten, ihre Anhänger aber auch dem öffentlichen Leben entfremdeten. An die Stelle der freien spontanen Predigt trat das verordnete Landeskirchentum, für den Territorialstaat ein weiteres willkommenes Mittel, den großen Integrierungsprozeß der Untertanenschaft weiterzutreiben. Und Luther? Die Theologen sind seitdem nicht müde geworden nachzuweisen, daß er in Liebe und Zorn den Bauern gegenüber im Grunde sich gleich geblieben sei. Das mag für das theologische Kalkül stimmen. Die Massen haben ihn nicht begriffen. Im Bauernkrieg haben sie in ihm ihren Helden verloren.

3.

Wenden wir uns den spezifisch psychologischen Massenphänomenen in diesem Ereignis zu, so ist zunächst festzuhalten, daß der Bauernkrieg in keinem seiner Teile sich als ein Ganzes verstanden hat. Die einzelnen Teilaufstände entstehen und vergehen nach eigenen Gesetzen, die freilich einander sehr ähnlich sind. Unter den verschiedenen Bauernhaufen gibt es kaum einen organisierten Zusammenhalt. Die Nachrichtenübermittlung zwischen den Bauernheeren ist sehr dürftig. Die bewaffneten Bauernscharen machen in der Regel an der Grenze ihrer eigenen Landesherrschaft halt und greifen nur in Ausnahmefällen darüber hinaus. Ein durchgehendes solidarisches Standesbewußtsein ist demnach erst in den Anfängen entwickelt.

In der Art und Weise, wie die einzelnen Aufstandszentren sich sammeln, zeigen sich auffallende Gesetzmäßigkeiten. In der Regel ist es eine Handvoll Männer aus dem gleichen Ort oder der gleichen Stadt, die sich seit langem kennt und bei gelegentlichen Zusammenkünften auch die Fragen der Zeit erörtert. In kaum einem einzigen Falle ist die Rede davon, daß es sich um besonders herausgehobene, durch Verdienste oder Begabungen ausgezeichnete, auch nicht um besonders fromme Männer oder Anhänger der neuen Lehre handelt, die in diesen Jahren noch ganz unkontrolliert sich ausbreitet. Wo es zum Entschluß kommt, die Bauernschaft zu sammeln und ins Spiel zu führen, ist es teils die Betroffenheit von den Zeitproblemen, teils Ungeduld, teils das persönliche Eingeschränktsein durch lästige Maßnahmen der Landes- oder Grundherren, teils das Verlangen, eine Rolle zu spielen, teils die Überredung, teils Lust am Abenteuer und an der Geheimbündelei, was zur Tat drängt.

Die nächste Stufe ist die Ausweitung des ursprünglichen Kreises der Mitwisser nach dem Schneeballsystem in Einzelgesprächen bei Kirchweihen, Wallfahrten, Märkten oder wo sonst viele Menschen zusammenströmen, nichts Charismatisches, Ekstatisches. Meistens werden die Neugeworbenen durch Schwur zum Schweigen verpflichtet, obwohl schon auf dieser Stufe sehr verschiedenartige Mittel angewendet werden: echte Werbung von Gleichgesinnten, Überredung von Zaudernden, Appell an Konformität und Standesbewußtsein, auch Nötigung und Zwang. Je nach der Wachsamkeit des Landesherrn oder seiner Beamten kommt es zu Versammlungen an bekannten oder verschwiegenen Orten, wo zuweilen schon eine sehr offene Sprache geführt wird.

Der Termin der öffentlichen Sammlung der Eingeweihten, sobald ihre Zahl Erfolg verspricht, wird entweder von Mund zu Mund weitergegeben oder durch die Sturmglocke angezeigt. Auf das vereinbarte Zeichen treten die Eingeweihten bewaffnet zusammen. Das Ritual wechselt schnell von der bäuerlichen Gerichtsgemeinde zum Landsknechtshaufen. Im Ring werden Hauptleute, Fähnriche und Weibel mit entsprechender Befehlsgewalt gewählt. Die Führenden sind gewöhnlich die angesehensten, nicht selten auch Handwerker, die die Bauernsache zu der ihren machen, solche, die eine bewaffnete Schar zu handhaben imstande sind, auch über eine gewisse Rede- und Schriftgewandtheit verfügen oder als ehemalige Landsknechte praktische Erfahrungen im Kriegshandwerk mitbringen. Die Bauernfahne, das Zeichen der Sammlung, ist in der Mehrzahl der Fälle schon vorbereitet.

Mit dem öffentlichen Auftreten im Ring ist die Absicht aufzustehen bereits erklärt. Die Versammelten schwören eine christliche Einung oder einen Bund. Es geschieht bei den Allgäuern etwa in der Weise, daß ein bloßes Schwert an zwei Stangen hochgebunden wird; wer durch dieses Tor geht, leistet damit den Schwur. Die Verschworenen, durch ein geheimes Losungszeichen oder Losungswort verbunden, nennen sich Brüder. Nicht selten sind die Bundesgenossen zu einem Beitrag verpflichtet.

In diesem Stadium setzt nun das eigentlich Massenpsychologische ein. Übereinstimmend berichten die Quellen, die Bauern hätten wie schon bei früheren Aufständen nicht eher geruht, bis sie eine ganze Landschaft in ihrem Bund zusammengeschlossen hatten. Sie seien herbeigelaufen wie ein Bienenschwarm zum Honigfaß. Totalität erhöht die eigene Stärke und die Sicherheit. Daß viele aus ehrlicher Gesinnung beitreten, kann nicht bezweifelt werden, ebenso wenig aber auch, daß mit Zwang und anderen Maßnahmen kräftig nachgeholfen wurde. Auch regelrechter Terror blieb nicht ausgeschlossen. Den Widerstrebenden wurde gedroht, man werde sie an Leib, Gut und Leben strafen. Wer nicht in den Bund wolle, dem werde Kirche, Begräbnis, Feuer, Wasser, Weide und alles Gemeinsame verboten, eine Drohung, die besonders da sich folgenschwer auswirkte, wo geistliche und weltliche Gerichtsbarkeit in bäuerliche Regie übernommen wurde.

Setzte sich ein solcher Haufe in Bewegung, so entstanden notgedrungen neue Probleme. Es ist schon an sich nichts Geringes, wenn seßhafte Bauern mitten in der Frühjahrsbestellung unter Zurücklassung von Frauen und Kindern einer völlig ungewissen Zukunft entgegenziehen. Die Verschworenen, besonders die unter Zwang rekrutierten, waren, je weiter sie sich von Zuhause entfernten, nur mit Mühe zusammenzuhalten. Stellenweise halfen nur drakonische Strafen. Manche Bauernführer klagten darüber, daß sie über ihre unbotmäßige Gefolgschaft nur wenig vermöchten. Wohin sie kamen, wurde erneut mit allen Mitteln um Zuzug geworben. Kein Wunder, daß ebenso sehr Neugierige wie Unehrbare und einstens aus der bäuerlichen Gemeinschaft Ausgestoßene sich einschlichen. Besonders schwierig war das Verpflegungsproblem, je größer der Haufe wurde. Kehrte man bei den eigenen Standesgenossen ein, so mußte man, wollte man sie nicht schädigen, für Essen und Trinken zahlen. Bare Münze aber war unter den Bauern selten. So blieb schwerlich etwas anderes übrig, als Schlösser und Burgen — vielfach die Sitze landesherrlicher Verwaltung — dazu die ohnehin verhaßten Klöster mit Gewalt zu brechen. Den Belagerern leistete oft genug Verrat freiwillige Hilfe. Daß Plünderungen die Disziplin einer jeden Truppe, erst recht einer so lose gefügten, aufs äußerste gefährden, ist eine alte Regel der Kriegskunst. Wohl war der größte Teil der Beute für den augenblicklichen Verzehr bestimmt. Manche aber konnten sich auch nicht genug tun im Aufladen und Wegführen von allem, dessen sie habhaft werden konnten. Das galt besonders für die großen Viehbestände. Nach Kriegsbrauch wurde das nicht verwertbare Inventar und Mobiliar kurz und klein geschlagen und am Ende alles angezündet. Besonders hatten es die Bauern auf die Zinsregister und Salbücher abgesehen, die ihre Abgabeverpflichtungen enthielten. Geriet der Burgherr und seine Gesellen in die Hände der Bauern, so mußten sie nach entsprechendem Schwur zu Fuß im Bauernheer mitmarschieren und Bruder sein wie alle andern. Die fränkischen Bauern ruhten nicht, um ganz sicher zu gehen, bis die freiwillig zu ihnen tretenden Ritter wie Florian Geyer zum Zeichen ihrer Überzeugung selbst Hand an ihren Besitz legten. Das Lagerleben der Männerhorde scheint die Bauern nicht wesentlich verwildert zu haben. Von Schändungen und Orgien, wie sie von der Soldateska bekannt sind, hört man nichts. Nur einmal haben Bauern ihr gegebenes Wort nicht gehalten, als sie den Ritter von Helfenstein durch die Spieße jagten, dem sie freien Abzug zugestanden hatten: eine blutrünstige, gemeine Tat gegen allen Kriegsbrauch.

Aus der Schar der Bauernführer ragen nur wenige Namen hervor: Balthasar Hubmayer, Wendel Hipler, Thomas Müntzer, Michael Gaismair, meist nicht bäuerlichen Standes, zum Teil mit starkem geistigem Profil, aber doch alle ohne eigentliche Führungsqualitäten. Was sie mit ihren christlichen Bruderschaften, deren Mitglieder zum Teil in die sechzigtausend bis achtzigtausend gingen, praktisch vorhatten, bleibt weithin verborgen. Kleinere Geister verlegten sich aufs Deliberieren, auf gute Bewirtung des ganzen Haufens durch die Herren, auf das Aushandeln von Schiedsrichtern und das Verfassen von Artikeln, die in ihrer Ehrlichkeit nicht angezweifelt werden können. Sie merkten aber nicht, daß sie damit ihren diplomatisch versierteren Gegenspielern ins Garn gingen, die Zeit gewinnen mußten, um ihre Truppen aufzustellen. Gegenüber solcher geschlossenen Macht hatten die Bauernführer am Ende nichts anderes einzusetzen als ihre Überredungskünste. Trafen ihre Prophezeiungen nicht ein, so waren diese Bauern schnell am Ende ihrer Kräfte und Hoffnungen. Der erste Büchsenschuß schon löste meist die Panik aus. Die Flüchtenden waren ein leichtes Wild für die Verfolger, die sich rühmten, sie wie Hasen abgestochen zu haben. Die mit dem Leben davonkamen, entgingen kaum dem fürstlichen Gericht. An ihrer Führungslosigkeit sind die Bauern genauso gescheitert wie die meisten politischen Massenerhebungen.

4.

Wir fassen zusammen. Die größte Massenerhebung der deutschen Geschichte vor dem Eintritt in das industrielle Zeitalter bietet massenpsychologisch keine ernsten Probleme. Aufs Ganze gesehen geht es da ehrbar, wenn auch bäuerlich grob, im allgemeinen aber ohne Exzesse zu. Die magische Anziehungskraft der Ereignisse auf die Bauernmassen und ihre auf den ersten Blick so gewaltsam scheinenden Taten erklären sich weder aus menschlicher Hybris noch aus göttlichen Eingebungen, weder aus Blutrausch noch aus blinder Zügellosigkeit, sondern aus sehr nüchternen zwingenden Bedürfnissen, nachdem einmal der erste Schritt auf dem Wege des Aufstandes geschehen war. Die Bauern wollten keine grundstürzende Umwälzung des Bestehenden, keine Revolution. Die Zeit selbst redet einheitlich von Aufruhr, Empörung, Konspiration, Rumor. Nicht revolutionäre, sondern im Grunde konservative Gesinnung war hier am Werke. Es galt die Wiederherstellung des guten Alten, des Herkommens, eines bereits einmal verwirklichten Ideals, des göttlichen Willens, also: Restauration.

Probleme ergeben sich erst bei der Wertung. Das ganze Phänomen wie seine Träger unterliegen nicht dem Kanon individueller Psychologie, so sehr wir uns bei dem einen angesprochen, bei dem andern abgestoßen fühlen mögen. Humanum und Toleranz waren für diese Zeit keine Ideale, auch nicht für Gottesmänner wie Luther und Zwingli. Historische Phänomene und Gestalten bedürfen einer historischen Psychologie, wenn sie zu uns sprechen sollen. Sie ist eine Aufgabe für den Historiker mindestens so sehr wie für den Psychologen.

Unter diesem Blickwinkel ist der Bauernkrieg eine echte menschliche Tragödie. An der Reinheit des Wollens der entscheidend Handelnden kann kein Zweifel sein, Reinheit freilich mit der Einschränkung, die sich für alles Menschliche von selbst versteht. Die Gegenseite, bei der die größere Grausamkeit und Blutschuld liegt, besteht ebensowenig aus bloßen Eiferern und Gewalttätigen. Auch sie hatten einen Auftrag zu realisieren, mochte er ihnen bewußt sein oder nicht. Was angesichts eines solchen Massenphänomens Historiker, Psychotherapeuten und Seelsorger miteinander verbindet, ist dieses: nicht in erster Linie von festen Positionen her zu richten, sondern zu verstehen, um das Verstandene — jeder in seiner Weise — in unserem eigenen Dasein fruchtbar zu machen.

11.

Der Bauernkrieg in Mitteldeutschland

Mitteldeutschland, die Landschaft zwischen Thüringer Wald, Harz und Erzgebirge, nimmt im deutschen Bauernkrieg eine besondere Stellung ein. Die Aufstände der Jahre 1524/25 blicken in den Alpenländern und in Südwestdeutschland, dem ältesten deutschen Kulturboden, auf eine lange Reihe von örtlichen Unruhen während des ausgehenden Mittelalters und noch in den Jahrzehnten unmittelbar vor der Reformation zurück. Die Volksrevolution des Bauernkrieges ist hier das letzte Glied in einer langen Traditionskette, die Summe der voraufgehenden Teilaufstände, vermehrt um den entscheidend neuen Impuls aus Luthers reformatorischer Entdeckung. In Mitteldeutschland, wo alter germanischer Siedlungsboden mit jüngerem Kolonialland zusammentrifft, ist dagegen von örtlichen Vorläufern der bäuerlichen Empörung von 1525 nichts bekannt. Der mitteldeutsche Bauer entdeckt sich erst während der Entscheidungsjahre der Reformation als Revolutionär und holt im Verlauf weniger Jahre eine Entwicklung nach, die seine oberdeutschen Standesgenossen fast ein Jahrhundert lang beschäftigt hat. Zwar sind die mitteldeutschen Unruhen nicht aus eigener Wurzel entstanden: sie sind eine letzte Welle der vom Südwesten ausgehenden, nach Norden und Osten abrollenden Bewegung. Ohne die fränkischen und Schwarzwälder Vorbilder sind die Aufstände in Thüringen und Sachsen nicht denkbar. Mannigfache Verbindungen gehen zwischen dem Mühlhäuser Haufen und den süd- und westdeutschen Bauernversammlungen hin und her, und vielleicht hat man sogar an ein gemeinsames, taktisch gegeneinander abgestimmtes, planmäßiges Vorgehen in den verschiedenen deutschen Landschaften gedacht. Solche Abhängigkeit darf jedoch nicht überschätzt werden; sie sagt über den Willen dieser vom Ursprungsherd weit entfernten Empörer und den originalen Wert ihres Beitrages zur Gesamtbewegung wenig aus. Denn überall, wo man die Fackel des Aufruhrs entzündete, wurde eine Entscheidung vollzogen — hier eine leichtfertige, dort eine schwerwiegende —, die durch den Hinweis auf frühere ähnliche oder parallele Ereignisse nichts von ihrem Ernst einbüßt. Mitteldeutschland war im Gegensatz zu Oberdeutschland zu Beginn des 16. Jahrhunderts arm an reichsunmittelbaren Herrschaften, die auch für den gemeinen Mann die Blicke über die überschaubaren Horizonte der nächsten Nachbarschaft hinweg auf die große nationale Ordnung des Reiches hätten lenken können, wie es im Südwesten immer wieder geschah. Mühlhausen und Nordhausen, die beiden einzigen Reichsstädte im Zentrum des thüringischen Aufstandes, waren längst in ihrer Bedeutung und Macht verkümmert und hatten benachbarte Landesherren sich als Schutzfürsten verschreiben müssen. Was Wunder also, wenn hier nicht das Reich, sondern Kurfürst Friedrich als der Retter angerufen wurde. Selbst die apokalyptischen Verheißungen Thomas Müntzers, neben dem alle andern mitteldeutschen Bauernführer zur Bedeutungslosigkeit verblassen, waren völlig unpolitische Gebilde. Erst nachdem die Landesfürsten Friedrich der Weise und sein Bruder Johann sich versagten, die Müntzer zum Eintritt in seinen „Bund“ aufgefordert hatte, rief er zur Vernichtung ihrer Autorität auf. Es liegt wohl nicht allein an der Unfähigkeit und Kraftlosigkeit des Reiches, sondern auch an der politischen Atmosphäre dieses z. T. kolonialen, weniger an die Tradition des Reiches gebundenen Mitteldeutschlands, daß sowohl die Bauern als auch Luther allein den Landesherren sich als Garanten einer neuen gerechteren Ordnung denken konnten. Ein Umstand des mitteldeutschen Bauernkrieges ist für die gesamte Bewegung von schwerwiegendsten Folgen geworden: Hier verläuft die Front, an der Luther dem Aufruhr begegnete. Nach seinen persönlichen Erfahrungen in Thüringen und Sachsen hat er sich ein Bild von dem ganz Deutschland erschütternden Aufstand gemacht, und wenn seine öffentliche Stellungnahme gegen die Bauern zur Katastrophe beigetragen hat, dann kommt der Eigenart des Aufruhrs in seiner unmittelbaren Nachbarschaft ganz besondere Bedeutung zu. Vom Verhältnis der mitteldeutschen Unruhen zur Gesamtbewegung des Bauernkrieges wäre noch einmal zu prüfen, wie Luthers Entscheidung in dieser Schicksalsfrage der deutschen Geschichte zu verstehen ist.

Der mitteldeutsche Aufruhr zeigt nun freilich wie der gesamte Bauernkrieg kein einheitliches und eindeutiges Gepräge. Selbst innerhalb des Kerngebietes zwischen Mühlhausen und Frankenhausen, das durch die Persönlichkeit Thomas Müntzers die Kräfte aus einem weiten Umkreis magnetisch an sich zog, überblicken wir heute, nachdem die Quellen erschöpfend erschlossen sind, zahllose Variationen, aus denen das zugrunde liegende Thema oft nur mit Mühe herauszuhören ist. Aufs Große gesehen ist allerdings festzuhalten, daß die Bauern des mainzischen Eichsfeldes, der Grafschaften Hohnstein, Stolberg und Mansfeld am Harz, der Obergrafschaft Schwarzburg und der albertinischen und ernestinischen Anteile an der ehemaligen Landgrafschaft Thüringen auf den Punkt zusammenströmten, an dem die Entscheidung für ganz Mitteldeutschland gefallen ist: Frankenhausen. Hier ging es wirklich um eine Konzeption, wenn auch keine politische. Hier hatte die territoriale Zersplitterung und das Gestrüpp der sich überlagernden und sich durchdringenden Abhängigkeiten nicht minder groteske Formen angenommen als im Südwesten des Reiches. Hier ließen sich die Bauern nicht abhalten, über allzu enge landesherrliche Grenzen hinwegzuschreiten. Hier war aber auch weit und breit keine Herrschaft zu entdecken, die die Blicke auf das Reich und den Kaiser hätte lenken können. Was in Mitteldeutschland außerhalb dieses engeren Ringes sich ereignete, ist peripher, lokal gebunden geblieben trotz einzelner größerer Zusammenrottungen wie um Erfurt, Arnstadt, Neustadt an der Orla, im Vogtland, um Zwickau und im Erzgebirge. In diesen versickernden Ausläufern einer großen Bewegung ist nichts mehr von dem Willen und der Kraft zu einer Entscheidung zu verspüren, die über den engsten Horizont dieser Bauern und Städter hinausgeführt hätte.

Über die Bewußtseinslage des mitteldeutschen Bauerntums aus der Zeit vor der Reformation wissen wir wenig. Das Land ist arm an literarischen Talenten, die uns einen Einblick in das bäuerliche Denken des 15. und 16. Jahrhunderts vermitteln könnten, und von gewaltsamen Explosionen, die uns die Verhältnisse im Querschnitt freilegten, haben wir keine Nachrichten. Erst mit dem Auftreten Luthers beginnen die Züge sich klarer abzuzeichnen. Was in bäuerlichen Beschwerden, Gerichtsverhandlungen und Güterezessen seit dem Beginn der Reformation zunächst in die Augen fällt, ist nicht die Ablehnung von Lasten und Zinsen an sich, sondern die Unsicherheit des Rechts, die Tatsache, daß es für alle Leistungen, die aus der Vielzahl bäuerlicher Abhängigkeitsverhältnisse herrühren, kein unverrückbares, ein für allemal feststehendes Maß mehr gibt. Das von Hause aus konservative bäuerliche Rechtsdenken fühlt den Boden unter seinen Füßen schwanken. Es sind hier die gleichen Beschwerden, die sich in Oberdeutschland bereits im Bundschuh und im Armen Konrad Luft gemacht hatten und auch dort seitdem nicht mehr verstummt waren. Die landesherrlichen Gewalten wurden auch in Mitteldeutschland dem Bauern von Jahr zu Jahr fühlbarer, ohne daß er den Sinn dieses auf ihm lastenden Druckes begriffen hätte. Er bekam es am eigenen Leibe zu spüren, wie der Territorialstaat immer nachdrücklicher daranging, das Herkommen und überlieferte Rechtsansprüche kraft eigenen Rechtes zu verletzen, wie er dabei gern auf ältere Rechtstitel zurückgriff, die auf dem Wege des Gewohnheitsrechtes im Laufe der Zeit ihm entfremdet worden waren und von der landesherrlichen Verwaltung jetzt neu entdeckt und nutzbar gemacht wurden, wie er selbst vor Eingriffen in die dörfliche und städtische Selbstverwaltung und den „gemeinen Nutz“ nicht zurückschreckte. Die Landesherrschaft entdeckte auf dem Wege zur Staatwerdung die Nötigung, alle ihr zustehenden Einnahmequellen zu rationalisieren, zu vereinheitlichen und auszuschöpfen und neue Erträge sich zu erschließen, um den wachsenden Staatsaufgaben gerecht zu werden. Es ist hochbedeutsam, daß sich das beim alten Recht stehen bleibende, jeder sichtbaren Fortentwicklung abgeneigte bäuerliche Rechtsdenken gleich zu Anfang der neuen Dynamik des Staates in den Weg stellte.

Indessen handelte es sich bei dieser Abwehr von Maßnahmen, die vom Boden des Herkommens entweder als rechtlos oder als Rechtsverletzungen erscheinen mußten, gar nicht allein und in erster Linie um die Übergriffe der Landesherren und ihrer Beamten, sondern um den ganzen Wust von gerichtsherrlichen, grundherrlichen, leibherrlichen und lehnsherrlichen Abhängigkeiten von weltlichen und geistlichen Oberherren, um Rechtsansprüche also, die immer unentwirrbarer wurden. Namentlich diese, ihm zunächst gesessenen Gewalten hat der Bauer als seine Bedränger empfunden, ja, sie haben ihm den Druck des werdenden Staates geradezu verdeckt und ihm den Landesherrn als seinen wahren Beschützer erscheinen lassen. Diese adligen Herren zwischen Landesfürst und Bauer sahen sich in einer sich verändernden Welt genötigt, zu neuen, kapitalistischen Wirtschaftsformen überzugehen. Sie ließen es nicht mehr dabei bewenden, in ihrer Wirtschaft allein den Bedarf des eigenen Haushalts zu decken, sie stellten sich auf die Erzeugung von Überschüssen und damit auf Gewinn ein. Infolge des Anwachsens der Bevölkerung in den großen Städten und des Umsichgreifens der Geldwirtschaft boten gerade die Städte einen willkommenen Absatzmarkt für ländliche Erzeugnisse, besonders für Fleisch, Milchprodukte, Wolle für die Tuchgewerbe und auch für Getreide. Um solche Überschüsse über den eigenen Bedarf zu erzielen, gab es für die ritterliche Gutswirtschaft verschiedene Wege: Die Erhöhung und Rationalisierung der Abgaben, die eine Möglichkeit, wirkte sich unmittelbar als Belastung für den Hörigen aus: die andere Möglichkeit der Gewinnsteigerung durch Vergrößerung der landwirtschaftlichen Nutzfläche fiel ebenfalls auf den abhängigen Bauern zurück, weil die vermehrte Arbeitsleistung bei dem Mangel an freiem Gesinde nur durch Erhöhung der Frondienste zu erreichen war. Steigerungen von Abgaben und Diensten, die ausschließlich im Interesse des Ritters lagen, waren nur dann zu erzielen, wenn er seine obrigkeitlichen Rechte und Befugnisse über seine Bauern planmäßig ausnutzte und ausbaute, und das war der Druck, den sie unmittelbar empfanden.

Da beklagen sie sich — um nur einiges zu nennen —, daß die Herren die Maße verkleinern, namentlich beim Wein, um höhere Einnahmen zu erzielen. Dem einzelnen werden in Stadt und Land die freien Braugerechtsame entzogen, ihr Verbleib an Abgaben gebunden oder besondere Brauhäuser errichtet, für deren Benutzung ebenfalls Sporteln erhoben werden. In entsprechender Weise wird das freie Backen von Brot eingeschränkt und in eine Einnahmequelle verwandelt. Besonders verbreitet sind die Klagen über die wachsenden Schafherden, die die Dorffluren in Anspruch nehmen oder gar den Dorfhirten unterstellt werden, also die Allmendnutzung schmälern. Die intensive Bewirtschaftung der gemeinen Weide führt zwangsläufig zu Streitigkeiten zwischen Dorf und Ritter und zwischen den benachbarten Gemarkungen, die mit Pfändung des Viehes beginnen und sich bis zu erbitterten Schlägereien um die vorenthaltenen Besitzstücke steigern. Die für einen ganz bestimmten Zweck vorgesehenen Fronen werden in andere bisher nicht übliche Arbeitsleistungen verwandelt, die Verköstigung von Mensch und Vieh durch den Herrn gestrichen, die Fronzeiten vermehrt. Die Höhe aller solcher Leistungen ist auch in Mitteldeutschland ganz ungewöhnlich verschieden. Die Handfronen schwanken z. B. zwischen einer kaum nennenswerten Belastung von einigen Arbeitstagen im Jahr bis zu einer Beanspruchung, die auf die Dauer zur Verarmung führen mußte. Es ist begreiflich, daß der Bauer in der Regel geneigt war, in seinen Beschwerden seine Lage düsterer zu malen, als sie wirklich war, um eine fühlbare Erleichterung herauszuschlagen. Diese psychologische Selbsthilfe muß bei der Bewertung seiner Klagen in Rechnung gestellt werden. Denn auch hier ist wie in anderen Teilen Deutschlands die wirtschaftliche Lage des Bauerntums zu Beginn der Neuzeit nur sehr schwer zu ermitteln. Nur relative Abstufungen sind im allgemeinen möglich. Die Klagen der kleinen Landstädte gegenüber Lehns- und Landesherren sind von denen der Bauern nicht dem Wesen, sondern dem Grade nach verschieden. Es liegt im Wesen des städtischen Rechtsraumes — selbst dem der kleinen Grafenstädte —, daß er größer und freier ist als der der Dörfer. Eingriffe der Obrigkeit in die Selbstverwaltung und die bestehenden Rechtsgewohnheiten wurden hier nicht minder schwer empfunden. Die Klagen der Städter, deren Leben weithin einen rein bäuerlichen Zuschnitt hat, beschäftigen sich z. T. mit den gleichen Anliegen wie die der Bauern. Auch hier ist das Bestreben des Landesherrn spürbar, durch Einebnung überkommener Sonderrechte einen einheitlicheren Untertanenverband zu schaffen. Es handelt sich bei all solchen Beschwerden gar nicht so sehr um die Höhe der Belastung, den wirtschaftlichen Schaden, sondern in erster Linie um das Prinzip, die Rechtsunsicherheit. Die Eingriffe, so unbedeutend sie auch im einzelnen gelegentlich sein mögen, müssen am Ende doch als lästig empfunden werden, weil sie die Bewegungsfreiheit einschränken, und erbittern, weil sie offenbar der Willkür Tür und Tor öffnen.

Die Abwehr solcher gegen das Herkommen als ungerecht und demütigend empfundenen Übergriffe scheint vor 1525 im mitteldeutschen Raum nur selten gewaltsame Formen angenommen zu haben. Wenn man auf dem Lande die Fristen für die Zahlungen der gesteigerten Abgaben verstreichen ließ, zum Ableisten der vermehrten Dienste ungeeignete Kräfte, besonders die Frauen, schickte und die zusätzlichen Frone durch vorzeitige Beendigung der Arbeit zu mildern versuchte, so hielt sich solch passiver Widerstand gewiß im Rahmen des zu allen Zeiten bei abhängigen Bauern üblichen. Aber die Grund- und Lehnsherren besaßen genügend Mittel, auch die Mißgelaunten zur Erfüllung ihrer erhöhten Forderungen zu zwingen. Die Bedrängten wiederum waren darauf aus, dem auf ihnen lastenden Druck dadurch auszuweichen, daß sie fremde Gerechtsame und Nutzungsrechte sich anzueignen suchten, um die verlorenen wieder auszugleichen, ein Wettlauf, in dem sie um so schneller ins Hintertreffen gerieten, je fester ihre Oberherren auf restloser Ausschöpfung aller ihnen zustehenden Rechte bestanden. Die landesherrlichen Gerichte der unteren Instanzen sind in Mitteldeutschland zu Beginn der zwanziger Jahre geradezu überladen mit bäuerlichen Klagen über die Verletzung des guten alten Rechtes, für das es in den meisten Fällen noch genug lebende Zeugen gab. Nicht immer ist es den Gerichten gelungen, den Ausgleich herzustellen.

Ganz besonders energische Formen nahm die Abwehr gegenüber den erhöhten Forderungen der Geistlichen an. Als Landes-, Grund-, Lehns- und Gerichtsherren waren sie nicht minder auf die Steigerung ihrer Einnahmen und Erträge bedacht als die weltlichen Herren, ohne daß sie für solches Streben einen legitimeren Rechtsanspruch hätten geltend machen können. Doch dabei blieb es nicht. Ähnlich wie die weltliche Herrschaft alle ihre Leistungen von bestimmten Zahlungen abhängig zu machen suchte, so ging auch die kirchliche Pfründenwirtschaft dazu über, für die verschiedenen Arten kirchlicher Verrichtungen (Kindtaufen, Hochzeiten, Begräbnisse, Einleitung von Wöchnerinnen usw.) Sporteln entweder ganz neu einzuführen oder doch wenigstens zu erhöhen, ohne daß sich an den Leistungen selbst das mindeste änderte. Auch mit diesen Streitigkeiten ist die weltliche Obrigkeit, praktisch der Amtmann, befaßt worden, der auf dem Wege des gütlichen Vergleiches nicht immer einen neuen verbindlichen Rechtsspruch fand. So blieb schon früh die Verweigerung des Zehnten, der wichtigsten kirchlichen Abgabe, und der an geistliche Herren und Institutionen geschuldete Zins für den weltlichen Untertanen die einzige Waffe, um sich eine sehr bescheidene Einwirkungsmöglichkeit auf den kirchlichen Bereich zu erhalten. Nur zu oft versagte freilich solcher wirtschaftliche Druck, weil auch der geistliche Arm imstande war, den weltlichen zu Hilfe zu rufen und die vorenthaltenen Leistungen mit Gewalt einzutreiben. Vertieft wurde dieser Gegensatz durch den sittlichen Tiefstand der niederen Geistlichkeit. Die Klagen über Kapitalverbrechen einzelner Kleriker sind nicht minder zahlreich als die über gröbliche Vernachlässigungen ihrer kirchlichen Pflichten. Die Amtshandlungen der Pfarrer wurden z.T. nicht nur säumig oder durch ganz ungeeignete Stellvertreter ausgeführt, sondern es kamen dabei auch Exzesse vor, die mit dem Sinn solcher Handlungen schlechthin unvereinbar waren. Unter solchen Verhältnissen mußten die gesteigerten Forderungen für Lasten und Abgaben an die Geistlichkeit besonders unverständlich, rechtlos und entbehrend empfunden werden. Schon 1524 sahen sich die sächsischen Fürsten veranlaßt, wegen der Klagen über steigende Fronen und Pflichten für die Geistlichen miteinander in Beratungen einzutreten. Schon glaubten sie einen heimlichen „Bund" zur Abwehr solcher Bedrängnisse beobachten zu können.

Es ist hier nicht der Ort, die ganze Fülle der von den Kleinstädten in Thüringen und Sachsen gegen die Geistlichen vorgebrachten Beschwerden auszubreiten. Wo Handel und Gewerbe noch lebendig waren, war die Kirche längst eine tödlich gehaßte Kapitalmacht, die mit ihrem Zinsendienst den gemeinen Mann in ihren Klauen hielt. Sie begnügte sich nicht allein damit, wider alles biblische Gebot für ihre Verschreibungen überhaupt Zinsen zu fordern, sondern sie setzte auch den Zinsfuß herauf und trieb, wenn es sein mußte, mit Hilfe des geistlichen Gerichts ihre Forderungen rücksichtslos ein. Drohungen wie diese: man müsse die zinsnehmenden Mönche noch einmal mit blutigen Köpfen heimweisen, oder: sie werden nicht eher weichen, man ziehe sie denn mit den Haaren davon, waren durchaus gebräuchlich. Mit dem steigenden Haß wurde der städtischen Bevölkerung die rechtliche Sonderstellung der Klöster und Weltgeistlichen zur Last. Was innerhalb der Stadtmauern lebte und städtische Vorrechte gebrauchte, das sollte auch an den städtischen Lasten, an Steuern und Wehrdienst, teilhaben. Besondere

Empörung rief es hervor, daß die Klöster ohne einen Schein des Rechts auf städtischem Boden ihre freien Höfe erweiterten und mit Eigenleuten besetzten, für die sie ebenfalls Steuerbefreiung forderten. Selbst in Fürstenstädten konnten sich einzelne geistliche Herren schließlich kaum noch der öffentlichen Belästigungen, des Spotts bei den Fastnachtsumzügen und der Verhöhnung entziehen.

Wenn erst grundsätzlich an der Rechtmäßigkeit und Gottwohlgefälligkeit dieses kirchlichen Apparates gerüttelt wurde, dann war die Kluft zwischen bloßem Erdulden und tätlicher Abwehr nicht mehr zu überbrücken. Von der bäuerlichen Frömmigkeit zu Beginn des 16. Jahrhunderts können wir uns heute keine ganz zureichende Vorstellung mehr machen. Ob der weit verbreitete Pfaffenhaß nur eine Folge der nicht zu beschönigenden kirchlichen Mißstände war oder ob er einer andersgearteten bäuerlichen Religiosität entsprang, bleibt eine offene Frage. Ganz ohne Zweifel aber hat Luthers Predigt ganz entscheidend dazu beigetragen, den Gegensatz zu dieser pfäffischen Welt zu vertiefen. Die Reformation ist in ihrer engeren Heimat wie in ganz Deutschland für den gemeinen Mann die Erweckungsstunde für ein ganz neues Bewußtsein.

Keine der geistigen Bewegungen des späten Mittelalters hatte ein besonderes Verständnis für den Bauern gehabt. Am ehesten war das noch bei der Mystik der Fall, die die Arbeit als eine Prüfung Gottes für den Menschen ansah. Nach ihrer Anschauung waren die Menschen vor Gottes Angesicht gleich, Laien wie Priester, und sie gestand einem ehrlich suchenden armen Manne immerhin die Möglichkeit zu, daß er Gott besser erkenne und finde als mancher rechtmäßig verordnete Priester. Im übrigen aber war der Bauer der verachtete Tölpel geblieben, der Narr, dumm und einfältig wie das liebe Vieh, mit dem man auch entsprechend verfuhr. Erst die neue Wertschätzung der Arbeit, die Luther mit dem Gedanken vom allgemeinen Priestertum der Gläubigen, mit der grundsätzlichen Aufhebung des Unterschiedes zwischen geistlich und weltlich einführte, brachte auch eine neue Schätzung des Bauern mit sich. Durch die Taufe und den Glauben waren nun alle Menschen Priester, alle Christi Brüder. Die Absonderung eines bestimmten Standes zum besonderen Dienst für Gott war hinfällig geworden. Der Laienstand bewährte geradezu in der Mühsal des Alltages sein Gottvertrauen, während die Abschließung von Mönchen und Nonnen auf Kosten der Weltkinder den Mangel an Vertrauen in die göttliche Gnade zu erkennen gab. Solche Anschauungen waren dem bäuerlichen Menschen keine bloße Theologie. Durch Pfarrer, Wanderprediger, ehemalige Mönche und Laienprediger hörte auch er in Städten und Dörfern diese Verkündigung. Zu den Predigern der neuen Lehre lief das Volk in Thüringen und Sachsen in hellen Scharen, oft genug trotz ausdrücklicher Verbote des Landesherrn. Allstedt zählte an Sonntagen 2000 Menschen bei Müntzers Predigten. Dazu kam der breite Strom des evangelischen Schrifttums, der Schriften Luthers selbst und der zahllosen von ihm ergriffenen Schreiber, die ja fast ausnahmslos sich an den Bauern wandten und entweder bei ihm mit der Ehrfurcht vor dem gedruckten Wort das Gehörte bekräftigten oder da, wo die neue

Predigt noch verweigert wurde, eine Waffe in die Hand des einfältigen Mannes gegen den ungelehrten Pfaffen legten. Entscheidend war, daß diese Predigt nicht bloßes Gedankengut blieb, sondern nach der Nutzanwendung schrie. Luther selbst hatte, nachdem einmal dem Papsttum der Kampf angesagt war, in der Schrift an den Adel verkündet, daß es Gottes Wille sei, durch den Laienstand seiner Kirche zu helfen. Seine Gedanken zielten, als er sich die Gravamina deutscher Nation zu eigen machte, ganz auf praktische Reformen. In seiner theologia pauperum hatte er dem Ärgernischarakter des Evangeliums eine überraschende aktuelle Wendung gegeben: Auf den Armen, Verachteten, d. h. den Bauern, sollte das besondere Vertrauen Gottes liegen, die sozial Niedrigen sollten die Streiter für das Evangelium sein; die Reichen, Gelehrten und großen Herren waren dagegen des Teufels Leckerbissen, wenn sie nicht von ihrem gotteslästerlichen Leben ließen. Im sozialen Gefüge des deutschen Volkes war damit, ohne die ständischen Schranken niederzureißen, eine ganz neue Wertung und Rangabstufung eingeführt. Der Bauer war die Idealgestalt des schaffenden Menschen geworden, seine Arbeit mußte als der Kern aller Arbeit gelten, alle anderen Berufe waren verordnet, den Pflug zu treiben. Und als Luther gar dem schlichten Bauersmann, dem er aufs Maul gesehen hatte, das Neue Testament in die Hand gab, als er selber bestätigte, daß jetzt „arme Bauern und Kinder baß Christum verstehen denn Papst, Bischöfe und doctores", da war es unumstößliche Gewißheit, daß Gott einen Wandel wollte; wer sich jetzt noch gegen solche Einsicht sperrte, der versündigte sich an dem klar geoffenbarten göttlichen Willen.

Der auf diese Weise aufgeklärte Bauer wurde mit einem ganz neuen Selbstbewußtsein erfüllt. Erst von den neuen Einsichten her erkannte er recht eigentlich die Welt, in der er lebte und zu deren Umgestaltung gerade er, der Held der Nation, sich aufgerufen fühlte. Seine Anklagen und Beschwerden, bisher nur aus der rechtlichen Sphäre her geltend gemacht, bekamen jetzt eine ganz neue Dimension: Mochte Luther Gott und Welt noch so deutlich trennen, für den Bauern ging es um die Verwirklichung des Wortes Gottes, um die Wahrheit schlechthin. Um der neuen Predigt auf dem Lande zum Durchbruch zu verhelfen, um „das Evangelium zu handhaben", ist der mitteldeutsche Bauer in breiter Front aufgestanden. Die bisherige Wortverkündigung war in seinen Augen nichts anderes als lauter Lügen und Fabeln, jede Verteidigung und Rechtfertigung der Altgläubigen eine Verfälschung der Heiligen Schrift, eine Lästerung Gottes. Zu solchem Lästern stillzuhalten, war auch dem Friedliebendsten schwer. „Daß sie aber das Evangelium Ketzerei heißen, das leiden fromme Leute, die die Wahrheit lieben, nicht mehr." In Sangerhausen ließen sich etliche hören: „Sie wollten (dahin) gehen, wo man Gottes Wort predigt, und wollten niemand scheuen. Denn unser gnädiger Herr sei ihr Fürst über Leib und Gut, aber nicht über die Seelen. Wenn man sie allhier nicht leiden möge, so wollten sie verkaufen und sich von dannen wenden." Eine solche Konsequenz aus dem leidenden Gehorsam entsprach zwar dem Sinne Luthers, aber wenig dem allgemeinen Kampfbedürfnis. Die Verweigerung von

Zinsen, Zehnten und Fronen wurde die wirksamste Form für die Anwendung des kirchlichen Widerstandsrechtes. Die Pfarrer, die nicht freiwillig die neuen Zeremonien übernahmen, wurden damit unter einen wirtschaftlichen Druck gesetzt, dem sie auf die Dauer nicht widerstehen konnten. Wo der äußeren Nötigung länger Widerstand geleistet werden konnte, boten sich fahrende Prediger genug, meist entlaufene Mönche, die, auf dem Lande wie in den Städten Unterschlupf suchend, von ihren Anhängern geleitet, z.T. mit Gewalt in die Kirchen eindrangen. Wo der alte Prediger nicht gutwillig weichen wollte, wurde sein Gottesdienst so lange gestört, ihm das Wort unter der Predigt abgeschnitten und der Kelch so oft aus der Hand gerissen, bis er klein beigab. Im übrigen behalf man sich mit den Predigten auf Kirchhöfen und Marktplätzen, wobei ein Rathausfenster als Kanzel dienen mochte. Die neue Verkündigung bedurfte keiner von Priesterhand geweihten Räume. Das äußerste an Gegnerschaft gegen das papistische Wesen waren die Pfaffenstürme, ein Vorgehen, in das nun schon mancherlei im einzelnen nicht mehr kontrollierbare Motive, vor allem die Begehrlichkeit auf das Kirchengut, sich einmischten. Wirtschaftliche Schädigung, körperliche Mißhandlung oder gar Vertreibung der falschen Lehrer von Amt und Brot sollten dem Evangelium zum Siege verhelfen.

Solche Gewalttaten waren bereits die sichtbaren Vorboten der Revolution und sind auch von Freund und Feind als solche gewertet worden. Der Bauernkrieg ist wie jede echte Revolution nicht allein aus wirtschaftlichen Voraussetzungen, sondern aus einem neuen Glauben zu verstehen. Das alte Recht und das Evangelium, das sind die beiden Fundamentalforderungen, die auch in Thüringen und Sachsen in Jahren sich vorbereiten, bis sie mit einem Schlage in aller Munde sind. Man kann sich nicht genügend klarmachen, daß in Stadt und Land die Reformation in zahllosen Fällen sich unter sehr gewaltsamen Begleitumständen durchsetzte. Seit Luthers kühnem Angriff auf die höchste Autorität des Mittelalters, die römische Kirche, war die Zeit der Zweifel an der Gerechtigkeit der überkommenen Ordnung vorbei: Das Tor zur Tat war aufgestoßen. Mußte nicht für das gegenständliche Denken des gemeinen Mannes zwangsweise eine schwere Vertrauenskrise entstehen, wo seine Obrigkeit sich der Verkündigung des reinen Gotteswortes sperrte? War nicht die Verletzung des Herkommens — zum mindesten bei der römischen Klerisei — eine Folge ihres gottwidrigen Lebens, das man zugleich traf, wenn man sich für die Erhaltung des alten Wesens einsetzte? Ja, mehr noch: Waren Abgaben und Dienste überhaupt noch zu rechtfertigen für eine Obrigkeit, deren Lehre und Leben als teuflisch entlarvt waren? Kannte nicht schon das Mittelalter ein Widerstandsrecht gegen die unchristliche Herrschaft?

Kein Zweifel: Luther war hier gründlich mißverstanden. Seine unter schweren Kämpfen errungene innere Freiheit, die Freiheit eines Christenmenschen, wurde hier „fleischlich“ gedeutet. Seine christliche Idee von der Gleichheit der Menschen vor Gott zu mißbrauchen für die Forderung nach einem Programm irdischer Gerechtigkeit, das konnte niemandem einfallen, der die Abgründe an Innerlichkeit in diesem Manne kannte. Die seine Predigt ins Volk hinaustrugen, waren nicht immer reine Zeugen seines Geistes. Die Wirrköpfe unter ihnen, an Zahl nicht gering, mischten wohl in wunderlicher Weise Neues mit Altem und ließen sich gewiß um ihrer Versorgung willen hier und da auch von verschwommenen Schlagworten tragen, die ihre Zuhörer von ihnen hören wollten. Bezeichnend genug, daß die äußere Umstellung auf Priesterehe, deutsche Messe und die Feier des Abendmahls in beiderlei Gestalt oft als Beweis der neuen Gesinnung schon ausreichte. Man wird sich auch vor einer romantischen Idealisierung des gemeinen Mannes hüten müssen. Bei aller Bibelgelehrsamkeit einzelner und bei allem Verlangen nach wahrer seelsorgerischer Betreuung: Luther in seinem innersten Anliegen zu verstehen, waren immer nur wenige fähig. Luther selbst waren die Zusammenhänge zwischen Reformation und Revolution nicht verborgen, und seit seinem Eingreifen in die Wittenberger Umtriebe kämpfte er verzweifelt gegen die Verfälschung seines Werkes. Aber wie bei allen Großen hat nicht bloß sein klares Wollen, sondern auch die ungewollte Wirkung seines Handelns Geschichte gemacht. Immer wieder hatte er mit seiner Bußpredigt den geistlichen und weltlichen Herren ins Gewissen geredet, daß sie selbst den Aufruhr förderten. „Sollst wissen, daß seit Anbeginn der Welt gar ein seltsam Vogel ist um einen klugen Fürsten, noch viel seltsamer um einen frommen Fürsten. Sie sind gemeiniglich die größten Narren und ärgsten Buben auf Erden.“ „Sie können nicht mehr denn schinden und schaben, einen Zoll auf den andern, eine Zeise über die andere setzen, da einen Bären, hie einen Wolf auslassen. Darum hat Gott sie nun in einen verkehrten Sinn gegeben und will ein Ende mit ihnen machen gleichwie mit den geistlichen Junkern. Denn der gemeine Mann wird verständig, und der Fürsten Plage, die Gott contemptum heißet, gewaltig daher gehet unter dem Pöbel und gemeinen Mann, und sorge, ihm werde nicht zu wehren sein, die Fürsten stellen sich denn fürstlich und fangen wieder an mit Vernunft und säuberlich zu regieren.“ „Man wird nicht, man kann nicht, man will nicht euer Tyrannei und Mutwillen die Länge leiden, lieben Fürsten und Herren, da wisset euch nach zu richten. Gott will's nicht länger haben. Es ist jetzt nicht mehr eine Welt wie vorzeiten, da ihr die Leute wie das Wild jagtet und triebet. Darum . . . lasset Gottes Wort seinen Gang haben.“ „Werdet ihr aber viel Schwertzuckens treiben, so sehet zu, daß nicht einer komme, der es euch heiße einstecken, nicht in Gottes Namen.“ Mußte der Bauer aus solcher Predigt nicht die Hoffnung schöpfen, daß Luther neben ihm stehe, daß beider Verlangen ein und dasselbe sei? Luther war sich der Gefahr, zu der er selbst den Anlaß gab, wohl bewußt. Er sah sich aber außerstande, solcher Bedenken wegen seine Angriffe einzustellen. „Mag daraus entstehen, was da will — soll darum Gottes Wort nachbleiben und alle Welt verderben?“ Er war religiöser Prophet, kein berechnender Politiker. Nicht durch gewaltsames, eigenmächtiges Eingreifen sollte der Antichrist zerstört werden. „Daß jedermann mit Gottes Wort dawider rede, lehre und halte, bis er zuschanden werde, und, von ihm selbst verlassen und verachtet, zerfalle, das ist ein recht christlich zerstören, daran alles zu setzen ist." Seine Ethik gebot ihm, den Herren mit dem Aufruhr zu drohen als einem Gericht Gottes über sie, aber dem Volke den Aufruhr zu wehren als eine furchtbare Sünde wider Gottes Gebot — ein Doppelsinn, unbegreiflich für einfältige Herzen.

Die Fürsten und Herren, die Luther beschwor, haben, obwohl sie den Aufstand kommen sahen, in Mitteldeutschland nichts getan, um ihn zu bannen. Seit Menschenaltern schon gehörte auch hier die Reformation des geistlichen Standes zu den vordringlichen Sorgen landesherrlicher Kirchenpolitik. An den Forderungen der Kurie und den widerstreitenden Interessen der Reichsstände und des Kaisers war sie zuschanden geworden. Einheitliches war nirgends entstanden. So ließ Kurfürst Friedrich der Weise den Dingen ihren Lauf; seine Amtleute waren wenigstens bestrebt, durch ordnende Eingriffe den Frieden zwischen den Prädikanten und ihren Gemeinden zu erhalten, wo das neue Wesen seinen Einzug hielt. Herzog Georg von Sachsen gehörte zu den eifrigsten Verfechtern des Wormser Edikts; Luther selbst stand gegen ihn literarisch im Felde. Daß seine Bauern in Thüringen über die nahe Landesgrenze gingen, um die neue Predigt zu hören, konnte auch er nicht hindern. Die kleinen Grafen und Herren wagten bei der allgemeinen Ungewißheit kaum eigene Stellungnahmen, und auch die Stadträte waren im allgemeinen konservativ gesonnen. So nahm denn das Verhängnis seinen Lauf.

Der Beginn des Aufruhrs in Franken 1524 hat in den mitteldeutschen Dörfern und Städten kaum besondere Aufmerksamkeit geweckt. Die energischen Vorsorgen der kurfürstlichen Amtleute, daß die Bewegung nicht auch auf sächsisches Gebiet übergreife, haben verhindert, daß sie von Süden nach dem Norden ihren Weg nahm. Die zwölf Artikel sind es, die Mitteldeutschland dem Aufruhr erschlossen haben. Anfang April 1525 waren sie in Thüringen bekannt, und seitdem ist dort von Mühlhausen aus planmäßig der Aufstand vorbereitet worden.

Mühlhausen, zu Beginn des Jahrhunderts doppelt so groß wie Leipzig oder Dresden, galt schon bei den Zeitgenossen als der „Brunnen", aus dem in Mitteldeutschland aller Aufruhr hergeflossen sei. Seit Jahren schon suchten die sozialen Spannungen in dieser Stadt, die in stetigem Rückgang begriffen war, im Zusammenhang mit der Reformation nach einem Ausgleich. Ein ungewöhnlich hoher Hundertsatz der Bevölkerung (45 %) war besitz- und daher auch politisch rechtlos, namentlich in den fünf Vorstädten vor den Toren. Die Predigt Heinrich Pfeiffers, eines Mönches aus dem Kloster Reifenstein auf dem Eichsfeld, gegen Pfaffen, Mönche und Nonnen und auch gegen den Adel hatte in diesem Proletariat offene Ohren gefunden. Der Aufstand von 1523 gegen den alten Rat, der unumschränkt die Geschicke der Stadt führte, hatte den Vierteln in den Achtmännern einen gewissen Anteil am Regiment und die Durchführung der Reformation gesichert, ohne den Rat schon zu entrechten. Erst Thomas Müntzer hat die Radikalisierung dieser Stadt vollendet.

Dieser Führer des mitteldeutschen Bauernkrieges hatte sich unter dem Einfluß hussitisch-taboritischer Gedanken in der Schule des Tuchmachers Nikolaus Storch in Zwickau vom Anhänger Luthers zum Schwärmer gewandelt. An Stelle der lutherischen Rechtfertigung durch den Glauben verkündete er das „Kreuz“ als den Heilsweg, das, von Gott den Menschen geschickt, ihn in völligem Zerbrochensein vor Gott erzittern läßt und damit reif macht für den Empfang des Heiligen Geistes. Die einmalige Bekehrung unter dem Kreuz und die Berufung auf das „innere Wort“, die unmittelbare Erleuchtung durch den „Geist“, statt auf das Zeugnis der göttlichen Offenbarung in der Heiligen Schrift, diese beiden Grundforderungen für den neuen Menschen glaubte er in sich selbst verwirklicht, sich selbst also berufen, die Wahrheit zu verkünden und das Gottesreich auf Erden zu bauen. Seine Allstedter Gemeinde bildete das Rückgrat seines „Bundes“ der „Auserwählten“, der nicht um der irdischen Freiheit willen geschlossen wurde, der überhaupt Gleichgültigkeit gegenüber den Nöten der Welt als eine Seite des von Gott geschickten Kreuzes verlangte, aber die Ausrottung der Gottlosen mit Gewalt zu seinem Programm erhob. Als die Landesfürsten, vor denen Müntzer predigte, ihren Beitritt zu diesem Bunde versagten, stellte der grundgelehrte, aber auch ehrgeizige Mann, den Luthers Ruhm nicht schlafen ließ, seine Hoffnung allein auf das arme Volk, das ihn allein noch trug. So wurde er um seiner Anhänger willen, die er nicht verlieren wollte, unter Verleugnung seines ursprünglichen Auftrages zum sozialen Revolutionär. Jetzt, verkündete er in einer hinreißenden, an die Propheten des Alten Testamentes gemahnenden Sprache, sei die Stunde gekommen, wo Gott die Gewaltigen vom Stuhl stoße und die Niedrigen erhöhe. Den Armen sei bisher nichts mehr geblieben, als mit ihrer Arbeit „den erzgottlosen Tyrannen den Hals zu füllen“. Jetzt aber gelte es, die Fürsten und Herren, „die Grundsuppe des Wuchers, der Dieberei und Räuberei“, zu vertreiben. In seinem Gottesstaat sollte das Volk frei sein, auch im Gebrauch der Fische im Wasser, der Vögel in der Luft und in allem, was auf der Erde wächst. Auf der Folter bekannte er, daß einem jeden nach seiner Notdurft und Gelegenheit ausgeteilt werden sollte. Das war eine Botschaft, die sich auch an die Geringen und Armen wandte, in ihrem verworrenen religiösen Anliegen kaum durchschaubar, aber mit ihrem Ruf zur Vernichtung der alten Autoritäten die Begehrlichkeit aller derer weckend, die nichts zu verlieren hatten. Dies schwärmerische Gottesreich auf Erden war weit von jeder politischen Ordnung entfernt. Müntzer hat über seine Einrichtung auch keine konkreten Vorstellungen gehabt. Die „Frommen“ sollten die Herrschaft haben oder zum mindesten über sie wachen, daß sie nichts wider Gottes Willen treibe. Solange das Volk noch unwissend war, wollte er selbst der Führer „zur Offenbarung des wahren Christus“ sein.

Im Sommer 1524 kam Müntzer nach Mühlhausen. Pfeiffer scheint hier ganz in den Bann des sprachgewaltigen Mannes geraten zu sein, der hier in der Stille weiter wirkte. Nach wenigen Wochen schon genügte ein geringfügiger Anlaß, daß seine Anhänger, einstweilen eine kleine Schar, den Sturz des Stadtregiments und einen „ewigen“ Rat forderten, der die Bibel zur Richtschnur seines Handelns nehmen sollte. „Vor allem wollen wir nach Gottes Wort ohne alles Wanken gehandelt haben ... Wir wollen viel lieber Gott zum Freunde haben und die Menschen zu Feinden, denn Gott zum Feinde und die Menschen zu Freunden; denn es ist sorglich, in Gottes Hände zu fallen“, heißt es in den zwölf Artikeln der Mühlhäuser, dem Werk Müntzers und Pfeiffers. Zum erstenmal gaben hier die Dämme der angestauten Flut nach: der wilde Haufe stürzte in die Kirchen, zerschlug die Heiligenbilder und Altäre und verstreute die Reliquien. Die Klöster waren im Jahre vorher schon einmal gestürmt worden. Noch hielten die Dörfer um Mühlhausen angesichts solchen Frevels den Atem an. Es gelang dem alten Rat noch einmal, mit ihrer Hilfe der Empörung Herr zu werden. Müntzer und Pfeiffer mußten die Stadt verlassen. Aber ihre Anhänger, an der Spitze die Achtmänner und ein paar schwärmerische Prädikanten, arbeiteten in ihrem Geiste weiter. Im Laufe des Winters wurden auch die Mühlhausischen Dörfer gewonnen und aus den Statuten der Stadt alles abgetan, was mit der Bibel sich nicht verglich. Als Pfeiffer im Dezember 1524 und Müntzer Ende Februar 1525 zurückkehrten, war von ihren Ideen mehr verwirklicht als bei ihrer Verbannung. Im März schon forderten sie unter dem Eindruck des Schwarzwälder Aufruhrs Zutritt zum Rat. In einer Volksabstimmung bestimmte die Einwohnerschaft selbst ihr Schicksal als eine christliche Demokratie unter einem „ewigen Rat“, der formell zwar nicht von Müntzer und Pfeiffer geführt wurde, aber doch beiden über die Mitglieder ihres Bundes den maßgebenden Einfluß gewährte. Die Klöster wurden aufgehoben, ihr Besitz in den „gemeinen Nutz“ überführt. Mönche und Nonnen mußten in den weltlichen Stand zurückkehren oder die Stadt verlassen. Die Menge tat sich in Küche und Keller an den Vorräten der Geistlichen gütlich.

Dieser Sieg der Müntzerschen Sache in Mühlhausen ist für den Bauernkrieg in Thüringen von entscheidender Bedeutung geworden. Unter die Impulse, die zum Aufruhr riefen, mischen sich seitdem die Haßinstinkte des einstigen Weltgeistlichen, den seine eigene Glut mit sich riß und der sein ureigenes Anliegen längst verraten hatte. Seit der Einsetzung des „ewigen Rates“, in dem auch angesehene und reiche Bürger saßen, wurde in den Dörfern in weitem Umkreis der Stadt mit wachsendem Erfolg durch die düstere und blutrünstige Agitation der Müntzerisch Gesinnten der Aufstand vorbereitet. Während des Winters hatte Müntzer mit den Schwarzwäldern über ihre Hilfe verhandelt. Darauf wartete er wohl; furchtsam und vor der Gefahr zurückschreckend, wollte er die Stadt nicht eher verlassen, bis der Aufruhr rings umher brannte. Sein Fähnlein stand derweil in Mühlhausen bereit. Die Schutzfürsten, vom Reichsregiment zum Einschreiten aufgefordert, versuchten zunächst durch gütliche Verhandlungen zum Ziel zu kommen. Aber die thüringische Ritterschaft, von Herzog Georg bereits seit Ende Januar aufgeboten, wies längst darauf hin, daß Verbote und Mahnungen hier nur noch Hohn und Spott weckten. In Mühlhausen liege das größte Gift. „Wenn dem nicht gewehrt wird, ist es uns nicht wohl möglich, unsere Untertanen in Gehorsam oder christlichem gutem Leben zu erhalten." Die Verhandlungen der einander mißtrauenden sächsischen Fürsten über die Art ihres gemeinsamen Vorgehens führten zu keinem Ergebnis.

Inzwischen brachen auch schon in der Woche nach Ostern die glostenden Flammen durchs Gebälk. Von Fulda und Hersfeld her wälzte sich der Aufruhr gegen das Werratal und ergriff die ernestinischen Ämter um Eisenach. Am 25. April sprang der Funke nach Langensalza in albertinisches Gebiet über, wo die Gemeinde die Annahme der Zwölf Artikel erzwang. Der Mühlhäuser Haufe, 400 bis 600 Mann stark, setzte sich in Marsch und begann, um den „Brüdern" zu Hilfe zu kommen, die umliegenden Klöster und Schlösser zu plündern. In wenigen Tagen stand ganz Thüringen bis hin zur Saale in Flammen. Von allein Seiten zogen die Hintersassen der zerstörten Burgen und Klöster dem Haufen zu oder sandten Botschaft, ihnen gegen ihre Bedrücker zu Hilfe zu eilen. Auf dem Eichsfeld, in Nordhausen, in den Grafschaften Hohnstein, Stolberg, Mansfeld, Schwarzburg und Gleichen, um Frankenhausen, in den Ämtern Sangerhausen, Eckartsberga und Freyburg, um Gotha, Reinhardsbrunn und Georgenthal und besonders um Erfurt erhoben sich die Bauern innerhalb weniger Tage, wie wenn eine heimliche Mobilmachung längst den Aufstand vorbereitet hätte. Überall gingen Schlösser und Klöster in Rauch auf; Mönche und Nonnen wurden vertrieben, der Adel, soweit er nicht die Flucht vorzog, zum Eintritt ins Bauernheer gezwungen; die Zwölf Artikel bildeten die Grundlage aller Forderungen. Im Saaletal, im Vogtland und um Zwickau folgte man dem Beispiel der Nachbarn, allerdings ohne Gewalttätigkeiten zu begehen. Es war wie ein Fieber, das den gemeinen Mann ergriffen hatte und ihn zum Zusammentreten zwang.

Wichtig für die Landesherren wie für die Bauern war vor allem die Haltung der Städte. Sie hatten seit Jahrzehnten ihre eigenen Nöte, die aus den Differenzen zwischen dem städtischen Proletariat und dem Rat stammten und in der starken Verschuldung der Städte ihre tiefere Wurzel hatten. Schon das späte Mittelalter kennt in Mitteldeutschland eine ganze Reihe von Beispielen, wo solche Spannungen in Tumulten und Aufständen sich Luft machten. Sie hatten indessen nie das Weichbild der einzelnen Stadt verlassen; eine Gesamtbewegung war nie daraus entstanden. Die Reformation, die zumeist gegen die konservativen Stadt- und Landesherren sich Eingang verschaffte, hatte neuen Zündstoff aufgehäuft. Im einzelnen wechseln Voraussetzungen und Anlässe für das Eingreifen der einzelnen Gemeinden in den Bauernkrieg sehr stark. Im allgemeinen darf man festhalten, daß bestimmte Schichten, in der Regel ohne zwingende Not, die Gelegenheit benutzten, um ihren Wünschen und Forderungen eine Gasse zu machen. Von einer Verbindung der Städte untereinander oder von einem planvollen Zusammengehen mit den Bauern, den eigentlichen Trägern des Umsturzes, ist auch jetzt keine Rede. Erfurt, die bedeutendste Stadt nahe dem Zentrum des mitteldeutschen Aufstandes, hatte für Tage seine bäuerlichen Hintersassen in den Mauern. Der Rat selbst hatte die Tore geöffnet, um mit Hilfe der Bauern die Oberaufsicht des Mainzer Erzbischofs auf ein erträgliches Maß zu beschränken. In Goslar, wo die Silbergruben still lagen, wurde die evangelische Predigt eingeführt, die altgläubigen Ratsherren mußten weichen. In Halberstadt, Aschersleben, Quedlinburg wurden die Klöster gestürmt wie in den Stiftern und die städtischen Gerechtsame gestärkt. Magdeburg konnte die Plünderung des reichen Klosters Berge vor den Toren nicht hindern. In Halle trat Kardinal Albrecht selbst zu Fuß zu den einzelnen Vierteln, mahnte zur Ruhe und verlangte ihre Beschwerde zu hören. Naumburg blieb still. Merseburg versuchte während der Abwesenheit des Bischofs vergeblich, die Landschaft aufzubieten und mit ihrer Hilfe wie in andern Städten auch die Klagen über die hohe Belastung des Grundbesitzes, zu hohen Zinsendienst und die Freiheit geistlicher und adliger Höfe abzustellen.

Wie gebannt starrten die Landesherren in die Glut, kaum imstande, sich auch nur einen ungefähren Überblick über die Lage zu verschaffen. Der Gedanke, daß Mühlhausen bestraft werden müsse, war ihnen längst vertraut. Aber diese Ausmaße des Aufruhrs überraschten sie doch.

Für eine wirksame Abwehr kamen, nachdem Landgraf Philipp einen Teil seiner Truppen dem Schwäbischen Bund zur Verfügung gestellt hatte und er selbst zur Bezwingung von Fulda und Hersfeld sich anschickte, nur die sächsischen Fürsten in Frage. Herzog Georg, der von vornherein entschlossen war, mit Waffengewalt vorzugehen, schien es nicht geraten, Bauer mit Bauer zu schlagen; das Landesaufgebot wäre nur dazu angetan gewesen, das Gedankengut der Aufrührer erst recht zu verbreiten. Der auf Kanzlei- und Amtsschrift gesessene Adel in Thüringen und — wie sich im Laufe der nächsten Woche zeigte — auch in andern Teilen des Landes war der unmittelbaren Bedrohung wegen nicht imstande, seiner Folgepflicht zu genügen. Es kamen also nur geworbene Söldner zur Abwehr in Betracht. Das Anwerben war langwierig; aus einem gewissen Solidaritätsbewußtsein mit der Bauernsache wollten nur wenige Handgeld nehmen. In Leipzig hetzte eine kleine Gruppe die gemusterten Knechte auf: „Es wäre wider Gott, daß man die armen Leute also morden sollte. Sie sollten daheim bleiben, die Klöster überfallen und die reichen Bürger plündern." Erst nach mehr als vierzehn Tagen konnte sich Herzog Georg mit seinem Heere von Leipzig aus in Marsch setzen. Die Tatkraft der Ernestiner war während dieser Entscheidungstage völlig gelähmt: Kurfürst Friedrich lag im Sterben. Mit zitternder Hand gestehen seine letzten Briefe, daß es wohl Gottes Wille sei, wenn die Fürsten jetzt für ihre Sünde gestraft würden und der Bauer die Herrschaft an sich reiße. Zu einem Entschluß nicht mehr fähig, war er nur noch erfüllt von dem Wunsch, vor seinem Ende noch Gottes Willen zu erkennen. Die Lebenden aber verfolgten mit furchtsamen Blicken die ungeheuren Schäden, die die Verwüstungen der Bauern ihnen zufügten. Herzog Georg überschlug laufend die Summe, die für ihn keinen Ertrag mehr abwarf, und auch Herzog Johanns erster Gedanke war, daß er angesichts solcher Ausfälle seine Schulden nicht würde bezahlen können.

Unabhängig voneinander ermahnten beide, um Zeit zu gewinnen, die Untertanen, sich in keine Bündnisse wider die Obrigkeit zu begeben, und forderten sie auf, ihre Beschwerden mitzuteilen. Von dieser Aufforderung haben viel mehr Dörfer und Städte Gebrauch gemacht, als uns Beschwerdeschriften erhalten sind. Ob es die Absicht der beiden Fürsten gewesen ist, auf die Klagen ernsthaft einzugehen, bleibe dahingestellt. Um für die Aufstellung des Heeres Zeit zu gewinnen, erhofften und betrieben sie den gütlichen Ausgleich. Herzog Georg rechnete den Aufrührern in seiner Ermahnung genau nach, daß ihr Verhalten mit dem Evangelium nichts gemein habe, wie sie vorgäben. Georg Spalatin ermahnte seinen Kurfürsten, Stifter und Geistlichkeit in seinem Lande zur Einführung des Gottesdienstes gemäß dem lauteren Evangelium aufzufordern. „Denn ich besorge", heißt es in seiner Begründung, „daß die meiste Ursach aller dieser Aufruhr daher kommt, daß man Gottes Wort verhindert und daß wir Pfaffen, Mönche und Nonnen der abgöttischen und gotteslästerlichen Gottesdienste nicht abstehen wollen, welche Fürsten und andere Obere aus Gottes Gebot ... abzutun schuldig sind."

Der einzige der um ihr eigenes Schicksal besorgten Nachbarfürsten, der zu sofortiger Hilfe bereit war, war Landgraf Philipp von Hessen, eben 21 Jahre alt. Es ist vornehmlich sein Verdienst, wenn der Bewegung der Weg nach Norddeutschland verlegt wurde. Nach der schnellen Überwindung des Aufstandes im Stifte Fulda und an der Werra zog er mit sicherem strategischem Blick bei Eisenach über den Thüringer Wald und verlegte damit den hessischen Bauern den Weg nach Osten. Ohne sich lange aufzuhalten, eilte er, Mühlhausen und Erfurt links und rechts vermeidend, direkt auf Frankenhausen los, wo die Masse der Bauern unter der Führung der Mühlhäuser sich zusammenzog. Noch am Tage seiner Ankunft vor Frankenhausen — er war der erste am Platze — hatte er ein Scharmützel mit dem vor ihm liegenden Bauernheer.

In der ersten Maiwoche griff der Aufruhr mit Windeseile nach Osten aus. Überall bildeten die als Druck verkauften Zwölf Artikel der Schwarzwälder die Grundlage für die Forderungen. Für die echte Erregung aller dieser Bauern spricht die Tatsache, daß man nirgends den gedruckten Text selbst überreichte, sondern Dorf für Dorf sich die Mühe gab, aus den oberdeutschen Artikeln die für die eigenen Verhältnisse passenden neu zu formulieren und selbständige eigene Klagen ihnen hinzuzufügen, ein Zeichen für den Ernst und die Gründlichkeit, mit denen man sich diesem Geschäft hingab. Diese subjektive Differenzierung trifft selbst für die geschlossenen Bauernbünde wie etwa den der Niedergrafschaft Schwarzburg zu, wo uns auf engstem Raum ein ganzes Bündel von Beschwerdeverzeichnissen überliefert ist, die zum Teil sogar mit der gleichen Hand geschrieben sind. Wörtliche Übereinstimmungen finden sich ausnahmslos nicht bei den aus der süddeutschen Vorlage übernommenen, sondern bei den selbst erfundenen Artikeln. Die Schwarzburger Beschwerden lassen am besten die Verhältnisse erkennen, wie sie bei solchen Bauern herrschen, die nicht von

Müntzers Geist berührt sind, denen es vielmehr in erster Linie um das Herkommen und das Evangelium geht. Sie wenden sich an den adligen Herren, die Grafen von Schwarzburg, zum Teil als ostentative Forderung, zum Teil als ausdrückliche Bitte. Werden sie bewilligt, so versprechen die Bauern stille zu sitzen. Ausflüchte, die Graf Günther — wohl um Zeit zu gewinnen — vorschlug, nämlich die Artikel an den Landesherren gelangen zu lassen, werden abgelehnt. Artikel, die in andern Fürstentümern gewährt werden, ohne in den eigenen Verzeichnissen ausdrücklich genannt zu sein, sollen auch ihnen zugestanden werden. Der „Bund" übt gewisse Aufsichtsrechte über seine Glieder, ist vor allem auf Schutz vor den Nachbarhaufen bedacht. Daß der Anschluß nicht immer freiwillig zustande gekommen ist, zeigt das geradezu rührende Beispiel der sechs Dörfer des Abtes zu Paulinzella: „Dadurch sein wir armen Leut beschwert, . . . daß wir nicht wissen, weß wir uns halten sollen dem Bunde nach, wie der Bund lautet, daß weder Mönche noch Pfaffen, Nonnen noch Edelleute sollen nicht haben Land oder Leute, als der Bund ausweist. Nun ist Euer Gnaden (Graf Günther von Schwarzburg) unser Schutzherr gewesen. Demselbigen Bunde nach seien wir geirret und wissen keinen Herren. Wollen Euer Gnaden uns armen Leute aufnehmen, so wollen wir Euer Gnaden gern zu einem Erbherren annehmen." Selbst wenn die späteren Entschuldigungen einzelner Personen und ganzer Dörfer, zum Anschluß an das Bauernheer gezwungen worden zu sein, nicht in allen Fällen stimmen, so kann doch kein Zweifel sein, daß die einladenden Boten mit massiven Drohungen nachgeholfen haben, wo sie auf geringe Bereitwilligkeit stießen, und daß manche den Ungehorsam gegen die Obrigkeit und die Aussicht auf eine spätere Bestrafung in Kauf genommen haben, um der unmittelbaren Gefahr zu entgehen. Es dürfte nicht allein Begeisterung für die ergriffene Sache oder Vorsorge für die Stärkung der Aufständischen allein gewesen sein, was solche Nötigung veranlaßte, sondern auch Unsicherheit und das Bestreben, den zu erwartenden Rückschlag auf möglichst viele Schultern zu verteilen. In die gleiche Richtung weist eine Reihe von charakteristischen Einschränkungen und Motivierungen bei der Überreichung der Artikel. Den Überbringern soll aus ihrem Vorgehen kein Nachteil erwachsen; die Bewilligung, die gelegentlich durch adlige Zeugen bestätigt wird, soll auch gelten, wenn dem Lehnsherrn deswegen Schwierigkeiten bei seinen Nachbarn begegnen; die Beschwerden werden vorgebracht, um sie bereits formuliert zu haben, wenn der Einfall eines Bauernhaufens droht, oder weil man sich wie die Nachbarn halten will, denen man stets zu folgen pflegt usw. All das sind Hinweise — sie ließen sich noch beliebig vermehren —, daß das Vertrauen in die eigene Sache nicht allzu stark gewesen ist.

Alle diese Bündnisse der Bauern begreifen sich als Vereinigungen „christlicher Brüder". Um das Wort Gottes zu handhaben, sind sie zusammengetreten. „Nachdem itzund das göttliche Wort allenthalben im Schwang gehet und an hellen lichten Sonnenschein kommen ist, dadurch wir armen Laien Unterricht empfangen, wie groß wir durch unsere Geistlichen, Prälaten, Pfarrer und Seelsorger verführt sein worden, und doch zum Teil kein Aufhörung sein hat wollen, desgleichen auch von unsern Lehnsherren, die uns beschützen und beschirmen sollen, schier ganz verderbet, gefressen und um unser Gut und Hab bracht durch ihre vielfältige Aussetzungen, Fronen, Lehngeld und des Anhangs viel etc., dieweil dann allenthalben in Landen hin und her Empörung geschehen und erwachsen, wie vor Augen etc., haben wir uns auch darein begeben und gesetzt, die Zwölf Artikel, so durch den Druck ausgegangen, darauf sich ein jedermann wirft und fleucht, dieselbigen also mit dem heiligen Evangelium und mit dem Wort Gottes zu erhalten." Das ist der Tenor. In einem Teil des Aufstandsgebietes ist nicht daran gedacht worden, gegenüber der Obrigkeit von den Waffen Gebrauch zu machen. Man wollte Herr im eigenen Hause bleiben und den Einfall fremder Bauern vermeiden: das war der Sinn, wenn Spieße und Armbrüste hervorgeholt wurden. Man lebte in den Formen des Landsknechtsheeres. Im Ring wurde Musterung gehalten und die einzelnen Ämter besetzt, wobei weder den Kriegserfahrenen, noch den Adligen, noch den evangelischen Predigern, sondern in der Regel den angesehensten und reichsten Bauern die Führung überlassen wurde. Die zum Anschluß genötigten adligen Herren mußten in den Rotten der Bauern mitziehen. Auf dem Zuge waren alle, Führer und Gefolge, unberitten. Daß man der bäuerlichen Kampfesweise entsprechend auf Berittene ganz verzichtete und trotz eifrigen Bemühens nur wenig Geschütz herbeischaffen konnte, ist den Bauern in der Schlacht mit den Landesherren zum Verhängnis geworden.

Ein ernsthaftes Problem bildete von Anfang an die Verpflegung der Massen. In den Aufforderungen an die Dörfer, dem Heere der christlichen Brüder zuzuziehen, fehlt in der Regel nicht der Hinweis, den Gemusterten Sold und Verpflegung mitzugeben. Aus welchen Mitteln hätte aber eine solche Ausstattung erfolgen sollen? Die wenigsten werden über Barmittel verfügt haben. So blieb, da die gewaltsame Requirierung bei den bäuerlichen Standesgenossen sich im allgemeinen wohl von selbst verbot, kaum etwas anderes übrig, als Pfarreien, Klöster und Adelssitze zu plündern. Wo man zu den Bauern schwor und ihnen Küche und Keller öffnete, ist ihnen selten Ernstliches geschehen. Daß man an einigen Stellen dazu überging, die unaufhörlich heranströmenden Bauern wieder heimzuschicken und ihnen zu befehlen, sich bis zu erneutem Aufruf bereitzuhalten, zeigt, daß solche Verpflegungsschwierigkeiten bestanden haben.

Wo allerdings der Fanatismus der Schwärmer am Werke war, da tobte sich eine Zerstörungswut aus, die die gerechten Forderungen der Bauern so sehr verzerrt und ihre ganze Revolution entstellt hat. Da ging es nicht mehr allein um die Stillung von Hunger und Durst — besonders Bier und Wein haben bei diesen Besetzungen eine große Rolle gespielt —, sondern da ruhte man nicht, bis alles kurz und klein geschlagen war und am Ende der Brand noch die Reste vernichtete. Die Schadenverzeichnisse von Adligen und Klöstern reden, selbst wenn sie übertrieben sind, eine deutliche Sprache. In Klöstern und Gotteshäusern wurden mit einer grotesken Frivolität Bilder und Fenster zerschlagen, Reliquien und

Hostien zertrampelt, mit den Heiligenfiguren die Feldkessel geheizt. Wieviel künstlerische Werte damals zugrunde gingen, läßt sich heute nicht mehr entfernt abschätzen. Besonders verhaßt scheint alles Geschriebene und Gedruckte gewesen zu sein. Wo die Rechnungsbücher und Verschreibungen nicht rechtzeitig in Sicherheit gebracht worden waren, da wurden sie nun mit Wollust zerschnitten und verbrannt. Ganze Klosterbibliotheken sind den blindwütenden Bauernhaufen zum Opfer gefallen. In Walkenried wurden, wie eine späte Chronik berichtet, die Bücher verwendet, um einen grundlosen Weg befahrbar zu machen. Nur in vereinzelten Fällen scheint die Beute nach Landsknechtssitte gerecht verteilt worden zu sein; in der Regel nahm wohl jeder, was er brauchen konnte: Wert- und Einrichtungsgegenstände, Vieh, Lebensmittel, überhaupt alles, was irgendwie Wert besaß. Es versteht sich, daß das verbrecherische Gesindel, das bei jeder Revolution sich mit den augenblicklichen Machthabern gemein zu machen versteht und die eigentlichen Intentionen der Bewegung bis zur Sinnlosigkeit entstellt, auch hier leichte Beute machte. Die Verwüstungen des Mühlhäuser Haufens im nördlichen Thüringen und auf dem Eichsfeld sind in keiner mitteldeutschen Landschaft erreicht worden. Es fällt in der Tat schwer, in dieser totalen Zerstörungswut noch einen Sinn zu erkennen.

Wo diesen undisziplinierten Massen ein entschlossener Widerstand entgegengesetzt wurde, konnten sie gar nichts ausrichten. Das gilt sowohl von der Feste Heldrungen, wo sich Graf Ernst von Mansfeld mit einer Handvoll Ritter verteidigte, bis Herzog Georg von Sachsen zum Entsatz heranzog; es gilt aber vor allem von dem Treffen vor den Toren von Frankenhausen. Nach dem ersten Vorhutgeplänkel des Landgrafen am 14. Mai setzte am folgenden Tage die Umfassungsbewegung gegen die auf einem Berg vor der Stadt gelagerten Bauern an. Ein letzter Versuch, sie zum Niederlegen der Waffen zu bewegen, mißriet, weil Müntzer, ihr Prophet, die Schwankenden zurückriß. Bei den ersten Schüssen der feindlichen Artillerie in ihre Reihen ließen die Bauern ihre Wagenburg im Stich und suchten in panikartiger Flucht Schutz hinter den Mauern der Stadt. Von einem wirklichen Kampf konnte nicht mehr die Rede sein. 5000 Bauern sind innerhalb weniger Stunden ohne Widerstand erstochen worden. Thomas Müntzer wurde in einer Dachstube, wo er einen Kranken simulierte, erkannt und festgenommen. Es ist eine denkwürdige und sprechende Szene, die Luther in einem Brief von einem Augenzeugen geschildert wurde: Müntzer, Herzog Georg und Landgraf Philipp, der „Knecht Gottes mit dem Schwert Gideons", die beiden Fürsten, entschlossen altgläubig der eine, bibelgewandt und zur evangelischen Verkündigung sich bekennend der andere, beide als Amtleute Gottes die Verpflichtung, für das Seelenheil ihrer Untertanen verantwortlich zu sein, schwer empfindend, alle drei auf einer Bank über Müntzers Sätze diskutierend. Heinrich Pfeiffer, der später in Eisenach gefangen wurde, starb aufrecht; er bezahlte mit dem Leben für Lehre und Handeln. Herzog Georg erlebte dagegen die Genugtuung, daß Müntzer unter der Folter zusammenbrach, widerrief und im

Frieden mit der alten Kirche unter dem Beil des Henkers fiel. Als Persönlichkeit und Charakter hat er die Bewährung nicht bestanden.

Daß mit diesem Sieg der Fürsten die Sache der Bauern in ganz Mitteldeutschland verloren war, daran zweifelte in ihrem Heer niemand. Bereits am Tage nach der Schlacht begann Herzog Georg damit, die Bauern der aufrührerischen Städte und Dörfer ins Feldlager vorzuladen, um sie aufs neue huldigen zu lassen und ihnen die Strafe zu diktieren. Fast noch wichtiger war aber jetzt die Sorge, auch noch Mühlhausen zu bezwingen. Kurfürst Johann war bereit, nun endlich auch mit seinem Reisigenzug herbeizueilen. Noch einmal wurde das fürstliche Heer durch Aufgebote aus den Städten und von benachbarten Landesherren verstärkt. Dann zogen die Herren vor Schlotheim. Die Mühlhäuser erkannten, daß sie verloren waren. Zwar wandten sie sich noch ein letztes Mal um Hilfe nach Franken. Aber in der Einsicht, daß es zu einem solchen Zuzug jetzt wohl doch zu spät sei, boten sie gleichzeitig die Städte Erfurt, Nordhausen und Nürnberg und die von ihnen gefangenen Adligen auf, um bei den Fürsten zu unterhandeln. Nordhausen gelang es, sich einzuschalten. Am 22. Mai erschienen 1100 Frauen und Jungfrauen im Lager der Fürsten, um für die Stadt zu bitten. Am nächsten Tage wurde die Kapitulation angenommen: Mühlhausen hatte sofort 10 000 fl., innerhalb der nächsten fünf Jahre weitere 30 000 fl. an die Schutzfürsten neben allen Entschädigungen für zerstörte Klöster und Schlösser zu zahlen. Die Haupträdelsführer mußten ausgeliefert, die Mauern geschleift und alle Waffen abgeliefert werden.

Damit war die Sache der Bauern in ganz Mitteldeutschland erledigt. Schon nach dem Fall von Frankenhausen waren die Bauernhaufen um Erfurt, Ichtershausen, Arnstadt, im Vogtland und um Zwickau auseinandergelaufen. Es bedurfte keiner Heereskraft mehr, um sie auseinanderzutreiben. Nur am äußersten Rande des Aufstandsgebietes, im Erzgebirge und um Asch, traten die Bauern erst in der zweiten Monatshälfte zusammen, ohne noch den geringsten Einfluß auf das Gesamtschicksal auszuüben, was offensichtlich auch nicht in ihrer Absicht lag. Überall beeilte man sich, einen gnädigen Landesherrn zu gewinnen. In den Städten und Dörfern zogen die alten Stadträte und Heimbürgen wieder ein, die sich nicht kompromittiert hatten und nun mit Verhaftung der Schuldigen für sich und ihre Gemeinden um gut Wetter baten. Über Stadt und Land brach jetzt das landesherrliche Strafregiment herein, das nicht minder furchtbar war als der Kampf selbst und den Sieg des Staates über die Bauern für Jahrhunderte sicherte. Daß alle Bündnisse und bereits bewilligten Zugeständnisse einzelner Herren an die Bauern jetzt hinfällig waren, verstand sich von selbst, ebenso, daß die angerichteten Schäden vergolten werden mußten. Den Aufrührern wurde ein Strafgeld von 10 fl. je Haus auferlegt. Schuldige und Unschuldige, Witwen und Waisen, Arme und Reiche hatten den gleichen Betrag aufzubringen, der oft genug die Kräfte des einzelnen überschritt. Den Gemeinden selbst wurde es überlassen, den Betrag so auf die verschiedenen Schultern zu verteilen, daß die Endsumme gesichert blieb. Alle Waffen mußten bis auf ein Messer den Amtleuten ausgeliefert werden; eine genaue Kasuistik regelte später die Fälle, wo weitere Waffen gebraucht werden durften. Auch der mitteldeutsche Bauer wurde damit wehrlos. Alle, die am Aufruhr tätigen Anteil genommen hatten, wurden verhaftet, soweit sie nicht längst geflohen waren; die Folter erpreßte ihnen die Namen weiterer Schuldiger; alle für schuldig Befundenen wurden nach ordentlichem Gerichtsverfahren dem Schwerte übergeben. Herzog Georg benutzte die Gelegenheit, um den evangelischen Gottesdienst, wo er sich bereits durchgesetzt hatte, wieder zu zerstören. Alle alten Lasten und Fronen wurden erneuert, in vielen Fällen sogar zur weiteren Strafe vermehrt.

Es war ein grausames Erwachen. Die Söldnerheere der Landesherren hatten bäuerlichen Besitz nirgends geschont; sie wollten Beute haben. In den Wäldern irrten die von den Häschern Verfolgten, von ihren Frauen und Freunden versteckt und versorgt, voller Haß gegen die Peiniger, mit ihrem Rauben und Morden noch für Jahre eine ständige Sorge für die Landesherren, daß sie einen neuen Aufstand entfesseln möchten. Die meisten von ihnen fanden schließlich Aufnahme im städtischen Proletariat, auch hier als Entwurzelte stets ein gefährliches Element. Von einer Prüfung der bäuerlichen Beschwerden, die die Fürsten in der Stunde der Not versprochen hatten, war nicht mehr die Rede. Die Lasten, die der Bauer neben seinen alten Zinsen, Zehnten und Fronen mit den Entschädigungssummen für die zerstörten Klöster und Herrensitze und dem Strafgeld an den Landesherren zu zahlen hatte, lähmte seine wirtschaftliche Kraft für Jahre. Allein im Umkreis von Mühlhausen haben die heimatlosen Flüchtlinge daran gedacht, mit einem Überfall auf die Stadt ihr Los zu lindern. Aber solche Verschwörungen wurden stets entdeckt, bevor sie zur Tat geschritten waren. Von dem Schlage, den der Bauer empfangen hatte, weil er den Staat und sein Gesetz nicht begriff, hat er sich nicht wieder erholt. Hermann Mühlpfort, der Zwickauer Bürgermeister, dem Luther seine Schrift über die christliche Freiheit gewidmet hatte, charakterisierte in treffenden Sätzen die Ohnmacht gegenüber der neu gefestigten Ordnungsmacht: „Wer will nun aus den Städten und Dörfern der Gemeinde ihre Notdurft anzeigen und antragen? Welcher wird den starken Geist haben, sich nicht zu entsetzen? Wer die Notdurft sagen und vortragen wird, der wird für ein Aufrührerischer geachtet werden. Wird jedermann aus Furcht der Tyrannen schweigen müssen und werden sagen, man rede wider die Obrigkeit. Dergleichen weiß ich bereits, daß an etlichen Orten mehr dann zuvor der Armut aufgelegt (wird), und sagen unverhohlen: du bist mir's schuldig; tust du's nicht, so bist du wider mich, als der, der dein Herr ist und Obrigkeit über dich hat."

Aber es hatten nicht nur die führerlosen Bauern gegenüber dem Territorialstaat verspielt; die Nation hatte auch ihren Helden verloren. Luther, wider Willen der heimliche Treiber der Revolution, hatte in den Tagen des größten Tumultes in Stolberg, Mansfeld und Nordhausen gepredigt. Fast wäre er selbst in Gefahr geraten. Luther fürchtete sich vor gar nichts. Aber das Toben der blindwütigen Bauern, die Müntzer verführt hatte, machte nun auch ihn, den Freund der Bauern, dem sie Entscheidendes dankten, zum Racheprediger. „Erstlich mögen wir niemand auf Erden danken solchs Unrats und Aufruhrs denn euch, Fürsten und Herren, sonderlich euch blinden Bischöfen und tollen Pfaffen und Mönchen, die ihr nicht aufhöret zu toben und zu wüten wider das heilige Evangelium", so hatte er noch vor Wochen in seiner „Ermahnung zum Frieden" geschrieben. „Wenn ich Lust hätte, mich an euch zu rächen, so möchte ich itzt in die Faust lachen und den Bauern zusehen, oder mich auch zu ihnen schlagen und die Sachen helfen ärger machen. Aber da soll mich mein Gott vor behüten wie bisher." Schon damals ließ er keinen Zweifel, daß es nicht Sache der Christen sei, Gott in sein Regiment zu fahren. Wo ein Schiedsspruch über berechtigte Klagen nicht zustande komme, da bleibe für den Christen nichts als Leiden oder Auswandern. Der christliche Name aber dürfe nicht zum Vorwand werden für Rotterei und Aufruhr. Wer hatte in dieser Stunde noch Ohren, solche Friedensmahnungen von dem Manne zu hören, der selber, ahnungslos, die Kräfte entfesselt hatte, die nun wider ihn aufstanden? Nach seiner Reise quer durch das Aufstandsgebiet, das ihm gerade das zeigte, was er hatte verhindern wollen, schrieb er innerhalb weniger Tage das furchtbare Manifest „Wider die mörderischen und räuberischen Rotten der Bauern": „Ein Aufrührerischer ist nicht wert, daß man ihm mit Vernunft antworte, denn er nimmt's nicht an. Mit der Faust muß man solchen Mäulern antworten, daß der Schweiß zur Nasen ausgehe. Die Bauern wollten auch nicht hören, ließen ihnen gar nichts sagen. Da muß man ihnen die Ohren aufkneufeln mit Büchsensteinen, daß die Köpfe in die Luft springen. Zu solchen Schülern gehört eine solche Rute. Wer Gottes Wort nicht hören will mit Güte, der muß den Henker hören mit der Schärfe." Man müsse die Bauern totschlagen wie tote Hunde. Wer auf seiten der Obrigkeit falle, der sei ein Märtyrer vor Gott. Eine furchtbare Predigt! Als sei Luther bei Thomas Müntzer in die Schule gegangen. Der größte Sohn Thüringens stand gegen die Bauern, die gerade er zum Bewußtsein ihrer selbst geweckt hatte, und die gerade in seiner Heimat sich hatten am ärgsten verführen lassen. Nicht als Politiker, sondern als religiöser Prophet erkannte er deutlicher als die Bauern, daß die Sache, die er im Auge hatte, allein im Bunde mit der Obrigkeit Bestand haben konnte. Es ist die Tragik des Bauernkrieges, daß Luther damit dem deutschen Staat einen größeren Dienst leistete, als die um ihre Freiheit kämpfenden Bauern.

12.

Florian Geyer

1.

Für das gängige unreflektierte historische Bewußtsein sind noch heute die beiden bekanntesten und populärsten Gestalten des Bauernkrieges von 1525 nicht Bauern, sondern Adlige: Götz von Berlichingen und Florian Geyer. Den Glanz beider Gestalten hat die Dichtung begründet. Zwar hat Florian Geyer nicht den gleichen Meister gefunden wie Götz in Goethes Jugendwerk. Gerhart Hauptmanns „Florian Geyer, die Tragödie des Bauernkrieges", fiel bei der Uraufführung 1896 durch und ist ein schwer darzustellendes Stück geblieben. Das kaiserlich gesinnte bürgerliche Deutschland glaubte in dieser zweiten, auf die „Weber" folgenden naturalistischen Dichtung nur einen weiteren Versuch des Dramatikers zu erkennen, Probleme revolutionärer Massen auf die Bühne zu bringen und damit der Sozialdemokratie Vorschub zu leisten. Erst die teils kritische, teils ablehnende Auseinandersetzung mit diesem Drama setzte, beginnend mit Max Lenz, die neuere historische Forschung über Florian Geyer in Bewegung.[1]

1 Literatur. Quellen: Quellen z. Gesch. d. Bauernkriegs aus Rothenburg a. d. Tauber, hg. v. *Fr. L. Baumann* = Bibl. d. Litter. Ver. Stuttgart 139 (1878). — Die Gesch. d. Bauern-Krieges in Ostfranken v. Mag. *Lorenz Fries*, hg. v. *A. Schäffler* u. *Th. Henner*, 2 Bde. (1883). — *M. Cronthal:* Die Stadt Würzburg im Bauernkriege, hg. v. *H. Hammer* (1887). — *G. Franz:* Der dt. Bauernkrieg. Aktenband (1935). — *Ders.:* Quellen z. Gesch. d. Bauernkrieges (1963). — *Götz v. Berlichingen:* Lebensbeschreibung. Nach der Ausgabe v. 1731, hg. v. *A. Leitzmann* = Quellenschr. z. neueren dt. Lit. 2 (1916). Darstellungen und Abhandlungen: *H. Barge:* Fl. G. Eine biographische Studie = Beitr. z. Gesch. d. MAs u. d. Renaiss. 26 (1920). *Ders.:* Die Ursachen des Bauernkrieges und Fl. G.s Stellungnahme zur bäuerl. Bewegung i. J. 1525. In: Verg. u. Gegenw. 19 (1929) S. 513 ff. — *W. Benkert:* Mitt. z. Lebensgesch. Fl. G.s. In: Arch. d. Hist. Ver. v. Unterfranken u. Aschaffenburg 69 (1931—34) S. 279 ff. — *Ders.:* Der Streit zwischen dem Stift Neumünster u. Fl. G. In: Arch. f. Reformationsgesch. 41 (1948) S. 154 ff. — *R. Fellner:* Die fränk. Ritterschaft von 1495—1524 = Hist. Stud. 50 (1905). — G. Franz: Der dt. Bauernkrieg (1933, [10]1974). — *Ders.:* Zur Beurteilung Fl. G.s. In: Hist. Viertelj.schr. 24 (1929) S. 484 ff. — *E. Guggenheim:* Der Fl. G.-Stoff in der dt. Dichtung, Diss. Leipzig 1908. — *H. Hausherr:* Wilh. Zimmermann als Geschichtsschreiber des Bauernkriegs. In: Zschr. f. württ. Ldsgesch. 10

Was Gerhart Hauptmann bei den Vorarbeiten zu seinem dramatischen Zeitgemälde an Arbeiten vorlag, trug selbst im wissenschaftlichen Gewande noch vielfach legendäre Züge. Sie sind als unterschiedliche ideologische Verfärbungen auch heute noch nicht völlig aus der Florian Geyer gewidmeten Forschung gewichen. Der erste „Versuch einer Geschichte des deutschen Bauernkrieges" stammt von Goethes Freund, dem Göttinger Professor Georg Sartorius (1795). Aus den Erfahrungen der französischen Revolution wollte er an Hand eines angeblich vergleichbaren Exemplums seinen Zeitgenossen Mäßigung, Achtung vor rechtmäßig erworbenem Eigentum und Abstand von wütendem Fanatismus und Eigennutz einschärfen. Florian Geyer schilderte er in knappen Zügen als den Führer der Rothenburger Bauern und einen der Befehlshaber vor Würzburg, der als einziger bis zum Untergang auf seinem Posten aushielt. Erst 35 Jahre später griff der Öhringer Präzeptor und Bibliothekar Ferdinand Friedrich Oechsle in seinen „Beiträgen zur Geschichte des Bauernkrieges in den schwäbisch-fränkischen Grenzlanden" (1830) das Florian Geyer-Thema sehr viel kenntnisreicher wieder auf. Seitdem schleppte sich für lange Zeit durch die Darstellung die Anschauung, der Ritter habe an der Einnahme von Weinsberg teilgenommen, freilich ohne für die grauenvolle Ermordung des Grafen von Helfenstein verantwortlich zu sein. Dafür bürdete ihm Oechsle die Schuld dafür auf, daß an seinem Übermut die Verständigung zwischen der bischöflichen Besatzung des Marienberges und den engherzigen und egoistischen Bürgern von Würzburg gescheitert sei. Der Rothenburger Rektor Heinrich Wilhelm Bensen hat in seiner „Geschichte des Bauernkrieges in Ostfranken" (1840) die Legende von Florian Geyer als Anführer des „Schwarzen Haufens" begründet, einer durch ihre kriegerische Zucht besonders ausgezeichneten Schar von Bauern und Landsknechten. Mit ihrem Einverständnis

(1951) S. 166 ff. — *W.-D. Heinemann:* Fl. G. als fränkischer Ritter, sozialer Reformer und Reformator. Christ, Theol. Diss. (Masch.) Halle 1957. — *Th. Henner:* Fl. G. u. seine schwarze Schar im Bauernkrieg. In: Arch. d. Hist. Ver. v. Unterfranken u. Aschaffenburg 52 (1910) S. 181 ff. — *W. Hubatsch:* Albrecht von Brandenburg-Ansbach. Deutschordens-Hochmeister u. Herzog in Preußen (1960). — *H. Hch. Kaufmann:* Fl. G. u. d. Geschichtswiss. In: Würzburger Univ. Almanach (1936/37) S. 45 ff. — *R. Kern:* Die Beteiligung Georgs II. v. Wertheim u. seiner Grafschaft am Bauernkrieg. In: Zschr. f. Gesch. d. Oberrheins 55 (1901) S. 81 ff., 388 ff., 579 ff. — *M. Lenz:* Fl. G. In: Preuß. Jbb. 84 (1896) S. 97 ff. — *M. Meyer:* Die hist. Rolle u. Bedeutung Fl. G.s. In: Wiss. Zschr. Univ. Leipzig, Ges.- u. sprachw. Reihe 14 (1965) S. 479 ff. — O. *Mühlmann:* Zum Geburtsjahr Fl. G.s. In: Arch. f. Reformationsgesch. 39 (1942) S. 170 ff. — *Ders.:* Fl. G., ein Vorkämpfer völk.-soz. Wesens. In: Nat.soz. Monatshefte 14 (1943) S. 130 ff. — *Ders.:* Fl. G. In: Württ. Franken NF 28/29 S. 155 ff. — — *F. Solleder:* Eine neue Quelle über Fl. Geyer. In: Das Bayerland 37 (1926) S. 25 ff. — *W. Zimmermann:* Gesch. d. großen Bauernkriegs ([2]1856, mit e. Vorwort v. *H. Barge* 1939).

habe Florian Geyer auf der Zerstörung des Marienberges bestanden und schließlich erbittert das Ingolstädter Schloß verteidigt. Nur mit wenigen todesmutigen Getreuen habe er sich aus den Trümmern in das limpurgische Gebiet durchgeschlagen, um im Rücken des Feindes den Kampf fortzusetzen. Nicht weit vom Schlosse Limpurg sei er mit den letzten seiner Anhänger überfallen und erstochen worden.

Die Apotheose von der „schwarzen Schar" schuf erst Wilhelm Zimmermann in seiner kenntnisreichen und verdienstvollen „Allgemeinen Geschichte des großen Bauernkrieges (1841—43, ²1856). Der literarisch ungewöhnlich fruchtbare protestantische Pfarrer, der als Dichter begann, stilisierte Florian Geyer „zum schönsten Helden des ganzen Kampfes" und ergänzte durch farbenfreudige Ausschmückung, was die Quellen, darunter die zum erstenmal benutzten Akten des Schwäbischen Bundes, nicht hergaben. Zimmermann, eine Zeitlang Lehrer für deutsche Literatur und Geschichte am Stuttgarter Polytechnikum, war überzeugter Republikaner. Der Freund Ludwig Uhlands und Verehrer Friedrich Christoph Schlossers, der ihn als „Geschichtsschreiber der Wahrheit" feierte, gehörte in der Frankfurter Paulskirche zur äußersten Linken. Von dem fränkischen Edelmann meinte er, er sei von den Zeitgenossen nicht verstanden und von der Nachwelt verkannt worden. Zimmermann erblickte in ihm die Verkörperung seiner eigenen Ideale von Demokratie und Freiheit. Die Würdigung seines Helden schließt mit den Worten: „Einst wird auch seine Zeit und sein Lohn mit ihr kommen, wenn auf der ganzen befreiten deutschen Erde der Vater den Söhnen und Enkeln erzählen wird von denen, die mit ihrem Blute den Baum gepflanzt haben, in dessen Schatten der Landmann und der Bürger ein schöneres, ein würdigeres Dasein genießen; dann wird man auch reden und sagen von Florian Geyer, dem Hauptmann der schwarzen Schar".

Die von leidenschaftlichem Mitgefühl und sittlichem Pathos getragene Darstellung Zimmermanns hat auf Jahrzehnte hinaus alle Beschäftigung mit Florian Geyer und dem Bauernkrieg bestimmt. Die von ihm inspirierten mehrere Dutzend Romane und Tragödien über den Bauernführer — auch Gerhart Hauptmann folgt ihm weithin — sind heute vergessen. Aber selbst so kritische Historiker wie Leopold Ranke und Friedrich von Bezold haben manche seiner Vorstellungen, namentlich die über die „schwarze Schar" übernommen. Vor allem entnahm die marxistische Geschichtsbetrachtung von Friedrich Engels bis Franz Mehring dem Werke Zimmermanns, der kein Marxist war, die Argumente für den Bauernkrieg als einer zwar gescheiterten, aber darum nicht minder bedeutsamen Phase der klassenkämpferischen Revolution in Deutschland, die es fortzuführen und zu vollenden galt. Inzwischen förderte die exakte Forschung manches zu Tage, was geeignet war, die strahlende Gloriole Florian Geyers zu verdunkeln. Um so erstaunlicher ist es, daß die folgenden Jahrzehnte von ihren jeweiligen Prämissen und Idealen her diese Gestalt so unterschiedlich gedeutet und Züge auf sie übertragen haben, daß sie schlechterdings nicht miteinander zu vereinen sind. Nationalsozialisten priesen Florian Geyer als einen „Vorkämpfer völkisch-sozialen Wesens“. Einer der jüngsten ostdeutschen Historiker schreibt ihm das Verdienst zu, „die besten nationalen Traditionen des Adels, vertreten durch Ulrich von Hutten, auch unter den neuen Bedingungen des Bauernkriegs fortgeführt zu haben“. Bei dem wenigen, was wir mit Sicherheit über den fränkischen Ritter wissen, ist auch der nüchterne Historiker, der ein möglichst unvoreingenommenes Bild von ihm zu zeichnen unternimmt, darauf angewiesen, manches an Einzelheiten und Umrissen nur zu erschließen. Nur bei wachem kritischem Verständnis darf er hoffen, sicher überlieferte, oft zufällige Notizen zu einem Mosaik zusammenzufügen. Es läßt im besten Falle eine Gestalt erkennen, die zwar immer noch außergewöhnliche und individuelle Züge trägt, von der aber wahrscheinlich nicht mehr die gleiche Sympathie ausgeht wie von dem Helden, den Phantasie und Ideologie nach ihren eigenen Gesetzen schufen.

2.

Das ritterbürtige Geschlecht der Geyer, seit dem 12. Jahrhundert urkundlich belegt, gehört zu den ältesten in Franken. Seine Frühgeschichte liegt im Dunkel. 1382 wurde das „untere Schloß“ im Dorfe Giebelstadt südlich Würzburg, der Wohnsitz der Familie, von Konrad Geyer dem Burggrafen Friedrich von Nürnberg als Lehen aufgetragen. Nach seinem Stammsitz nannte sich das Geschlecht Geyer von Giebelstadt, von dem sich im Laufe der Zeit Nebenlinien mit den Zunamen von Ingolstadt und von Goldbach abzweigten. Florian Geyer gehörte der Giebelstädter Linie an. Von ihren Lebens- und Besitzverhältnissen haben wir nur spärliche Nachrichten. Wie üblich waren die Anteile an Besitzrechten und Abgaben weit gestreut und zerstückelt: Lehnsgüter der Markgrafen von Brandenburg, des Bischofs von Würzburg, des Grafen von Wertheim, Rieneck, der von Bibra u. a. Als gegen Ende des Mittelalters wie bei vielen Adligen wegen der sich wandelnden wirtschaftlichen Verhältnisse das traditionelle Einkommen für den Unterhalt nicht mehr ausreichte, führten auch die Geyer von Giebelstadt auf eigene Faust ihre Fehden und plünderten als Raubritter durchziehende Kaufleute aus. Rothenburger Bürger rächten sich 1441 dadurch, daß sie das Raubnest in Giebelstadt niederbrannten. Sein Besitzer Balthasar Geyer baute es alsbald wieder auf. Im Bauernkrieg blieb es unbehelligt, während das Zobelschloß im gleichen Ort und das Würzburger Amtsschloß im benachbarten Ingolstadt ausgeraubt und verbrannt wurden. Das Geyerschloß in Giebelstadt ist erst nach der Mitte des 19. Jahrhunderts Ruine geworden. So bietet es sich noch heute dar.

Dietrich Geyer von Giebelstadt, verheiratet mit Anna von Seckendorf, wurde 1487 zusammen mit seinem Bruder Eberhard jeder zur Hälfte vom Markgrafen von Ansbach mit Schloß Giebelstadt belehnt. Als Dietrich 1492 starb, hinterließ er drei Söhne: Wilhelm, Balthasar und Florian. Der mittlere der Brüder kann den Vater nur wenige Jahre überlebt haben; seit 1496 wird er bei allen Belehnungen nicht mehr genannt. Während ihrer Minderjährigkeit bis zum 14. Lebensjahr wurden Wilhelm und Florian in Rechtsgeschäften von ihrem Onkel Eberhard vertreten. Wilhelm Geyer, 1486 geboren, starb 1512. Seitdem waren alle Besitzanteile der Söhne Dietrich Geyers am Schloß Giebelstadt und den damit verbundenen Rechten auf Florian Geyer vereinigt. Sein genaues Geburtsdatum ist nicht bekannt. Vermutlich ist er zwischen 1489 und 1491 geboren.

Von seinen Jugendjahren fehlt jede Kunde. Wir wissen nicht, wer ihn, wie es sich für einen vom Adel geziemte, in das Waffenhandwerk einführte. Wegen seines später bewiesenen Verhandlungsgeschicks muß Florian Geyer Elemente einer geistigen Bildung mit auf den Weg bekommen haben; wo und durch wen es geschah, ist nicht bekannt. Sein Name erscheint zum erstenmal 1513 in einer Korrespondenz Eberhard Geyers mit dem Würzburger Domkapitel, wo Florian als abwesend „beim König von England" bezeichnet wird, mit dem Zusatz: „zu besorgen, wird so bald nit kommen". Vermutlich leistete Florian Geyer seinen ersten Kriegsdienst im Heere Kaiser Maximilians. Dessen Schwester Margarethe hatte im gleichen Jahr zwischen dem Kaiser und Heinrich VIII. von England ein gegen Frankreich gerichtetes Bündnis zustande gebracht, dem später auch Papst Leo X. und Ferdinand der Katholische beitraten. Die Gemeinsamkeit der beiden Hauptkontrahenten dauerte trotz der für sie siegreichen „Sporenschlacht" bei Guinegate (17. Aug. 1513) nicht lange. Über den Waffenstillstandsverhandlungen mit Frankreich kam es zwischen ihnen zu Mißhelligkeiten, so daß Heinrich VIII. im August 1514 seinen eigenen Frieden mit Ludwig XII. machte und ihm als Unterpfand seine Schwester Maria als Frau zuführte. Nach England wird Florian Geyer gar nicht gekommen sein, da sowohl der englische König als auch Maximilian sich während des Feldzuges in Frankreich aufhielten. Im Oktober 1514 war Florian Geyer bereits wieder in der Heimat.

Seine ersten Erlebnisse haben ihn nicht davon abgehalten, seinen fränkischen Besitz beisammenzuhalten. 1515 kündigte er dem Stift Neumünster in Würzburg die Weiterzahlung von Gülten und Zinsen auf, zu denen die Besitzer des Rittergutes zu Giebelstadt seit 1160 verpflichtet waren und die zuletzt noch Wilhelm Geyer ohne Einspruch entrichtet hatte. Ein vor Jahrhunderten begründeter Rechtsanspruch war hier im Laufe der Zeit zu einem bloßen Gewohnheitsrecht geworden. Dem jungen Ritter erschien das zur Begründung regelmäßiger Zahlungen nicht mehr ausreichend. Vor dem Würzburger Landgericht konnte keine der streitenden Parteien auch nur die Lage der beliehenen Huben angeben. Der Streit war vor dem weltlichen Gericht nicht zu entscheiden. Das vom Ankläger angerufene geistliche Gericht bestrafte Florian Geyer mit der kirchlichen Exkommunikation. Bis zu seinem gewaltsamen Tode blieb er in „censuren".

Es gibt keine Anzeichen dafür, daß Florian Geyer aus bewußtem Protest mit der Kirche gebrochen hätte. Er blieb nach wie vor Lehnsmann des Würzburger Bischofs und Herzogs in Franken. Aus seinem späteren Schicksal darf man vielleicht unterstellen, daß persönliche Erfahrungen wie die mit dem Stift Neumünster ihn für die Reformation aufgeschlossen haben. Der Ausschluß aus der Kirchengemeinschaft scheint den Verurteilten weder persönlich berührt noch ihm wirtschaftlich oder gesellschaftlich geschadet zu haben. Die auf den Reichstagen ständig wiederholten Gravamina deutscher Nation brandmarkten längst den allzu leichten und ungerechtfertigten Übergang von der weltlichen zur geistlichen Gerichtsbarkeit, namentlich bei nichtigen Anlässen. Solche Fälle waren viel zu zahlreich, als daß stets ernsthafte Konsequenzen hätten gezogen werden können. Auch bei seinen Standesgenossen büßte Florian Geyer, der unverheiratet blieb, schwerlich an Ansehen ein. Offenbar verfügte er über genügend bare Mittel, wenn er 1522 Kunz und Philipp von Rosenberg zu Gnotzheim 1000 fl., für damalige Zeiten eine beachtliche Summe, leihen konnte. Die dem Neumünsterstift vorenthaltenen Abgaben von acht Malter Korn und drei Malter Weizen für 90 Morgen Feld in der Giebelstädter Flur werden kein Posten gewesen sein, der in der Wirtschaft des Edelmannes wesentlich zu Buch schlug. Wenn er auch nicht zu den reichsten Mitgliedern der fränkischen Ritterschaft gehörte, so ist doch als gesichert festzuhalten, daß der spätere Bauernführer nicht gerade aus dürftigen Verhältnissen stammte und nicht materielle Not ihn ins Bauernlager geführt haben kann.

Nach einer kurzen Notiz in der „Lebensbeschreibung" des Götz von Berlichingen nahm Florian Geyer 1519 als Lehnsmann des Markgrafen Kasimir von Ansbach am Zuge des Schwäbischen Bundes gegen Ulrich von Württemberg teil und zeichnete sich insbesondere bei der Belagerung des Schlosses Möckmühl aus, das Götz als Amtmann des Herzogs verteidigte. Mit einigen Adelsgenossen verhandelte Florian Geyer mit der Besatzung auf freien Abzug. Entgegen den Übergabebedingungen und ohne Schuld des Unterhändlers wurde aber der „Ritter mit der eisernen Hand" drei Jahre lang in der Gewahrsam des Bundes festgehalten. Als der Feldzug im August 1519 zu Ende ging, empfahl Markgraf Kasimir seinem Bruder Albrecht, dem Hochmeister des Deutschen Ordens in Preußen, den in Kriegsläuften zu Roß und zu Fuß erprobten Florian Geyer, der viel mit Fußknechten im Felde gelegen habe, als Landsknechtshauptmann. Damit trat er in einen ganz neuen Erfahrungskreis ein.

3.

Das Ordensland war seit dem Thorner Frieden von 1466 in Gefahr, vom Reich im Stich gelassen, ganz in polnische Abhängigkeit zu geraten. König Sigismund forderte auch von dem 1510 zum Hochmeister gewählten Brandenburger trotz der nahen Verwandtschaft — Albrechts Mutter war eine Jagellonin — den persönlich geleisteten Lehnseid. Dazu konnte und wollte sich Albrecht nicht verstehen. Seine einzige Chance in der Abwehr polnischer Ansprüche bestand darin, sich als Fürst des Reiches zu behaupten, um von dort Hilfe zu erwarten. Sein Bruder Kasimir, der aus eigener Anschauung nicht allein die klägliche Verfassung, sondern auch die desolate, keinem ernsthaften Angriff gewachsene Wehrkraft des Ordensstaates kannte, war als Territorialherr, ganz abgesehen von der geographischen Entfernung, bei dem generellen Verfall aller gemeinsamen Pflichten des Reichsfürstenstandes weder willens noch imstande, nennenswerte Anstrengungen für ein die unmittelbaren eigenen Landesinteressen übergreifendes Unternehmen zu machen. Jahrelang gelang es Albrecht, den Polenkönig hinzuhalten. Seine Hoffnungen auf Reichshilfe waren indessen vergeblich. Zu Lebzeiten Kaiser Maximilians bedeutete das Ordensland bei der allgemeinen Schwäche und Ziellosigkeit des Reiches immer nur einen Faktor, nie aber Mittelpunkt seiner Ostpolitik, so lange sein erstes Nahziel auf Böhmen und Ungarn gerichtet war. Die phantasievollen und vielschichtigen Projekte des Hochmeisters und seine diplomatischen Beziehungen zu den Reichsfürsten, dem Kaiser, dem Reichsregiment, zu Dänemark, England, Rußland und dem Papst erwiesen sich am Ende stets als eitle Geschäftigkeit. Um die Jahreswende 1519/20, mitten im Winter, fielen die Polen mit Tataren und anderen wilden Stämmen in ihrem Aufgebot von Süden her in den Ordensstaat ein und verheerten ihn in wenigen Monaten, ohne mit ihrer bedeutenden Überlegenheit eine Entscheidung herbeizuführen.

An diesen Kämpfen nahm Florian Geyer in Diensten des Hochmeisters teil. Da wir Einzelnes nicht wissen, muß es offen bleiben, ob er den wiederholten Ruf des Ordens nach Rettung des „Spitals des deutschen Adels“ als besonders an die fränkische Ritterschaft gerichtet empfand, oder ob er als Kriegsmann von Beruf bloß an dieser Stelle Dienste nahm, weil sie ihm eben angeboten, ohne nach ihrem Sinn und Zweck zu fragen. Am 15. Februar 1520 wird er durch die beiden auf Pomesanien und die masurische Seenplatte weit vorgedrungenen polnischen Angriffskeile hindurch mit 200 Mark Geld nach Ortelsburg geschickt. Vier Wochen später zählte man im ganzen Ordensgebiet 400 ausgebrannte Ortschaften. Albrechts Truppen im Felde und die Besatzungen der festen Plätze leisteten der überlegenen polnischen Macht nur an wenigen Stellen erfolgreich Widerstand. Anfang Mai 1520 näherten sich die Polen der Stadt Königsberg. Unter dem Druck einer von Abordnungen des Landadels und der Städte beschlossenen ständischen Gesandtschaft an den Polenkönig zur Einleitung von Friedensverhandlungen war Albrecht bereit, in eigener Person in Thorn mit König Sigismund zu verhandeln. Am 27. Mai wurden Florian Geyer und Balzar Gerlich als Unterhändler für einen Waffenstillstand zu den polnischen Hauptleuten geschickt. Anfang Juni erhielt er den Auftrag, den greisen, dem Hochmeister treu ergebenen Bischof Hiob von Dobeneck, der Mitte März Riesenburg den Polen hatte übergeben müssen, zu bewegen, seinen Herrn zu den Thorner Verhandlungen zu begleiten, bei Sigismund für den Bischof Geleit zu erwirken und den Waffenstillstand vorzubereiten. Als 2500 dänische Söldner zu Schiff in Königsberg eintrafen und baldige Unterstützung aus dem Reich in Aussicht gestellt wurde, brach Albrecht kurzerhand die kaum begonnenen Friedensverhandlungen ab und führte im Sommer und Herbst, den offenen Kampf vermeidend, einen erfolgreichen Kleinkrieg im Ermland. Florian Geyer erhielt Ende Juli eine von Albrecht eigenhändig entworfene Instruktion an seinen Bruder Johann am Hofe Karls V., sich dringend für den bedrängten Orden beim Kaiser zu verwenden. Für den äußersten Fall sollte der Unterhändler dem Kaiser anbieten, als Gegenleistung für seine Hilfe werde ihm der Hochmeister in eigener Person im Kampfe gegen Frankreich zuziehen. Sollte auch dies Angebot fehlschlagen, so hatte Florian Geyer Auftrag, im tiefsten Geheimnis, selbst ohne Wissen Johanns, bei Heinrich VIII. von England und Franz I. von Frankreich zu werben. Am kaiserlichen Hof in den Niederlanden dürfte Florian Geyer seine Werbung vorgebracht haben. Nach England und Frankreich scheint er nicht gereist zu sein; denn Anfang Oktober 1520 traf er bereits wieder bei Kurfürst Joachim von Brandenburg, dem Vetter des Hochmeisters und tatkräftigsten Helfer des Ordens, in Berlin ein. Seine Mission blieb ohne jeden erkennbaren Erfolg.

Florian Geyer dürfte, wenn er einen genügend realistischen Einblick in die Verhältnisse des Ordenslandes gewann, bald erkannt haben, daß für die Unterhaltung des Heeres, das eben zum Winterkrieg gegen Polen aufbrach, es am Wichtigsten fehlte: an Geld. Es spricht für die Wertschätzung, die der Kriegsmann sich inzwischen als diplomatischer Unterhändler erworben hatte, daß Kurfürst Joachim ihn überreden konnte, sich nicht dem Kriegsvolk anzuschließen, das Christian II. von Dänemark gerade gegen die aufständischen Schweden anwarb, sondern in Diensten Albrechts zu bleiben. Die Aufträge und Briefe, mit denen der Kurfürst ihn im Interesse seines Vetters zu König Christian schickte, werden Hilfe für das Ordensland betroffen haben. Erst Anfang Januar 1521 kehrte Florian Geyer nach Königsberg zurück. Da er seine Botschaft nur dem Hochmeister persönlich mitteilen wollte, wurde er umgehend ins Feldlager nach Braunsberg bestellt. Wir erfahren kein Wort davon, was er in Dänemark ausrichtete.

Seitdem verlieren sich für einige Zeit Florian Geyers Spuren. Im April 1521 kam es in Thorn zwischen dem Hochmeister und dem inzwischen ebenfalls kriegsmüde gewordenen Sigismund dank kaiserlicher Vermittlung zu einem vierjährigen Waffenstillstand. Albrecht nutzte die Pause, um bei seinen fürstlichen Verwandten im Reich, beim Reichsregiment und auf den Nürnberger Reichstagen um Unterstützung für den nur aufgeschobenen Waffengang anzuhalten. Auch Florian Geyer kehrte in die fränkische Heimat zurück. Wir wissen es von der bereits erwähnten Schuldverschreibung der Ritter von Rosenberg vom 23. Februar 1522. Im Januar 1523 nahm er an der großen Zusammenkunft des fränkischen Adels in Schweinfurt teil, die sich unter der Bedrohung, die von dem gescheiterten Zuge Franz von Sickingens gegen Trier ausging, eine neue Ordnung gab, ohne daß Florian Geyer dabei sonderlich in Erscheinung trat. Vermutlich kam aber die auf dem gleichen Tag entstandene Bittschrift an das Reichsregiment zu Gunsten des Ordenslandes nicht ohne seine Beteiligung zustande.

Florian Geyers Dienstherr war ein Mann von ungewöhnlicher Phantasie und rastlosem Tatendrang, aber auch von angeborener Leichtfertigkeit in der Einschätzung gewagtester Projekte, die er allzu schnell und vollständig zu verwirklichen glaubte, wenn sie ihm nur lockende Ziele boten. Im Sommer 1523 ließ sich Albrecht gegen große Versprechungen dazu hinreißen, sich mit dem aus dem Lande vertriebenen König Christian zu verbinden in der Absicht, zuerst dem Dänen zur Wiedereinsetzung zu verhelfen und dann seine angeblich sagenhaften Goldschätze für seine eigenen Pläne zu gewinnen. Nur zu bald stellte sich heraus, daß für die bereits um Coburg geworbenen Söldner keinerlei Mittel zur Verfügung standen. Mit Hilfe des Kurfürsten Joachim hoffte Albrecht, wenigstens zur Wiedererstattung seiner Unkosten zu gelangen, erntete aber bei seinem Aufenthalt in Berlin nur neue Schuldverschreibungen und konnte für sich und sein Gefolge nicht einmal die dringendsten täglichen Bedürfnisse befriedigen. Florian Geyer befand sich damals wieder im Hofstaat des Hochmeisters, auf den Albrecht um seiner Reputation willen glaubte nicht verzichten zu können. Am 10. Oktober 1523 wird Florian Geyer als „Marschall" der herzoglichen Reisebegleitung bezeichnet, obwohl der Gefolgsmann, wie wir aus einer in Arnstadt ausgestellten Quittung wissen, Reisezehrung nur auf Borg erhielt. Ende November 1523 reiste Albrecht wieder nach Nürnberg zurück. Falls ihn Florian Geyer dabei begleitet haben sollte, könnte er, als der Hochmeister am 1. Adventssonntag in Wittenberg mit Luther und Melanchthon erneut über die künftige Reformation des Ordens ratschlagte, mit Luther zusammengetroffen sein und als einer der ersten den Rat der Reformatoren erfahren haben, die längst durchlöcherte Ordensregel aufzugeben und Preußen zu einem erblichen weltlichen Herzogtum zu machen. In Franken, namentlich in Nürnberg, muß Florian Geyer schon vorher der reformatorischen Predigt begegnet sein. Es ist nichts darüber bekannt, wann und mit welcher Tiefe er sie sich zu eigen machte. Im Bauernkrieg war er als ein überzeugter und unbedingter Anhänger des neuen Evangeliums bekannt.

Während Albrecht von Brandenburg die Umwandlung des Ordensstaates in ein weltliches Herzogtum als einzige Rettung aus all seinen Schwierigkeiten vorbereitete, scheint das Dienstverhältnis Florian Geyers zu Ende gegangen zu sein, aus Gründen freilich, die wir nicht kennen. Die Trennung muß in gutem Einvernehmen erfolgt sein. Noch 1524 verbürgte sich Florian Geyer zusammen mit einigen fränkischen Adligen für eine Summe, die des Hochmeisters Rat Georg von Klingenbeck dem Grafen Günther von Schwarzburg für den Unterhalt von Landsknechten schuldete, die für den Zug nach Dänemark bestimmt gewesen, aber nicht abberufen worden waren. Daß Florian Geyer unter den Beamten des Ordensstaates einiges Ansehen besaß, ergibt sich aus einem Brief: Am 21. April 1525, als Florian Geyer bereits auf seiten der Bauern stand, richtete

Albrechts Marschall Melchior von Rabenstein aus Ansbach an Florian die Bitte, er möge sich bei der Bauernschaft dafür verwenden, daß statt des, wie ein Gerücht ging, verstorbenen Deutschmeisters Dietrich von Kleen in Mergentheim der Hochmeister selbst zum Deutschmeister gewählt und ihm die von den Bauern eingenommenen Ordensbesitzungen, Schlösser und Dörfer, wieder eingeräumt würden; der Hochmeister werde gewiß die bäuerlichen Beschwerden abstellen. Das Schreiben ist in mehrfacher Hinsicht bemerkenswert: einmal für die Verwirrung überkommener Ordnungsvorstellungen, wenn den Aufständischen ein Mitspracherecht bei der Bestellung des Deutschmeisters unterstellt wird, zum andern für Florian Geyers Ansehen und schließlich für die starke Stellung, die man ihm im nahen Ansbach im Bauernheer zudachte. Im übrigen hatte man in Ansbach offenbar noch keine Kenntnis davon, daß Albrecht von Brandenburg bereits am 10. April 1525 in aller Form in Krakau König Sigismund den Lehnseid geschworen hatte.

Wenn auch aus Geyers Dienst bei Markgraf Albrecht nur Bruchstücke von Nachrichten über seine Tätigkeit auf uns gekommen sind, so lassen sie doch erkennen, daß diese Zeit ihm in der Kraft seiner Jahre eine Reihe von wichtigen Einsichten vermittelt haben muß. Der Horizont des fränkischen Edelmannes weitete sich in europäische Dimensionen. Der von Hause aus traditions- und freiheitsstolze Adlige war über den unternehmerischen Kriegsmann zum sehr viel sachbezogeneren Rat und Unterhändler im Fürstendienst herangewachsen. Das Geflecht der europäischen Mächte, das sie in ständige, nun mit äußerster Anstrengung betriebene Auseinandersetzungen hineinzwang, kann ihm schwerlich verborgen geblieben sein. Zugleich hatte er Einblicke in den Reichsfürstenstand getan, der, wo es übergreifende Aufgaben wahrzunehmen galt, völlig versagte, Gesetz und Billigkeit stets nur am eigenen unmittelbaren Interesse maß und mit nichtssagender Geschäftigkeit Stärke und Bedeutung vortäuschte, denen keine Wirklichkeit entsprach. In dem Maße, wie die habsburgischen Kaiser Maximilian und Karl ihre Herrschaft ins schier Unvorstellbare ausweiteten, wurde das Reich selbst nächstgelegenen Aufgaben nicht mehr gerecht. Daran hatten freilich Kirche und Papsttum ein gerüttelt Maß von Mitschuld. Sogar einer so traditionsreichen halbgeistlichen Institution wie dem Deutschen Orden blieb am Ende, um sich aus den dringendsten Nöten zu befreien, nichts anderes übrig, als sich ausgerechnet derjenigen Lehnsobrigkeit zu unterstellen, gegen die der Orden selbst, mit und ohne Hilfe des Reiches, sich so lange verzweifelt gewehrt hatte. Die von Wittenberg ausgehende Unruhe war im Begriff, mit dem neuen Evangelium — gleichgültig, wie tief es verstanden wurde — allenthalben im kleinen und großen neue Ordnungen ins Werk zu setzen. Was für ein Raum blieb da für einen Adligen, wenn er nur schlecht und recht in den überlieferten Vorstellungen seines Standes verharrte? Wo blieb gar der gemeine Mann, der immer nur Objekt aller Veränderungen in der Welt war? Wir haben kein einziges Zeugnis dafür, daß Florian Geyer solche Gedanken erwogen hat. Wir wissen auch nicht, ob er solcher Spekulationen überhaupt fähig war. Selbst wenn sie die Schwelle seines Bewußtseins nie überschritten haben — wofür alles spricht — so drängen sie sich doch dem nachvollziehenden Betrachter auf. Wenn man nach einer Erklärung für die Wandlungen sucht, die während der beiden letzten Monate seines Lebens mit Florian Geyer vor sich gegangen sind, so spricht nichts gegen die Annahme, daß bei ihm als Mann der Tat sich Erfahrungen weniger in abstrakte Gedanken als in direktes Handeln umsetzten.

4.

Erst im Bauernkrieg erreichte Florian Geyer Höhe und Wende seiner geschichtlichen Bedeutung. Im Frühjahr 1525 griff die Bewegung von Oberdeutschland zuerst auf Franken über, und zwar zugleich auf Dörfer und Städte. Ausgangspunkt war das von den großen Durchgangsstraßen etwas abgelegene Rothenburg an der Tauber. Die kleinbürgerlichen Handwerker und städtischen Ackerbürger, längst unter dem Einfluß radikaler Prediger, u. a. des monatelang verborgen gehaltenen Karlstadt, wollten ihrer Abgaben entweder ganz ledig sein oder sie wenigstens herabsetzen. Die unruhigen Gemüter waren schnell zufrieden gestellt, als sie durch einen zusätzlich beschworenen Ausschuß den von einer schmalen Schicht der Ehrbarkeit beherrschten Rat unter ihre Kontrolle brachten. In der Verbrüderung mit den aufständischen Bauern taktierten sie äußerst vorsichtig. Größer war die Unruhe in der zur Stadt gehörenden „Landwehr", einem ansehnlichen Territorium von 163 Dörfern und 40 festen Häusern. Am 23. März 1525 wählten 800 zusammengetretene Bauern ihre eigenen Hauptleute und Räte und erklärten, den Rat von Rothenburg nicht mehr als ihre Herren anzuerkennen, aber auch entsprechend den zwölf Artikeln der Bauernschaft in Schwaben sich brüderlich nach der hl. Schrift unterweisen zu lassen, wenn sie Unbilliges verlangten. Auf dem Zuge kreuz und quer durch die Landwehr wurden Pfarrhöfe und Klostergüter geplündert und eingesessene Adlige zur Anerkennung von Schiedsgerichten bei Streitigkeiten mit ihren Untertanen gezwungen. Solche Erfolge führten dem Haufen auch Bauern aus anderen Herrschaften zu. Tauberabwärts verband er sich im Kloster Schäftersheim mit Aufständischen aus dem Stift Würzburg und dem Gebiet des Deutschen Ordens um Mergentheim. Der Taubertaler Haufe, schätzungsweise 10 000 Mann, setzte sich in Richtung auf Würzburg in Marsch, wohl in der Absicht, den Bischof, geistliche und weltliche Obrigkeit zugleich, zum Anschluß zu bewegen.

Die bestehenden Gewalten in Franken waren zur Abwehr des Aufruhrs nicht im geringsten vorbereitet. Markgraf Kasimir schrieb auf den 3. April einen Beratungstag seines Adels nach Neustadt/Aisch aus; Bischof Konrad von Würzburg forderte seine Lehnsleute auf, am 5. April gerüstet bei ihm zu erscheinen. Da jeder der Gerufenen zu den Bedrohten gehörte, kann der Besuch beider Tage nur gering gewesen sein. So verlegten sich die Landesfürsten, um Zeit für auswärtige

Hilfe zu gewinnen, aufs Verhandeln. Als ihren Willen erklärten die Bauern, wenig konkret, „alle Rechte, so dem Evangelio gemäß sein, zu bekräftigen, auch ihnen nachzukommen. Was das ewige Wort Gottes aufrichtet, soll bekräftigt werden, was es legt, soll liegen, tot und ab sein".

Ob Florian Geyer der Aufforderung zur Lehnsversammlung folgte, wissen wir nicht. Bedeutsamer ist, daß er sich in diesen Tagen, als der Aufruhr die Nähe von Giebelstadt erreichte, aus freien Stücken mit der Bauernsache verband. Mitte April 1525 ist er einer der „Hauptleute" im Taubertaler Haufen. Vom 27. April, während das Bauernheer bei Ochsenfurt lagerte, stammt eine neue „Ordnung", die wichtige Aufschlüsse über Sinn und Absichten des Aufruhrs in Franken gibt. Sie macht den Eindruck, als hätten nur wenige Hände und Sinne daran gearbeitet. Alles Zufällige, bloß Lokale, nur auf bäuerliche Verhältnisse Bezogene ist verbannt. Die Ordnung versteht sich nur als vorläufig. Die endgültige „Reformation" wird von „Hochgelehrten der hl. Schrift" erwartet. Sie sollen entscheiden, was ein jeder geistlicher oder weltlicher Obrigkeit zu leisten schuldig ist. Bis dahin sollen keine Rent, Zins, Gült, Handlohn oder dergleichen Beschwerung gefordert werden. Mit den privilegierten Ständen soll es ein Ende haben. „Es sollen alle Geistlichen und Weltlichen, Edle und Unedle hinfort sich nach gemeinem Bürger- und Bauernrecht halten und nicht mehr sein als ein anderer gemeiner Mann". Um dieser Gleichheit willen müssen alle Schlösser abgebrochen oder verbrannt werden. Sofern die Besitzer „Brüder sein" wollen, können sie über die bewegliche Habe verfügen. Das Geschütz aber soll der Bauernschaft zufallen. Es besteht nicht die Absicht, jeder Art von Obrigkeit den Kampf anzusagen. Den Anhängern wird befohlen, den gesetzten Obrigkeiten gehorsam zu sein und wie bisher Recht zu geben und zu nehmen. Amtmänner und Stadträte werden ausdrücklich angewiesen, Ungehorsam zu strafen, und sei es mit Beistand der Bruderschaft.

Dies Programm ohne spezifisch bäuerliche Beschwerden ist nur in einem Punkt radikal: Es ist auf einen eingeebneten demokratischen Untertanenverband ausgerichtet. Seine geographischen Grenzen sind nicht erkennbar. Über ihm könnten allenfalls, wenn Adel und Klerus als Zwischeninstanzen und Vertreter des Alten gefallen sind, Landesfürsten stehen. Von Kaiser und Reich ist nicht die Rede. Über ein solches Programm war Verhandeln grundsätzlich nicht mehr möglich; hier konnte nur Sieg oder Niederlage entscheiden. Offenbar war aber im fränkischen Bauernheer niemand in der Lage, über das eine grundlegende Prinzip hinausführende Vorstellungen für seine praktische Anwendung und Durchführung zu entwickeln.

Diesem Programm stellte sich Florian Geyer zur Verfügung. Zwar wird nirgends davon berichtet, daß er an seiner Formulierung teilgenommen hat. Er hat sich aber ausdrücklich damit wiederholt identifiziert. Vielleicht geht man mit der Annahme nicht fehl, daß er als im Kriege Erfahrener bei der in der gleichen Ordnung geregelten Organisation des Bauernheeres mitgewirkt hat. In diesem

Teil ist jedes revolutionäre Element ausgeschlossen und alles auf Zucht und Ordnung gestellt, als wenn die Zeit der alten frommen Landsknechte wieder heraufgeführt werden sollte. Rechte und Pflichten des obersten Feldhauptmanns, der wie alle wichtigen Amtsträger vom „hellen" Haufen gewählt werden muß, werden genau so geregelt wie alle in einem Heer notwendigen Funktionen. Selbst an den Profos ist gedacht, der, sobald ein Lager aufgeschlagen wird, „von Stund an" einen Galgen errichten soll, „zu Straf des Übels und Handhabung frommer christlicher Menschen". Auf strenge Zucht wird vor allem Wert gelegt. Obenan steht die Forderung: „Erstlich will sich gestalt dieser brüderlichen christlichen Einung nach gebühren, daß das Wort Gottes, welches ein Speis der Seelen ist, täglich, so oft es die Gelegenheit zugibt, rein und lauter dem Volk verkündet und gepredigt werden soll. Das ist auch also zu geschehen beratschlagt, für not und billig angesehen". Gotteslästern und freventliches Fluchen, Zutrinken und Völlerei, Spiel und Dirnen sind im Lager der christlichen Bruderschaft verboten. Niemand soll sich eigenmächtig vom Heer entfernen, kein Fremder im Lager geduldet werden. „Niemand soll sich aus eigener Gewalt und Frevel unterstehen, Klöster, Kirchen, Propsteien und dergleichen geistliche Güter anzugreifen und zu beschädigen ohne Befehl und Geheiß des obersten Feldhauptmanns und der Räte." Wenn Florian Geyer ein Mitschöpfer dieser Ordnung war, dann muß er etwas gewußt haben von der militärischen Gefährdung der losen, an Disziplin nicht gewöhnten und im Kriegsdienst unerfahrenen Bauernmassen, die einer geübten Söldnertruppe nur dann gewachsen waren, wenn ihr Zusammenhalt über jeden Zweifel erhaben war und den des Gegners noch übertraf. Wenn nur ein Teil des hier Geforderten verwirklicht worden ist, so ist verständlich, daß sich die Legende von der „schwarzen Schar" bilden konnte, als deren Führer Florian Geyer gilt.

Was kann ihn bewogen haben, sich mit der Bauernsache zu verbinden? Er ist nicht der einzige Edelmann, der freiwillig auf ihre Seite trat. Wo es sonst geschah, handelte es sich in der Regel um zweifelhafte Gestalten, die entweder dem äußeren Druck nachgaben oder hofften, so am leichtesten Beute zu machen. Die Führer des Adels standen überall im Lager der Fürsten. Wo adlige Herren sich bereitfanden, bäuerliche Forderungen als berechtigt anzuerkennen, geschah es entweder um des Zeitgewinns willen, bis durch Eingreifen stärkerer Kräfte das Blatt sich wende, oder um die Schuld an aller Ungerechtigkeit auf die Pfaffen zu lenken, deren Güter und Machtstellungen sie jetzt zu beerben hofften. Um derartige Motivierungen kann es sich bei Florian Geyer ebensowenig gehandelt haben wie um einen nur aus dem Augenblick geborenen Entschluß. Die Gründe für seine Parteinahme lassen sich nur vermuten. Er hatte im Fürstendienst sich umgetan, ohne darin aufzugehen. Er war auch kein „Verdorbener vom Adel", der es nötig gehabt hätte, durch Verbrüderung mit den Bauern eingefleischter Raublust nachzugeben. Aber wer auf den Adel Hoffnungen setzte, daß er die überall als notwendig erkannte Reform aller Verhältnisse durchführen werde, sah sich getäuscht. In Franken war die dicht gesessene Ritterschaft sehr heruntergekommen. Weder Strafzüge des Schwäbischen Bundes noch Selbsthilfen, wie die Adelstage sie versuchten, hatten seine überlebten Vorrechte gebrochen. Im Zuge der Reformation aber geriet die gesamte gesellschaftliche Ordnung in Bewegung. Mit der Begründung durch die hl. Schrift erhielten alle Veränderungen noch eine zusätzliche religiöse Legitimation. Erst unter dieser Erfahrung scheint sich Florian Geyer die Notwendigkeit aufgedrängt zu haben, Konsequenzen zu ziehen, sich von allen Standesvorrechten loszusagen, um aufständischen Bauern und Bürgern bei der Verwirklichung vorerst nur dunkel erkannter Ziele beizustehen. Mag diese Deutung zu ideal erscheinen, weil wir Sicheres über die Motive seines Handelns nicht wissen: Es ist nicht zu übersehen, daß bei diesem Adligen nirgends ein nur individueller Wunsch, eine nur egoistische Absicht, ein ihn allein betreffender Konflikt in Erscheinung tritt. Er gehört zu den reformatorischen Gestalten, deren Blick nicht im eigenen begrenzten Wirkungskreis gefangen blieb, deren Einsicht vielmehr sogleich ohne Übergang sich auf die ganze ihnen vertraute Welt richtete, als hänge deren Schicksal allein von ihrem persönlichen Einsatz ab.

5.

Florian Geyer wurde im Bauernheer in seinem eigensten Erfahrungsbereich, bei diplomatischen Verhandlungen verwendet. Er war wie alle Hauptleute und Räte in seinen Entschlüssen nicht selbständig, sondern dem Bauernrat unterworfen. Wegen der zuweilen notwendigen längeren Entfernung vom Heer kam trotz seiner Kriegserfahrung ein militärisches Kommando für ihn weniger in Betracht, und er hat nach allem, was wir wissen, 1525 auch keines geführt. Seine Aufgabe war die gleiche wie die entsprechende auch anderer Bauernhaufen: einerseits Absprachen mit unruhigen Bauern und Bürgern verschiedener Herrschaftsgebiete zu treffen, um dadurch die lokal begrenzten Aufstände zur allgemeinen Erhebung auszuweiten, andererseits die Landesherren entweder zu gewinnen oder mit ihren Schwierigkeiten im eigenen Lande zu fesseln, um dadurch ihre Gegenmaßnahmen zu zersplittern.

Wahrscheinlich schon in der ersten Aprilhälfte — genauere Nachrichten fehlen — brachte Florian Geyer neun mainzische Städte im Odenwald zum Anschluß an das fränkische Bauernheer. Am 7. Mai nahm er Kitzingen, am 9. Würzburg, am 14. Rothenburg in Pflicht. In allen drei Fällen waren namentlich die unteren städtischen Schichten bereit, gemeinsame Sache mit den Bauern zu machen, während die Ehrbarkeiten, ihrem Wesen nach konservativer, zu mehr Zurückhaltung neigten. Für die radikal demokratische Gesinnung des fränkischen Bauernheeres reichten stellvertretende Erklärungen offenbar nicht aus. Der Delegation mit Florian Geyer als Führer und Sprecher war es jedesmal darum zu tun, Rat und ganzer Gemeinde den Schwur auf die Ochsenfurter Ordnung abzunehmen und zugleich klare Obrigkeitsverhältnisse zu schaffen. Der Anschluß vollzog sich in allen drei Städten in vergleichbaren Formen.

In Kitzingen, wo unruhige Schichten bereits Zugeständnisse vom Rat erpreßt hatten und nun im Begriff waren, Klöster und wohlhabende Bürgerhäuser zu plündern, ließ sich Florian Geyer mit seinen Begleitern vor allen Unterhandlungen durch die Stadtviertel führen, schüchterte mit seiner Autorität hier mit Drohungen ein und mahnte dort mit gutem Zureden zur Vernunft. Die Inpflichtnahme von Rat und Gemeinde vollzog sich in allen drei Fällen nach dem gleichen Ritual: Auf die Verlesung des Beglaubigungsschreibens für die Gesandtschaft folgte die Verpflichtung aller Bürger, bis zur Aufrichtung der „Reformation" keinem Herrn Abgaben zu entrichten und auf dem Bündnis mit dem hellen Haufen bei entsprechender Gegenleistung zu bestehen. Dann erst entwikkelte Florian Geyer das Programm mit der durch keine menschlichen Zusätze verdorbenen hl. Schrift als oberster Richtschnur. Stets wiederholt sich die Formel: Was das Evangelium bestimmt, soll befolgt, was es verwirft, für alle Zeiten abgetan sein. Auf Einzelheiten, etwa strittige Abgaben, ließ sich die Abordnung nicht ein. Sie hatte es nur mit den Grundsätzen zu tun. Darum ordnete sie auch Verwaltung und Polizei, setzte deren Kompetenzen fest und forderte für sie Gehorsam, im Weigerungsfalle Ausschluß aus der Stadtgemeinde. Der Rat und seine gewählten Amtsträger wurden in Stand und Würden bestätigt, der meist irregulär ad hoc gewählte Ausschuß in seiner Zusammensetzung verringert, weil seine Mitglieder neben ihrem Amt nicht ordnungsgemäß ihren Lebensunterhalt verdienen könnten. Um so größerer Wert wurde auf die militärische Organisation, die vermehrte Bestellung von zuverlässigen Viertelmeistern mit unbedingter Befehlsgewalt gelegt. Sie sollten zusammen mit dem Rat die Geschäfte führen und Mißhelligkeiten beilegen. Wie in der Ochsenfurter Ordnung festgelegt, sollte keinem Einzelnen das Recht zustehen, an fremdes Gut, auch nicht an den Kirchenbesitz, Hand anzulegen. Die Rothenburger wurden getadelt, daß sie schon vor Eintreffen der Abordnung in diesem Punkt die Zügel hatten schleifen lassen. Florian Geyer erbot sich in allen Städten, Galgen zu errichten, um Aufrührer auf der Stelle zu strafen. Die Güter der Klöster, Priester und Amtleute waren durch den Machtanspruch der Bauernführer vor Plünderung gesichert. Um in Notzeiten darauf zurückgreifen zu können, sollten sie von einer Anzahl redlicher Männer in Verwahrung genommen werden. Als Angehörige der Bruderschaft hatten sich die Stadtbürger in ihrer Lebensführung den gleichen Geboten unterzuordnen, die auch im Lager galten. Rat, Viertelmeister und Ausschuß sollten auf die Durchführung der alten löblichen Verordnungen bedacht sein, Fluchen, Schwören, Zutrinken, nächtliches Schwärmen in den Gassen verbieten und dafür sorgen, daß keiner dem andern Schaden zufügte. Widerstand gegen diese beschworene Ordnung war nicht möglich. Sollte das städtische Regiment mit seinen alten und neuen Aufgaben nicht fertig werden, so wurde ihm Hilfe, zur Not sogar die des ganzen Haufens zugesagt.

Solches Ethos war dazu angetan, den Bauern im Lager und den Bürgern in den Städten ihre Gemeinsamkeit bewußt werden zu lassen. Aber für die im freien Felde bedeutete schon allein das wochenlange ungewohnte Lagerleben, dazu in einer besonders weinreichen Gegend, zu einer Jahreszeit, wo die Frühjahrsbestellung anstand, eine schwere Belastung. Die harten puritanischen Regeln für jeden Einzelnen zielten wohl an der Wirklichkeit vorbei. In ihrer Masse waren die Bauern wahrscheinlich gar nicht imstande einzusehen, daß sie mit mutwilligen Zerstörungen am Ende sich selbst am meisten schadeten. Die eben erst errungene „Freiheit" war ihnen auch zu teuer, als daß sie durch Strafandrohungen sich von Übergriffen hätten abhalten lassen. Dazu kam die Unsicherheit, wenn ihnen die Programme anderer Bauernhaufen bekannt wurden, die aus unterschiedlichen Anlässen zusammengetreten waren und anders gesinnten Führern folgten. Vor Unser-Lieben-Frauen-Berg über Würzburg, dem einzigen, aber auch festesten Schloß in Franken, das den Bauern noch Widerstand leistete, sammelten sich seit Mitte Mai 1525 neben den Taubertalern auch die Odenwald-Neckartäler und der Bildhäuser Haufen. Gemeinsam war ihnen allen der Wille, dem Evangelium beizustehen und die Gerechtigkeit zu handhaben. Das war nicht mehr als ein zeitgemäßes Schlagwort, das auch die Gegner für sich in Anspruch nahmen. Was man jeweils darunter verstand, machte erst den Unterschied aus.

Die Haufen vom Odenwald und vom Neckar, meist Mainzer Untertanen, waren z. T. aus spontan nebeneinander entstandenen Unruhegebieten, z. T. sogar als bloß verhetzte Bauern zusammengetreten, die sogar mit der allgemeinsten Zielsetzung wenig anzufangen wußten. Auf das Konto ihrer besonders wilden und gehässigen Führer ging die Weinsberger Bluttat, als Graf Ludwig von Helfenstein durch die Spieße gejagt wurde, der grausamste Ausbruch elementarer Leidenschaft, den der ganze Bauernkrieg kennt. Aus Furcht und Schrecken waren einige Adlige zum Heer getreten und hatten ihre Burgen freiwillig aufgegeben. Die Aufständischen waren es zufrieden, wenn sie die in Windeseile verbreiteten 12 Artikel annahmen, ohne darauf zu bestehen, daß die Herren mit eigener Hand ihre Schlösser zerbrachen. Ende April hatte der Haufe Götz von Berlichingen zu seinem obersten Feldhauptmann gewählt, einen Ritter, der nur aus Zweckmäßigkeitserwägungen dieser Führungsrolle zugestimmt, sonst aber keine Gemeinschaft mit ihnen hatte. Um das Chaos zu ordnen, hatten vornehmlich Vertreter der alten Obrigkeiten mit Zustimmung des Bauernrates Anfang Mai für ihr Gebiet die Amorbacher Artikel aufgestellt. Auf der Grundlage der 12 Artikel sollten sie wie auch die „Ochsenfurter Ordnung" der Taubertaler die Zeit bis zur erwarteten großen „Reformation" überbrücken. Jedermann war verpflichtet, den bestehenden Gewalten und ihren Geboten gehorsam zu sein, jeder Widerstand dagegen sollte von den Hauptleuten hart geahndet werden. Auch Recht und Gericht sollten wie bisher gelten und die weltliche Obrigkeit verpflichtet sein, adliges und geistliches Gut zu schützen. Eigenmächtiges Plündern, Aufruhr anzuzetteln, sogar dem Haufen zuzulaufen, wurde unter harte Strafen gestellt.

Ganz anders der aus dem nördlichen Teil des Bistums Würzburg zwischen Main und Thüringer Wald zusammengeströmte Bildhäuser Haufe. Erst auf die Nachrichten vom Aufstand der Taubertaler und Odenwälder tat er es ihnen in der Zerstörung einiger Klöster gleich und zog schließlich ebenfalls vor den Marienberg. Hier handelte es sich in der Hauptsache um eine kleinbürgerliche Bewegung der Gemeinden und Amtsstädte ohne eigentlich politische Forderungen, abgesehen von dem Verlangen nach Stärkung der städtischen Selbstverwaltung und Minderung der Abgaben. Auch hier waren Adlige dem Heer beigetreten. Von ihnen wurde anfangs nur verlangt, daß sie die aus der Bruderschaft sich ergebenden Pflichten übernähmen, bis durch die Bekanntschaft mit den Taubertälern die radikale Forderung sich durchsetzte, die Schlösser selbst zu zerstören. Die Bildhäuser erklärten es, ohne die 12 Artikel zu benutzen, als wider göttliche Schrift und Ordnung, keine Obrigkeit anzuerkennen und ihr keine Abgaben zu entrichten. Deshalb forderten sie Anerkennung nicht allein der Schultheißen und Dorfmeister, sondern des Bischofs als obersten Herrn. Es paßt in dieses Bild, daß die Bildhäuser sich energisch gegen Aufständische jenseits der Territoriumsgrenzen zur Wehr setzten, ja ihnen geradezu feindselig begegneten, als hennebergische Bauern sich anschickten, die damals würzburgische Stadt Meiningen zu berennen.

Die strategische Lage hätte erfordert, alle unterschiedlichen Programmpunkte zurückzustellen und das Gemeinsame hervorzukehren. Davon aber kann keine Rede sein. Die Haufen blieben in sich selbständig. Ein jeder entsandte fünf Vertreter in einen gemeinsamen Rat, dem die oberste Führung oblag. Auch Florian Geyer gehörte zu diesem Gremium. Er war wie alle andern außerstande, die fehlende Führungsspitze herbeizuzwingen. Es ist sogar nicht sicher, ob er diese Notwendigkeit überhaupt erkannt hat. So traten unterschiedliche Auffassungen in den Grundüberzeugungen wie feststehende Dogmen schnell einander gegenüber und wurden der Bauernsache zum Verhängnis.

6.

Zwar hatten die vereinigten Empörer aus Franken, nach vorsichtiger Schätzung insgesamt 15 000 Mann, bis zu diesem Zeitpunkt keinerlei Widerstand gefunden. Städte und Adlige hatten überwiegend die 12 Artikel angenommen und waren in die Bruderschaft eingetreten. Selbst die Reichsstädte bis auf Schwäbisch Hall und das mächtige Nürnberg hatten mit den Bauern gemeinsame Sache gemacht. Markgraf Kasimir, der mächtigste weltliche Herr in Franken, hielt sich klug abwartend zurück, wäre auch mit eigenen Kräften außerstande gewesen, Entscheidendes auszurichten. Der Würzburger Bischof hatte nach wiederholten vermittelnden Verhandlungen mit seinen Untertanen den Marienberg am 5. Mai verlassen, um auswärtige Hilfe zu erwirken. Das nur langsam zusammentretende Heer des Schwäbischen Bundes unter der Führung von Georg Truchseß von Waldburg war Mitte Mai noch fern. Für die Bauern war auf lange Sicht von entscheidender Bedeutung, über die Feste Marienberg zu verfügen.

Anfang Mai war die Stellung der Stadt Würzburg noch nicht entschieden. Der Bischof fürchtete mit Recht, sie werde jetzt die jahrhundertealten Bestrebungen verwirklichen, vom Bistum unabhängig zu werden. Seine wiederholten vermittelnden Bemühungen hatten zu keinem Ergebnis geführt. Schon am Tage nach Erscheinen des Bauernheeres vor Würzburg bemühte sich die Abordnung unter Florian Geyer um die Aufnahme der Stadt in die Bruderschaft. Gleichzeitig verhandelte die Besatzung des Marienberges durch eine mehrköpfige Gesandtschaft auf dem Rathaus. Die Odenwälder hatten der Besatzung bereits von Amorbach aus die 12 Artikel als Grundlage der Verbrüderung übersandt. Die Eingeschlossenen erklärten sich unter solchen Bedingungen zur Übergabe bereit unter dem einen Vorbehalt, daß auch der Bischof seine Zustimmung gebe. Es bleibe dahingestellt, ob es sich dabei um ein ernst gemeintes Angebot oder den listigen Versuch handelte, Zeit zu gewinnen. Die Odenwälder Hauptleute, unter ihnen Götz von Berlichingen, stimmten mit der Mehrheit des Bauernrates bereits zu. Da stellten einige radikalere Taubertaler, unter ihnen der oberste Feldhauptmann Jakob Kohl, neue Bedingungen. Unterstützt auch von Vertretern der Stadt Würzburg forderten sie, das Schloß mit allem Geschütz, Munition und Proviant, dazu alle noch nicht eingenommenen Burgen des Stifts müßten dem hellen Haufen übergeben werden; dann erst sollte die Besatzung des Marienberges mit ihrem persönlichen Besitz freien Abzug erhalten. Die Entscheidung über Erhaltung oder Zerstörung müsse bis zur „Reformation“ der Entscheidung von Stadt und Landschaft Würzburg vorbehalten bleiben. Auf solche Bedingungen konnten sich die Abgesandten des Marienberges nicht einlassen; sie besaßen dazu keine Vollmacht.

Im Bauernrat ging es lange hin und her. Die Kriegserfahrenen, Götz und Florian Geyer, dürften sogleich erkannt haben, daß der Vorteil, möglichst schnell in den Besitz der Feste zu gelangen und damit auch für ein geübtes Heer so gut wie unangreifbar zu sein, bei weitem die scheinbare Grundsatztreue der Radikalen aufwog. Nach dem Bericht des Würzburger Sekretärs Lorenz Fries argumentierte Götz ritterlich, da er mit einem Teil seiner Sympathie auf der Seite der bestehenden Gewalt stand: „Es wäre doch zum Erbarmen, einen Fürsten, der sich so viel und hoch erboten, des Landes zu verjagen und ihm nicht ein einziges Haus zu lassen“. Florian Geyer legte in seine Stellungnahme seine ganze Existenz: „Wenn er der Taubertalischen ... geschwinden Sinn anfänglich gewußt, hätte er sie zuvor erstochen lassen werden, bevor er zu ihnen gekommen wäre. Er sehe wohl, daß es des Teufels Bruderschaft und dem Evangelio nit gemäß sei.“ Er hatte auch den Wortlaut der Artikel für sich. Die harte Formulierung der Ochsenfurter Ordnung galt für alle vom Adel, die bisher den Landfrieden gefährdet und damit jede Ordnung unmöglich gemacht hatten, nun aber, wo ihnen das Handwerk gelegt wurde, für die, die „in diese christliche Bruderschaft zu kommen begehrten"; sie sollten bewilligen, „ihre Schlösser und Befestigungen abbrechen zu lassen oder Macht haben, solchs in einer gelegenen fürderlichen Zeit selbst zu tun". Das bedeutete gewiß nicht die Zerstörung schlechthin aller Burgen. Die Artikel der fränkischen Bauernschaft forderten daher noch realistischer: „Es sollen auch *schädliche* Schlösser, Wasserhäuser und Befestigungen, daraus gemeinem Mann bisher hohe, merkliche Beschwerungen zugestanden sind, eingebrochen oder ausgebrannt werden". Der Marienberg gehörte gewiß nicht zu den „schädlichen Schlössern", die den Landfrieden gefährdeten. Seine Zerstörung hätte dem Ordnungsgedanken widersprochen, worauf alle Artikel Wert legten, den Widerspruch selbst solcher Reichsfürsten herausgefordert, die zur Verständigung bereit waren, und die Aufstandsbewegung zur Aussichtslosigkeit verurteilt. So viel sich erkennen läßt, trat Florian Geyer wohl für Reformen der bestehenden politischen Gewalt ein. Für die Beseitigung jeder Obrigkeit und Ordnung war er aber nicht zu haben. Der Streit im Würzburger Bauernrat betraf daher einen zentralen Punkt. Kein Wunder, daß Florian Geyer dem Wortführer der Radikalen, dem Pfarrer Bernhard Bubenleben von Mergentheim, im Zorn entgegenschleuderte: „Es sollte kein Pfaff in diesem Rat sitzen", dafür aber nur den Gegenschlag einhandelte: „Man sollte keinem Edelmann in diesen Sachen getrauen". Der bisher in der Bruderschaft verdeckte Zwiespalt zwischen den sozialen Gruppen schwelte in der Tiefe als Mißtrauen weiter, hatte aber keine Folgen. Die Radikalen setzten sich durch. Der Marienberg sollte übergeben werden wie die Burg eines jeden, der zu den Bauern zu treten wünschte, und die „Reformation" sollte über ihren zukünftigen Zweck entscheiden. Von den übrigen Schlössern des Bischofs war nicht mehr die Rede. Als Entschädigung für das Stilliegen der Bauern sollten die Würzburger Geistlichen vor dem Abzug vom Marienberg 100 000 fl. zahlen. Die Höhe der Summe läßt erkennen, daß die Mehrheit der Unterhändler im bäuerlichen Lager entweder die Wirklichkeit bereits hinter sich ließ oder das Lösegeld so hoch ansetzte, um diese Möglichkeit völlig auszuschalten.

7.

Der Streit um den Marienberg, in dessen Zentrum Florian Geyer stand, bedeutete den Wendepunkt des Bauernkrieges in Franken. Wäre der Vertrag zustandegekommen, so hätten die Bauern im Schutz dieser mächtigen Festung den Angriff des Schwäbischen Bundes getroster erwarten können. Jetzt konnten sie ihm nur noch im freien Feld die Stirn bieten, wenn es ihnen nicht vorher noch gelang, die Feste einzunehmen. Bereits am 15. Mai begannen sie, ohne Wissen der Hauptleute und ohne jede Vorbereitung während der Nacht die Burg zu berennen. Vergeblich. Ihr kleines Geschütz vermochte nichts gegen die starken Mauern. Zu weiteren Stürmen fanden sich keine Freiwilligen mehr. Nutzlos wurde die Zeit vertan, während trotz der drohend errichteten Galgen die Massen entweder verwildert den Führern entglitten oder in Scharen nach Hause zogen.

Florian Geyer war bereits seit dem 13. Mai als Sprecher einer fünfköpfigen Gesandtschaft auf Geheiß des Bauernrates in Rothenburg, um Stadt und Landwehr zu vereidigen und ihre Hilfe, vor allem das städtische Geschütz für die Belagerung zu gewinnen. Er war nicht bereit, sich etwas von den Bedingungen abhandeln zu lassen, als der Rat einwandte, daß die Einstellung bäuerlicher Zinszahlungen die Stadt in große Schwierigkeiten versetze. Unbeirrbar setzte die Gesandtschaft auseinander, daß die Empörung des gemeinen Mannes nicht den Sinn habe, alle Abgaben abzuschaffen; nur ungebührliche Steuern, die wider Recht und Evangelium erhoben würden, sollten bis zur großen Generalregelung abgestellt sein.

Von Rothenburg aus unternahm Florian Geyer den Versuch, mit Markgraf Kasimir, dem Schirmherrn der Stadt, in Verhandlungen zu treten und ihn für die Bauernsache geneigt zu machen. Wiederum war nicht er der Initiator des Gedankens, sondern Stefan von Menzingen, der Vorsteher des Ausschusses, der zu seiner Rückversicherung für den Fall des Scheiterns der Empörung die Verbindung mit dem Markgrafen nicht abreißen ließ und ihn über die Vorgänge in der Stadt auf dem laufenden hielt. Während Florian Geyer auf Weisungen der Bauernräte wartete, hielt der Markgraf es für erwünschter, wenn sein Bevollmächtigter im Lager zu Heidingsfeld verhandelte, und bat Florian Geyer „als einen, der es allenthalben ernstlich und gut meint", sich dafür zu verwenden. Man darf mit Sicherheit sagen, daß der Markgraf nur die Zeit bis zur Ankunft des Schwäbischen Bundes zu strecken wünschte. Vielleicht scheute er auch die persönliche Konfrontierung mit dem ihm längst bekannten Kriegsmann, der schnell das Ausmaß seiner Rüstungen übersehen hätte. Am 19. Mai kam es im Lager zum Abschluß eines achttägigen Waffenstillstandes.

Florian Geyer wurde dazu von seinen Oberen herbeizitiert. Beim Aufbruch von Rothenburg wurde ihm von Menzingen ein kostbares Altargewand verehrt, von dem der Rothenburger vorher die silbernen Kreuze abgetrennt hatte. Solche Geschenke waren üblich, wenn auch Menzingen gewiß keine Verfügungsgewalt über Kirchenschätze besaß. Es ist aber abwegig, wie Max Lenz es getan hat, die Kostbarkeit in Geyers Händen als ein sicheres Zeichen seiner unverminderten Beutegier zu deuten. Der Unehrenhaftigkeit muß Menzingen, nicht Geyer beschuldigt werden, der das Meßgewand einem Rothenburger Gastwirt zur Verwahrung gab.

Inzwischen rückte das Verhängnis für die fränkischen Bauern immer näher. Am 12. Mai schlug Georg Truchseß die Württemberger vernichtend bei Böblingen. Thomas Zweifel, der Rothenburger Chronist, berichtet von 4000 Erschlagenen und nur 17 Gefangenen. Am 21. Mai wurde Weinsberg verbrannt und die Bluttat an dem Grafen von Helfenstein nicht weniger grausam gerächt. Zu den Bündischen stießen jetzt auch die inzwischen aufgestellten Söldner der Kurfürsten von der Pfalz, von Trier und Mainz, bei denen sich auch Bischof Konrad von Würzburg befand, alle entschlossen, die Belagerten auf Marienberg zu entsetzen. Statt alle Kräfte im Lager von Heidingsfeld zusammenzuhalten, ließen die Führer es zu, daß die Neckartäler und Odenwälder am 23. Mai unter Götz von Berlichingen abzogen, um die Dörfer zu Hause und die christlichen Brüder im Lager vor den heranziehenden Bündischen zu schützen. Es war barer Unverstand und arbeitete dem Gegner nur in die Hände. Das Teilheer war viel zu schwach, um eine Entlastung zu bewirken. Auf seine Versuche, gütlich zu unterhandeln, ließ sich der Bund nicht mehr ein. In der schier aussichtslosen Lage war Götz von Berlichingen treulos genug, den Haufen im Stich zu lassen und sich selbst in Sicherheit zu bringen. Seine Dienstzeit sei abgelaufen, ließ er wissen.

Die erhaltenen Schriftstücke der Bauern und ihrer Verbündeten lassen trotz aller Auflösungserscheinungen und trotz der ihnen von allen Seiten zukommenden Nachrichten über Gewalttaten des Schwäbischen Bundes und des Markgrafen kein Zeichen von Mutlosigkeit und Verzweiflung erkennen. Hauptleute und Räte standen zu ihrer Überzeugung. „Weil je ein jedes Wesen und Regiment ohne eine Obrigkeit (als wenig der natürliche Leib ohne ein Haupt) sein kann und kein bürgerlich brüderlich Wesen ohne ein Regiment erhalten werden mag“, werden alle Einungsverwandten bei „tapferer Strafe“ an die früheren Befehle erinnert, „daß ein jeder sich enthalten soll, den andern, es seien geistliche oder weltliche Personen, weder mit Worten noch mit Werken, Raten oder Taten nicht anzutasten, zu schmähen oder gegen ihre Habe und Güter zu handeln, sondern sie, ihr Leib, Hab und Gut getreulich zu beschützen, schirmen und befrieden, als wie euer jeder solches, ihm zu geschehen, begehrt und haben wollte.“ Der auf den 31. Mai von den Bauernräten nach Schweinfurt ausgeschriebene Landtag sollte das gleiche Thema haben: „zu beratschlagen und zu beschließen, wie solche christliche Ordnung dem Wort Gottes gemäß zu Erhaltung Friedens und Rechtens und sonderlich auch von der Obrigkeit, die von Gott geordnet, und andern ehrbaren, ziemlichen zufallenden Sachen zu handeln. Es steht auch unser Gemüt, solches nit aus uns selbst allein, sondern mit Rat verständiger, von Gott gelehrten und erfahrenen Personen vorzunehmen und zu vollenden“. Erst auf dem Landtag scheint den Versammelten die Ausweglosigkeit ihrer Lage zum Bewußtsein gekommen zu sein. Die Aufständischen waren unter sich; von den eingeladenen Landesfürsten war keiner erschienen. Die Bamberger hatten sich bereits mit dem Bischof vertragen. Kurfürst Johann von Sachsen und Landgraf Philipp von Hessen hatten nach der für die thüringischen Bauern vernichtenden Schlacht von Frankenhausen Mühlhausen eingenommen und eilten nun dem Grafen von Henneberg zu Hilfe. Das veranlaßte die Bildhäuser zum Abzug nach Meiningen, wo sie sich am 4. Juni mit ihrem Herrn vertrugen. Man konnte sich in Schweinfurt nicht einigen, wo die Not am größten war und wem zuerst geholfen werden müßte.

Florian Geyer wird gewiß an diesem Landtag teilgenommen haben. Als Vertreter des Haufens vor Würzburg, nicht mehr als ihr Führer und Sprecher, gehörte er zu einer Abordnung des Landtags, die bei Markgraf Kasimir einen Anstand erreichen und in Rothenburg auf sein Geleit warten sollte. Im Angesicht der unmittelbaren Gefahr war in der Stadt das Klima umgesprungen. Die Abordnung wurde als krompromittierend betrachtet, weder vom Rat empfangen noch beschenkt. Auf den Geleitsbrief des Markgrafen wartete sie vergebens.

Inzwischen vollendete sich das Geschick der Aufständischen in Franken. Die führungslosen Odenwälder, deren Zahl immer kleiner wurde, wichen vor dem anrückenden Bundesheer zurück. Bei Königshofen wurden sie eingeholt und ohne sich recht zum Kampf gestellt zu haben, vernichtet. Die Niederlage mußte von den Hauptleuten im Lager zu Heidingsfeld dem Volk verheimlicht werden, anders hätten sie es schwerlich bewegen können, gegen das Bundesheer auszuziehen. Am Pfingstsonntag, 4. Juni, trafen die bündischen Reiter in nächster Nähe von Florian Geyers Heimat, zwischen den Dörfern Ingolstadt und Giebelstadt, auf die bäuerliche Wagenburg. Bei den ersten Schüssen ließen die Bauern Wagen und Geschütze hinter sich und flohen in alle Richtungen. Auf der weiten schutzlosen Hochebene wurden sie zu Tausenden von den verfolgenden Reitern niedergestochen. Nur eine kleine Schar verteidigte sich — zum ersten und einzigen Male — ebenso verbissen wie aussichtslos im Schloß Ingolstadt. Es war nicht Florian Geyers Besitz, sondern der der andern Geyer-Linie. Der erste Ansturm wurde abgeschlagen. Erst als herbeigeholtes Geschütz eine Bresche in das Gemäuer schoß, gelang es den Angreifern einzudringen. Pardon wurde nicht gegeben. Man zählte 253 Tote.

Derweil wartete Florian Geyer noch immer vergeblich in Rothenburg auf das Geleit des Brandenburgers, der mit seinem furchtbaren Strafgericht bereits begonnen hatte. Als die Gesandtschaft der Stadt sich auf den Weg machte, Georg Truchseß um Gnade zu bitten, war Geyers Bleiben nicht länger. Er wurde aus Rothenburg ausgewiesen. Daß die Sache, der er sich verschrieben hatte, verloren war, kann ihm nicht verborgen gewesen sein. Bei dem Versuch, sich nach Norden durchzuschlagen, wurde er in der Nacht vom 9. auf 10. Juni im Gramschatzer Wald bei Rimpar nördlich Würzburg von Knechten seines Schwagers Wilhelm von Grumbach erschlagen und beraubt. Wie der Bauernkrieg in Franken, so endete auch sein Leben im Dunkel.

Der rückschauende Betrachter kann dem Edelmann, der bis zum bitteren Ende bei der gewählten Sache aushielt, Achtung nicht versagen. Ihn als großen Führer des Bauernkrieges in Franken oder gar in ganz Deutschland und als Revolutionär zu feiern, besteht kein Anlaß. Es ging ihm um Reformen, nicht um Revolution. Selbst dazu hat er keinen Gedanken beigetragen, den nicht andere vor ihm schon gedacht haben. Zwar hat er seinen adligen Stand aufgegeben und sich in die Reihen des Aufstandes eingereiht. Er tat es nicht aus einem neuen gesellschaftlichen Konzept, weder einem sozialen noch einem völkischen, oder weil er die deutsche Nation im Sinn hatte, sondern weil er wie viele Tausende seiner Zeitgenossen die große Hoffnung hatte, daß das neu ans Licht gebrachte Evangelium für die Ungerechtigkeit in der Welt ein Rezept besitze. Er wußte etwas von der unabdingbaren Notwendigkeit von Obrigkeit und Regiment, die nicht zerstört werden dürfen. Nicht er wollte die „Reformation" schaffen, sondern die Theologen sollten es tun. Wie alle, die von ihnen das Heil in der Welt erhofften, hat er vergebens auf sie gewartet.

13.

Kurfürst Ottheinrich und das Reich

Die Leistungen Ottheinrichs von der Pfalz als Politiker stehen in der Wertschätzung der Nachwelt mit Recht tief im Schatten des Freundes der Wissenschaften und schönen Künste.[1] Sein Verhältnis zu Kaiser und Reich, zu den deutschen Problemen und ausländischen Mächten seiner Zeit bildet indessen diejenige Seite seines öffentlichen Wirkens, die für die historische Würdigung erst die Folie seiner liebenswerten Züge abgibt. Dieser Hintergrund entbehrt ganz und gar der leuchtenden Farbe. Was an politischen Impulsen in dieser Persönlichkeit steckte, drängt sich in den letzten drei Lebensjahren zusammen, in denen Ottheinrich, bereits vom Tode gezeichnet, Kurfürst war. Zahllose bittere Enttäuschungen, viel Mißgeschick, Jahre der Verbannung und des zermürbenden Wartens hatten ihre Spuren bereits in sein Wesen eingegraben, als er sich auf der Höhe seiner Geltung glaubte. Zu einer überragenden Stellung in der Welt aber war seine politische Begabung zu durchschnittlich. Dazu kommt, daß die Wende von der Reformation zur Gegenreformation, die mit Ottheinrichs Leben zusammenfällt, in ihren politischen Antrieben und Gedanken uns heute so fern gerückt ist, daß sich dem rückschauenden Betrachter nur schwer die Verbindung von dem „großmütigen", weitherzigen und vielseitigen Mäzen zu dem ebenso starrköpfigen wie schwankenden und letztlich erfolglosen Politiker schlagen will.

Bis zur Übernahme der pfälzischen Kur war Ottheinrich schwerlich mehr als Objekt der Politik. Um Neuburg hatte Kaiser Maximilian den Waisen Ottheinrich und Philipp nach dem Tode ihrer Eltern während des Landshuter Erbfolgekrieges zwischen Pfalz und Bayern ein eigenes kleines Herzogtum, die „junge Pfalz", gegründet. Dort wuchsen die beiden jungen Fürsten in bescheidensten Verhältnissen unter der Vormundschaft ihres Oheims Pfalzgraf Friedrich, des welterfahrenen, vollendeten burgundischen Ritters, ohne alle Sorgfalt und gelehrte Bildung heran. Kavaliersreisen führten Ottheinrich nach Spanien und ins

1 An Literatur sei verwiesen auf: *L. Häusser:* Gesch. d. rhein. Pfalz. 2. Ausg. Bd. 1 (1856). — *G. Wolf:* Zur Gesch. d. deutschen Protestanten, 1555—1559 (1888). — *M. Ritter:* Deutsche Gesch. im Zeitalter d. Dreißigjähr. Krieges. Bd. 1 (1889). — *V. Ernst:* Briefwechsel d. Herzogs Christoph v. Wirtemberg. Bd. 4: 1556—1559 (1907). — Grundlegend unter Benutzung der Münchener u. Dresdener Archivalien: *B. Kurze:* Die Politik d. Kurfürsten Ottheinrich v. d. Pfalz. Diss. Bonn (Masch.) 1953.

Heilige Land. Die Brüder regierten ihr Territorium zunächst gemeinsam, bis der ältere 1541 nach dem finanziellen Bankrott Philipps zu seinen eigenen Schulden noch die des jüngeren hinzunahm und Alleinherrscher wurde. Auf immer noch zu engem Grunde, ganz von den Ständen abhängig, bot sich ihm kein Weg in selbständiges politisches Wollen. Ohne Widerspruch nahm es Ottheinrich beim Tode des Pfalzgrafen Ludwig hin, daß man ihn von der Kur ausschloß. Der Schmalkaldische Krieg beraubte ihn seines Herzogtums, das rekatholisiert und unter kaiserliche Sequester gestellt wurde. 1547 verbannte Kurfürst Friedrich um der Gunst des Kaisers willen den bei Karl V. in Ungnade gefallenen Neffen aus seiner Residenz nach Weinheim. Ottheinrich, der 1542 aus Überzeugung zur neuen Lehre übergetreten war, lehnte es ab, um den Preis des Glaubens seinen Besitz zurückzuerwerben. 1552 stand er, wenn auch untauglich zum Kriegsdienst und ohne Heer, bei der von Moritz von Sachsen geführten Fronde. Der Passauer Vertrag brachte ihm mit der kaiserlichen Gnade Neuburg zurück. Seitdem wartete er ungeduldig auf die Erledigung der pfälzischen Kurwürde, da Friedrich kinderlos geblieben war. Erst 1556 als Kurfürst öffnete sich ihm die Welt des Politischen im eigentlichen Sinne.

Wie weit seine einzelnen diplomatischen Aktionen der eigenen Phantasie oder der seines Kanzlers Erasmus von Minkwitz entsprangen, ist schwer zu entscheiden. Den in Italien humanistisch gebildeten Beamten mit Sinn für eine geordnete Verwaltung und das politisch Mögliche holte sich der Kurfürst aus dem sächsischen Kernlande der Reformation. Dort hatte der eifrige Verfechter des neuen Glaubens schon unter Luthers Augen dem älteren Johann Friedrich in gleicher Funktion bis in die Gefangenschaft des Fürsten hinein gedient. Nur von Minkwitz, nicht aber von Ottheinrich sind politische Ausarbeitungen aus der Heidelberger Zeit überliefert. Doch muß der Kanzler zum mindesten der Zustimmung seines Herrn gewiß gewesen sein.

Mit Kurpfalz fiel die letzte weltliche Kur an die Protestanten. Ferdinand von Österreich, seit 1531 erwählter römischer König und damit designierter Kaiser, war nicht als Reichsoberhaupt, wohl aber als Habsburger und Katholik Ottheinrichs natürlicher Gegenspieler. Als Karl V., in unendlich langen Kämpfen verbraucht, die Kaiserwürde in die Hände des Bruders legte, erhob Ottheinrich unter Berufung auf die Goldene Bulle für sich als Erztruchsessen des Reichs und ersten weltlichen Kurfürsten Anspruch auf das alleinige Vikariat während der Abwesenheit des Kaisers. Die rechtliche Begründung dieser Forderung war durchaus zweifelhaft. Ottheinrich sah in der Kurwürde nicht allein eine Steigerung seiner fürstlichen Reputation, sondern auch eine echte Chance zur weiteren Ausbreitung des „Wortes Gottes". Er mag gehofft haben, über das konfessionelle Gleichgewicht an höchster Stelle — neben dem katholischen Kaiser der protestantische Reichsvikar — die Reformation doch noch zum vollständigen Siege zu führen. Es war eine Utopie in mehrfacher Hinsicht. Bei der sich konsolidierenden Macht der Habsburger und der wachsenden Selbständigkeit der Territorien war keine zusätzliche konkurrierende Zentralgewalt mehr denkbar. Die zerrütteten finanziellen Hilfsmittel der Pfalz hätten zur Erringung einer solchen Stellung auch nicht ausgereicht. Schließlich ließen sich konfessionelle Spaltung und wachsende Säkularisation des Reichs als Ganzes nicht mehr aufhalten. Kaiser Ferdinand, ein Meister der Menschenbehandlung, der gegen den Übergang der Kurwürde auf den Neuburger entgegen dessen Erwartung keinerlei Einwände erhob, hatte daher leichtes Spiel. Auf dem erst zwei Jahre später nach Frankfurt berufenen Kurfürstentag vollzog sich der Wechsel im Kaisertum ohne Schwierigkeiten. Ottheinrich unternahm dort keinen ernstlichen Versuch mehr, das Vikariat vorzubringen, geschweige denn es zu verwirklichen. Die beiden andern weltlichen Kurfürsten Sachsen und Brandenburg hatten durch ihr Einvernehmen mit Habsburg Pfalz im Kurfürstenkolleg bereits isoliert.

Daß Ottheinrich beim Kaiser auch um materieller Vorteile willen nicht käuflich war, wenn seine protestantische Überzeugung ins Spiel kam, zeigt ein privater Handel mit Ferdinand I. Die Reichsvogtei Hagenau, 1504 vom Reich an Österreich gekommen, war als Preis für die Zustimmung zu Ferdinands Königswahl an Kurfürst Ludwig unter der Bedingung des Rückkaufs nach seinem Tode weiterverpfändet worden. Als 1558 der Einlösungstermin kam, war Ferdinand bereit, die Vogtei nach Erhöhung des Pfandschillings bei der Pfalz zu belassen, nur sollten keine kirchlichen Veränderungen vorgenommen werden. Diese letztere Bedingung ging Ottheinrich gegen das Gewissen. Das Recht, in seinem Lande aus der Verantwortung für das Seelenheil seiner Untertanen zu reformieren, wollte er sich nicht nehmen lassen. So wurde denn die Einlösung der Reichsvogtei vollzogen.

Ottheinrich ging es bei aller Reserve gegenüber den Habsburgern nie ernstlich um die Auflösung des Reichs. Das wird an seinem Verhältnis zu Frankreich deutlich. Als Grenznachbar mußte er schon aus Gründen der Sicherheit auf ein gutes Einvernehmen bedacht sein. Heinrichs II. Bedarf an deutschen Landsknechten machte die Pfalz zum bevorzugten Umschlagsplatz, was seinem Herrn bei Kaiser und Reich ständig Mißtrauen eintrug. Das Verbot, fremde Kriegsdienste und Pensionen zu nehmen, betrachtete er als Eingriff in sein gutes Recht und als Schmälerung seiner Libertät. Daß französische Botschaften bei ihm ein- und ausgingen, sah er nicht ungern, weil es seine Reputation hob. Aus der traditionellen französischen Politik, die Feindschaft gegen die Habsburger durch Bündnisse mit den Reichsständen zu erleichtern, erklärt es sich, daß Ottheinrich, solange er in Opposition zu Ferdinand stand, auch von jenseits des Rheins umworben wurde. Zum Vertragsabschluß scheint es indessen nicht gekommen zu sein. Wohl aber dürfte der Kurfürst französische Zahlungen erhalten haben. Anders lassen sich sein Repräsentationsbedürfnis, seine kostspieligen Liebhabereien und seine Bauleidenschaft kaum erklären. Die Kosten für den Neubau auf dem Heidelberger Schloß aufzubringen, waren jedenfalls die pfälzischen Lande, zumal bei Ottheinrichs Unfähigkeit mit Geld umzugehen, nicht imstande. Vielleicht hat er auch daran gedacht, durch Offenhaltung seiner Verbindung zu dem habsburgischen Gegner das Reich für seine eigenen Pläne gefügiger zu machen. Als in Frankreich die Hugenottenwirren einsetzten, verbot sich ihm ein engeres Bündnis aus Glaubensgründen. Andererseits wagte er es aber nicht, energisch gegen die Behandlung der Protestanten bei der Krone Frankreichs Einspruch zu erheben aus Sorge, das gute Verhältnis zu stören. So ist er aus Rücksichten und Halbheiten nicht herausgekommen und hat sich damit unter den deutschen Ständen erst recht keine Freunde gemacht.

In den gleichen Zusammenhang gehört das Verhältnis des Pfälzer Territorialherrn zu seinen nächsten Nachbarn, bei denen er mit ebenso wenig Geschick operierte. Seine Verwandtschaft mit einem der schlimmsten Mordbrenner seiner Zeit, dem Markgrafen Albrecht Alcibiades von Brandenburg, dem Sohne seiner Gemahlin Susanna und einstigem Parteigänger Moritz' von Sachsen, wirkte sich als schwere Belastung aus. 1556 kehrte der wilde Markgraf aus französischen Diensten ins Reich zurück, fand zunächst in der Pfalz eine Zuflucht und sann auf Rache an König Ferdinand, den er für seine Niederlage verantwortlich machte. Die oberdeutschen Territorien und Städte, die nach früheren Erfahrungen seine Raubzüge fürchten mußten, Salzburg, Bayern, Augsburg, Nürnberg, Ferdinand als Herr von Österreich, später auch die Bischöfe von Würzburg und Bamberg, schlossen sich unter der Führung Herzog Albrechts von Bayern zum Landsberger Bund zusammen. Ottheinrich, zum Beitritt aufgefordert, versagte sich sowohl aus verwandtschaftlichen Rücksichten wie auch aus Abneigung gegen die meist katholischen Bundesgenossen. Stattdessen unterstützte er auch auf dem Reichstag die Forderung des Stiefsohnes auf Restitution seiner Güter. Die erneuerte pfälzisch-bayrische Erbeinung, erweitert um Österreich, hätte die pfälzischen Interessen am ehesten gewahrt, schlug aber fehl. Wahrscheinlich rechnete Ottheinrich auch hier darauf, daß im Ernstfalle Frankreich ihm beispringen werde. Erst der Tod des Markgrafen 1557 befreite ihn aus einer höchst ungewissen Mittellage.

Innerhalb des kurrheinischen Kreises, dem wegen der Nachbarschaft Frankreichs erhöhte Bedeutung zukam, forderte Ottheinrich als höchster weltlicher Würdenträger von Anfang an das Amt des Kreisobersten, obwohl ihm jede militärische Begabung abging. Da es mit großer Selbständigkeit und weitgehenden Vollmachten ausgestattet war, schien es ihm geraten, so lange er sich vor König Ferdinand nicht sicher fühlte, diese Exekutive selbst in der Hand zu behalten. Der Anspruch wurde ihm von den Kreisständen so lange streitig gemacht, bis er selbst seine Loyalität gegenüber dem Reich unter Beweis gestellt hatte. Zu diesem Zeitpunkt aber hatte das Amt für ihn bereits an Anziehungskraft verloren. Krankheit und französische Rücksichten haben ihn auch später noch an der Ausübung gehindert. Als 1558 Wilhelm von Grumbach, einer der gewalttätigen Gefährten des Albrecht Alcibiades in französischem Solde, die Rückerstattung seiner Güter in Franken forderte und die Stände des Kurkreises mit Gewalt gegen ihn vorgehen wollten, schlug sich Ottheinrich auf seine Seite. Gegen die Zusage, die Kreisstände zu schonen, versprach er als ihr Oberst, sich für die Erfüllung der Grumbachschen Forderungen zu verwenden. Es war ein wenig charaktervolles Lavieren zwischen französischen Rücksichten, klaren Reichsinteressen, Sicherung des Landfriedens, persönlichem Prestige, Abneigungen und verwandtschaftlichen Beziehungen, was vielleicht der Forderung des Tages noch gerade gerecht wurde, in größerem Maßstabe aber die verhängnisvollsten Konsequenzen haben mußte.

Sehr viel schwerer wiegende Probleme erwuchsen Ottheinrich aus der Religionspolitik. Hier erst wird die bewegende Kraft seines politischen Handelns sichtbar: seine protestantische Überzeugung. Aus lutherischer Wurzel stammend, hatte Martin Bucer sie geweckt. Dogmatisch ungebunden, brachte Ottheinrich sie mit größter Schroffheit zur Geltung. Mit seinem Glaubens- und Bekehrungseifer steht er, theologisch nicht gebildet und darum in kirchlichen Fragen unsicher, neben dem sehr viel differenzierteren, die dogmatischen Fragen selbständig durchdenkenden, darum auch realistischeren und letztlich loyalen Freunde Christoph von Württemberg als ein „Unzeitgemäßer“ unter den deutschen Fürsten seines Jahrzehnts. Sein beharrliches Pochen auf die Predigt des „Wortes“ und seine Verachtung alles Theologengezänks erinnert an die erste, alles mitreißende Generation des religiösen Umbruchs. Seitdem aber hatten sich die Zeiten von Grund auf gewandelt. Die katholischen Mitstände Ottheinrichs, lange in die bloße Verteidigung gedrängt, empfingen von dem zwar noch nicht abgeschlossenen Trienter Konzil doch schon so viel dogmatischen Rückhalt, daß sie hoffen durften, verlorenen Boden zurückzugewinnen. Die protestantischen Herren dagegen empfanden sich bereits als die beati possidentes der zweiten Generation. Die geistigen Errungenschaften ihrer unmittelbaren Vorgänger besaßen für sie schon kanonische Geltung. Der Ausbau der eigenen Machtstellung gegen die zentrale kaiserliche Gewalt ließ sie aus Ruhe- und Sicherheitsbedürfnis auf die Evangelisierung des Reichs verzichten und sich mit dem gleichberechtigten Nebeneinander der Konfessionen begnügen. Ottheinrich dagegen dachte noch mittelalterlich. Die christliche Wahrheit war ihm nur als eine und unteilbare, das Reich nur als Einheit im Glauben denkbar. Den Katholiken bestritt er daher das Recht, sich Anhänger der „alten Religion“ zu nennen; dann müsse seine Partei die „uralte Religion“ für sich in Anspruch nehmen. Mit seinen Parteigängern sprach er schon nicht mehr die gleiche Sprache. Kein Wunder, daß sie auch in der politischen Aktion nicht zu einander fanden.

Schon auf dem Regensburger Reichstag von 1556 brachten Pfalz und Württemberg einen Angriff gegen den „geistlichen Vorbehalt“ vor. Er verbot den geistlichen Ständen den Übertritt zum Protestantismus unter Beibehaltung ihrer fürstlichen Ämter und war von König Ferdinand auf dem Augsburger Reichstag des Vorjahres im Zusammenhang mit dem Religionsfrieden aus kaiserlicher Vollmacht verfügt worden. Dieser Religionsfrieden, der das gleichberechtigte Nebeneinander von Katholiken und Protestanten im Reich begründete, war wenig nach dem Sinne des jüngsten Kurfürsten. 1555 hatte er gefordert, daß man Ständen und Untertanen den Übertritt zum Protestantismus freistelle, den Übergang zum Katholizismus aber grundsätzlich verbiete, also Glaubensfreiheit für die Protestanten, aber nicht für die Katholiken gewähre. Zwar konnte Ottheinrich nicht daran denken, das neue Grundgesetz zu Fall zu bringen, das ja auch ihm zugute kam. Die „Freistellung der Religion" aber bedeutete ihm, der sich für den Ranghöchsten unter den Augsburger Konfessionsverwandten hielt, insofern eine Gewissenspflicht, als die Ausbreitung des Luthertums in den geistlichen Fürstentümern nicht generell verhindert werden durfte. Solche Ziele konnten indessen nur mit Hilfe der übrigen Protestanten durchgesetzt werden, deren Einheit aber bereits zerbrochen war. Wohl hatten sie gegen den „geistlichen Vorbehalt" protestiert. Aber darauf zu beharren und den mühsam geschaffenen Frieden zu gefährden, kam für Kursachsen und Kurbrandenburg nicht mehr in Betracht, seit ihre territorialen Interessen ihnen die Annäherung an Habsburg empfahlen.

Auch die Verknüpfung dieser Frage mit der Türkenhilfe gelang Ottheinrich nicht. Mit einer Halsstarrigkeit, die selbst seinen Räten zu weit ging, bewilligte er abweichend von allen anderen Stimmen nur ein Minimum an Hilfe angesichts der Ungarn im Jahre 1557 drohenden Gefahr. Das ganze Vokabular längst bekannter Ausflüchte bot er auf, um seine Weigerung gegen erhöhte Zahlungen zu begründen, darunter auch den gewiß nicht abwegigen Hinweis, daß die Türkenhilfe in zahllosen Fällen für ganz andere, meist selbstsüchtige Zwecke der Habsburger ausgegeben worden sei und daß man besorgen müsse, auch jetzt stünden ihre antiprotestantischen Interessen im Vordergrunde. So sabotierte Ottheinrich selbst die Reichseinheit, auf die er in anderem Zusammenhang solchen Wert legte. Dabei ist der Gedanke nicht von der Hand zu weisen, daß hinter seinen Ausflüchten Einflüsterungen Frankreichs standen, dem das Wohl der Türken nicht gleichgültig sein konnte. Alle Einwände des Kurfürsten wären hinfällig geworden, wenn sich dagegen die „Freistellung der Religion" hätte einhandeln lassen. Auch hier mußte Ottheinrich, am Ende allein gelassen und nicht mehr ernst genommen, sich fügen, wenngleich das Problem des „geistlichen Vorbehaltes" bestehen blieb.

Nicht minder scheiterte der Pfälzer an der Frage des Religionsvergleichs. Der Religionsfrieden von 1555 bedeutete ihm keine Lösung des Zwiespaltes. Seiner mittelalterlichen Denkungsart entsprach bei der Entscheidung über die „reine Lehre" kein Kompromiß, sondern nur ein Entweder—Oder. Seit dem Passauer Vertrag von 1552 war der Vergleich der gegnerischen Bekenntnisse eine offene Forderung. Genau so wie für die stärksten gegenreformatorischen Kräfte unter dem Einfluß ihrer jesuitischen Berater der Vergleich nur in der Bekehrung der abgefallenen Ketzer zur alten Kirche denkbar war, so erstrebte Ottheinrich den endgültigen Sieg des Luthertums im ganzen Reich. Während die Zeit der katholischen Seite eine immer geschlossener werdende dogmatische Einheit brachte, zerfielen die Protestanten in immer heftiger sich befehdende Gruppen, über denen nicht mehr Luthers gewaltige Autorität stand. Ottheinrichs einziger Bundesgenosse von Gewicht war Herzog Christoph von Württemberg. Mit diesem zusammen bildete er einen kleinen, auf das Reich ausgerichteten, missionierenden Flügel, der sich auf das alte Luthertum stützte, wie es Melanchthon und die Oberdeutschen gemildert hatten. Ottheinrich selbst verfügte über keine Theologen von Format. Das schwächte auf der einen Seite seine Sicherheit in den strittigen Fragen, stärkte aber auf der andern seine Selbständigkeit. In diesem Streit gestand er den Theologen nicht das alleinige Entscheidungsrecht zu, sondern wünschte dem von theologischen Skrupeln weniger getrübten Laienelement der weltlichen Räte und bürgerlichen Städte eine Stimme. Sein Versuch aber, den nicht Stimmberechtigten am Reichstag ein Mitspracherecht zu verschaffen, scheiterte am Widerstand der Gruppe des sächsischen Kurfürsten, die den Abschied von 1555 zustandegebracht hatte und in ihm das verbindliche und endgültige Gesetz erblickte.

Am liebsten hätte Ottheinrich das Vergleichsgespräch schon auf dem Regensburger Reichstag durchgeführt und es im Vertrauen auf die Kraft des durch sich selbst wirkenden „Wortes“ bei der Verlesung der grundlegenden lutherischen Bekenntnisschriften, der Augsburgischen Konfession und der Schmalkaldischen Artikel, bewenden lassen. Nur von solcher Predigt versprach er sich Ausbreitung des Evangeliums und Bekehrung der Katholiken. In dem Maße, wie sich das Wormser Colloquium als Streitgespräch der Theologen abzeichnete, verlor es für den Pfälzer an Bedeutung. Dafür wuchs die Sorge, daß die Anhänger der Augsburgischen Konfession mit ihrer Uneinigkeit untereinander sich bei der Gegenseite um jede Wirkung bringen würden. Der Regensburger Nebenabschied, die protestantischen Colloquenten vor dem entscheidenden Konfessionsgespräch zunächst zu einen, wurde der wichtigste pfälzische Erfolg dieses Reichstages. Denn wo die Theologen versagten, war es nach Ottheinrichs Meinung Sache der Obrigkeit einzugreifen. Ihm selbst kam es nicht so sehr wie Herzog Christoph auf die gemeinsame Gottesdienstordnung und den Ausschluß der Irrlehren, sondern auf die Festigung einer straff zusammengefaßten lutherischen Gruppe an, die dem Kaiser und den katholischen Ständen als Ganzes gegenüberzutreten imstande war, ihnen die „Freistellung der Religion“ entriß und die Protestantisierung Deutschlands vollendete. Gewiß spielte dabei auch das Verlangen mit, sich selbst zum Schirmherrn aller Anhänger der Augsburgischen Konfession aufzuwerfen. Dem Drängen Herzog Christophs nachgebend, berief Ottheinrich zusammen mit dem Freunde die evangelischen Stände schon im Juni 1557 nach Frankfurt. Der wichtigste Teilnehmer, Kurfürst August von Sachsen, blieb fern. Auch so ging es nicht ohne schwere Spannungen unter den Beteiligten ab. Für den anwesenden Kurfürsten führte in allen Verhandlungen sein Kanzler das Wort. Der Abschied legte die Augsburgische Konfession und die Variata als Grundlage des künftigen Gesprächs fest, an sich schon zwei stark von einander abweichende Fassungen des protestantischen Glaubens. Um nach außen alle Uneinigkeit zu vermeiden, wurde für theologische Bücher eine Zensur vereinbart. Die Fragen der gleichartigen inneren Organisation der Kirchen wurden auf später vertagt. Landgraf Philipp von Hessen, der politische Feuerkopf der frühen Reformation, seit seiner Niederlage im Schmalkaldischen Kriege aber von fast krankhafter Zurückhaltung und darum den Religionsverhandlungen fern bleibend, wurde von dem Württemberger zur Annahme überredet. Ottheinrich übernahm es, den sächsischen Kurfürsten zu gewinnen. Es war in der Tat, wenn auch mühsam, ein gemeinsamer Wille und eine einheitliche Führung sichtbar geworden. Die äußere Nötigung der Politiker war indessen größer als die innere Einigkeit. Das geringe Maß an Gemeinsamkeit wurde nur dadurch erreicht, daß der eigentliche Stein des Anstoßes, der Streit zwischen Melanchthon und Flacius Illyricus in den beiden sächsischen Ländern, umgangen wurde. Kurfürst August nahm zwar formell den Frankfurter Abschied an, leistete dann aber nichts Weiteres mehr für den Ausgleich. Damit war das Wormser Colloquium bereits im vorhinein gescheitert.

Ottheinrich verhehlte sich nicht, daß auf dogmatischer Ebene mit dem Katholizismus nicht mehr zum Ausgleich zu kommen sei. Alle seine weiteren Hoffnungen fielen damit in sich zusammen. Nach den gewaltsamen Versuchen Karls V. und Moritz' von Sachsen, das Religionsproblem zu lösen, wollte sich unter den Colloquenten das Vertrauen aus früheren Religionsgesprächen nicht wieder einstellen. Der unüberbrückbare Gegensatz zwischen Melanchthon und dem angriffslustigen Flacius trat in Worms sofort in schärfster Form zutage. Die Geschlossenheit der Katholiken triumphierte über die innere Zersetzung der Protestanten. Auch mit seiner sehr viel stärker politisch gefärbten Absicht gelangte Ottheinrich nicht ans Ziel. Von der ersten Stunde an zankten sich seine Räte mit den kursächsischen über das Recht ihrer Herren, die zur Augsburgischen Konfession Gehörenden zusammenzurufen und ihnen die Richtung zu weisen. Der pfälzische Führungsanspruch war damit abgewiesen. Melanchthon für die Universität Heidelberg zu gewinnen, gelang ebensowenig. Ottheinrich unternahm zusammen mit Herzog Christoph geradezu verzweifelte und immer erneute Versuche, wenigstens die politische Einheit des Protestantismus zu retten und Kurfürst August für seine auf Bekehrung und Missionierung des Reiches gerichteten Pläne zu gewinnen. Der Sachse, der den Religionsfrieden erhalten und jeden Argwohn bei Kaiser Ferdinand vermeiden wollte, um seine Bistümer Meißen und Naumburg nicht zu gefährden, verwies ihn an die Theologen. Deren Feindschaft gegeneinander versteifte sich von Schrift zu Schrift bis zur offenen Verketzerung. Jedes neue Manifest zog die beteiligten Fürsten in den Streit mit hinein. Als die dogmatischen Streitigkeiten auch nach Heidelberg übergriffen, gab Ottheinrich den Kampf auf. Das Konfessionsproblem auf der Ebene des Reiches zu lösen, wie es der Passauer Vertrag vorgesehen hatte, war unmöglich. Der Augsburger Religionsfrieden hatte diese Möglichkeit bereits praktisch ausgeschaltet. Ein pfälzischer Führungsanspruch für den Protestantismus scheiterte an dem Kurfürsten von Sachsen. Ottheinrich war in den letzten Monaten seines Lebens bereit, ihm ein Mitspracherecht in der Führung der protestantischen Gesamtpolitik einzuräumen. Den Religionsvergleich selbst befahl er seinen Räten nicht mehr zu verfolgen. Das war der Verzicht auf eine aktive Religionspolitik, die stets das Reich, allerdings unter dem Winkel der pfälzischen Präponderanz, im Auge behalten hatte. Es blieb nun nichts anderes übrig als der quietistische Glaube, daß die Predigt des bloßen „Wortes" schließlich doch noch die alten Ziele verwirklichen werde.

Ottheinrich hat es nicht an politischen Ideen gefehlt. Nur wurden sie kaum ihrer Gegenwart und schon gar nicht der Zukunft gerecht. Dieser Pfälzer gehörte nicht zu den deutschen Fürsten, deren weitfliegende Pläne sich an der Enge ihrer Territorien wundrieben. Sein Geistesflug endete schnell in lautlosem Verzicht und in stummer Resignation. Ottheinrich besaß kein wahrhaft großes Konzept. Daß er jedes Mittel einsetzte, um als erster weltlicher Kurfürst seine Reputation und sein Prestige zu festigen und zu steigern, war sein natürliches Recht. Daß er dabei nicht immer eine glückliche Hand hatte, steht auf einem anderen Blatt. Mit seinen über das Territorium hinausgreifenden Gedanken klammerte er sich an den sakralen Charakter des Reiches. Die Verselbständigung der Konfessionen zeigte, daß es, seines Inhalts entleert, nur noch ein Symbol darstellte. Ottheinrich übersah, daß schon eine ganze Generation vor ihm sich darin verzehrt hatte, jeweils vom eng begrenzten territorialen Boden aus, auch unter Einsatz der Glaubenskräfte, die in der Reformation aufgebrochen waren, die Initiative zu einem neuen Führungsanspruch und zur Umgestaltung des Reiches an sich zu reißen. Sie war damit bereits gescheitert, als Ottheinrich auf den Plan trat und den Versuch wiederholte. So weit sie nicht vollends in Mittelmäßigkeit und Trägheit versanken, hatten die ersten Vorkämpfer bereits die Konsequenzen aus ihrem Mißerfolg gezogen und begonnen, die Begrenztheit ihrer Territorien ganz ernst zu nehmen, nun jedoch bemüht, diese mit allen Mitteln zu stärken und in sich geschlossene und leistungsfähige Staaten aufzubauen.

Auf dem Felde der inneren Politik und Staatsgründung liegen Ottheinrichs Verdienste sicher nicht. Daß das Problem des Protestantismus für ihn an Kaiser und Reich seine Grenze fand, ist um so erstaunlicher, als auch an ihn bereits die Versuchung herantrat, in europäischen Kategorien zu denken. Die polnischen Protestanten wandten sich über den einstigen päpstlichen Nuntius Paolo Vergerio um finanzielle Hilfe, diplomatische Intervention und protestantische Prediger an den Pfälzer Kurfürsten, ernteten aber nur matten Zuspruch und tröstende Ermahnungen. Die französischen Hugenotten sandten 1557 Farel und Beza nach Heidelberg, weil sie von dort eine Vermittlung am Pariser Hof zu Gunsten der bedrohten Glaubensbrüder erwarteten. Auch sie erwirkten aber nach langem Zögern und nachdem selbst Melanchthon sich ins Mittel gelegt hatte, nicht mehr als ein erfolgloses Schreiben an Heinrich II. In seinen letzten Lebenstagen empfing Ottheinrich auf dem Krankenlager mit hoher Genugtuung den Gesandten der Königin Elisabeth von England, die gegen das Reich den Zusammenschluß der Protestanten anbot, aus dem sich auch die dogmatische Einheit entwickeln werde. Es waren nicht nur die Sorge, einem Verrat ins Netz zu gehen, und Zweifel an der Rechtgläubigkeit dieser Christen, die den Kurfürsten abhielten, sich auf so weite, unübersehbare Unternehmen einzulassen, sondern mehr die Unfähigkeit, außerhalb des gewohnten Umkreises überhaupt etwas zu erkennen, was auf das deutsche Luthertum Bezug hatte. Die weltweiten, umgestaltenden Kräfte gingen vom Calvinismus aus. Vielleicht ist Ottheinrichs politische Durchschnittsbegabung mit dafür verantwortlich, daß die kulturelle Blüte seines Hofes so schnell und folgenlos in sich versank, als ihr Schöpfer die Augen schloß.

14.

Die geschichtliche Gestalt Ferdinand Redtenbachers [1]

Unter den Lehrern und Forschern, die in fast 135 Jahren an der Technischen Hochschule Fridericiana zu Karlsruhe gelehrt und gewirkt haben, gibt es keinen, dessen sich diese Korporation in Verehrung und Dankbarkeit so oft und gern erinnert hat, wie Ferdinand Redtenbacher. Immer wieder ist unter den Angehörigen der Hochschule in Schriften und festlichen Reden sein Gedächtnis erneuert worden [2], von anderen Würdigungen nicht zu reden. So viel Redtenbacher-Tradition ist um so erstaunlicher, als es nicht gerade zum Wesen des Ingenieurs gehört, sich lange bei Vergangenem aufzuhalten, zumal wenn es in seinen Ergebnissen überwunden, abgetan, veraltet ist, sondern sich den Erfordernissen des *Heute* zuzuwenden und für das Morgen zu planen. Es muß sich also wohl lohnen, sich mit diesem vergangenen Leben zu beschäftigen, sei es, um dankbar und verehrend der Leistung innezuwerden, die darin beschlossen liegt, sei es, um danach zu fragen, was es in einer veränderten Welt zu sagen hat. Sofern der Betrachter nicht nur im Individuellen und Antiquarischen verharrt, ist die geschichtliche Gestalt Ferdinand Redtenbachers in der Tat nicht nur *Vergangenheit*, die Erinnerung an ihn nicht nur konventionelle *Pietät*, sondern auch Besinnung auf die eigenen Aufgaben. Es ist daher nie müßig, Leben und Werk dieses Mannes erinnernd zu überdenken.

1 Rede aus Anlaß der Feier des 150. Geburtstages F. Redtenbachers, veranstaltet von Rektor und Senat der Technischen Hochschule Karlsruhe.

2 *F. Grashof:* Redtenbachers Wirken zur wissenschaftlichen Ausbildung des Maschinenbaues. Fest-Rede zur Enthüllungs-Feier des Denkmals F. Redtenbachers am 2. Juni 1866 (1866). — *Ders.:* F. Redtenbacher. In: Bad. Biogr. II (1875) S. 161 ff. — *R. Redtenbacher:* Erinnerungsschrift zur 70jähr. Geburtstagsfeier F. Redtenbachers. In: *F. Redtenbacher:* Geistige Bedeutung der Mechanik und geschichtliche Skizze der Entdeckung ihrer Principien (1879). — *K. Keller:* F. Redtenbacher als Begründer der Maschinenwissenschaft. In: Festgabe z. Jubiläum d. 40jähr. Regierung Grhg. Friedrichs v. Baden. Dargebracht v. d. Techn. Hochschule in Karlsruhe (1892) S. 29 ff. — *Ders.:* Festrede. In: *F. Redtenbacher:* Bericht über die Feier seines 100. Geburtstages (1909) S. 4 ff. — *F. Schnabel:* Die Anfänge des technischen Hochschulwesens. In: Festschr. anläßlich d. 100jähr. Bestehens d. Techn. Hochschule Fridericiana (1925) bes. S. 37 ff. — *Ders.:* F. Redtenbacher. In: Bll. f. Gesch. d. Tech. 4 (1938) S. 66 ff. — O. *Kraemer:* F. Redtenbacher. In: Die Techn. Hochschule Fridericiana Karlsruhe. Festschr. z. 125-Jahr-Feier (1950) S. 79 ff.

Am 25. Juli wurden es 150 Jahre, daß Ferdinand Jakob Redtenbacher — so ist sein voller Name — in Steyr in Oberösterreich geboren wurde. Die Stadt am Zusammenfluß von Enns und Steyr, der alte Hauptsitz der oberösterreichischen Eisen- und Stahlfabrikation, galt zu Beginn des vorigen Jahrhunderts als das „Österreichische Birmingham". In Redtenbachers Jugendjahren war, solange Kohle und Dampf noch nicht zueinander gefunden hatten, die Mühle die einzige Form der Fabrik. Zu Dutzenden reihten sich die Hammerwerke an der reißenden Enns, die besonders im Frühjahr während der Schneeschmelze Menschen und Maschinen äußerst gefährlich werden konnte. Alle Verarbeitung des Eisens war nur mit Hilfe dieses alten historischen Werkzeugs denkbar.

Redtenbachers Elternhaus war mit den in Jahrhunderten kaum geänderten Erwerbs- und Wirtschaftsformen dieser Landschaft aufs engste verbunden. Dem Vater Alois Vinzent Redtenbacher, Sproß einer alten, in Oberösterreich hochangesehenen Familie bürgerlicher Handelsherren, war als einem von 25 Geschwistern durch Erbschaft die Voithsche Eisenhandlung in Steyr zugefallen. Sie belieferte nicht allein in weiter Runde die Hammerwerke mit Roheisen, sondern vertrieb auch deren Erzeugnisse, Sensen und Sicheln, Hämmer und Zangen, Draht und Nägel, Beschläge und allerlei Kleineisenzeug, an Bauern, Schmiede und Schlosser. Beim Eisenhändler sammelte sich der Reichtum. Alois Redtenbacher gehörte wegen seines Wohlstandes zu den Honoratioren der kleinen Stadt. In ihren Häusern gab es noch nicht die pausenlose Hetze unserer Tage. Die Geschäfte ließen noch Zeit zu Beschaulichkeit und Muße. Zu den Dichtern, Sängern und Musikern, die in diesen Häusern verkehrten, gehörte Franz Schubert. Man darf sich ausdenken, daß Redtenbacher, der später so begeisterte Hörer namentlich Beethovens, in seinen jungen Jahren durch Schuberts Forellenquintett und die Musik zu „Rosamunde", die in Steyr entstanden sind [3], zum erstenmal von dieser Kunst berührt worden ist. Auch die Dichtung spielte in diesem Kreise eine Rolle. Von Redtenbachers Vater wissen wir, daß er, wenn er nach Wochen von der Leipziger Messe heimkehrte, den Seinen die neuesten Klassikerausgaben mitzubringen pflegte.

Für einen jungen Menschen ist die Atmosphäre entscheidend, in der er aufwächst, auch wenn die Gehalte zunächst gar nicht bis in sein Bewußtsein dringen. Dies Elternhaus war von breitem, behäbigem, patriarchalischem Zuschnitt. Alois Redtenbacher wird uns als heiter und liebenswürdig im Umgang, geistreich in seinen Lebensanschauungen, als Mann mit starken Neigungen zu Literatur und Sprachen geschildert, der gern Pflanzen und Sterne beobachtete und sogar nicht ohne philosophische Bildung war. Hinter ihm trat die Lebensgefährtin völlig zurück; von ihr wissen wir nicht einmal den Namen. Die geistige Luft dieses Hauses hat sich für den Sohn am Ende als stärker erwiesen als alles, was sich in

3 *W. Dahms:* Schubert (1913) S. 138 ff.

seiner Jugend im Vordergrund abspielte. Ferdinand und der um einige Jahre ältere Bruder Alois machten durch ihre Lausbubereien, nie bösartige, aber originelle Streiche, von sich reden. Wir hören von phantastischen Malereien, die sie auf den Wänden eines Gartenpavillons mit dem Saft roter Rüben anlegten, oder von hohen Stelzen, auf denen sie von draußen in die Zimmer im zweiten Stockwerk hineinsahen und die Bewohner zu Tode erschreckten. Als die Schulzeit herankam, war Ferdinand nicht gewillt, die in vollen Zügen genossene Freiheit durch irgendeinen Zwang sich rauben zu lassen. Die Starrheit seines Willens konnte ihn so übermannen, daß er sich ungebärdig auf den Boden warf und wild um sich schlug. Da halfen keine Prügel. Nur der psychologisch richtiger denkenden Mutter gelang es in der Regel, mit gütigem Zureden ihn wieder zur Besinnung zu bringen. Die Schule wuchs sich für den jungen Redtenbacher zur Katastrophe aus. Täglich mußte er mit Gewalt dorthin gezerrt oder getragen werden, weil er jede Unachtsamkeit der Älteren wahrnahm, um auszureißen. Dem Lehrjungen des väterlichen Geschäftes — Nothaft war sein Name — der ihn in der Schule abzuliefern hatte, biß der Widerspenstige einmal durch das Stiefelleder hindurch in die Wade, als er wie üblich mit ihm ins Handgemenge geriet. Redtenbacher war es wahrlich nicht in die Wiege gelegt, daß er einst der Organisator einer der berühmtesten Schulen Deutschlands werden würde. Was wäre aus ihm geworden, wenn in der Mühle des heutigen Berechtigungswesens seine Lehrer allein seinen weiteren Weg bestimmt hätten!

Der Vater wollte einen Kaufmann aus dem Jungen machen. Nachdem der zwangsweise verordnete Unterricht nicht das Geringste verschlug und jede Form klösterlicher Erziehung seinem liberalen Sinn zuwider war, blieb kaum etwas anderes übrig, als den ungebärdigen Rangen schon mit 10 Jahren aus der Normalhauptschule, der damaligen österreichischen Volksschule, zu nehmen und zu einem für seine harte Hand bekannten Onkel, einem Schnitt- und Gemischtwarenhändler in Steyr, in die Lehre zu stecken. Das Schicksal eines Lehrjungen in jenen Jahren war wenig beneidenswert. Von einer systematischen Lehre war selten die Rede. Die billige Arbeitskraft wurde nur zu oft als Hausknecht, Stallmagd oder Küchenmädchen zu allerlei Diensten in Haus und Familie herangezogen, die mit dem Geschäft nichts zu tun hatten. Fünf volle Jahre mußte Redtenbacher ausharren, bis ihm Ende 1824 in seinem Zeugnis bescheinigt wurde, daß er „als Praktikant in allen Zweigen des Handelsfaches vollkommen ausgebildet“ sei [4]. Mit Strenge und Derbheit hielt der Lehrherr ihn bei der Stange. Der Mutter klagte er zuweilen unter Tränen, daß er zum Handelsmann ganz und gar ungeeignet sei und sich zu etwas Besserem berufen fühle, als mit der Elle zu messen und Gewürze zu wiegen. Es ist schwer auszumachen, was diese Jahre für den erwachenden Geist bedeutet haben. Vielleicht wird man ihren

4 *R. Redtenbacher* S. 15.

dauernden Gewinn in dem sich herausbildenden Verständnis für das praktische Leben sehen dürfen, das noch den späteren Lehrer und Wissenschaftler vor weitschweifiger unpraktischer Gelehrsamkeit bewahrt hat.

Während der Lehrzeit müssen Redtenbacher die ersten Schwingen geistiger Selbständigkeit gewachsen sein. Der solide Sinn des Elternhauses setzte sich durch. In seiner Freizeit fand er ein Verhältnis zu Büchern, die ihn fesselten. Die bisher wildwuchernde Energie warf sich auf die Mathematik. 1825 finden wir ihn einige Monate lang bei der k. k. Baudirektion im nahen Linz beim „Zeichnen jeder Art Baupläne und zur Aushilfe bei geometrischen Aufnahmen",[5] einer Tätigkeit, die nicht ohne mathematische Grundkenntnisse denkbar ist. Nachdem er sein Element gefunden hatte, konzentrierte sich sein Eifer so auf die Realien der Bildung, daß er durch privates Studium ohne eigentliche Lehrzeit sich soweit förderte, daß der Vater den 16jährigen 1825, wahrscheinlich wie üblich auf dem Floß stromabwärts, nach Wien auf die Polytechnische Schule ziehen ließ.

Die polytechnischen Schulen — im deutschen Sprachgebiet existierten damals erst Prag und Wien — dürfen mit den technischen Hochschulen von heute nicht verwechselt werden. Die Wiener Schule forderte von den eintretenden Zöglingen das vollendete 13. Lebensjahr[6]. Die zwei Jahresklassen umfassende vorbereitende Realschule hatte als Lehrgegenstände Religion, Übungen im Schönlesen, deutsche Sprachlehre und -Stil, elementare Mathematik, Geographie, Geschichte, Zeichnen, Schönschreiben, Italienisch, Französisch und die Möglichkeit, Englisch, Tschechisch und Latein zu lernen. Erst dann begann in der technischen Abteilung, je nach der Berufsabsicht, weitere zwei Jahre lang der Unterricht in Fächern, die heute in den Abteilungen für Mathematik und Physik, Chemie, Architektur, Bauingenieurwesen und Maschinenbau untergebracht sind. Das alles wurde gewiß weniger gründlich betrieben als heute, war aber doch in seiner Vielfalt nicht weniger strapazierend als das Studium eines dieser Spezialfächer heute. Redtenbacher war nicht gerade ein Wunderkind, als er sich mit seiner durchaus mangelhaften Elementarbildung diesem Unterricht stellte. Insofern aber war er etwas Besonderes, als er bereits vom ersten Jahr an auf eigenen Wunsch an den Tentamina teilnahm, feierlichen öffentlichen Prüfungen, mit denen die Professoren eine kleine Auswahl ihrer besten Schüler und die Ergebnisse ihrer Arbeit zur Schau stellten. Seit seinem Übertritt in die technische Abteilung des Polytechnikums hörte Redtenbacher auch an der Wiener Universität Vorlesungen über höhere Mathematik und theoretische Astronomie. Überall errang er gute und ausgezeichnete Zensuren, so daß er nach dem Studienabschluß 1829 zunächst für

5 Ebd.

6 *C. F. Nebenius:* Über technische Lehranstalten in ihrem Zusammenhang mit dem gesamten Unterrichtswesen (1833) S. 14 ff.; *J. Neuwirth:* Die K. K. Tech. Hochschule in Wien 1815—1915 (1915).

zwei Jahre und dann erneut für weitere zwei Jahre von Johannes Arzberger, dem Professor für Maschinenlehre, als Assistent angestellt wurde.

Redtenbachers Leben nahm damit die Wendung auf das Lehramt hin, das er nicht mehr verlassen hat. Als Assistent bestand seine Pflicht darin, mit den Hörern die Maschinenlehre zu repetieren, einzelne Maschinen nach ihrem Wirkungsgrad zu berechnen, Unterricht im Maschinenzeichnen zu erteilen und diejenigen Maschinen selbst zu zeichnen, die in den Werkstätten des Polytechnischen Instituts für das wachsende Modellkabinett hergestellt wurden. Die vier Assistentenjahre in Wien sind seine eigentlichen Studentenjahre geworden. Sein ungestümer Wissenshunger, der Eifer, mit dem er seine Lehrer mit Fragen und Vorschlägen bestürmte, wurde ihnen gelegentlich wohl zuviel. Hier hat Redtenbacher es zum ersten Mal ausgesprochen, daß es kein eigentliches Wissen und keine Gewißheit außer der gibt, die mathematisch begründet werden könne. Es ist kein Materialismus, der sich hier ausspricht, sondern der grenzenlose Optimismus einer Zeit, die geradezu berauscht sich anschickt, die Welt als ein nach lückenlosen Gesetzen aufgebautes Ganzes zu entdecken, die logischen Zusammenhänge des Gedachten in der Natur wiederzufinden und sie auf die konkrete Bewältigung des Lebens anzuwenden. Seine gewiß unzulässigen theoretischen Vereinfachungen in der Erkenntniskritik haben Redtenbacher nicht im mindesten abgehalten, sich mit offenen Augen in der Welt umzusehen. Wien bot für ein aufgeschlossenes Gemüt Anregungen in großer Fülle. Nie hat sein an methodisches *Denken* gewohnter Geist der Wärme seiner ursprünglichen *Empfindung* Abbruch getan. Er ließ sich durch keine Tabus schrecken, die das allzu ängstliche Metternichsche System errichtete. So beschäftigte er sich — natürlich heimlich — mit dem verbotenen Kant und seinen Kommentatoren. In geradezu verschlagen-raffinierter Weise beschaffte er sich mitten aus der Zensurbehörde heraus die nach der Juli-Revolution in Österreich verbotenen Werke von Heine und Börne, wohl wissend, daß die Entdeckung eines solchen „Hochverrats" ihm und seinen Freunden ein für allemal die Zukunft zerstört hätte. Noch mehr als das reine rezeptive Verhalten lag ihm das eigene künstlerische Tun. In Wien begann Redtenbacher mit dem Zeichnen und Malen, das ihm bis in die letzten Jahre hinein Erholung und Freude bedeutete. Seine Schüler erzählen, daß der spätere Professor in Karlsruhe unter dem Dozieren in der Vorlesung so vollendet übersichtliche Zeichnungen auf der Tafel habe entstehen lassen, daß es wohl zu Ausrufen des Bedauerns gekommen sei, wenn der Schwamm alle diese Herrlichkeiten wegwischte, um Raum für neue Gebilde zu schaffen. In Zeiten seelischer Bedrückung und Arbeitsunlust konnte Redtenbacher wochenlang sich ausschließlich dem Malen widmen. Leider ist kein einziges dieser Bilder auf uns gekommen.

Daneben steht in jenen Wiener Jahren aber auch unbeschwerte, überschäumende Lebensfreude, die sich in den Caféhäusern beim Billard, bei Kneipereien mit Freunden und im damals noch als revolutionär verdächtigten Tabakrauchen, besonders während der Ferien in Steyr im Tanzen und Jagen und tollem Allotria austobte. Damals hat Redtenbacher auch zusammen mit Vettern und Freunden mit dem Ranzen auf dem Rücken und einer bescheidenen Barschaft in der Tasche die Schönheit seiner heimatlichen Landschaft sich erwandert. Manchen 2000er in der engen und weiteren Umgebung haben die jungen Leute entgegen dem wohlmeinenden Rat der Einheimischen zum ersten Mal bestiegen, nicht allein, um unvergleichliche Rundblicke zu genießen und in Skizzen aufzunehmen, die daheim in Farben angelegt wurden, sondern auch, um mit wissenschaftlicher Genauigkeit die Höhe der Berge barometrisch zu ermitteln. Da Dampfmaschinen und moderne technische Anlagen in jenen Tagen noch zu den Seltenheiten gehörten, ließen diese Jünger der aufstrebenden Technik sich keine Mühe verdrießen, sie in tagelangen Märschen aufzusuchen. Redtenbacher ruhte dabei nicht — und verschmähte, wenn es sein mußte, auch die List nicht — sich sogleich durch Zeichnungen bis ins Detail die Wirkungsprinzipien klarzumachen. Als er längst in Karlsruhe heimisch und ein berühmter Mann geworden war, der auch in anderen Teilen Europas sich auskannte, zog es ihn immer wieder in diese ihm vertraute Welt.

Die Tätigkeit des Assistenten am Polytechnikum, durch kaiserliches Statut auf vier Jahre begrenzt, lief unwiderruflich im September 1833 aus. Da eine höhere Lehrtätigkeit in Österreich an Voraussetzungen gebunden war, die für Redtenbacher nicht zutrafen, lag seine Zukunft völlig im Dunkeln. Er hatte bereits ein Angebot, zum Bau der ersten russischen Eisenbahn nach Zarskoje-Selo zu gehen, als einer seiner Verwandten im Frühjahr 1834 ihn auf die öffentlich ausgeschriebene Lehrstelle an der Oberen Industrieschule in Zürich aufmerksam machte. Der Meldetermin ließ wenig Zeit. Redtenbacher entschloß sich, seine Bewerbung zusammen mit den vorzüglichen Zeugnissen seiner Lehrer selbst zu überbringen. Er mußte die Hilfe eines politisch unverdächtigen Verwandten in Anspruch nehmen, um angeblich dringender Geschäfte wegen einen Paß für England, Frankreich und Deutschland zu erhalten. Die Freunde beklagten es, daß die Heimat keine Verwendung für den hochbegabten jungen Mann hatte. Im April 1834, noch nicht 25jährig, wurde Redtenbacher zunächst provisorisch für ein Jahr zum Lehrer der Mathematik und des geometrischen Zeichnens, ein Jahr später endgültig zum Professor an der Industrieschule in Zürich ernannt. Die für sein Amt unerläßliche technische Anschauung vermittelte ihm die Firma Escher, Wyß & Cie. in Zürich, die 1805 als Maschinen-Spinnerei begonnen, in der angegliederten Maschinenwerkstatt bald schon Spinnmaschinen gebaut hatte und seit 1836 auch zum Bau von Dampfschiffen und Lokomotiven überging. Daß Redtenbacher auch außerhalb der Schulstube sich schnell Ansehen verschaffte, beweist der Umstand, daß er bereits im Jahre seiner Übersiedlung nach Zürich von der Zürcherischen naturforschenden Gesellschaft zum Ehrenmitglied ernannt wurde.

Seine Hauptarbeit aber war der Schule zugewandt. In Zürich beginnt Redtenbachers so fruchtbares Nachdenken über technische Lehranstalten, das neben seiner fachwissenschaftlichen Arbeit einen wesentlichen Teil seiner Lebensleistung ausmacht. Für Gewerbe und Industrie steckte das Ausbildungswesen, namentlich in den unteren Stufen, noch in den Anfängen. Zürich setzte 1833 neben das kantonale Altsprachen-Gymnasium als selbständige Gründung eine Industrieschule mit einer drei Jahresklassen umfassenden unteren Abteilung für die 12- bis 15jährigen und einer darauf aufbauenden oberen Abteilung mit zuerst zwei, später drei Jahrgängen [7]. Redtenbacher definiert in den Notizen aus jenen Jahren selbst: „Die Ausbildung der Handwerker ist Aufgabe der Gewerbeschule. ... Die Aufgabe einer Industrieschule ist als gelöst anzusehen, wenn sie ihre Zöglinge mit denjenigen Vorkenntnissen und Fertigkeiten ausrüstet, welche in wohleingerichteten Fabriken beim Eintritt gefordert werden. ... Wollte man aber“, so folgerte der junge Lehrer, „bloß allein den Bedingungen genügen, welche die Fabrikanten machen, so würde eine Schule ihre Zöglinge nur abzurichten haben, nicht aber allgemein auszubilden“ [8].

In der Tat, nicht abrichten, sondern allgemein ausbilden, das empfand Redtenbacher als seine Aufgabe. Sie trat mit neuer Dringlichkeit an ihn heran, als er 1840 an die Polytechnische Schule nach Karlsruhe berufen wurde. Es war der Grundgedanke dieser Schöpfung, der ersten ihrer Art in Deutschland, die wissenschaftlichen und mathematischen Grundlagen des technischen Könnens, das die Fachschulen vermittelten, als organische Einheit zu begreifen. Die von Karl Friedrich Nebenius 1832 durchgeführte Reform faßte zusammen die von Tulla begründete Ingenieurschule, die auf Weinbrenner zurückgehende Bauschule, die ursprünglich in Freiburg beheimatete höhere Gewerbeschule, ferner die Forstschule, die Handelsschule und später die Postschule. Nebenius hatte die Einheit dieser Fachschulen mit der auf der Vorbereitungsstufe für sie alle zu schaffenden gemeinsamen Grundlage noch stärker herausgearbeitet. Er hatte damit einen Schultypus geschaffen, der zwischen Gymnasium und Universität stand, auch räumlich erklärtermaßen von ihnen getrennt war, Ratsverfassung und jährliche Direktorwahl der Lehrer kannte und eine Gliederung besaß, die dem Fakultätensystem der Universität nahekam.

Redtenbacher ordnete sich diesem Grundriß nicht nur ein [9], sondern entwikkelte ihn mit selbständigen Gedanken weiter. Der Ort seiner Wirksamkeit war

7 *W. Oechsli:* Gesch. d. Gründung d. Eidg. Polytechnikums (1905) S. 21.

8 *R. Redtenbacher* S. 35 f.

9 Redt.s Berufung (17. 7. 1840) ging nicht ganz ohne Schwierigkeiten vonstatten. Seine Rückfragen nach Lehrfach und Stundenzahl beantwortete das Innenministerium ausweichend: „Wenn Ihnen ein eigentliches Nominalfach signaturmäßig nicht zugesichert wird, so geschieht dies nicht nur deshalb, weil es bei der polytechnischen Schule nicht üblich ist und weil die Regierung den Grundsatz nicht aufgeben kann, ihre Staatsdiener nach eigenem Ermessen zu verwenden ... Für jetzt genügt es, wenn Sie 12—14 Stunden übernehmen, und ich habe keinen Grund anzunehmen, daß der Schematismus der polytechnischen Schule in der Folge die Überweisung eines größeren Stundendeputats an Sie nötig machen sollte“ (25. 8. 1840). Als Redt. bedeutet

die höhere Gewerbeschule. Bei seinem Eintritt war sie von allen Fachschulen des Polytechnikums am wenigsten entwickelt und umfaßte noch im gleichen Lehrgang die mechanische und die chemische Technik. Wer in jenen Jahren Maschinenbauer werden wollte, begann normalerweise in einer praktischen Lehre. Die Gewerbeschule vermittelte zu jener Zeit theoretische Kenntnisse, die noch recht unvermittelt neben der Praxis standen. Da begnügte man sich in der Regel mit Maschinenelementen, studierte Maschinenbeschreibung und Maschinenmodelle. Abmessungen wurden als durch Erfahrung gegebene Größen hingenommen oder durch Probieren in der Werkstatt verändert. Festigkeitsberechnungen waren so gut wie unbekannt. Gerade England, das große Musterland des Maschinenbaus, das dank seines Vorsprungs von rund 100 Jahren vor dem Kontinent und dank seiner finanziellen Reserven auf jede technische Schule verzichten konnte, lehrte ja, daß große Erfolge in der Erfindung neuer Maschinen in erster Linie auf praktischen Erfahrungen beruhten. Der deutsche Fabrikbetrieb beschaffte sich daher meistens englische Maschinen und begnügte sich damit, sie gegebenenfalls im Laufe der Arbeit zu verbessern. Dementsprechend fand während der 30er Jahre auch in der Gewerbeschule des Karlsruher Polytechnikums der Unterricht noch vornehmlich in der Werkstatt in handwerksmäßigen Formen statt. Die Lehrziele des Gewerbetreibenden und des Ingenieurs waren noch die gleichen. Innerhalb weniger Jahre schuf Redtenbacher hier grundlegenden Wandel. „Wir auf dem Kontinent", so sagte er, „haben weder die Geldkräfte, noch diesen Umfang an Erfahrungen in der Ausführung aller Spezialitäten, um den rein empirischen Weg ausschließlich verfolgen zu können, und sind daher gezwungen, durch intelligente Kraft und wissenschaftliche Einsicht das mangelnde Geld und die eingeschränkte Erfahrung zu ersetzen oder zu unterstützen." Es galt also,

wurde, er werde „gemeinschaftlich mit Professor Volz zu wirken haben und für beide wird sich ein genügendes Feld darbieten" (ebd.), als sein Hinweis auf etwaige kollegiale Mißhelligkeiten, auf seine eigenen Entfaltungsmöglichkeiten und seine Zürcher Arbeitsbedingungen (25. 10. 1840) nur mit dem Appell beantwortet wurden, er möge dem Ministerium Vertrauen schenken (7. 11. 1840), kam er Ende November 1840 selbst nach Karlsruhe und legte seine Bedingungen fest: „1. daß mir folgende Lehrfächer übertragen werden: a) allgemeine wissenschaftliche Mechanik, wöchentlich ca. 4 Stunden, b) allgemeine Theorie der Maschinen, c) spezielle Maschinenlehre, 2. daß mir die Leitung der mechanischen Werkstätte sowie auch die Aufsicht über die Modellsammlung übertragen würde" (30. 11. 1840). Erst im Juli 1841 konnte er seiner Zürcher Verpflichtungen wegen nach Karlsruhe übersiedeln. Nachdem Volz um Enthebung von allen seinen Funktionen gebeten hatte, wurde Redt. mit Entschließung des Ministeriums vom 13. 10. 1841, also zu Beginn des neuen Schuljahres, „mit zum Vorstand der mechanischen Werkstätte ernannt, ihm auch die Führung der Aufsicht über die Modelle und Werkzeugsammlung übertragen und zu dem Ende das Aversum für Maschinenbau zugewiesen" (GLA 206/910).

„die Wissenschaft mit zu Rat zu ziehen“ [10]. Mit anderen Worten: Die Gesetze des Maschinenbaus wollte Redtenbacher sich nicht nur von der Praxis diktieren lassen, sondern aus theoretischen, mechanischen und mathematischen Sätzen ableiten.

Wie er diesen Grundsatz in seinen Forschungen anwandte, davon zeugen die oft zitierten Sätze aus der Einleitung seines Buches über den Lokomotivbau: „Ich habe schon seit Jahren über die Lokomotive theoretische Studien gemacht, die zunächst bloß zu meiner eigenen Belehrung dienen sollten. Die Sache wurde aber allmählich ernstlich; ich kam zu entscheidenden Resultaten, und dies veranlaßte mich, den Gegenstand im Zusammenhang vollständig zu behandeln. Ich habe mich dabei so benommen, wie wenn praktische Erfahrungen über den Lokomotivbau gar noch nicht gemacht worden wären, habe mich ganz und gar den Grundsätzen der Mechanik überlassen und wollte einmal sehen, was dabei herauskommen würde“ [11].

Diese Sätze können schwerlich überbewertet werden, wenn man sich den Zustand der Industrie klarmacht, als Redtenbacher seine Arbeit am Polytechnikum aufnahm. Karlsruhe hatte rund 25 000 Einwohner, ganz Baden eine Million. Als 1832 der „Kunst- und Industrieverein“ in der Landeshauptstadt zum erstenmal eine „Industrieausstellung“ eröffnete, gab es da ganze 34 industrielle Ausstellungsnummern zu sehen: einige mechanische Instrumente, eine Handfeuerspritze, eine eiserne Geldkassette — ein Aussteller aus Bretten war mit einem Stück grauer Leinwand vertreten. Zehn Jahre später war bei Keßler & Martiensen die erste Lokomotive fertig, die erste, die in ganz Süddeutschland gebaut wurde. Auf der Industrieausstellung in Mainz 1842 erregte die zweite, auf den Namen „Karlsruhe“ getaufte Maschine erhebliches Aufsehen. Die in Baden hergestellten „Dampfrösser“ begnügten sich in der ersten Zeit zur Individualisierung nicht allein mit toten Nummern wie heute, sondern führten eigene Namen. Am 1. April 1843 fuhr zum erstenmal ein aus Heidelberg kommender Eisenbahnzug im Karlsruher Bahnhof ein. Die Schilderung ließe sich noch breiter ausführen [12]. Sie soll nur andeuten, welche Kühnheit an Vorausschau das Redtenbachersche Unterfangen bedeutete, mit Hilfe der Wissenschaft die Wirksamkeit von Maschinen im voraus berechnen zu wollen. Was für ein glänzender

10 Die polytechnische Schule. In: Die Residenzstadt Karlsruhe. Festgabe zur 34. Versammlung deutscher Naturforscher u. Ärzte (1858) S. 125. Der Beitrag, der umfangreichste des Bandes, ist zwar nicht gezeichnet. Im Vorwort der Festgabe (S. IV) bezeugt der Gemeinderat als Herausgeber: „Eine Reihe von Mitteilungen verdanken wir ... gütiger Mitwirkung der Vorstände der verschiedenen Institute.“ Redt. war seit 1857 Direktor der Polytechnischen Schule. Auch der Diktion nach kann kein Zweifel darüber sein, daß er der Verfasser des Beitrages ist.

11 *F. Redtenbacher:* Gesetze des Lokomotivbaus (1855) Vorwort.

12 *H. Th. Bauer:* In: Karlsruhe, Wirtschaftszentrum am Oberrhein, hg. Industrie- und Handelskammer Karlsruhe (1956) S. 29. 46 f.

Triumph dieser wissenschaftlichen Methode, als es Redtenbacher 1844 gelang, für die große, längst arbeitende Turbine in St. Blasien nachträglich die Konstruktionsgesetze zu finden, die ihre Leistung erst richtig verständlich machten.

Es ist Redtenbachers großes Verdienst, als eben 30jähriger seine wissenschaftliche Methode auch in den Unterricht eingeführt zu haben. Seinem Freunde Raabe schrieb er 1842 nach Zürich: „Das erste Jahr meines hiesigen Aufenthaltes ist nun vorüber, und ich kann sagen, daß ich für mein zukünftiges Wirken tüchtig vorgearbeitet habe. Wenn noch ein Jahr vorüber ist, so hoffe ich, wird es sich herausstellen, daß man jetzt in Karlsruhe vom Maschinenwesen etwas rechtes lernen kann. ... Ich hoffe, den Leuten noch den Beweis unter die Nase zu halten, daß die Mathematik kein Luxus ist und daß man mit derselben in dem Maschinenbau etwas leisten kann, vorausgesetzt, daß man vom Praktischen was versteht und genau weiß, was fürs Leben notwendig ist“ [13]. Die wissenschaftliche Behandlung praktisch-technischer Fragen erschien Redtenbacher für eine Schule nicht nur ökonomischer, sondern auch weniger fehlerhaft als die durch die Erfahrung gegebene, weil die Schule doch nie die reiche Anschauung geben kann wie das Leben selbst. „Wer die reine Empirie für den rechten Weg hält“, so meint er, „der meide jede Schule und gehe sogleich in die Praxis, in eine Werkstätte, auf ein Zeichenbureau oder zu einem Ingenieur. Darin aber liegt eben der Fehler, daß bisher die wissenschaftlichen Vorstudien Mathematik und reine Mechanik nur als allgemeines Bildungsmittel, nur als Denkgymnastik angesehen wurden, und daß die Lehrer, welche sie hätten anwenden sollen, eine vernünftige Anwendung zu machen nicht verstunden. Daher ist es denn allmählich gekommen, daß die Mehrzahl der Schüler die Meinung gewann, diese mathematischen Studien brauche man eigentlich gar nicht, denn die Herren Ingenieure der Praxis verständen sie ja selbst nicht und machten davon durchaus keine Anwendung; Mathematik werde eigentlich nur gelehrt, damit man ein Mittel habe, den Kandidaten beim Staatsexamen zu quälen“ [14].

Zugleich aber wußte Redtenbacher, daß es mit der strengen, um praktische Erfolge unbekümmerten Wissenschaft *allein* im technischen Unterricht nicht getan sei. Darin unterschied er sich von den Pariser Polytechnikern, „daß an einer polytechnischen Schule wissenschaftliche Spekulationen, die zu keiner Anwendung geeignet sind und nur als Geistesgymnastik einen Wert haben, nicht vorkommen können“ [15]. Sein Unterricht zielte im letzten doch wieder auf die Praxis. Seine Schüler sollten „alle einschlagenden Kenntnisse und Fertigkeiten in so vollständiger Weise erwerben können, daß es denselben, wenn sie die Schule verlassen und ins praktische Leben übertreten, nach einer verhältnismäßig kurzen Zeit leicht wird, eine tüchtige praktische Wirksamkeit zu entwickeln“. Schule,

13 *R. Redtenbacher* S. 39.
14 Residenzstadt Karlsruhe S. 142.
15 Ebd. S. 136.

und zwar die mit wissenschaftlichem Ernst betriebene Schule, und Praxis galt es also zusammenzubringen. Darum setzte Redtenbacher es durch, daß in der Gewerbeschule die mechanische von der chemischen Abteilung getrennt und neben dem chemischen ein eigenes Maschinenlaboratorium errichtet wurde. Erst damit war der Maschinenbau als selbständige Abteilung konstituiert. Wissenschaft und Handwerk, Hörsaal und Labor mußten zusammenkommen, um den Lehrer als Persönlichkeit ins Spiel zu bringen, bei dem die Schüler sich in allen Fällen Rat und Hilfe holen konnten. Auch davon wußte Redtenbacher, der Maler aus Passion, etwas, daß zum Ingenieur ein künstlerisches Element, ein ausgebildeter Formen- und Ordnungssinn gehört, den er in seiner Sparte im Maschinenzeichnen zu entwickeln suchte. Es war wahrlich nichts Geringes, was er forderte: „In diesen technischen Fächern wird ein Lehrer nur dann mit entscheidendem Erfolg wirken, wenn sich in ihm tiefere wissenschaftliche Kenntnisse, artistische Fähigkeiten und vollständige Kenntnis der derbsten Praxis bis auf ihr Schmieren und Salben herab vereinigen und ihn naturgemäß durchdringen. Dies ist aber nur sehr selten der Fall, und darin liegt die Erklärung, weshalb die reine Wissenschaft bis jetzt bei weitem noch nicht das wirken konnte, was sie eigentlich vermag“ [16].

Noch ein letztes gibt Redtenbachers Konzept des technischen Unterrichts seine unverwechselbare Signatur: seine Vorstellung von der Technik als eines Mittels sittlicher Erziehung. Schon in den Notizen, die im Zusammenhang mit der Berufung nach Karlsruhe noch in Zürich entstanden sind, heißt es: „Meine Bestrebungen als Lehrer richten sich nicht allein auf die wissenschaftliche Theorie der Maschine, mir liegt die Kultur des industriellen Publikums im allgemeinen am Herzen. In der Anwendung der Naturkräfte hat man in der Tat bereits eine große Virtuosität erlangt, aber an der humanen Entwicklung des industriellen Publikums fehlt es noch sehr. Wer ist daran schuld? Keinem *einzelnen*, allen *zusammen* muß sie aufgebürdet werden“ [17]. Hier handelte es sich um persönlich empfundene, echte Verantwortung. Redtenbacher war so wenig wie anderen wachen Geistern verborgen, daß die Motive, die die Industrie in so ungewöhnlicher Weise in Tätigkeit setzten, nicht immer von reinster Art waren, daß sie mehr als *Zweck* und nicht als *Mittel* betrieben wurden. Freilich sah er hier so etwas wie die „List der Vernunft“ am Werke, den „Geist, der stets das Böse will und stets das Gute schafft“. Denn — ich zitierte weiter: „Dieses Gewinnen und Bereichern ist nur durch angestrengte Tätigkeit und durch eine genaue Kenntnis der Naturwissenschaften möglich“. „Die rein *egoistischen* Absichten *zwingen* also zu einem gründlichen wissenschaftlichen Studium; denn die Naturstoffe lassen sich nicht durch Dialektik, mit Wortkünsten und schönen Redensarten beherrschen, sondern nur durch ganz exakte und vollständige Kenntnis

16 Ebd. S. 142.
17 *R. Redtenbacher* S. 33.

der Naturgesetze und Naturkräfte. Der Geist, der Böses will, zwingt, zum Guten zu greifen". Studium bedingt sichere wissenschaftliche Methodik. „Wir müssen also nolens volens nach *philosophischen* Grundsätzen zu Werke gehen, und so kommt es denn, daß wir zu Studien geleitet werden, welche auch den *Geist* formell zu bilden vermögen." [18]

Es ist nicht von ungefähr, daß von den Autodidakten unter den Förderern des naturwissenschaftlichen und technischen Studiums wie Justus Liebig und Ferdinand Redtenbacher das seit der Verwirklichung des Neuhumanismus erneut von den altsprachlichen Gymnasien und den Universitäten für die Geisteswissenschaften gehütete Monopol höherer Bildung am peinlichsten empfunden und darum am nachhaltigsten bekämpft worden ist. „Erziehung zur Industrie", wie sie der große süddeutsche Liberale Friedrich List betrieb [19], „Kultur des industriellen Publikums im allgemeinen", wie Redtenbacher es formulierte, das bedeutete ja nicht allein das Wegräumen von mancherlei Hindernissen und Vorurteilen, die dem industriellen Fortschritt im Wege standen, sondern der tätige Glaube, daß die industrielle Gesellschaft, der industrielle Staat eine höhere Form des Daseins war als die agrarische Gesellschaft, der agrarische Staat der bis an ihre Gegenwart heranreichenden Vergangenheit. „Es drängt sich unwillkürlich der Gedanke auf", heißt es bei Redtenbacher, „daß die menschliche Gesellschaft doch nicht eher die Aufgabe ihrer geistigen Entwicklung mit wahrem Erfolg begreifen und zur Lösung bringen kann, so lange uns die Materie erschwerend und hindernd entgegensteht, daß es also eine Hauptaufgabe der Gegenwart ist, die materielle Natur möglichst vollkommen bewältigen und beherrschen zu lernen" [20]. Technik als ethisches Postulat der Freiheit: sollten sich ihr nicht Menschen von Talent und edler Gesinnung genau so zur Verfügung stellen wie den an den Universitäten betriebenen Studien? Um sie zu ermutigen und zu stärken, damit „die Kräfte des Geistes und Gemütes nicht brachliegen, sie nicht verkümmern und vertrocknen", damit niemand auf den Gedanken komme, „es vertrage sich eine echte Bildung gar nicht mit einer industriellen Tätigkeit" [21], deshalb begann Redtenbacher damit, den Vertretern geisteswissenschaftlicher Disziplinen einen Ort im technischen Unterricht zuzuweisen, wenn schon die Universitäten meinten, bei der Deutung der schnell sich wandelnden Gegenwart auf die Heranziehung der Ingenieurfächer verzichten zu können. Die geisteswissenschaftlichen Fächer im Unterricht der polytechnischen Schule bedeuteten weder Zierrat noch Luxus, sondern gehörten zur Sache selbst.

Das Dilemma, das da praktisch entstand, weil „die naturwissenschaftlichen, mathematischen und technischen Studien zu viel Zeit in Anspruch nehmen und

18 Residenzstadt Karlsruhe S. 150 f.

19 *F. Schnabel:* Dt. Gesch. im 19. Jh. III S. 292 ff.

20 Residenzstadt Karlsruhe S. 152.

21 Ebd. S. 153.

die ganze Studienzeit der Techniker eine beschränkte bleiben muß, um für die praktische Schule Zeit zu erübrigen", das war Redtenbacher natürlich nicht verborgen. „Einiges indessen", erklärte er der Versammlung deutscher Naturforscher und Ärzte, „kann denn doch geschehen. Es ist nicht möglich, Sprachstudien ganz fundamental zu betreiben; aber es ist doch möglich, durch einen geeigneten, mehr praktisch wirkenden Unterricht die Muttersprache zu pflegen. Es ist nicht möglich, die Geschichte quellenmäßig und in großem Umfang zu behandeln; aber es ist doch möglich, von den Haupterscheinungen der Geschichte eine Übersicht zu geben und nur einzelne Abschnitte spezieller zu behandeln. Es ist nicht möglich, die Philosophie systematisch oder historisch gründlich zu behandeln; aber man kann doch die philosophischen Methoden, wodurch wir zur Erkenntnis der Wahrheit gelangen, begreiflich machen". So lasse sich wenigstens hoffen, daß „diese schwache Seite, diese Lücke, welche das technische Studium in der Bildung veranlaßt, wenigstens teilweise ausgefüllt werde" [22].

Was Redtenbacher an allgemeinen Bildungsgütern neben dem Fachstudium von seinen Schülern forderte oder wenigstens erwartete, hat er sich selbst nicht erlassen. Seine künstlerischen Intentionen in der Malerei, der Musik, dem Theater, der Dichtung hat er bis in seine letzten Jahre nicht aufgegeben; damit war er bereits großgeworden. Von seinen eigenen Forschungen her lagen ihm die Logik und die Methodologie der Naturwissenschaften am nächsten. Über Liebig lernte er in die der Chemie benachbarten Gebiete ausgreifen. Kuno Fischer, der 1853 vor der Medisance des evangelischen Oberkirchenrates aus Heidelberg weichen mußte [23], brachte ihm die neuere Philosophie nahe, von der er Kant, Hegel, Vischers Ästhetik und Lotzes Microcosmos eingehend studierte. Selbst für die Lektüre der zeitgenössischen Historiker Ludwig Häusser, Leopold Ranke, Max Duncker, Ernst Curtius, Theodor Mommsen, Georg Gottfried Gervinus und David Friedrich Strauss fand er neben Lehr- und Verwaltungstätigkeit und eigener literarischer Arbeit noch Zeit. Erst in der Lebensmitte kam ihm so recht zum Bewußtsein, wie sauer ihm seine schriftstellerische Arbeit geworden war, „vorzugsweise wegen des gänzlichen Mangels an aller *allgemeinen* Bildung, in der ich Österreich verließ; denn wie Du weißt", schrieb er an seinen Schwager Knörlein, „habe ich in Österreich in jungen Jahren Stiefel geputzt und Papiertüten gedreht, statt die Klassiker des Altertums und der Neuzeit zu studieren. Ich habe mit mir entsetzlich zu schaffen gehabt, bis ich das in der Jugend freilich schuldlos Versäumte einigermaßen nachgeholt hatte, und wie schwer dies ist, kann nur derjenige ermessen, der sich ähnlich wie ich durch eigene Bestrebungen aus sich selbst herausarbeiten mußte. Nun gottlob! auch das ist so ziemlich überstanden.[24]"

22 Ebd.
23 Univ.-Arch. Heidelberg, Akten d. philos. Fakultät 1853.
24 *R. Redtenbacher* S. 66 (1857).

Aus Redtenbachers Briefen und Notizbüchern wissen wir, daß es ihm nicht in den Schoß gefallen ist, wenn er seiner Anstalt das Gepräge seiner Persönlichkeit gab. In ständig wachsender Zahl zog sie Menschen sehr unterschiedlichen Alters von weit jenseits der deutschen Grenzen an. Alle bedeutenden Maschineningenieure der zweiten Jahrhunderthälfte sind aus Redtenbachers Hörsaal und Labor hervorgegangen. Als der schweizerische Staatsmann Alfred Escher in der Mitte der fünfziger Jahre gegen viel Kantönligeist die Eidgenössische Technische Hochschule in Zürich schuf, da war Redtenbacher ein entscheidender Anteil zugedacht [25]. Bereits im Sommer 1854 verhandelte der Bundesrat mit ihm. Er sollte nicht nur unter großzügigen äußeren Bedingungen die Leitung der mechanisch-technischen Abteilung übernehmen, sondern auch bei der Organisation der ganzen Anstalt und bei der Berufung der Lehrer mitwirken. Was die aufsichtsführende Behörde in Karlsruhe, das Innenministerium, von ihm hielt, kam in einer Eingabe an den Regenten, den nachmaligen Großherzog Friedrich zum Ausdruck: Er sei „weitaus der bedeutendste Lehrer an dieser Anstalt". „Die Genialität seiner Schöpfungen und wissenschaftlichen Leistungen weist ihm in seinem Fache unbestritten den ersten Rang in Deutschland zu, und er genießt in dieser Beziehung auch außerhalb Deutschlands in weiten Kreisen die höchste Anerkennung. Mit gleichem Erfolge wirkt er in seinem Lehrberufe, und wenn das hiesige Polytechnikum, bei welchem in neuerer Zeit mehrere Fächer teils gar nicht, teils nicht ganz genügend vertreten sind, gleichwohl an Frequenz und Ansehen nicht abgenommen hat, so ist dies vorwiegend der ausgezeichneten Tätigkeit zuzuschreiben, welche Redtenbacher als Vorstand des mechanisch-technischen Kursus entwickelt. Ein Verlust desselben würde dem Institut sofort eine namhafte Anzahl von Schülern entziehen, seinem Rufe Abbruch tun und ihm einen bleibenden, empfindlichen Schaden verursachen, da jeder Verlust in den nächsten Zeiten geradezu unersetzlich wäre." [26] Es gelang, Redtenbacher Karlsruhe zu erhalten. Größte Genugtuung muß es ihm bereitet haben, als die E. T. H. Zürich für ihre innere Organisation die Karlsruher Schule zum Muster nahm. Wenn dort anstelle der nicht zustandegekommenen eidgenössischen Universität Männer wie Friedrich Theodor Vischer und Jacob Burckhardt in die allgemeine Abteilung der Technischen Hochschule berufen wurden [27], so dürfte auch das Redtenbachers Intentionen entsprochen haben. Nach seinen Vorschlägen wurden in Karlsruhe die Vorschule und die erste mathematische Klasse, die Handelsschule, die Postschule und die Forstschule aufgegeben, dafür aber eine Bergbauschule gegründet und Philosophie und Geschichte, Nationalökonomie und Geschäftskunde, Staats-

25 *W. Oechsli* S. 76 f.; *E. Gagliardi:* Alfred Escher (1919) S. 191 ff.

26 GLA 206/910 (25. 8. 1854).

27 Vgl. *W. Kaegi:* Jacob Burckhardt III (1956) S. 561 ff. Der große Historiker fand in Zürich maximal sechs, in der Regel zwei bis drei, zuweilen auch nur einen einzigen Hörer für seine Vorlesungen (ebd. S. 574).

und Rechtswissenschaft neben der längst vorhandenen Literaturgeschichte in das Lehrprogramm aufgenommen.

Redtenbacher hat nie einen Zweifel darüber gelassen, wieviel er für sein Werk dem Staate verdankte, von dem in Deutschland allein die „Erziehung zur Industrie“ ausgehen konnte. In Baden hat man es ihn nie entgelten lassen, daß er Zeit seines Lebens alles andere als ein bequemer Staatsdiener war, sondern einer, der sich im Musterland die Freiheit nahm, liberal und im Grunde republikanisch zu denken. Freilich verbot ihm solche Gesinnung, 1848 dem Rufe seiner Vaterstadt zu folgen und ihr Abgeordneter in der Frankfurter Paulskirche zu werden. Bittere Gefühle empfand er nur, als eine Berufung nach Österreich an politischen Bedenken scheiterte. Direktor einer Maschinenfabrik für die österreichischen Eisenbahnen mochte er nicht werden. Karlsruhe war er seines Werkes wegen so verhaftet, daß er auch ehrenvolle Rufe nach Berlin und Dresden ablehnte. Für den jungen Redtenbacher haben wir seinen harten, ja störrischen Willen betont. Er dürfte auch dem Manne in der Fülle der Jahre nicht abgegangen sein. Ein bequemer Kollege war er gerade nicht. Nie machte er aus seiner Überzeugung ein Hehl und konnte unbarmherzig zuschlagen, wo ihm in der engeren Lehrerkonferenz, der Vorform des heutigen Senats, Mittelmäßigkeit und Kleinlichkeit entgegentraten, wo man sich, statt dem sachlich Notwendigen Raum zu geben, an Anciennität und überlebte bürokratische Verordnungen klammerte [28]. An der Staatsbehörde fand Redtenbacher stets den Rückhalt, den er brauchte. Der schwerste Konflikt, bei dem das Recht eindeutig gegen ihn stand, erfolgte in den letzten Monaten seines Lebens und konnte in aller Schärfe nur vermieden werden, weil die zum Tode führende Krankheit ihm die Zügel aus der Hand nahm. Seit 1857 hatte ihn die Lehrerkonferenz Jahr für Jahr zum Direktor gewählt. Das war die Stelle, von der aus Redtenbacher seine auf die gesamte Anstalt gerichteten Gedanken verwirklichen konnte. Für das Jahr 1861/62 setzte er keine Neuwahl an, sondern führte die Geschäfte einfach weiter „weil er der Ansicht war, es liege im Interesse der Anstalt, unter Beseitigung der bisherigen jeweiligen Wahl des Direktors durch die Lehrer der Anstalt einen ständigen Direktor zu ernennen“. Das Ministerium hatte diese Meinung nicht ausdrücklich bestätigt, sie aber stillschweigend genehmigt und nicht auf die Neuwahl gedrängt. „Hierbei leitete uns“, so rechtfertigte es sich gegenüber dem Großherzog, „einerseits die Rücksicht der Schonung für den verdienten seitherigen Direktor, auf dessen leidenden und sehr nervös gereizten Zustand eine solche Anordnung eine schlimme Wirkung geäußert haben würde, andererseits die Erwägung, daß für den unter der wesentlichen Leitung Redtenbachers begonnenen so wichtigen Neubau der Anstalt die längere Fortführung der Direktion durch denselben von großem Wert sei“ [29].

28 Klauprechts Rundschreiben 20. 6. 1862, GLA 206/910.
29 Ebd. (28. 1. 1863).

Im Sommer 1861 — Redtenbacher war 52 Jahre alt — begann er zu kränkeln. Nach und nach mußte er den Unterricht einstellen, Ende 1862 auch die Direktionsgeschäfte abgeben. Bis zuletzt blieb er humorvoll und heiter, ein Freund musischer Geselligkeit und bescheidenen Lebensgenusses. Nur ein sehnlicher Wunsch ging ihm nicht mehr in Erfüllung: Italien und Norwegen zu sehen. Am 16. April 1863 ist er nach langem Leiden still aus dem Leben gegangen. Hermann Baumgarten, der erste Historiker, den Redtenbacher an das Polytechnikum gebracht hatte, schrieb in seinem Nachruf: „Man konnte den totkranken Mann über Milton oder die Altertümer Roms, über Wilhelm von Humboldt oder die neusten Kämpfe in Preußen mit einer Wärme, einem eindringenden Verständnis reden hören, als wenn dieser Geist von den Leiden des Körpers gar nicht berührt würde. Er behauptete seine eigenste Natur bis zu dem Augenblick, wo sie dem Schicksal der Sterblichen erlag; sein männlicher, starker, scharfer Geist ging aufrecht bis an den Rand des Grabes." [30]

Ferdinand Redtenbacher ist als geschichtliche Gestalt einer der großen Erzieher des 19. Jahrhunderts, Erzieher zur Technik, zur Industrie. Seinen aus ethischen Voraussetzungen stammenden Grundgedanken, daß die strenge Wissenschaft der Mathematik und Mechanik zur Bewältigung des Lebens mit eingesetzt werden müßte, hat er in 21 Jahren von Karlsruhe aus Hunderten von Schülern mitgegeben und dadurch mit dazu beigetragen, unser aller Dasein entscheidend zu verwandeln. Er baute sein Werk noch in dem ungebrochenen, fröhlichen Optimismus, daß Geist und Technik aufs engste aufeinander angewiesen und nicht voneinander zu trennen seien. Wo das Verhältnis nicht mehr stimmte, da fühlte er sich aufgerufen, Hand anzulegen.

Mit diesem Glauben hat Redtenbacher zwar ein Maß gesetzt, aber weder für seine Schule, noch für seine Zeit das entscheidende Gesetz bestimmen können. Das Problem Geist und Technik stellte sich bereits seiner Gegenwart vornehmlich als das Verhältnis von Technischer Hochschule und Universität. An keiner Stelle in Deutschland ist diese Beziehung so gründlich und so nachhaltig in wiederholten Anläufen durchdacht worden wie in Karlsruhe. Es lag bereits in der Gründung des Polytechnikums beschlossen, als Tulla, der sich erfolgreich weigerte, mit seiner Ingenieurschule nach Heidelberg verwiesen wurde, weil die dortigen Mathematiker auch den Unterricht für die uniformierten Eleven übernehmen sollten [31]. Im Krisenjahr 1848 legte eine besondere Kommission der Lehrerkonferenz eine Reihe von Reformvorschlägen vor, die in der Forderung gipfelten, den Schulcharakter des Polytechnikums abzustreifen und es zur Akademie zu erheben. Wieder wurde die Verlegung nach Heidelberg diskutiert. Die Staatskrise von 1849 legte die Pläne einstweilen auf Eis. Seitdem kriselte es unter den Lehrern nicht weniger als unter den Studenten. Die Professoren schieden sich

30 Karlsruher Zeitung v. 16. 4. 1863 nach *R. Redtenbacher* S. 73 f.

31 *Schnabel*, Festschr. S. 25 f.

deutlich in zwei Gruppen: die älteren wollten, wie es Forstrat Klauprecht ausdrückte, zur „Zufriedenheit des Volkes, der Stände und der Ministerien" „in erster Linie für das Bedürfnis des Landes" „badische Ingenieure", aber nicht „Ingenieure des Universums" heranbilden [32]; die jüngeren dagegen, gepackt von dem Rausch riesenhafter technischer Aufgaben, wünschten ihre Fächer vom schulhaften Zwang und von der bis in die Sachen reichenden staatlichen Aufsicht zu lösen und sie zu echten, freien Wissenschaften zu erheben, die ihr Gesetz aus sich selbst nehmen. Noch während seiner letzten Amtswochen legte Redtenbacher dem Ministerium eine von vielen Studenten unterzeichnete Eingabe vor, in der „die Erhebung des hiesigen Polytechnikums zu einer Hochschule wie der Tat, so auch dem Namen nach" gefordert wurde. „Es sind nicht die veralteten, unzeitgemäßen Privilegien mancher Universitäten, welche wir anstreben, sondern nur die Beseitigung schulmäßiger Vorschriften, die, wenn sie auch durch eine humane Handhabung weniger fühlbar werden, doch unsern Verhältnissen nicht mehr entsprechen." [33]

Es ist doch wohl nicht von ungefähr, daß Redtenbacher in der Sache selbst keine Stellung genommen hat, so wenig im Ganzen an seiner fortschrittlichen Gesinnung zu zweifeln ist. Ein Jahr nach seinem Tode erhob sein Nachfolger im Amt, Franz Grashof, in aller Form die Forderung nach der Gleichstellung der polytechnischen Schulen mit den Universitäten. Das Organisationsstatut von 1865 brachte der Karlsruher Schule die volle Hochschulverfassung mit Selbstverwaltung und Berufungsverfahren und stellte sie den Landesuniversitäten im Range gleich. Immerhin mußte sie noch 20 Jahre warten, bis sie den Namen Technische Hochschule führen durfte. Ohne Redtenbachers Vorarbeit wäre das gewiß nicht möglich gewesen. Ob es auch nach seinem Sinne war: wir sind dessen nicht so sicher. Hatte diese siegreiche Rivalität noch etwas zu tun mit der „Kultur", der „humanen Entwicklung des industriellen Publikums", von der er bei der Besinnung auf die in Karlsruhe vor ihm stehenden Aufgaben gesprochen hatte? War es zu überhören, wenn in der Forderung der Studentenschaft nach dem Hochschulcharakter des Polytechnikums als erstes „unabweisbares Bedürfnis" dafür auf den Umstand hingewiesen wurde, daß andere parallele Anstalten mit derartigen Reformen schon vorausgegangen waren, daß es also galt, gleichzuziehen? In der Tat, mit dem Problem Geist und Technik hatte die volle rechtliche Gleichstellung der Technischen Hochschulen mit den Universitäten kaum etwas zu tun. Sie entsprach auf der Seite der technischen Schulen mit Talaren bei den Professoren und Burschenherrlichkeit bei den Studenten im Grunde einem gesteigerten sozialen Anspruchsdenken. Es war die notwendige Konsequenz aus der Weigerung auf der Seite der traditionellen akademischen Berufe, gerade diejenigen praktischen Wissenschaften, die das äußere Bild der Welt und

32 GLA 235/4073 (9. 2. 1857); 206/910 (20. 6. 1862).
33 GLA 206/910 (16. 6. 1862).

das Zusammenleben der Menschen so tief veränderten, in die denkerische Besinnung und praktische Ausbildung einzubeziehen aus dem Anspruch, allein die Wissenschaft zu besitzen. Vielleicht war es ein Stück Redtenbacherschen Erbes, wenn gerade in Karlsruhe von Lothar Meyer [34] bis Rudolf Plank [35] immer wieder versucht worden ist, zwischen den getrennten Strömen unseres höchsten Bildungswesens Brücken zu schlagen. Die Rückkehr zu dem schlichten Optimismus Redtenbachers ist uns heute versperrt. Wir wissen etwas von der Ohnmacht des Geistes und der Grenzenlosigkeit des technischen Fortschritts. Die Aufgabe ist freilich noch die gleiche, Geist und Wirklichkeit, Geist und Technik zu führen. Wenn wir uns an unserm Teil an dieser Stelle zur Mitarbeit entschließen, dann errichten wir Ferdinand Redtenbacher ein bleibenderes Denkmal, als es je aus Stein oder Erz geschaffen werden kann.

34 *L. Meyer:* Die Zukunft der deutschen Hochschulen und ihrer Vorbildungs-Anstalten (1873).

35 *R. Plank:* Die Techn. Hochschule als geistige Einheit = Karlsruher akad. Reden 8 (1930).

15.

Franz von Roggenbach

Das 19. Jahrhundert, auf dessen Schultern wir stehen, birgt trotz allen gelehrten Fleißes, der daran gewendet wird, immer noch eine Fülle von Problemen für das geschichtliche Verständnis. Das gilt nicht allein im antiquarischen Sinne der engeren Fachwissenschaft, sondern erst recht von jener verstehenden Historie, die auf Besinnung abgestellt ist und darum allein in einer Feierstunde unserer Hochschule das Wort haben kann. * Ordnen und Verbinden im geschichtlichen Raum ist nicht allein ein Spiel der Phantasie, für das die Geschichte den Werkstoff liefert. Sinngebung in diesem Bereich bedeutet verantwortungsvolle Wachsamkeit darüber, daß Gewesenes und Gewordenes Gestalt gewinne: daß es so klar und rein wie möglich in seinem einmaligen Sein erfaßt werde, damit es als Fülle und Kraft in uns eingehe oder als überholt und abgetan, als Last oder Verhängnis ausgesondert werde. Zwiesprache entsteht immer nur da, wo jeder Partner mit seinem Stück Welt sich zur Verfügung hält. Der Historiker verfehlt daher seinen Auftrag, wenn er sich nicht dem Anruf des Vergangenen stellt und prüft, ob solcher Anruf ihn noch erreicht. Seines Amtes ist es, darauf bedacht zu sein, daß das Gewesene, sei es als fortwirkender Impuls, sei es als Überwundenes und Totes, in unser Heute einbezogen werde, damit dies unser eigenes Leben, das vergängliche Stück Dasein, in eine tiefere Dimension hineinwachse und im unendlichen Ablauf der Zeit sich gleichsam verankere. Nur so vermag Geschichte Menschen zu bilden und zu formen.

Unter diesem Blickwinkel soll die Lebensgeschichte des Freiherrn Franz von Roggenbach erzählt werden. Er war ein Mann, der vor weniger als 100 Jahren in dem gleichen Raum wirkte, in dem auch wir leben und arbeiten, ein Staatsmann, aber einer, der nie recht zum Zuge gekommen ist, ein „Staatsmann ohne Staat“, ein Gescheiterter also, ein Mann, der nicht durch seine Taten fortlebt, der auch nie ein Buch oder einen Aufsatz veröffentlicht hat und doch der Erinnerung würdig ist, weil er zu den großen Kritikern seiner Zeit gehörte, ein ferner Freund Jacob Burckhardts in Basel, ein Mann, der stellvertretend für den deutschen Liberalismus des 19. Jahrhunderts steht und dessen Schicksal durchlitten hat [1]. Es wird sich zu erweisen haben, ob er heute noch zu uns spricht.

* Vortrag anläßlich der Jahresfeier der TH Karlsruhe am 28. November 1953.

1 Teile der längst noch nicht vollständig gesammelten Papiere Roggenbachs sind gedruckt bei: *P. Wentzcke:* Aus dem Lager der Besiegten. Briefe Fr. v. R.s aus den

Die Wurzeln dieser Persönlichkeit sind tief in den Traditionen des südwestdeutschen Raumes verankert. Bis ins 13. Jahrhundert lassen sich die Roggenbach als Dienstmannen der Herzöge von Zähringen nachweisen. Der 30jährige Krieg verschlug sie nach Basel. Neben zahlreichen geistlichen und weltlichen Würdenträgern am Oberrhein stellte die Familie dieser Stadt mehrere Fürstbischöfe. Der Vater Franz von Roggenbachs war österreichischer, später badischer Offizier, der noch gegen Napoleon gestritten hat. In Mannheim, seiner Garnison, wurde 1825 sein Sohn Franz geboren. Während der Schulzeit in der wirtschaftlich aufstrebenden Stadt wuchs der junge Adlige in die spezifische freiheitliche Atmosphäre des badischen Bürgertums und seiner Beamtenschaft hinein. Das Studium der Rechtswissenschaft vornehmlich in Heidelberg — für ein Jahr ging Roggenbach nach Berlin — legte den Grund zu seinen liberalen und nationalen Anschauungen. Friedrich Christoph Schlosser, der Historiker mit den strengen, an Kant geschulten moralischen Grundsätzen, einer der geistigen Bildner des süddeutschen Bürgertums, war von nachhaltigem Einfluß auf seine Entwicklung. Schlosser erfüllte seine Hörer mit Abneigung und Mißtrauen gegen jede noch nicht überwundene absolutistische Staatsführung, die die freie Entfaltung der Einzelpersönlichkeit beschnitt. In einem der frühen Briefe Roggenbachs an den Heidelberger Freund Julius Jolly bezeugt er selbst dieses Erbe: „Ich kann nicht glauben, habe es nie in der Geschichte gesehen und finde es mit dem Begriffe einer moralischen Ordnung in der Welt schlechthin unvereinbar, daß eine neue Zeit auf etwas anderes gegründet werden könnte, als auf den Anspruch des ewigen Rechtes der Menschheit, der Freiheit und Selbständigkeit des Individuums, der Geltung des gesunden Menschenverstandes gegenüber dem geschriebenen formellen Rechte der Willkür und dem herrschend gewordenen, mit Gewalt gehaltenen Vorurteile“ [2]. An solchen Überzeugungen hat Roggenbach sein Leben lang festgehalten. Ludwig Häusser und sein Kreis, der einzige Süddeutsche unter

Herbsttagen der deutschen Einheitsbewegung. In: Dt. Rev. 46, 1.2 (1921); *J. Heyderhoff* u. *P. Wentzcke:* Deutscher Liberalismus im Zeitalter Bismarcks, Bd. 1 (1925); *H. Oncken:* Großherzog Friedrich v. Baden u. die deutsche Politik von 1854—71, 2 Bde. (1927); *J. Heyderhoff:* Fr. v. R. u. Julius Jolly. Politischer Briefwechsel 1848—82. In: Zs. f. Gesch. d. Oberrheins NF 47, 48 (1934, 1935); *ders.:* Im Ring der Gegner Bismarcks. Denkschriften u. politischer Briefwechsel Fr. v. R.s mit Kaiserin Augusta u. Albrecht v. Stosch 1865—96 (2. Aufl. 1943); *W. P. Fuchs:* Zur Bismarckkritik F. v. R.s. Vier Denkschriften an Kaiserin Augusta. In: Die Welt als Geschichte 10 (1950) S. 39—55. — Von älteren Darstellungen nenne ich: *K. Samwer:* Zur Erinnerung an Fr. v. R. (1909); *W. Andreas:* Fr. v. R. Ein badischer Staatsmann der Reichsgründungsjahre. In: Kämpfe um Volk und Reich (1934); *E.-M. Dahlkötter:* Fr. v. R.s politische Zeitkritik. Diss. (Masch.) Göttingen 1951. — Meine Darstellung beruht im wesentlichen auf eigenen Studien im Bad. Generallandesarchiv Karlsruhe (GLA) u. im Großherzogl. Familienarchiv (im GLA).

2 10. 7. 1850, Zs. f. Gesch. d. Oberrheins 47 S. 103.

den kleindeutschen Historikern, weckte das Ideal der politischen Einheit Deutschlands, das er sich nur unter preußischer Führung vorstellen konnte. Roggenbach, den es von Anfang an zur politischen Wirksamkeit, nicht zur theoretischen Erkenntnis drängte, hielt die historischen und philosophischen Studien für eine unabdingbare Vorstufe zu allem künftigen Handeln. Wie ernst er es mit der Theorie neben seiner engeren Fachausbildung nahm, bezeugt er selbst: „Nicht auf diesem langweiligen historischen Wege kann man zum Verständnis seiner Zeit und ihrer Bedürfnisse gelangen, nur so zu jener Einsicht, deren Mangel ich so oft in unsern Gesprächen den Leitern der Bewegung in Deutschland vorgeworfen habe. Freilich nennt man dies hernach „Instinkt der Masse" und freut sich darüber. Ich meinerseits will mein Leben, und wäre es aus reiner Caprice, daran setzen, nicht instinktmäßig zu führen, sondern bewußt den sicheren erkannten Weg zu gehen. Wenn die Masse dann instinktmäßig folgt, dann desto besser." [3] Starke intellektuelle Rechtschaffenheit, Bedürfnis nach gedanklicher Klarheit vor allem bloßen Tun, aber auch tugendstolzer Moralismus sprechen aus diesem Zeugnis. Sie sind für sein ganzes Leben charakteristisch geblieben.

Wenige Wochen nach bestandenem Examen brach die Revolution von 1848 los. Roggenbach glaubte wie viele seiner Zeitgenossen, daß über Nacht ein neues Jahrhundert angebrochen sei. Als Beobachter der Paulskirche eilte er nach Frankfurt, um Zeuge zu sein, wenn ein Stück Geschichte aus der Taufe gehoben wurde. Wieder stehen sehr schnell die Fragen vor dem bloß unbefangenen jugendlichen Idealismus: „Das Alte ist gestürzt", schreibt er, „weil es in sich unhaltbar war, nicht weil es einer bereits fertigen neuen Bildung weichen mußte. Die Rinde ist gewaltsam losgerissen, nicht durch neugebildete, bereits fertige Ringe allmählich verdrängt. Das ist Revolution! Wird der entblößte Raum seine edelsten Säfte verlieren, vielleicht ganz verderben? Wird er schnell genug eine neue schützende Hülle finden, um in ihr ein verjüngtes schöneres Dasein fortzusetzen? Das erste in unserer, wie in jeder revolutionären Bewegung, war das Zerstören. Was wird entstehen? Soll man mit den Optimisten die schönsten Utopien träumen? Oder hat man mehr Ursache, in düsterer Melancholie zu verzweifeln? Nur immerfort zu zerstören und sich dem Wahne hinzugeben, aus den Trümmern erbaue sich von selbst ein Paradies, ist bereits pöbelhafte Roheit und Ignoranz. Es ist ekelhaft und erbärmlich, in schaler Sophistenweisheit den Sturm der Zeit nur dazu zu benutzen, um diesen oder jenen abstrakten Gedanken zu predigen, unbekümmert um die von harter Not bedrängte, hilfsbedürftige Wirklichkeit." [4] Als freiwilliger Sekretär stellte sich Roggenbach dem neuen Reichsministerium des Auswärtigen zur Verfügung. Schon bald überschaute er ernüchtert die Ohnmacht des Parlaments, in dem er trotz aller Intelligenz den „überlegenen Geist" vermißte. „Wie heute die Sachen stehen", schrieb er den Heidelberger Freunden schon gegen

3 An J. Jolly 14. 2. 1848, ebd. S. 84.
4 An J. Jolly 18. 6. 1848, ebd. S. 89.

Ende des Revolutionsjahres, „so erwarte und hoffe ich nichts mehr von der hiesigen Versammlung. Das Höchste, was sie vielleicht geleistet hat, ist außer der Erfahrung das Zusammenbringen des Materials, das [...] für künftige Baumeister bereit liegt.“ [5] Trotz aller Skepsis traf ihn die Ablehnung der deutschen Kaiserkrone durch den preußischen König tief. Unmut und Ekel erfüllten den badischen Legationssekretär in Berlin, als nach drei schweren Jahren voller gescheiterter Hoffnungen der alte Deutsche Bund des Vormärz wieder ins Leben trat.

In dieser ersten großen politischen Enttäuschung seines Lebens erwies sich Roggenbachs kritische Befähigung seiner konstruktiven Begabung überlegen. Die Eindrücke von den Grenzen und dem Versagen des bürgerlichen Parlamentarismus in Deutschland sind für ihn bestimmend geworden. Nach Quittierung des badischen Staatsdienstes lernte er auf Bildungsreisen in Frankreich und England konstitutionelle Verfassungen und Einrichtungen wohl schätzen. Von dem Glauben aber, daß sie in Deutschland durch eine Volksvertretung nach dem Muster der Paulskirche herbeigeführt werden könnten, war keine Rede mehr. Entweder, so meinte er, müßten große nationale Ereignisse die politische Wandlung bringen: darauf ließ sich nicht untätig warten; oder aber die monarchistischen Staatsoberhäupter, trotz ihrer Befangenheit in weithin überlebten Anschauungen, wie die Erfahrung gelehrt hatte, am Ende dem revolutionären Treiben überlegen, mußten allmählich durch unermüdliche, erfahrene, kluge Berater auf die Bahn liberaler Reformen gedrängt werden, aus denen sich in logischer Konsequenz die deutsche Einheit entwickeln konnte. In London lernte Roggenbach den älteren Baron von Stockmar, den geistigen Mentor des Königs Leopold von Belgien, als Berater des Prinzgemahls Albert kennen und verehren. Ohne amtliche Verantwortung riet dieser Mann still und unauffällig, gleichsam aus der Kulisse des Weltgeschehens heraus, und übte über die Coburger Verwandtschaft des englischen Königspaares an den Höfen von London, Brüssel, Lissabon und in Deutschland durch seinen Rat nachhaltigen Einfluß aus. Er wurde für Roggenbach das Vorbild einer politischen Wirksamkeit, wie sie seinem Ingenium entsprach. Der junge Aristokrat von gewinnendem Wesen verstand es, sich ohne Schwierigkeit auf höfischem Parkett zu bewegen. In Berlin hatte er bereits während der Revolutionsjahre die Bekanntschaft des Prinzen Wilhelm von Preußen, vor allem seiner sensiblen Gemahlin Augusta, einer weimarischen Prinzessin, gemacht, die während der Jahre der Reaktion in einer Art von Exil in Koblenz Hof hielten. Die Vermählung ihrer Tochter Luise mit dem Großherzog Friedrich von Baden führte Roggenbach in die Nähe seines eigenen Landesherrn, den er bereits von seinem Studium her kannte. Die Heirat des Prinzen Friedrich Wilhelm von Preußen, des späteren deutschen Kronprinzen und Kaisers Friedrich, mit der Princess Royal von England erfolgte nicht ohne Rücksicht auf die freieren politischen Ideale Westeuropas. Roggenbachs Freundschaft mit dem Fürsten

5 An J. Jolly 24. 12. 1848, ebd. S. 93.

zu Wied und dessen Gattin Marie schuf ihm Verbindungen nach Nassau, Oldenburg, Weimar, Coburg, ja über die Grenzen Deutschlands hinweg nach Schweden und Rumänien. Diese liberale Fürstengruppe war gewiß heterogen zusammengesetzt. Aber in einigen Vorstellungen war sie sich doch einig: negativ in der Überzeugung, daß man sich nicht im partikularistischen Denken erschöpfen dürfe; positiv in dem Willen, daß man sich, ohne sich damit an eine bestimmte Partei zu binden, mit gewissen liberalen und nationalen Vorstellungen verbünden müsse, wie sie in breiten Schichten des deutschen Bürgertums lebendig waren. Roggenbach wurde einer ihrer Mittelsmänner. Was sich hier anbahnte, erscheint wie ein zeitgemäßer Rückgriff auf die Kabinettsregierung des 18. Jahrhunderts. Ihre höchst einflußreichen, jeder öffentlichen Kontrolle entzogenen geheimen Räte gewinnen in der Persönlichkeit des Fürstenmentors Roggenbach aufs neue Gestalt, freilich mit dem wesentlichen Unterschied, daß jetzt weder absolutistische Herrscher den Ausschlag gaben, noch der Ratgeber ein offizielles Amt inne hatte. Roggenbach neigte von Natur nicht zur Verehrung von Menschen. Auch von den politischen Einsichten der deutschen Fürsten hatte er keine übertriebenen Vorstellungen. Daß aber die konstitutionelle Monarchie bei der Heraufführung eines liberalen und nationalen Staates in Deutschland eine entscheidende Rolle zu spielen hatte, darüber war er nie im Zweifel. Sein ungebrochener Glaube an die Macht des Ratens und Überzeugens, an Vernunft und Einsicht auch im politischen Raum, wenn es galt, einen Gedanken in die Wirklichkeit zu zwingen, charakterisiert ihn als Kind des idealistischen Zeitalters. Ohne sie direkt zu suchen, bot sich dem jungen Edelmann durch seine fürstlichen Freundschaften die Möglichkeit, auf einen Kreis zum Handeln berufener Staatsmänner Einfluß zu nehmen im Sinne seiner eigenen Überzeugungen. Es wäre abwegig, hier Winkelzüge eines intriganten Charakters zu vermuten. An der Lauterkeit seiner Absichten besteht nicht der leiseste Zweifel. Sein Besitz in Schopfheim und am Rhein gestattete ihm ein unabhängiges Leben. So war er nie auf amtliche Bindungen angewiesen und konnte seine Ratschläge erteilen, ohne ängstlich Rücksichten nehmen zu müssen.

Roggenbachs Einflußnahme ergab sich aus dem Umstand, daß der fast gleichaltrige Friedrich von Baden, seit 1856 Großherzog, ihn als seinen persönlichen Berater an sich zog. Die Regentschaft des Prinzen Wilhelm von Preußen eröffnete zwei Jahre später mit der Neuen Ära die Erwartung, daß der mächtigste und zukunftsreichste deutsche Staat liberalen Grundsätzen gewonnen und neue Impulse in Richtung auf den nationalen Einheitsstaat entwickeln werde. Dem Lärm des Nationalvereins hielt sich Roggenbach fern, nachdem der französisch-österreichische Krieg in Oberitalien die Blicke aller Patrioten vergeblich auf Preußen gerichtet hatte, ob es seiner Pflicht als Bundesgenosse gegenüber dem bedrängten Österreich genügen werde. In der Stille der Insel Mainau wurden zwischen dem Großherzog und seinem Mentor die bis in letzte Einzelheiten durchdachten Pläne für eine Reform der deutschen Bundesverfassung festgelegt, die ihre Hilflosigkeit in den Stürmen der Zeit soeben wieder so eindrucksvoll bewiesen hatte. Der Grundgedanke des von Roggenbach konzipierten Planes war, die Rivalität der beiden deutschen Großmächte zu beenden, Österreich endgültig aus den „Vereinigten Staaten von Deutschland" zu entlassen und durch eine Garantie seines gesamten Besitzstandes zu entschädigen, Preußen aber dadurch, daß es die Führung des neuen Zusammenschlusses übernahm, wieder stärker an seine nationale Aufgabe heranzuführen. Der auf Einsicht, Vernunft und Überredung aufgebaute Plan war mehr als eine bloße Reißbrettarbeit. Seine beiden Urheber rechneten nicht damit, die Zustimmung der deutschen Bundesgenossen sofort zu gewinnen. Höchst charakteristisch war das Projekt dadurch, daß es als diplomatische Aktion ohne Mitwirkung der breiten nationalen Bewegung konzipiert war. Über die fürstliche Initiative gegenüber der allzu lauten, von außen drängenden öffentlichen Agitation heißt es in einem von Roggenbachs Briefen an den Großherzog: „Nur fester bewußter Wille allein führt [...] die Staaten sicher in schwerer Zeit, und den kraftlosen Spielball überwuchernder Parteien stellt der dar, der es nicht versteht, deren Aufkeimen durch die Mächtigkeit zeitgemäßer Initiative zu hindern und deren Weiterbildung durch besonnene Fähigkeit aufzuhalten. Das feste rettende Steuer verliert derjenige aber hoffnungslos aus den Händen, der nicht mehr aus dem sittlichen Grund seines Innern, aus ewigen Gesetzen und großen Grundsätzen Motiv und Richtmaß seines Handelns herleitet, sondern auf Wollen und Wünschen anderer und gar die Mißgunst erkannter Gegner Rücksicht nimmt." [6] Im Zuge des Reformplanes wurde Roggenbach 1861, 36jährig, zum Präsidenten des Ministeriums des großherzoglichen Hauses und des Äußeren ernannt. Den Ministertitel und das entsprechende Gehalt lehnte er ab.

Unmittelbar voraufgegangen war eine Entscheidung, die in Baden tiefgehende weltanschauliche Gegensätze aufgewühlt hatte: die Ablehnung des Konkordats mit dem Heiligen Stuhl über den seit Jahren schwelenden Konflikt der Regierung mit dem Erzbischof von Freiburg. Roggenbach, selbst liberaler Katholik, hatte sofort den Zusammenhang zwischen der kirchenpolitischen Frage und den nationalstaatlichen Problemen erkannt und dem Großherzog dringend geraten, das von der Regierung bereits abgeschlossene Konkordat an der Zustimmung des Landtages scheitern zu lassen, um die liberale Linie seiner künftigen Staatsführung nicht zu gefährden. Das geschah. Das konservativ-klerikale Ministerium wurde gestürzt. Erst damit war der Weg für Roggenbachs öffentliche Wirksamkeit frei.

Seitdem der Briefwechsel des jungen Ministers mit seinem Fürsten in den wichtigeren Teilen wieder ans Licht getreten ist [7], läßt sich einigermaßen übersehen,

6 An Grhg. Friedrich 13. 2. 1861, Fam.-Arch. 13 Bd. 31 Nr. 26.

7 GLA Geh.Kabinett, Generalia 13, Korr. mit Roggenbach Fasc. 252.
Die von *Oncken* I S. 78 Anm. 1 für verloren gehaltenen Gegenbriefe des Großherzogs

in wie zahllose Geschäfte auch der inneren Verwaltung er tatkräftig eingegriffen hat, wie er alle bloße Routine der Bürokratie überspielte und doch nie seine ethischen Prinzipien aus dem Auge verlor. Dabei ist ihm sein Amt schwer geworden. Sein unabhängiger Geist vermochte sich nur widerstrebend in eine kollegiale Regierungsweise zu finden, in der die Anschauungen seiner Mitarbeiter nicht immer den seinen entsprachen. Weil er auf den Staatssinn der weicheren Süddeutschen keine Häuser baute, erschien ihm die große nationale Aufgabe dauernd gefährdet, wenn die Uneinigkeit im eigenen Hause nur uneinheitliche Regierungsmaßnahmen hervorbrachte. Die „Reformation der Ministerien gegen die in den höchsten Verwaltungsbehörden fortbestehenden Zentren der Desorganisation und der subalternen Willkür" [8] wollte ihm nicht gelingen. Mit den liberalen Freunden Hermann Baumgarten, damals Professor für Geschichte und Literatur am Polytechnikum, Karl Mathy und Julius Jolly, Beamten im Ministerium des Innern, beriet er schwebende Fragen namentlich der deutschen Politik lieber und eindringlicher als mit den Ministern Stabel und Lamey, die großdeutsch dachten. Schon nach eineinhalb Jahren bat er um seinen Abschied. Er wurde abgelehnt. Nach Jahresfrist wünschte er erneut auszuscheiden, als in der Schul- und Kirchenfrage Differenzen auch mit dem fürstlichen Freunde auftraten. Damit war, wie Roggenbach meinte, „ein Punkt berührt, wo ein unerschütterlicher Lebensgrundsatz keine Wahl mehr gegen die Versuchung des eigenen Herzens und Rücksichten läßt, die andern vielleicht von bestimmender Wichtigkeit erscheinen würden." „Meinerseits bin ich vollkommen unfähig, andern als den eigenen Überzeugungen zu folgen, so wie die Grenze des indifferenten Gebietes überschritten wird, welches zu wechselseitiger Nachgiebigkeit für Ermöglichung eines irgend ergiebigen Zusammenarbeitens zugestanden werden muß." [9] Im Oktober 1865 wurde die Trennung vollzogen.

Ausschlaggebend waren für Roggenbach nicht die Probleme der inneren Politik Badens, sondern das völlige Scheitern seiner deutschen Pläne. Schon die Einleitung seiner diplomatischen Aktion hatte sich sehr lange hinausgezögert. Ein vorheriges Einverständnis war weder von König Wilhelm noch von Bismarck, damals noch Gesandter in Petersburg, noch von Wien zu erhalten. Als Baden schließlich mit seinem Reformplan allein vor die Bundesversammlung in Frankfurt trat, bestand wenig Hoffnung mehr auf Realisierung. In Preußen blockierte der Verfassungskonflikt zwischen Parlament und Krone, Bismarcks Regierung ohne ordnungsgemäß bewilligten Staatshaushalt, alle großen Erwar-

fanden sich im Gaylingschen Familienarchiv in Ebnet b. Freiburg. S. K. H. Markgraf Berthold v. Baden und Frau Baronin Elisabeth v. Zur Mühlen danke ich herzlich für die Erlaubnis, diese Papiere einsehen zu dürfen. Eine weitere Auswertung behalte ich mir vor.

8 An Grhg. Friedrich 14. 2. 1863, GLA.

9 Grhg. Friedrich 6. 1. u. 12. 4. 1865, GLA.

tungen auf seine „moralischen Eroberungen" in Deutschland. Bismarcks Schatten liegt seitdem auf Roggenbachs Leben. Er ist nie wieder gewichen. „Der Mann und das System muß schonungslos angegriffen werden" [10]: Unter dieser Devise stärkte Roggenbach den Gesinnungsgenossen den Rücken. Er rief sie zum Kampf gegen den „grundsatzlosen Junker", den „gewissenlosen Menschen" und „waghalsigen Spieler". Bei den Berliner Verwandten versuchte der Großherzog im Verein mit Roggenbach, das Vertrauen in den nach ihrem Urteil tollkühnen und gewalttätigen Minister zu erschüttern, der den Hohenzollern das Schicksal der Stuarts und der Bourbonen bereiten werde. Alles vergeblich. Mit zunehmender Bitterkeit mußte Roggenbach erfahren, daß Preußen unter Bismarcks Führung sich allein von elementaren Großmachtinteressen, nicht aber von wohlgemeinten Idealen leiten ließ. Roggenbachs Reformpläne, mit denen er die Quadratur des Zirkels der deutschen Einheit lösen wollte, waren bundesstaatlich-konstitutionell orientiert. Sie kannten nicht den Gedanken einer preußischen Annexion oder Union als Präzedenzfall der größeren, noch zu schaffenden Einheit. Gerade das war Bismarcks klar vorgegebenes, wenn auch nicht eingestandenes Ziel im Falle Schleswig-Holstein. So mußte der Minister des kleinen Mittelstaates an seinem größeren Gegenspieler scheitern, als er den Versuch unternahm, die nationale Frage durch sein Eintreten für das augustenburgische Erbrecht wieder in Fluß zu bringen. Die Wechsel, die er mit der Übernahme des Ministeramtes ausgestellt hatte, erwiesen sich als nicht einlösbar. Bismarck spottete, er sei „weniger ein Staatsmann als ein Mann von Überzeugungen" [11]. Wie hätte Roggenbach nach so vielen Niederlagen auch nur theoretisch eine Annäherung an Bismarck in Erwägung ziehen können, ohne als Mann starker, unbeugsamer Grundsätze sich selbst, den zunehmenden Widerstand Süddeutschlands gegen Preußen und das beleidigte Rechtsgefühl der Nation zu überspringen? „Der Geist süddeutscher Stämme ist nur zu sehr der Negation zugeneigt, als daß er nicht schon von selbst einer zersetzenden Oppositionskritik mehr Beifall schenken sollte als positiven Programmen, die nur zu leicht an irgend einer Lieblingsidee anstoßen", schrieb er dem Großherzog [12]. Baden war als Plattform einer Wirksamkeit für hochgesteckte deutsche Ziele zu klein, seine Staatsgesinnung zu eng. Darum ging Roggenbach, wenn auch schweren Herzens.

Daß er, eben 40 Jahre alt, schon am Ende seiner Laufbahn als aktiver Staatsmann stand, ahnte er gewiß nicht. Er mochte in der herandrängenden nationalpolitischen Entscheidung mit einem größeren Wirkungsfeld rechnen. Gustav Freytag hatte ihn bereits in den Tagen des preußischen Verfassungskonfliktes als den künftigen deutschen Staatsmann ausgerufen. Aber alle Erwartungen auf

10 An Robert v. Mohl 3. 10. 1863, *Heyderhoff-Wentzcke*, Dt. Liberalismus I S. 118.

11 Zum franz. Gesandten in Berlin Talleyrand 17. 1. 1864, Origines diplomatiques de la guerre de 1870—71 I S. 149.

12 An Grhg. Friedrich 13. 2. 1861, GLA.

die größere Zukunft sind ihm in nichts zerronnen. Bismarck überspielte ihn wie alle seine Freunde. Als sich während der Verhandlungen über die Reichsgründung in Versailles einmal die Schwierigkeiten ins Unübersehbare auftürmten und er selbst den Rücktritt erwog, bezeichnete Bismarck Ende 1870 Roggenbach spontan als seinen Nachfolger. Ein Zeichen, wie er ihn einschätzte. Irgend welche Konsequenzen sind aber aus diesem Gedanken nicht gezogen worden. So ist ihm der Gründer des Reiches in einem ganz persönlichen Sinne zum Schicksal geworden. Roggenbachs Zustimmung zu Bismarcks historischer Leistung war höchstens nur zeitweilig ohne Vorbehalt, meistens aber an Bedingungen gebunden. Die „Wenn" und „Aber" lagen ihm von Natur näher als das uneingeschränkte „Ja".

Seit dem Abschied vom badischen Ministeramt ließen das Wissen um die Größe der nationalen Aufgabe, der Wille zum Wirken und das Entbehren eines konkreten Ansatzes Roggenbach zum leidenschaftlichen Kritiker seiner Zeit werden. Dabei verbanden sich moralischer Tugendstolz, Hang zum logischen Systematisieren und Vorliebe für durchgreifende, vollständige Lösungen, Eigenschaften, die nicht immer mit jenem unbestechlichen Augenmaß für das Mögliche gepaart sind, das den Staatsmann von Instinkt auszeichnet. Wie um einen geheimen Mittelpunkt kreist all seine Kritik um die Persönlichkeit Bismarcks. Die instinktive Abneigung, die er in den Jahren des Konfliktes gegen den „Junker" faßte, hat ihn nie mehr verlassen, ja sie steigerte sich zum bitteren und schließlich zum verzehrenden Haß, der nicht mehr bloß Schwächen erkannte, sondern auf die Länge auch blind machte. Aus der Substanz seines Wesens mißtraute er von Anfang an dem preußischen Ministerpräsidenten wegen „seiner fast doktrinären Abneigung, irgend einen festen Plan für sein politisches Handeln zu fassen" [13]. Die Konstante in den wechselvollen Sprüngen der bismarckschen Politik zu entdecken, war er außerstande. Als der Norddeutsche Bund gegründet wurde, wünschte Roggenbach als Verfechter einer echt föderativen Ordnung eine innere „Neugründung des preußischen Staates", keine Verpreußung Deutschlands. Er konnte es darum nur als „juristische Uniformierungswut" brandmarken, als in den annektierten Gebieten kurzerhand die preußische Verfassung eingeführt wurde. Es ging ihm ganz und gar nicht um Parlamentarisierung um jeden Preis. Seine nationalliberalen Freunde rief er mit harten Worten zurecht, weil sie „mit der Milch englisch-parlamentarischer Grundsätze aufgesäugt", „der herrschenden Strömung auf Parlamentarismus in abgegriffenster Form" zum Siege verhelfen wollten. Er betonte die historische und noch keineswegs erschöpfte Mission des preußischen Königtums, die es nur selber nicht erkannte. „Solange die Krone auf den wichtigsten Staatsgebieten neutral und teilnahmslos, die Minister kindlich unfähig sich beweisen, ist ein Übergreifen der Tendenzen unvermeidlich, welche in eine künstlich zusammengeworfene oder zusammenintegrierte Kammermajorität den Schwerpunkt der Entscheidung staatlicher Dinge verlegt sehen möch-

13 An Königin Augusta 19. 5. 1867, *Heyderhoff*, Ring der Gegner Bismarcks, S. 77.

ten." [14] In den Briefen an die vertrautesten Freunde konkretisieren sich die abstrakten Gedanken in höchst bemerkenswerter Weise. „Ich weiß, was ist", schreibt er an Julius Jolly in Karlsruhe, „und weiß so ziemlich, was fehlt, weiß, wie weit die Auflösung reicht, die das Charakteristische eines Zustandes ist, in dem alle Institution durch die grillenhafte Willkür eines Mannes ersetzt ist, und in welchem sich allmählich alle Werkzeuge zu versagen anfangen, weil er sie alle durch Mißbrauch und Vergewaltigung abgestumpft hat." [15] Als der Reichskanzler 1871/72 an ihn die Anfrage richtete, ob er eine Stellung in Elsaß-Lothringen annehmen würde, antwortete der charakterstarke Mann: „Ew. Durchlaucht haben mit großem Erfolg nach Ihren Gesichtspunkten und Zielen die Einheit des Deutschen Reiches geschaffen. Ich freue mich dessen als deutscher Patriot aus ganzer Seele wie auch an allen Ihren künftigen Erfolgen. Allein Ihre Methode der Geschäftsbehandlung und Mittel und Wege, welche Sie dafür für geeignet halten, sind so durchaus von meiner Art und Weise verschieden, daß ich gänzlich ungeeignet bin, bei derselben tätig und behülflich zu sein. [. . .] Ich werde mit großer Befriedigung auch ferner glückliche Resultate Ihrer Bestrebungen begleiten und alle Ehre davon neidlos Ihnen zufallen sehen".[16] Es kam dann doch noch zur Übernahme eines Staatsamtes: das des Kurators an der neu gegründeten Universität Straßburg. Roggenbachs große Personenkenntnis mag ihn dafür prädestiniert haben. Nach kaum Jahresfrist führte die erste Differenz mit dem Reichskanzler zu seinem Ausscheiden.

Die parlamentarische Tribüne bedeutete für Roggenbach kein adäquates Wirkungsfeld. Die öffentliche Rede wie überhaupt das Wirken im Licht der Öffentlichkeit lag dem Aristokraten nicht. Er zog das persönliche Gespräch, das geschriebene, abgewogene Wort, die unmittelbare Einwirkung auf die Träger der Entscheidung vor. In der badischen Kammer ist er, solange er ihr angehörte, nie hervorgetreten. Sein heimischer Wahlkreis schickte ihn 1868 ins Zollparlament, seit 1848/49 die erste wieder ganz Deutschland umfassende parlamentarische Vertretung, 1871 in den Reichstag. Viel Aufsehen hat er dort nicht gemacht. Seit 1874 ließ er infolge des Kulturkampfes sich nicht wiederwählen. Die Gründung von Zeitungen und Zeitschriften, denen er schon früher nachgedacht hatte, zerschlug sich. Roggenbach wurde Privatmann und blieb es bis an sein Ende.

Die Freiheit von allen nur routinemäßigen Geschäften entband nun erst recht die Kräfte der Kritik. Nicht aus persönlichem Geltungsbedürfnis, auch nicht aus leidenschaftlichem Verlangen nach Macht, sondern aus dem Gefühl tiefer Sorge um Volk und Staat beschritt Roggenbach diesen vor den Augen der Öffentlichkeit verborgenen Weg. Wir vermögen es uns heute kaum noch auszudenken, daß ein erklärter politischer Wille sich damit begnügt haben soll, sich in zahllosen

14 An H. v. Treitschke 12. 2. 1870, *Heyderhoff-Wentzcke,* Dt. Liberalismus I, S. 457 ff.

15 An J. Jolly 26. 5. 1868, Zs. f. Gesch. d. Oberrheins 48 S. 221.

16 An Grhg. Friedrich 10. 12. 1888, GLA.

Briefen und Denkschriften voll Kontemplation und Räsonnement zu erschöpfen. Genau dieser Fall liegt hier vor, und er ist nicht einmal so vereinzelt, wie wir aus unserer heutigen Sicht annehmen möchten.

Immer wieder ist es Bismarck, der Roggenbach zum Gegenteil all seines politischen Denkens und Wollens wird. Da ist zunächst die Person, die ihn herausfordert, „das Spiel kranker Nerven und sporadischer wilder Leidenschaftlichkeit“ [17], die „krankhaft erregte Hand“, „welche die Berserkerwut als regelmäßiges und tägliches Regierungsmittel nach innen und außen gegen Staaten und Personen verwendet“. Vor allem aber ist es die Institution des Kanzleramtes, die seine Kritik nährt. „Aus einem konstitutionellen Minister, der Namens und im Auftrag des Kaisers die Ämter führt, welche er inne hat, ist derselbe ein neben dem Kaiser, auf selbständigem, eigenem Boden stehendes Parteihaupt in der Art des Herzogs von Guise geworden.“ Bismarck habe die Verfassung des Reiches in der Annahme geschaffen, „dieselbe würde seine Machtvollkommenheit möglichst wenig hindern und ihm zugleich bequem sein.“ Seine „monarchische Alleinherrschaft“ sei „nur mit der Würde des karolingischen Majordomus vergleichbar“, „das Kaisertum auf das Niveau des merovingischen Königtums herabgedrückt“. Bismarck scheue sich nicht, die „Sympathien der Völker und der Nachbarn“ „im Bewußtsein eigener Stärke“ in den Dienst der eigenen Machtsteigerung zu stellen. „Daß die Geschicke eines Weltteiles so ganz in die Willkür einzelner weniger irrenden und zum Teil verirrten und verwirrten Köpfe gestellt sind, das bleibt die einzige unzweifelhafte Signatur der zweiten Hälfte des Jahrhunderts.“ Die schlimmsten Konsequenzen habe diese einzigartige Machtstellung, der sich nicht einmal der Monarch entgegenzustellen wage, für die moralische Gesundheit des deutschen Volkes selbst. Aus den turbulenten Erscheinungen der Gründerjahre und des Kulturkampfes gewinnt Roggenbach den zwingenden Eindruck, „daß die Persönlichkeit des Fürsten unfähig ist, Selbständigkeit und Widerstand hinzunehmen.“ Die Folge scheint ihm, daß das deutsche Volk, im Sommer 1870 „einiger, weniger durch Parteiungen gespalten, hingebender an das Staatswohl und mehr erfüllt von dem Wunsche nach Einigung der äußern Form“, heute dastehe „mehr und mehr vom Parteigeist erfaßt, sich von Tag zu Tage von den politischen Aufgaben abwendend und sich den konfessionellen und kirchlichen Tendenzen ihrer eigenen Auffassung gefangen gebend.“ Es ist ihm offenkundig, „wie sehr die Verwilderung des Parteigeistes bereits über das Rechtsgefühl die Oberhand gewonnen hat“, daß wenige „Jahre schwerer Fehler genügt haben, das mühsame Ergebnis einer langen Periode schwerer Prüfungen, treuer Arbeit für Kultur und Humanität, wie es in dem nationalen, von konfessionellen Gegensätzen ungeteilten Einheitsgefühl des deutschen Volkes vorlag und sich nach 1870 in fester Waffenbrüderschaft bewährt

17 Die folgenden Zitate aus den Denkschriften an Kaiserin Augusta, *W. P. Fuchs,* Welt als Geschichte 10 (1950) S. 39—55.

hatte, hoffnungslos und auf Nimmerwiederkehr zu zerstören." Das ist „gerade das Ergebnis, welches Feinde des Reiches wünschen mußten, herbeigeführt durch die Leidenschaftlichkeit des obersten Reichsbeamten." „An der Stelle der Einigung die Spaltung in schlimmster Form". „Innerhalb der Grenzen des so glänzend erstandenen Reiches" haben sich „moralische Abgründe geöffnet." „Für diese Auflösung der sittlichen und rechtlichen Begriffe in weiten Kreisen des wegen seiner Treue und Loyalität seit Jahrtausenden bewährten deutschen Volkes kann nur die Methode eines Regierungssystems verantwortlich gemacht werden, welche revolutionär und destruktiv auf allen Gebieten des nationalen Lebens weder Thron noch Altar geschont, die religiöse Sitte zerstört und in selbstsüchtiger Leidenschaftlichkeit nicht davor gescheut hatte, die Mitglieder der kaiserlichen Familie den gehässigsten Angriffen preiszugeben." Düster ist das Fazit, das in immer neuen Varianten wiederholt wird. Es gellt uns heute in den Ohren, wenn wir Roggenbach hören: „Ging von der Persönlichkeit des Reichskanzlers auch der erste Anstoß zu dem rechts- und menschenverachtenden Verhalten der deutschen Politik aus, die deutsche Nation selbst hat zu laut und zu rückhaltlos derselben zugejubelt und in deren Gewalttätigkeit geschwelgt, als daß sie nicht selbst die Sühne zu geben hätte, die jeder Verschuldung nach ewigem Gesetze folgt und die auch ihr leider nicht erspart bleiben wird."

Dies Bildnis des Reichsgründers, schwarz in schwarz gemalt von einem Manne, an dessen aufrichtigem Patriotismus kein Zweifel besteht, hat unverkennbare Ähnlichkeit mit dem, was namentlich nach den beiden Weltkriegen das Ausland uns oft mit erhobenem Zeigefinger gezeichnet hat. Die Frage, was daran Wahres sei, liegt nicht nur nahe, sie gehört sogar zu den drängendsten Problemen, die uns die politische Geschichte des 19. Jahrhunderts aufgibt. Die motivierte Antwort liegt außerhalb dessen, was in dieser Stunde geleistet werden kann. Es bedeutet keine Vereinfachung, daß Roggenbach mit seiner Kritik keineswegs allein steht. Die „deutschen Whigs", mit denen er zum „Ring der Gegner Bismarcks" gehört, haben ähnliche Anschauungen geteilt, wenn auch nicht bestritten werden soll, daß Roggenbach Töne fand, die nur ihm eigen sind. Auch daran darf erinnert werden, daß aus der Gegnerschaft gegen Bismarck bei ganzen Teilen unseres Volkes — z. B. Zentrum und Sozialdemokratie — Wunden zurückgeblieben sind, die nie vernarbten und dauernde Entfremdung gestiftet haben. Hier nur mit falsch und richtig operieren zu wollen, würde heißen, die Probleme über alles gerechte Maß zu vereinfachen. Soviel muß immerhin gesagt werden: Für den Tieferblickenden ist unverkennbar, daß der Haß Roggenbach für Entscheidendes in der Persönlichkeit Bismarcks blind gemacht hat. Er war gewiß nicht allein jener hemmungslose, nur auf seine persönliche Machtstellung erpichte Opportunist, der „Reichsverderber" und „desorganisierende Geist", als den Roggenbach, darin selbst wieder allzusehr doktrinär, ihn hinstellt. Daß Bismarck seine tiefste Aufgabe im „serviendi consumor" sah, daß er ein inneres Gesetz besaß, das ihm Maß und Richtschnur gab, ist Roggenbach bis zur grotesken

Verzerrung entgangen. Und doch vermag das Auge des Hasses in vielem tiefer zu sehen als Begeisterung aus dem Gleichklang der Herzen oder gar bloße Konvention. Es steht außer Frage, daß erst schmerzliche eigene Erfahrungen uns Gefahren des bismarckschen Wesens und Regiments haben erkennen lassen, auf die Roggenbach schon frühzeitig den Finger gelegt hat. Die Frage spitzt sich uns zu nach der inneren Berechtigung der Kritik im Gefüge des modernen Staates. Um seiner eigenen Gesundheit willen kann und darf er nicht darauf verzichten. In dieser Hinsicht hat Roggenbach gewisse Züge mit Jacob Burckhardt gemeinsam, den er hin und wieder in Basel traf und dessen Briefe, etwa an den Karlsruher Friedrich von Preen, aus viel größerer Distanz und erst recht bar jeden persönlichen Ehrgeizes doch in vielem voll politischer Weisheit und prophetischer Weitsicht sind, die uns heute erst recht verständlich erscheinen. Beider Geschäft war gewiß nicht die vorwärts drängende Tat. Aber ihr Grübeln über den Lauf der Zeit, ihr Rufen und Warnen ist, weil aus einem tiefen Verantwortungsbewußtsein gespeist, als ständige und notwendige Begleitmusik von den Handelnden nicht mehr zu trennen. Es ist um so unentbehrlicher, als Selbstkritik im aktiven wie im passiven Sinne nie zu den Stärken des deutschen Charakters gehört hat.

Roggenbach ist von dem stillen Basler Gelehrten durch eine Welt getrennt, auch dadurch, daß er nicht auf unmittelbare Wirkung verzichten konnte. Aus seinem „Dachsbau“, dem Wiesengut Ehnerfahrnau bei Schopfheim oder seinem Besitz Segenhaus in der Nähe der befreundeten und verwitweten Fürstin zu Wied, hielt Roggenbach die Verbindung mit den Freunden, von denen die meisten dem politischen Geschehen sehr viel näher standen als er selbst. Die Rolle des Fürstenmentors war mit der Gründung des Reiches noch nicht zu Ende. Zusammen mit dem Großherzog von Baden, der seinen „Herzensminister“ nur ungern hatte gehen lassen, gab er lange den Versuch nicht auf, über die Kaiserin Augusta und den Kronprinzen auf den Kaiser einzuwirken, um Bismarck zu paralysieren. Praktisch spielte sich das so ab, daß die Kaiserin, eine sehr ehrgeizige und temperamentvolle Gegnerin des Kanzlers, ihre Urlaubsreisen an den Rhein, nach Baden-Baden, Karlsruhe oder Mainau dazu benutzte, ihrem Gatten umfangreiche Briefe zu den aktuellen politischen Ereignissen zu schreiben. Sie durfte sicher sein, daß sie während ihrer Abwesenheit auch gelesen und nicht wie ihre täglichen mündlichen Vorträge nur zu oft von dringenderen Geschäften beiseite geschoben wurden. Für zahlreiche dieser Briefe lieferte Roggenbach das Konzept, das oft von der Kaiserin für den Empfänger eigenhändig umgeschrieben wurde. Aber alle diese Versuche politischer Einflußnahme scheiterten. Mit vollendeter Güte und Geduld ließ der alte Kaiser die Expektorationen der politisierenden Gattin über sich ergehen, ohne ihnen die geringste Einwirkung zu gestatten. Er war viel zu sehr in eine Art Vasallentreue zu seinem Kanzler hineingewachsen, um weiblichen Einflüsterungen Raum zu geben. Sie scheiterten nicht weniger an Bismarck selbst. In seiner plastischen Ausdrucksweise wetterte er gegen die Politik des „Harems“ und der „Unterröcke“. Diese

Nebenregierung trug nicht wie er die ganze Last der Verantwortung, sie war nur ungenügend unterrichtet und daher nach seiner Meinung zum Raten nicht befugt. Er scheute sich nicht, sie durch seine Presse, die „Reptilien", öffentlich angreifen zu lassen.

Ganz besondere Hoffnungen setzte Roggenbach, wie alle Liberalen, auf den Kronprinzen und seine Gemahlin. Ihre freiere und oppositionelle Gesinnung war kein Geheimnis. 1866 rief ihn der siegreiche Heerführer zu den Verhandlungen mit den Österreichern nach Nikolsburg, 1870/71 in sein Hauptquartier nach Versailles [18]. Doch hatte er ebenso wenig entscheidenden Einfluß wie der Kronprinz selbst. Bismarcks Wille war der entscheidende. So ist der Frondeur zwangsläufig in seine Rolle hineingezogen worden. In dem Jahrzehnt, das der Reichsgründung folgte, dürfte er noch eine stille Hoffnung gehegt haben, doch noch einmal zum Zuge zu kommen. Niemals hat er sich selbst angeboten oder etwas unternommen, um die Aufmerksamkeit auf sich zu lenken. Aber mit seiner breit angelegten Orientierung über alle inneren und äußeren Probleme und seiner dezidierten Meinung dazu stand er dauernd auf dem Sprunge. Erst seit Beginn der 80er Jahre etwa scheint er endgültig mit keiner aktiven Verwendung mehr gerechnet zu haben. Es mehrten sich seine Zweifel, ob der zukünftige Herr, der so lange auf seine Regierung warten mußte, innerlich gefestigt genug war, seine „wichtigste Aufgabe" als Nachfolger Wilhelms I. zu erfüllen, „die Reichskanzlerwürde im Interesse der Dynastie zu sprengen." [19] Als eine längere Krankheit des alten Kaisers 1885 es wahrscheinlich machte, daß die so sehnlich erwartete Zeit der eigenen Verantwortung für den Thronfolger vielleicht nicht mehr fern sei, erhielt Roggenbach den Auftrag, im tiefsten Geheimnis die für den Regierungsantritt erforderlichen Proklamationen vorzubereiten. Sie sind später nicht einmal verwertet worden. Die lange Regierungszeit des alten Kaisers gab Bismarck Gelegenheit, seine Stellung immer fester auch institutionell zu verankern. Um den Einfluß der Kronprinzenpartei auszuschalten, in dem er zu viele englische Ratschläge argwöhnte, sorgte er planmäßig dafür, daß der Thronfolger auf repräsentative Aufgaben beschränkt blieb und von den wirklichen Staatsgeschäften ferngehalten wurde. Mit Wehmut stellte Roggenbach fest, daß der zukünftige hohe Herr wie so manche seiner Gesinnungsfreunde schließlich aus Schwäche und Unfähigkeit, sich zu behaupten, ins bismarcksche Lager abschwenkte. Als endlich 1888 die entscheidende Stunde schlug, war der Kronprinz ein vom Tode gezeichneter Mann. Er durfte nicht mehr daran denken, in der kurzen Zeit, die ihm noch zu leben blieb, tief eingreifende Veränderungen in der Staatsführung vorzunehmen, vor allem nicht daran, sich von Bis-

18 Roggenbachs Ratschläge zeichnen sich z. T. durch beispiellose Kühnheit (*E. Schröder:* Albrecht v. Stosch [1939] S. 31. 107), z. T. durch groteske und darum gefährliche Verkennung der Situation aus (Kaiser Friedrich III. Das Kriegstagebuch von 1870/71, hg. v. *H. O. Meisner* [1926] S. 431 ff.).

19 An Kaiserin Augusta (Ende 1874), *Fuchs,* Welt als Geschichte 10 S. 43.

marck zu trennen. Auch Roggenbach erkannte und billigte diese Zwangslage. Dem jungen Kaiser Wilhelm II., dem er noch in tagelangen Gesprächen in San Remo eine Brücke zu den entfremdeten Eltern baute, bezeichnete er es sogar als besonderes Glück, daß bei den rasch aufeinanderfolgenden Thronwechseln der Kanzler wenigstens die so notwendige Tradition aufrecht erhielt.

Bismarck kannte natürlich längst seinen Feind. Unmittelbar nach dem Tode Kaiser Friedrichs fand er Gelegenheit, vernichtend zuzuschlagen. Der Straßburger Staatsrechtler Geffcken hatte, zunächst anonym, aus dem geheimen Kriegstagebuch des damaligen Kronprinzen Auszüge über die schwierigen Verhandlungen namentlich mit den süddeutschen Bundesgenossen 1870 veröffentlicht. Der Kanzler hielt es nicht allein für eine grobe Indiskretion, sondern auch für eine ernste Gefährdung für die Einheit des Reiches. In dem anschließenden Landesverratsprozeß wurden bei dem Angeklagten auch Papiere Roggenbachs gefunden. Aus ihnen ging hervor, daß die Fronde — Bismarck nannte sie „Ratgeber zweifelhafter Befähigung" — wiederum wie schon bei Kaiser Friedrich nach Einfluß bei dem Sohne strebte, um (mit Roggenbachs Worten) „in dem noch jugendlichen Kaiser die weitesten, zur größten Herrscherleistung allein fähig machenden politischen und historischen Gesichtspunkte und Horizonte zu entwickeln[20]". Roggenbachs Papiere wurden in Ehnerfahrnau in Abwesenheit des Hausherrn durchsucht. Das Gericht fand freilich keinen Anlaß zum Einschreiten, Geffcken wurde freigesprochen. Der aufgebrachte und nervöse Kanzler rächte sich, indem er nach ergangenem Urteil die Anklageschrift mit Auszügen aus Roggenbachs Briefen veröffentlichen ließ, ohne ihm die Möglichkeit der Rechtfertigung einzuräumen, wie es billig gewesen wäre. Ein gewiß ungewöhnliches, willkürliches Verfahren, das in der gesamten deutschen wie ausländischen Öffentlichkeit einmütige Ablehnung erfuhr und, wie Roggenbach mit Recht feststellte, dem Kanzler selbst mehr schadete als ihm, Roggenbach. Bismarck wollte, daran war kein Zweifel, die überlebenden liberalen Freunde des toten Kaisers treffen und ihnen eindringlich zu Gemüte führen, daß ihre Zeit ganz und gar vorbei sei. „Die guten Freunde", so urteilte er im Gespräch, „waren Mißvergnügte, Streber und Intriganten, Leute, die sich zu großen Dingen berufen fühlten, die es besser wußten und konnten als die Regierung, die gerne mitgetan hätten, aber nicht durften, es waren verkannte Talente, sitzen geblieben und kalt gestellt, [...] politische Winkelkonsulenten oder Pfuschdoktoren."[21]

Roggenbach, der einsame Junggeselle im Schwarzwald, wurde nun noch einsamer als bisher schon. Nur noch mit den nächsten Freunden stand er im Gedankenaustausch. Als der junge Kaiser 1890 den großen Kanzler entließ und damit

20 An Grhg. Friedrich 10. 11. 1888, *Heyderhoff*, Ring der Gegner Bismarcks, S. 300. Zum Folgenden vgl. *G. Beyerhaus:* Bismarck u. Kaiser Friedrichs Tagebuch. In: Festschrift A. Schulte (1927) S. 314 ff.

21 Gespräch mit Moritz Busch 10. 2. 1889, Bismarcks ges. Werke VIII S. 652.

wahr machte, was Roggenbach seit den Jahren des preußischen Verfassungskonfliktes sehnlichst erstrebt hatte, spielte er dabei weder eine Rolle, noch wurde er um seinen Rat gefragt. Kein Wort der Anerkennung für das Geleistete kam über seine Lippen. Sein Blick war allein vorwärts gerichtet, wie weiter regiert werden sollte. Roggenbachs Rat wurde dazu nicht mehr benötigt. Seine Stimme verhallte im Leeren, so scharf er auch die Stationen der deutschen Politik im einzelnen profilierte. Sein Schmerz entzündete sich an zwei Feststellungen, auf die er sein Leben lang unermüdlich hingewiesen hatte: einmal am Versagen der Nation, die „aus sich heraus, wie sie seit zwei Jahrtausenden bewiesen hat, absolut unfähig ist, einen politischen Organismus zu schaffen oder zu ertragen, der an sie den Anspruch der selbständigen Mitwirkung in Gesetzgebung und Regiment macht unter Achtung und Wahrung des Rechtes und der Freiheit anders denkender Mitbürger“ [22]; zum andern am Fehlen eines einheitlichen Willens in der Zentrale, der imstande war, die zu bloßen Interessenvertretungen herabgesunkenen Parteien wieder an die großen Fragen des staatlichen Zusammenlebens heranzuführen in dem Augenblick, wo Deutschland aus der traditionellen Kontinentalpolitik hinaustrat in den Kreis der Mächte, deren Wirkungsfeld die Welt werden sollte. Von Wilhelm II., dem er gerne ein Mentor geworden wäre, weil er ihn kannte, erwartete er weniger Pflichtbewußtsein und Willen, als vielmehr „höchst gesteigertes Selbstgefühl mit einer ungewöhnlichen Dosis Eitelkeit“.[23] Zu seinem eigenen Kummer bestätigten sich seine Befürchtungen sehr bald schon. Es war keine Zeit mehr, darauf zu warten, bis sich diese Fehler von selbst korrigierten. Eine dunkle Stimme voll tiefer Sorge, ja Pessimismus sind diese späten Briefe über die Rätsel der sozialen Probleme und die deutschen Irrfahrten im Nebelmeer der Weltpolitik. Schon im neuen Jahrhundert schrieb er dem alten Großherzog, dem einzigen, der ihm von seinen fürstlichen Freunden geblieben war: „Der Ernst der Zeit, durch die wir in Deutschland gehen, ist leider unverkennbar, und es ist nicht leicht, geeignete Elemente der Hoffnung auf eine glückliche Zukunft aus den unerfreulichen Krisen der Gegenwart auszuscheiden. Indessen ist das „nunquam de patria desperari“ vor allem für die Glieder einer abscheidenden Generation am Platze, die sich unaufhörlich sagen müssen, daß die Zukunft dem jungen Geschlechte gehört, dessen Denk- und Gefühlsweise eine andere ist, und daß uns nicht zusteht zu verurteilen, was wir kaum mehr verstehen und gewiß nicht in seinen Folgen zu scheuen und wohl auch zu büßen haben werden.“ [24] Bis zuletzt bekannte sich Franz von Roggenbach zu dem Grundsatz: „Das Leben des einzelnen hat nur Wert, wenn es im Dienste der Nebenmenschen nützlich verwendet wird.“ [25] Im Großen zu wirken war ihm ver-

22 An Stosch 4. 3. 1890, *Heyderhoff,* Ring der Gegner Bismarcks, S. 346.
23 An Stosch 10. 6. 1890, ebd. S. 352.
24 An Grhg. Friedrich 28. 11. 1902, GLA.
25 12. 4. 1905, *Samwer* S. 177.

sagt. Über den Erfolg seines eigenen Lebens dachte er höchst bescheiden: „Ich habe im besten Falle von einem mehr oder weniger günstigen Parterresitze dem wechselnden Schaustück meiner Zeit und ihrer Begebenheiten zugesehen und nur ganz wenig in dieselben mit handelndem Einflusse eingegriffen. Keineswegs bin ich der Versuchung ausgesetzt, letzteren zu überschätzen und ihm die geringste Wichtigkeit beizulegen." [26] 1907 schloß der Mahner und Warner in Freiburg für immer die Augen.

Zu mahnen und zu warnen ist Roggenbachs eigentliche Aufgabe geworden, als ihm das Leben über dem Warten auf den konkreten Einsatz verrann. Mit den Jahren blieb er nicht frei von Bitterkeit; er resignierte. Der Blick auf die negativen Seiten des Daseins war wohl kräftiger in ihm ausgebildet als der für die positiven. Die Zukunft erschien ihm meistens in düsteren Farben. Man macht es sich zu leicht, wenn man unterstellt, nur der verhinderte Täter habe sich mit seiner Kritik einen Ausweg gesucht und so sich gerächt. Die naheliegende Charakterisierung „tatenarm und gedankenvoll" reicht hier nicht aus. Die Wurzeln liegen tiefer. Seine Kritik ist ein echtes Vermächtnis.

Roggenbach ging es bei all seiner Kritik im Grunde um Bismarck. Wie ein eratischer Block lag er in seinem Lebensweg. Ihn zu bewältigen so oder so, ist ihm nicht gelungen. Er blieb ihm von Natur und Wesen fremd. Es ist das Geheimnis der großen Persönlichkeit, daß sie zur Entscheidung aufruft. Roggenbach hat sich eindeutig gegen Bismarck entschieden, ohne daran je irre zu werden. Er blieb ihm der böse Geist der deutschen Politik.

Eine grundlegende Polarität der deutschen Geschichte kommt in diesen beiden Männern zum Austrag. Bismarck stammte aus norddeutsch-kolonialem Boden. Seine Persönlichkeit fand ihre höchste Würde und vollkommenste Ausbildung im Dienste dieses Staates. Seit Friedrich dem Großen gehörte er zu den europäischen Mächten. Vor Napoleon hatte er sich tief beugen müssen. Aber dann hatte er mit seinem Widerstand ganz Deutschland hinter sich hergezogen. Damit wurde er zum Kristallisationspunkt deutscher Staatlichkeit, als der Gedanke des Nationalstaates bei uns Raum gewann. — Roggenbach stammte aus der Südwestecke des alten Reiches, dem Gebiet ältester deutscher Kultur zwar, zugleich aber auch klassischer staatlicher Zersplitterung. Staatliches Denken hatte hier stets Mühe gehabt, sich vom Einzelnen, Kleinsten zu lösen. Lebensfähige selbständige Gebilde zu konstruieren, war ihm nie gelungen. Erst der napoleonische Eingriff von außen hatte Ordnung in diese Ländermasse gebracht. Der badische Staat, auf dem Verordnungswege entstanden, war in seinem Beginn eine Schöpfung ohne eigene prägende Kraft. Sie stellte sich erst ein, als er sich den westlichen liberalen Ideen von Freiheit und Würde der Persönlichkeit öffnete. Sie waren in einem Lande, das nie selbständig, aus eigenem Impuls Handelnder gewesen war, dem bestehenden Zustande verhältnismäßig kongenial,

26 10. 10. 1904, *Samwer* S. 183.

während sie für den norddeutschen, schwer sich emporkämpfenden Staat eine andere Welt darstellten. Während Preußen noch Jahrzehnte lang absolutistisch regiert wurde, nahm das Musterland Baden mit seinem Verfassungsleben bereits das liberale Erziehungswerk an seinen Staatsbürgern in Angriff. Es ist unverkennbar, daß der Gegensatz zwischen nord- und süddeutscher staatlicher Struktur in den Antipoden Bismarck und Roggenbach Gestalt angenommen und es ihnen unmöglich gemacht hat, zueinander zu finden.

Dazu kommt beider konkrete politische Erfahrung. Sie bestand bei Roggenbach in der Revolution von 1848. Nach seiner Deutung der Ereignisse war damit erwiesen, daß der nationale Staat nicht von unten nach oben auf dem Wege der Parlamentarisierung wachsen konnte. Dafür erschien ihm das deutsche Volk nicht reif genug. Es reif zu machen, war die Aufgabe, die er seinen Regierungen zuwies. In zunächst begrenzten, historisch gegebenen Räumen sollte jede gleichsam Übungsfelder des liberalen Geistes entwickeln. Falls sich auch das führende Preußen an dieser Aufgabe beteiligte, hatte er keine Sorge, daß aus den Teilen langsam der größere Verband zusammenwachsen werde. Wider alles Werben und Erwarten beteiligte sich Preußen aber nicht. Im Gegenteil, im Verfassungskonflikt gebärdete es sich absolutistischer und autoritärer denn je, und Bismarcks Stellung als Reichskanzler schien Roggenbach im Grunde nichts anderes als die Fortsetzung dieses Verhaltens. Mit diesem Fehler in seiner Rechnung ist Roggenbach im Grunde nie fertig geworden. Dazu kam ein weiterer. Er lag in der von ihm selbst erprobten Unmöglichkeit, innerhalb der historisch gegebenen Grenzen Süddeutschlands die liberale Staatlichkeit zu entwickeln, die ihm vorschwebte. Er ist einer der ganz wenigen Männer gewesen, die aus solcher Einsicht die Folgerung zogen: er quittierte den badischen Dienst und konzentrierte seine ganze Kraft auf Preußen. Wider alles Erwarten und Streben entstand aber das Reich, das nach seiner Erwartung staatsbürgerliche Verantwortung, Freiheit und Kultur im nationalen Rahmen erst recht entbinden sollte, nicht durch stetig weiter wachsende moralische Eroberungen, sondern durch Blut und Eisen. Roggenbach hätte sich mit dieser Lösung ausgesöhnt, wenn der neue Staat, das Reich, über Schule und Beamtenschaft sich innerlich wirklich erneuert hätte. Gerade darauf wartete er vergeblich. Die eigene Arbeit auf dieses Ziel hin sah er deswegen an allen Enden gehemmt, weil nach seiner Anschauung Bismarcks persönliche Machtposition die Monarchie an der Entfaltung ihrer erzieherischen Funktion hinderte und das innere Wachstum lähmte. Deshalb war der Kanzler ihm der „zwischen Genialität und Tollheit hin und her taumelnde Führer“, der „das steuer- und kompaßlose Schiff“ Deutschland nicht meisterte, weil die Schiffsmannschaft mit ihrem toll gewordenen Steuermann eitel Götzendienst trieb.[27] Unter diesem Gesichtswinkel hat Roggenbach alle Probleme gesehen, mit denen er sich praktisch auseinanderzusetzen hatte. Der innere Streit, nach

27 An J. R. Helferich 19. 4. 1875, *Heyderhoff*, Ring d. Gegner Bismarcks, S. 163.

seiner Deutung von Bismarck virtuos zur Steigerung seiner Macht mißbraucht, erschien ihm doppelt verhängnisvoll, weil dadurch nicht allein die innere Integration hintangehalten wurde, sondern auch die Gefährdung des nicht zusammenhaltenden Reiches nach außen klar zu Tage trat.

Bismarck dünkte ihn aber nicht der einzige Schuldige an dieser Verwirrung. Ein gerüttelt Maß traf nach seiner Überzeugung seine Helfer und das deutsche Volk selbst. Seinem Freunde, dem General von Stosch, schrieb er: „Die Berliner Staatssophisten [darunter verstand er wohl die Schule von Hegel bis Treitschke] haben so lange das Lied gesungen, daß der Staat das vollkommenste Gebilde sei, welches der menschliche Geist erbauen könne, daß es denselben gleichgültig geworden ist, ob die Individuen dabei zu abgerichteten Maschinen verkümmern. Wir anderen, die umgekehrt den Staat nur dann wohlbestellt halten, wenn derselbe auf menschlich tüchtig entwickelten, zur Freiheit erzogenen und derselben fähigen Individuen mit staatlichem und nationalem Gemeinsinne begründet ist, können und wollen mit diesem System nichts zu tun haben und sagen demselben ein klägliches Ende voraus, sowie entweder der energische Wille fortfällt, dem die armseligen Puppen auf Pfiff und Jagdhieb parieren, oder wenn irgendein ernster Zwischenfall, z. B. eine unglückliche, nicht rasch verlaufende Kampagne dasselbe in die Notwendigkeit versetzt, nicht im Kalkül vorgesehene Hilfe zu beanspruchen." [28] Der erste Weltkrieg schon, sieben Jahre nach Roggenbachs Tode, ist dieser „ernste Zwischenfall" geworden, den das Reich in seiner monarchischen Gestalt nicht überleben sollte. Wer wollte zweifeln, daß uns der süddeutsche Kavalierspolitiker allen Ernstes einen Spiegel vorhält, in dem wir uns heute erst recht zu erkennen vermögen. In der Tat, erst die eigene Erfahrung hat uns zu dem Paradox bereit gemacht, selbst noch im Irrtum nach der bleibenden Wahrheit zu fragen. In der Generation unserer Väter und Großväter hätte man es sicher unpassend empfunden, einem Kritiker des Bismarckreiches eine Stunde der Besinnung zu widmen. Darin liegt der Wandel der Generationen, daß wir es können und sogar wollen, ohne dem Vergangenen seine Würde zu nehmen. Denn dabei wird deutlich, wie Gestern und Heute sich miteinander verzahnen, und wie auch der für das Heute lebt, der sich mit Liebe und Gerechtigkeit, nicht mit Haß und Verachtung um das Verstehen des Gestern bemüht.

28 An Stosch 7. 11. 1883, ebd. S. 223.

16.

Großherzog Friedrich I. von Baden und die Reichspolitik 1871—1879

1.

Großherzog Friedrich von Baden hat im deutschen historischen Bewußtsein seinen festen Platz: Er gehört zu den Paladinen der Reichsgründung, für die, so scheint es, in „Kaiser und Reich“ ihr politisches Dasein und zugleich die deutsche Geschichte sich erfüllten. Seitdem er die Rolle Preußens für das Einigungswerk erkannt hatte, waren seine Anstrengungen, ohne kleinliche Bedingungen zu stellen, ohne sogar die objektiven Schwierigkeiten immer richtig einzuschätzen, auf dieses Ziel gerichtet. So begrenzt in der Rückschau manches von dem erscheint, was er aus eigenem Impuls oder als ausführender Wille seiner Freunde und Berater für die Lösung der deutschen Frage vorgeschlagen und geleistet hat, so wenig darf unterschätzt werden, daß sich tatsächlich unter den deutschen Fürsten seiner Zeit keiner fand, der es an selbstloser, zu persönlichen Opfern bereiter Gesinnung ohne alle Kautelen und an Entschlossenheit zur Überbrückung von Widerständen und Gegensätzen zwischen den Handelnden mit ihm aufgenommen hätte.

Die individuellen Züge dieses statuarischen Monuments, wie es noch heute in der Erinnerung seiner Landsleute steht, zeigen einen urbanen Landesvater, der seinen Rang als regierender Fürst gewiß nicht verleugnete, aber für den Privatgebrauch auch wieder nicht zu viel Aufhebens davon machte, der sich, zwar hoheitsvoll, doch auch ohne höfisches Zeremoniell unter Bürgern bewegte, einen jeden, den danach verlangte, zu festgesetzter Stunde empfing und die vorgetragenen Sorgen sich angelegen sein ließ, liberal in der Grundfarbe, solange man darunter das Streben nach nationaler Einheit verstand, je mehr sie aber ins Parlamentarische sich verfärbte, von durchscheinender konservativer Grundierung, allem Doktrinarismus fremd, lauter in Charakter und Gesinnung, von natürlicher, konventioneller Frömmigkeit und milder Toleranz zugleich, unter seinesgleichen, weil gerecht, aufrichtig und ohne Neigung zur Intrige, der gegebene Vermittler und Vertraute bei menschlichen und politischen Differenzen, der Zuneigung, ja Verehrung seiner Badener sicher, in seiner Reichstreue unbeirrbar und ohne partikulare Aspirationen, angesichts der wirtschaftlichen Prosperität des Landes ein Sinnbild sowohl des gemessenen Fortschritts wie der Dauer der bestehenden Ordnung.

Das Tagebuch, das Großherzog Friedrich 1870/71 im Versailler Hauptquartier im vollen Bewußtsein von der Denkwürdigkeit der erlebten Entscheidungen führte *, offenbart am besten seine Geistesart. Seine Notizen, aufgezeichnet aus einem elementaren Bedürfnis nach Rechenschaft vor sich selbst, zur Weitergabe an die nächsten Vertrauten und später einmal zur Kontrolle seiner Erinnerungen bestimmt, enthalten keine Spur von Überschätzung des eigenen Beitrags zum Geschehen. Bescheiden, der Wahrheit verpflichtet, dankbar für das Geschenk der Zeugenschaft, uneigennützig und doch von sittlichem Ethos und idealistischem Schwung beseelt, berichtet es Tag für Tag von Gesehenem, Gehörtem, Erlebtem. Ohne sich in Vielgeschäftigkeit zu verlieren, ist der Blick fest auf einen Punkt gerichtet, die Schaffung des Kaisertums, weil er in tiefen unbewußten Schichten sicher war, daß die Zeit auf ein solches alle verbindendes sichtbares Symbol nicht verzichten wollte. In allen andern Punkten bleibt der Schreiber dieses Tagebuches ein Mann des zweiten Gliedes. Trotz räumlicher Nähe zu den Entscheidungen zeigt er sich nicht immer aufs beste unterrichtet. Nur zu oft ist er auf Zwischenträger angewiesen, die ihm nur so viel mitteilen, wie sie für sich und ihre Absichten für ratsam halten. Die Aufzeichnungen sind in langen Passagen nur Reflexe auf Ereignisse und Überlegungen, die der Großherzog nicht selbst auslöste. Gleichwohl nehmen diese Notizen noch heute für ihn ein. Da bietet er seine zahllosen persönlichen Beziehungen, seine Verbindlichkeit und seinen Glauben an die von ihm vertretene Sache ohne viele Hintergedanken auf, um zu vermitteln und auszugleichen: zwischen dem herrischen militärischen Ressortgeist in der preußischen Spitze und der fast abweisenden Nüchternheit Bismarcks, der das Ganze übersieht, zwischen dem Eigennutz der Standesgenossen, die gern die Stunde für kleine Vorteile nutzen möchten oder ihr dynastisches Selbstgefühl nicht überwinden können, und der Verpflichtung aller zur rechtzeitigen Erfüllung nationaler Forderungen, bevor Kammermehrheiten und Reichstag sie gebieterisch verlangen. Wo immer Sondergeist sich breitmacht beim preußischen und einzelstaatlichen Partikularismus, in der Armee, in der Bürokratie, in der nationalliberalen Partei, wo menschliche Verkrampfungen, sich kreuzende Interessen sich verhärten wie in den Differenzen zwischen König Wilhelm, dem Kronprinzen, Bismarck und Moltke, wo es gilt, anstehende Entscheidungen nicht in Routine oder Bequemlichkeit untergehen zu lassen, da ist der Großherzog — gerufen oder aus eigenem Antrieb — bereit, gut zuzureden, zu überzeugen, Schwierigkeiten beiseite zu schaffen, gewiß nicht immer erfolgreich, aber selbstlos bemüht, alles nur Persönliche und Abwegige der Forderung des Tages unterzuordnen.

In dem Maße, wie er in die Probleme der Reichsgründung und der politischen Führung hineinwuchs, um so mehr erkannte er ebenso wie sein Minister Jolly

* *Oncken* II S. 159—410.

die Unentbehrlichkeit und das Ingenium des Reichskanzlers [1], des gleichen Mannes, dessen Antipode nach Temperament, Gesinnung und momentaner Taktik er seit dem Verfassungskonflikt in Preußen gewesen war [2]. Gegen Bismarcks Absichten hat der Großherzog in den Versailler Monaten nicht das Geringste unternommen. Die alte Gegnerschaft schien begraben. Die Militärs spotteten über „die Schlachtenbummelei der deutschen Fürsten", die nicht dazu beitrage, „ihre Stellung zu erhöhen". Bronsart von Schellendorf gab die unter Stabsoffizieren gewiß verbreitete Meinung wieder, wenn er in seinem Tagebuch über die Versailler Versammlung kleiner Landesherren schimpfte, die es verschmähten, im Felde bei ihren Truppen zu stehen: Sie „füllten die Hauptquartiere, ängstigten sich und andere Leute, beanspruchten gute Quartiere und waren überall im Wege, stets aber weit davon, wo es knallte. Ihre Völker müssen eigentlich doch der Meinung werden, daß man im Heere und zu Hause ohne sie existieren kann, denn sie fielen an beiden Stellen aus" [3].

Solchem Poltern eines Soldaten, der von der Funktion des badischen Großherzogs nichts wissen konnte, steht allerdings der herzliche Dank gegenüber, den Wilhelm I., Kronprinz Friedrich Wilhelm und auch Bismarck [4] wiederholt für alle Atmosphäre schaffenden Leistungen des Großherzogs aussprachen [5], ein Dank, den Friedrich von Baden nicht ohne Genugtuung verzeichnete [6]. Seine Hilfe beim Zustandekommen des Deutschen Reiches ist eine der letzten großen Leistungen des deutschen Fürstenstandes für den nationalen Staat. Der gebotene Verzicht auf monarchische Eigenrechte ist von ihm allein rechtzeitig, freudig und freiwillig, von allen andern Standesgenossen mit Wenn und Aber verbunden, am Ende notgedrungen, geleistet worden. Die Folgezeit hat weder ihm

1 Jolly in seinen privaten Briefen nach Karlsruhe: „Bismarck ist ein wunderbarer Mann, ganz anders als man nach seinem öffentlichen Auftreten erwarten sollte". Nach einem halbstündigen Besuch war Jolly „von seiner Persönlichkeit entzückt". Später: „ein höchst merkwürdiger Mann, um so anziehender, je öfter man ihn sieht" (*H. Baumgarten* u. *L. Jolly:* Julius Jolly. Ein Lebensbild (1897) S. 185. 196). Vgl. *Oncken* II S. 202 (25. 11. 1870). 252 (15. 12. 1870).

2 Großherzog Friedrich an Heinrich Gelzer 6. 7. 1868: „Ich gestehe Ihnen, daß ich zu der deutschen Politik dieses Mannes [Bismarck] kein Vertrauen mehr habe und daß starke Tatsachen werden reden müssen, bis ich mich überzeugen lasse, daß der Norddeutsche Bund nicht das einzige Ziel seines Strebens war" (*Oncken* II S. 114).

3 Geh. Kriegstagebuch 1870—1871, hg. *P. Rassow* (1954) S. 381 (7. 3. 1871), vgl. S. 418.

4 An seine Frau 21. 1. 1871: „Der Großherzog von Baden ist recht verständig und vermittelnd, aber er ist der Einzige, der mir ab und zu geschäftlich beisteht" (nach *Oncken* II S. 329 Anm. 1).

5 Vgl. *Fuchs,* Ghg. Friedrich I. v. Baden I Nr. 40.

6 *Oncken* II S. 244 (12. 12. 1870), 284 (1. 1. 1871), 331 (21. 2. 1871); vgl. *Fuchs,* Ghg. Friedrich I. v. Baden I Nr. 40.

noch einem anderen Vertreter seines Standes ein zweitesmal eine gleiche Chance geboten, sich für das nationale Ganze in ähnlicher Weise verdient zu machen. Dies Bild vom uneigennützigen Helfer der Reichsgründung ist von Großherzog Friedrich in den Jahren nach 1871 immer wieder, wenn seine repräsentativen Pflichten als Landesherr und Reichsfürst es forderten, mit Stolz auf das Erreichte, Zuversicht und Optimismus für seine fernere Geltung heraufbeschworen worden. Auf diese Weise ist er selbst zum Propagandisten des Mythos geworden, der sich mit seiner Person verband.

Aber dieses nach außen gewandte Schaubild hat eine Kehrseite, die sehr viel schwerer erkennbar ist. Zwar mahnte die gleiche Stimme nach 1871 mit patriotischem Ernst bei jeder Gelegenheit, den Blick nach rückwärts gerichtet, über alle inneren und äußeren Gefährdungen hinweg den unter Mühen und Schmerzen gewonnenen nationalen Staat als das höchste Gut der Deutschen zu erhalten und zu bewahren. In Wirklichkeit aber fielen für den Großherzog mit der Reichsgründung Wunsch und Wirklichkeit nicht zusammen. Das Reich bedeutete ihm kein Optimum; es ließ noch manchen Wunsch offen. So wie Bismarck seinen Souverän bereits in Versailles mit Mühe davon überzeugte, „daß wir hier einen bleibenden großen Erfolg erlangen können, wenn wir davon abstehen, etwas Vollkommenes leisten zu wollen“ [7], so notierte sich der Großherzog, es gelte, die abgelehnten Vorschläge und nicht zustande gekommenen Institutionen sich nicht zu sehr anfechten zu lassen. „Wir haben dadurch wenigstens die Wege gebahnt, auf denen später die Fortentwicklung des Bundes weiterschreiten kann. ... Die vorliegende Arbeit ist eigentlich nur ein Kompromiß zu nennen, das ein wahres Bild der inneren Zustände Deutschlands gibt ... In dieser fest einigenden Form wird, so Gott will, noch mancher innere Mangel beseitigt und das Reich zu fortschreitender Entwicklung und zunehmender Blüte geführt werden können“ [8]. In der Sylvesternacht 1870 zog er in seinem Tagebuch die Summe seiner Erfahrungen: „Wenn auch der Grad der erreichten Einigung den vielfach gehegten Wünschen nicht entspricht und weit von dem Ideal unserer Hoffnungen zurückbleibt, so haben wir doch einen einigenden Zentralpunkt gewonnen, um welchen sich die einzelnen Teile nach und nach immer fester anschließen werden. Gott gebe Kraft dazu, daß das Werk gelinge“ [9]. Auch Jolly teilte diese Anschauung. Nach Annahme der Novemberverträge erklärte er in der Schlußsitzung des badischen Landtags: „Die Verfassungsverträge sind nicht die glänzende Schöpfung, wie die Phantasie oder das systematische Denken in einem freien Raum sie in kühnen Rissen zu entwerfen vermöchten. Sie tragen vielmehr Spuren der Rücksichtnahme auf die rauhe Wirklichkeit deutlich

7 *Oncken* II S. 188 (19. 11. 1870).
8 *Oncken* II S. 211 f. (28. 11. 1870).
9 *Oncken* II S. 279.

an sich“ [10]. Bei der Kaiserproklamation war der Großherzog als Ranghöchster unter den anwesenden Verbündeten mit seinem Hoch auf „Kaiser Wilhelm“ der Sprecher der Bundesfürsten geworden. Kurz danach aber klagte er, „daß leider überhaupt gar kein Interesse für alle die Fragen und Aufgaben zu finden ist, deren Lösung nunmehr in dem wiedergeeinten Deutschland so besonders wichtig erscheint. Der Krieg absorbiert nicht nur alle Zeit, sondern auch alle Kräfte, und wenn daher an die Aufgabe des Friedens erinnert werden will, so erscheint das, als wolle man von Utopien sprechen. Die Schwachen ziehen sich zurück und geben vor, es sei das und jenes zu tun, die Starken, aber zugleich auch Gegner jedes höheren sittlichen Strebens, sind unzugänglich, und die Blödsinnigen der trägen Masse, welche dem Srom blind folgen, lachen höhnisch dazu“ [11].

In solchen Worten sucht man freilich vergeblich nach einem Programm oder auch nur nach Leitvorstellungen, wie im Frieden nachgeholt werden sollte, was der Krieg dem Einigungswerk vorenthalten hatte: Es waren Deklamationen, die an sich noch nichts Konkretes besagen. Deutlicher war da schon, was der Großherzog von dem neuen Abschnitt für sein Land erwartete: daß nämlich dadurch, wie er am gleichen Tage an Jolly schrieb, „unser heimisches Staatsleben eine wesentliche und, ich halte dafür, glücklichere Änderung erfahren wird. Manche bisherige Arbeit, deren Bedeutung stets auf das große Ganze gerichtet war, geht nun auch auf dem großen Wege, wo die Gesamtinteressen des Reiches ihre Entscheidung finden, — unberührt von Nebenumständen, wie sie sich in kleineren Kreisen gar leicht störend dazugesellen“ [12]. Amt und Verpflichtung waren als Realitäten für ihn gegeben. Es verstand sich von selbst, daß Friedrich von Baden auch in Zukunft von seiner Warte aus für das Reich wirken wollte.

2.

Dazu bot sich zunächst als gar nicht zu umgehen der amtliche, von der Reichsverfassung vorgezeichnete Weg an. Für ein ausgezeichnetes Verhältnis hatte Baden mit der Reichsgründung eine Reihe von wichtigen Vorleistungen erbracht. Am 1. Juli 1871 wurde das badische Kontingent in die preußische Armee eingereiht [13]. Mit Wirkung vom 1. Januar 1872 gab es kein badisches Kriegsministerium mehr. Der Landesherr war und blieb trotz späterer Ehrenstellungen wie etwa der Militärinspektion in Elsaß-Lothringen militärisch bedeutungslos. Großherzog Friedrich zögerte auch dann nicht mit dem grundsätzlichen Verzicht, als er mit seinem Herzenswunsch nach einer nationalen Armee mit einheitlichen

10 *Baumgarten* u. *Jolly* S. 206.
11 *Oncken* II S. 377 (23. 1. 1871).
12 *Fuchs*, Ghg. Friedrich I. v. Baden I Nr. 2.
13 Ebd. Nr. 25.

Abzeichen am preußischen Selbstbewußtsein scheiterte. Als Nachteile und Zurücksetzungen der Landeskinder im preußischen Heer in Baden mit Mißmut registriert wurden [14], hat er sich, so weit sich erkennen läßt, nicht einmal eingeschaltet.

Auch der Verzicht auf eine eigene Außenpolitik ist dem Großherzog nicht schwer gefallen. Die diplomatischen Vertretungen deutscher und ausländischer Staaten in Karlsruhe liefen, mit Ausnahme der preußischen, langsam, wenn auch nie vollständig aus. Sie waren schon seit langem praktisch ohne Bedeutung, dienten in erster Linie der höfischen Repräsentation und stellten lediglich ein ungefährlich gewordenes Relikt einstiger völkerrechtlicher Selbständigkeit dar. Die badischen Gesandtschaften an den deutschen und europäischen Höfen wurden, obwohl die Reichsverfassung sie nicht untersagte, einem Wunsch der Kammern entsprechend aus Sparsamkeitsgründen noch 1870 aufgelöst.

Unter den Verzicht fiel naturgemäß nicht der Gesandtenaustausch zwischen Berlin und Karlsruhe. Für die Interpretation badischer Interessen bei den Behörden Preußens und des Reiches, besonders seit der Beauftragung der Gesandten mit der ständigen Wahrnehmung der badischen Stimmen im Bundesrat, und umgekehrt für die Unterrichtung der Karlsruher Instanzen mit den Intentionen des Reichskanzlers, der Reichsämter und der preußischen Ministerien bedurften beide Seiten eines eigenen Sprachrohrs, ganz abgesehen vom Prestige der nahe verwandten Höfe. Die badische Gesandtschaft in Berlin ergab sich mit Notwendigkeit aus der Reichszugehörigkeit Badens. Wie weit auf diesem Wege wertvolle, ja unentbehrliche Informationen getauscht wurden, die über Pressemitteilungen hinausgingen, das hing freilich von der Qualität der Diplomaten ab, ihrer geistigen und gesellschaftlichen Beweglichkeit, ihrer Initiative, ihrer Vertrautheit mit Hof und Bürokratie. Trotz des direkten Drahtes zu seinen Berliner Verwandten, den der Großherzog fleißig benutzte, konnte er einen Mann seines Vertrauens an dieser Stelle nicht entbehren. Die 1895 nur zeitweilig eingerichtete badische Vertretung in München vermochte dagegen die in sie gesetzten Erwartungen nicht zu erfüllen. Auf eine Aktivierung des Bundesratsausschusses für auswärtige Angelegenheiten, ein Zugeständnis der Reichsverfassung an den bayerischen Partikularismus, legten weder der Großherzog noch seine wechselnden Kabinette Gewicht.

Das Karlsruher Ministerium der auswärtigen Angelegenheiten wurde während der Regierungszeit des Großherzogs wiederholt im Zuge finanzieller Einsparungen oder personeller Veränderungen mit anderen zentralen Behörden der inneren Verwaltung das einemal zusammengelegt, das anderemal wieder verselbständigt, ohne daß sich in seinem internen Geschäftsgang selbst Wesentliches

14 Vgl. *Baumgarten* u. *Jolly* S. 255; *A. Hausrath:* Zur Erinnerung an J. Jolly (1899) S. 281; *Fuchs,* Ghg. Friedrich I. v. Baden I S. 143.

änderte [15]. Wichtiger war 1871 die Herauslösung aller das Reich betreffenden Angelegenheiten aus dem Ministerium des Auswärtigen und ihre Unterstellung unter das Staatsministerium [16]. Diese zentrale Instanz, die seit ihrer Entstehung in den Ressortministerien verankert war und es auch weiterhin blieb, erhielt mit diesem Akt zum erstenmal eine eigene, ihr allein zukommende Zuständigkeit. Auch sie ist unter Großherzog Friedrich wiederholt geändert worden. 1876 wurde die Kompetenz des Präsidenten des Staatsministeriums um den Geschäftsbereich der restlichen, vorerst beim Auswärtigen Ministerium verbliebenen Angelegenheiten erweitert. 1893 erfolgte die Rückgliederung aller dieser inzwischen beim Staatsministerium aufgebauten Abteilungen in das Ministerium des großherzoglichen Hauses und der auswärtigen Angelegenheiten, das von nun an zusätzlich zu den eigenen auch die vermehrten Geschäfte des Staatsministeriums führte. Im Staatsministerium lag, institutionell gesehen, der erste Ansatzpunkt für eine eigene Initiative des Großherzogs in der Reichspolitik.

Diese oberste kollegiale Behörde war die abgewandelte Form des von absolutistischen Herrschern aus eigenem Recht berufenen geheimen Staats- oder Kabinettsrates und ging auf landesherrliche Verordnungen zurück, die inhaltlich durch die Verfassung von 1818 sanktioniert worden waren [17]. Aufgabe des Staatsministeriums war es, „den Landesherren bei der Fassung seiner Entschließungen zu unterstützen und eine einheitliche Führung der Zentralverwaltung zu gewährleisten“ [18]. Ordentliche Mitglieder waren die Vorstände der einzelnen Ministerien. Den Vorsitz führte der Landesherr, in seiner Abwesenheit der eigens zum Präsidenten des Staatsministeriums ernannte Minister, der in der Regel den Titel Staatsminister führte. Der Zuständigkeitskatalog dieser Behörde wurde nie vollständig formuliert [19]. Praktisch bildete sich der Grundsatz aus, daß die Mitwirkung des Staatsministeriums überall da für erforderlich galt, wo der Landesherr eine auf die Regierung des Landes bezügliche Handlung vornahm. Das galt selbstverständlich auch für die seit der Reichsgründung zwischen Landes- und Reichsregierung aufgeworfenen Fragen. Versuche, den Gang der Verhandlungen in diesem unregelmäßig, von Fall zu Fall zusammentretenden, an keinen bestimmten Ort gebundenen Gremium in schriftlichen Protokollen festzuhalten, sind in Baden immer wieder gescheitert. Die Anwesenheit des Großherzogs bei den Beratungen, namentlich bei abschließenden Bespre-

15 Vgl. *E. Walz:* Das Staatsrecht des Großherzogtums Baden (1909) S. 95 ff.; *H.-K. Reichert:* Baden am Bundesrat (Diss. Heidelberg 1962) S. 5 f.

16 Vgl. *Fuchs*, Ghg. Friedrich I. v. Baden I Nr. 22.

17 *E. Walz:* Die geschichtliche Stellung des Staatsministeriums im Großherzogtum Baden. In: Festschrift für P. Laband, Bd. I (1908) S. 283 ff.; *ders.:* Staatsrecht S. 94 f. 100 ff.

18 *Walz*, Staatsrecht S. 100.

19 *Walz,* Staatsministerium S. 319 ff.; *ders.*, Staatsrecht S. 101.

chungen nach vorausgegangenen Detailverhandlungen der Minister unter sich, hat weder die Geltendmachung unterschiedlicher Gesichtspunkte unter seinen Beratern eingeschränkt, noch die Beschlußfassung im absolutistischen Sinn präjudiziert. Zu eigenen Beschlüssen war das Staatsministerium nicht befugt; seine stets schriftlich zu erstattenden Vorlagen mit entsprechenden, von allen Ministern unterzeichneten Entwürfen wurden rechtskräftig als „großherzogliche Entschließungen aus dem Staatsministerium" mit Gegenzeichnung des je nach der Sache zuständigen Ministers. Für den Großherzog ergab sich aus dieser Kompetenz, besonders bei Abwesenheit vom Regierungssitz, eine bemerkenswerte Arbeitslast. Er klagte nur selten über das Übermaß an Schreibarbeit, die er eigenhändig leistete. Die in anderen Bundesländern gang und gäben Verzögerungen bei allerhöchsten Entschließungen infolge Bequemlichkeit oder absorbierenden privaten Interessen des Landesherrn waren im Geschäftsgang der badischen Zentrale unbekannt.

Wir kennen nur die endgültigen Entschließungen aus dem Staatsministerium; noch wichtiger wäre es, in ihre Genesis Einblick zu gewinnen. Das ist in der Regel nur bei weitreichenden Vorlagen der badischen Innenpolitik möglich, die langer Vorbereitung bedurften und zu denen vielfach ausführliche Voten und Varianten der einzelnen Ressorts vorliegen. Bei den in der Reichspolitik zu fällenden Entschlüssen war meistens die Zeit zu knapp bemessen, als daß zur schriftlichen Fixierung divergierender Meinungen Möglichkeiten bestanden hätten. Oft genug stand man unter dem äußeren Zwang, nach kurzer mündlicher Beratung sich einigen zu müssen. Anders war es bei Entschließungen, die dem abwesenden Großherzog erst zugeleitet werden mußten. Blieb dafür genügend Zeit, so ließ er sich bei wichtigen Sachen nur selten davon abhalten, — zur Not telegraphisch — Rückfragen zu stellen, Einwände zu erheben oder sein abschließendes Votum zu kommentieren. Das geschah vielfach ausführlich, in der Form verbindlich, niemals apodiktisch auftrumpfend oder andere Ansichten kurzerhand mit seiner Autorität ausschaltend; auch seine Argumente stellte der Großherzog noch dem Sachverstand seiner Minister anheim. Es entsprach seiner nicht sehr entwickelten Entschlußfreudigkeit, wenn sein von der Verfassung geforderter gültiger Entscheid erst nach wiederholten Besprechungen oder, wo das schriftliche Verfahren gewählt werden mußte, ausgedehnten Korrespondenzen gefällt wurde. Dabei kam ihm zugute, daß es unter den Ministern, die er aus eigener Vollmacht berief, vielleicht mit Ausnahme von Franz v. Roggenbach, keinen einzigen gegeben hat, der ähnlich wie Bismarck die Kollegialität als notwendiges Erfordernis der Beschlußfassung in Frage gestellt hätte aus der Sorge, daß dem einzelnen die Verantwortung zu leicht gemacht oder gar abgenommen werden könnte.

Es wäre verfehlt, wollte man in dieser Ordnung ein im Grunde absolutistisches persönliches Regiment vermuten, das nur in einem sehr äußerlichen Sinne sich konstitutionell verzierte. Die herrschende Staatslehre der Zeit gibt darüber keine Auskunft. Für Großherzog Friedrich lassen sich die theoretischen Grundsätze seiner Amtsauffassung nur aus seinem praktischen Verhalten abstrahieren. Seine Nähe zum Liberalismus war sprichwörtlich. Dabei hat er sich allerdings während seines ganzen Lebens von jenem konsequenten bürgerlich-liberalen Verfassungsdenken distanziert, für das der Konstitutionalismus im Grunde nicht anderes bedeutete als eine auf Vollendung angelegte Vorform des Parlamentarismus, sei es nach englischem, sei es nach französischem Muster. Der Großherzog war bei Ludwig Häusser und Friedrich Christoph Dahlmann in die Schule gegangen, denen er stets ein dankbares Andenken bewahrte. Dahlmann im besonderen dürfte seine Gedanken über sein eigenes Verfassungsideal theoretisch vorgeformt haben, wenn er den Konstitutionalismus, wie er ihn selbst praktizierte, als eine eigenständige Zwischenform zwischen Absolutismus und Parlamentarismus betrachtete, die weder nach der einen noch nach der anderen Seite tendierte. Die badische Verfassung ist in den 100 Jahren ihres Bestehens in ihren fundamentalen Sätzen nicht verändert worden. Wenn sie dem Landesherrn, der 55 Jahre unter ihr und mit ihr lebte, den freiwilligen Verzicht auf gewisse Rechte zugunsten der Volksvertretung auferlegte, so handelte es sich um Mitentscheidungsrechte, begrenzt auf Gesetzgebung und Finanzgebarung, während die Fülle der Staatsgewalt dem Landesherrn selbst verblieb. Großherzog Friedrich, dem die Verfassung keinen besonderen Eid auf die Konstitution abverlangte, sah eifersüchtig darauf, daß diese Grenze nicht überschritten wurde, daß vor allem die Kammern sich nicht mit Problemen des Reiches befaßten, die nicht in ihre Zuständigkeit gehörten. Je mehr die Tendenz zum Parlamentarismus auch in der badischen Kammer sich verstärkte, um so schwieriger wurde auch für den Großherzog das Zusammenspiel mit der Volksvertretung. Das hat ihn aber nicht an der Grundüberzeugung irre werden lassen, daß innerhalb des konstitutionellen Systems der Landesherr nicht allein höchstes Symbol für den Staat, sondern auch aktiver Träger der Herrschaft, nicht allein Repräsentant der Staatshoheit, sondern auch Inhaber der Staatsautorität war [20]. Das „monarchische Prinzip", für Großherzog Friedrich und die ihm nahestehenden konservativen Liberalen ein unabdingbares Element seines Staates, forderte zur Wahrung spezifischer liberaler Errungenschaften wie Freiheit und Recht auch die Erhaltung von Autorität und Macht, d. h. die verfassungsmäßig verankerte, selbständige, eigenwüchsige, unabhängige Herrschergewalt.

Es muß wohl an der relativen Begrenztheit der badischen Verhältnisse gelegen haben, wenn hier die institutionellen Absicherungen gegen ein „persönliches Regiment" des Landesherrn nicht entfernt in der gleichen Perfektion bestanden wie in dem Großstaat Preußen und im Reich. Die wirksamste Sicherung gegenüber etwaigen Überschreitungen verfassungsmäßig dem Großherzog zustehender Rechte durch den Rückgriff auf vorkonstitutionelle Gepflogenheiten lag im

20 Vgl. *E. R. Huber:* Deutsche Verfassungsgeschichte Bd. III (1963) S. 805 ff.

Charakter Friedrichs und seiner Minister. Wie sie sich trotz ausgesprochener Zweifel, ob der Konstitutionalismus noch eine Zukunft habe [21], frei empfanden von der Verpflichtung zum bloß formalen Gehorsam gegenüber dem Monarchen, vielmehr dazu berufen, seine Willenserklärungen durch ihre auf eigener freier Überzeugung beruhende Mitwirkung in staatliche Akte zu verwandeln [22], so ist auch an den Großherzog keine Versuchung herangetreten, die ihm gesetzten institutionellen Grenzen zu überschreiten. Es ist kein Fall bekannt, wo seine Minister ihn auf seine Schranken hätten aufmerksam machen müssen. Nicht einmal das Geheime Kabinett, dazu bestimmt, „den persönlichen Verkehr des Landesherrn mit anderen Personen zu vermitteln" [23], bildete eine Gefahr wie im Reich die kaiserlichen Kabinette für die Zivil-, Militär- und Marineangelegenheiten, die, weil in der Reichsverfassung nicht vorgesehen, nie ohne verfassungsrechtliche Bedenken geblieben sind und besonders vom Reichskanzler als potentielle Gefährdungen seines Alleinanspruchs auf verantwortliche Beratung des Monarchen gefürchtet wurden. Der geheime Kabinettchef Freiherr v. Ungern-Sternberg, ein Schwiegersohn Bunsens, hat nur in ganz wenigen Fällen Gelegenheit gehabt, in höchst persönlicher Weise in Reichsangelegenheiten mitzuwirken. Über die Art seiner mündlichen Beratung ist nichts bekannt; doch dürfte sie schwerlich in der eigenen Initiative gelegen haben.

Trotzdem ist nicht zu verkennen, daß seit der Reichsgründung die Grenze zwischen dem nach der Verfassung Rechtmäßigen in der Handlungsweise des Großherzogs und seiner persönlichen Initiative in Angelegenheiten des Reichs hauchdünn wurde, wenn er sich dazu entschloß, dabei die ministerielle Mitwirkung bewußt zu übergehen. Der Grund dafür lag in der neuen Situation des konstitutionellen Systems nach 1871. Großherzog Friedrich hatte es bisher ebenso wie alle andern Bundesfürsten als Schranke gegen jenen Parlamentarismus betrachtet, wie er zum Losungswort der Sozialdemokratie und des linken Flügels des liberalen Bürgertums wurde. Das allgemeine, gleiche, geheime und direkte Reichstagswahlrecht, das er für einen Fehler hielt, ohne eine Alternative anzubieten, bedeutete eine unzweifelhafte Stärkung und Ermutigung dieser Tendenzen. In dem Maße, wie auf der einen Seite das Landeswahlrecht trotz des unverkennbaren Wandels der Gesellschaft auf dem alten Status beharrte, auf der andern Seite die Schwierigkeiten der Reichsregierung mit dem Reichstag zunahmen, sah sich das Landesfürstentum zu erhöhter Wachsamkeit in bezug auf die Reichsentwicklung aufgerufen. Wiederum war, so viel sich bis heute erkennen läßt, Großherzog Friedrich der einzige Bundesfürst, der aus dieser Bedrohung sowohl seines Landes als auch des Reiches eine Initiative entwickelte,

21 „Das konstitutionelle System habe abgewirtschaftet": *Baumgarten* u. *Jolly* S. 222.
22 Vgl. *Walz,* Staatsrecht S. 102.
23 Ebd. S. 106.

die außerhalb der bestehenden Institutionen verlief. Darauf wird zurückzukommen sein. Zunächst aber gilt es, seine Impulse auf dem überkommenen institutionellen Wege zu verfolgen.

3.

Der Beitrag der Bundesglieder zur Bildung des politischen Gesamtwillens ist für das neue deutsche Kaiserreich zu einem zentralen inneren und verfassungsrechtlichen Problem geworden. Selbst die heutige Generation ist unter gewandelten Verhältnissen damit noch nicht fertig. Man wird nicht übersehen dürfen, daß für die handelnden Politiker viel diskutierte Begriffe wie Unitarismus, Zentralismus, Föderalismus weniger systematisch festgefügte Konzepte, sondern Abkürzungen für bestimmte, momentan verfolgte oder bekämpfte pragmatische Tendenzen bedeuteten, die ständig in Bewegung waren. Das gilt besonders für die Anfänge des Reiches nach 1871, als die Reichsinstitutionen für die Süddeutschen noch neu und ungewohnt waren, die Verfassungswirklichkeit sich noch in vollem Fluß befand und die Kompetenzen zwischen Reichsführung, Preußen und den Bundesgliedern noch nicht in allen Einzelheiten genau gegeneinander abgesteckt waren. Erst aus gewonnenen Erfahrungen ließen sich Grundsätze für mögliche Reformen gewinnen, die dann freilich sogleich wiederum erkennen ließen, daß die zugrunde liegende Dynamik unendlich war. Großherzog Friedrich hat diese Problematik, die eine Lebensfrage auch seines Staates war, von Amts wegen aufmerksam verfolgt, aber kein eigenes klares Programm formuliert, nach dem er sich ausrichtete. Dazu reichte weder seine theoretische Fähigkeit, noch der in seinem kleinen Lande angehäufte Erfahrungsschatz. Bei offensichtlichen Eingriffen in seine oder seines Landes Souveränitätsrechte meldete er sich zu Wort und verteidigte seine partikulären Interessen genauso wie andere Bundesfürsten die ihren. Auch seine Minister waren stärker in der Ablehnung von Unzumutbarem als in der Herausarbeitung positiver Leitlinien.

Nach der Reichsverfassung stand die Verbindung zwischen den Bundesmitgliedern und der Reichsregierung dem Bundesrat zu. Die Reichsverfassung übernahm ihn in der gleichen Gestalt mit nur wenig veränderten Zuständigkeiten vom Norddeutschen Bund. Schon von seiner Entstehung her war er umstritten, und die Verfassungsberatungen und Entwürfe der Reichsorganisation bei der Reichsgründung nahmen denn auch sogleich die alte Diskussion wieder auf [24]. Um die Mitwirkung der Bundesstaaten an der Reichsführung bildete sich ein ganzes Knäuel widersprechender Projekte, in dem sich die krausesten Vorstellungen von einem Ober-, Staaten- oder Fürstenhaus als Entsprechung zum Volkshaus des Reichstages mit den Forderungen nach verantwortlichen Reichsministerien unauflösbar miteinander verklammerten.

24 Vgl. O. *Becker:* Bismarcks Ringen um Deutschlands Gestaltung (1958) pass.

Der aufgescheuchte Chor unharmonischer Stimmen suchte um die Jahreswende 1870/71 auch das Ohr des Großherzogs zu erreichen. Neigte er anfänglich den Vorstellungen des Kronprinzen zu, der zum Ärger Bismarcks als strammer Zentralist sich gebärdete, so scheint ihn erst Franz v. Roggenbach von den Schwierigkeiten bei der Verwirklichung des Staatenhauses überzeugt zu haben [25]. Aus dem November 1870 ist eine Denkschrift Robert v. Mohls, des einstigen Heidelberger Staatsrechtlers, damals badischen Gesandten in München, erhalten, die der Großherzog in Auftrag gegeben haben dürfte und die ebenfalls, indem sie die Realisierungschancen durchrechnete, zur größten Zurückhaltung riet [26]. Je stärker Friedrich von Baden seine Kräfte auf die Durchsetzung des Kaisertums konzentrierte, um so weniger scheint er der Frage Gewicht beigemessen zu haben. Spezifisch badische Stimmen zu ihrer Lösung sind nicht bekannt.

Der Großherzog und seine Mitarbeiter begrüßten auf der einen Seite alle Anzeichen für das Aufgehen Preußens im Reich, also die Entwicklung zum Einheitsstaat, wenn etwa einzelne Abteilungen preußischer Ministerien in Reichsämter umgewandelt wurden; die Forderung nach einem Reichskriegsministerium ist in Baden nicht still geworden. Auf der andern Seite reagierte der Landesherr sehr empfindlich, wenn Reichsbehörden, namentlich auch das preußische Kriegsministerium, die Kompetenz des Bundesstaates nach seiner Vorstellung unzulässig tangierten. Eine Reichsbeamtenschaft mit eigenem Tätigkeitsbereich in den Bundesländern suchte er entweder zu vermeiden oder so klein wie möglich zu halten. Er war eitel genug, in den ersten Jahren des Reiches es für wünschenswert und angemessen zu halten, wenn bei Staatsakten wie der feierlichen Eröffnung der Reichstagssession, den Geburtstagen Wilhelms I. und den Besuchen ausländischer Staatsoberhäupter in der Reichshauptstadt der personale Charakter des „ewigen Bundes" der Fürsten und Freien Städte dadurch dokumentiert wurde, daß der Kaiser sich inmitten der Bundesfürsten der Öffentlichkeit zeigte, obwohl sie dabei keinerlei verbindliche Funktion ausübten. Es dürfte nur für bayerische Ohren bestimmt gewesen sein, wenn er die Einladung an König Ludwig II. zur Dreikaiserbegegnung in Berlin 1872 mit den Worten begründete: „Wir deutschen Fürsten erscheinen bei dieser Zusammenkunft mit dem Bewußtsein, daß wir das Deutsche Reich geschaffen haben, daß aus unserer opferfähigen Gesinnung das deutsche Kaisertum entsprungen ist und daß der Triumph, den es nun in Europa und der ganzen Welt feiert, uns in vollem Maße zuteil wird" [27]. Erst die konstante Weigerung der Könige zu erscheinen, während sich die kleineren Bundesfürsten eher bereit fanden, veranlaßte den Großherzog, auf solche Demonstrationen zu verzichten.

25 *Oncken* II S. 142, 163, 166 f.
26 GLA 233/12 934.
27 *Fuchs,* Ghg. Friedrich I. v. Baden I Nr. 69.

Am 20. Februar 1871 trat der Bundesrat zum erstenmal in Berlin zusammen. Jollys Urteil über die Institution, die ihm „aus der Ferne ein besonders hoffnungsvoller Keim weiterer Entwicklung zu sein schien", hätte nicht vernichtender sein können [28]. Ein Jahr später fand er seinen ersten Eindruck, „daß der Bundesrat qua Institution nichts zu leisten vermöge, in dem Maße bestätigt, daß ich rebus sic stantibus kaum vorhabe, denselben nochmals zu besuchen"; seine Tätigkeit sei „eine Farce, an der sich zu beteiligen die Mühe nicht lohnt" [29].

Bei einem solchen Urteil des führenden badischen Staatsmannes ist es nicht erstaunlich, daß von dieser Seite so gut wie nichts geschah, das Organ gemeinsamer Willensbildung effektiver zu gestalten. Vergeblich versuchte Bismarck, ihm das Odium einer bloßen Gesandtenkonferenz zu nehmen, es vielmehr den Verbündeten als „Minister-Conseil des gesamten Reiches" [30] oder als „ministeriellen Träger der Reichssouveränität der Fürsten" [31] schmackhaft zu machen. Auf allen Seiten stöhnte man über die Flut der Vorlagen, die namentlich gegen Schluß der Reichstagssessionen sich im Bundesrat häuften. Gewöhnlich waren sie in den preußischen Ministerien lange und sorgfältig vorbereitet worden, wurden dann aber in der Regel in kürzester Frist im Bundesrat durchgepeitscht. Nur bei besonders schwerwiegenden Vorlagen vertraten badische Minister persönlich die badischen Stimmen, ohne damit der Berichterstattung und Instruktionseinholung beim Staatsministerium enthoben zu sein. Für längere Fristen waren sie in ihren Geschäftsbereichen gar nicht zu entbehren. Obwohl Baden in acht von den insgesamt elf Ausschüssen vertreten war, hatte nur ein einziger stellvertretender Bundesratsbevollmächtigter, der Berliner Gesandte, die ganze Arbeitslast der Sitzungen in Ausschüssen und im Plenum, die Durcharbeitung der Vorlagen und der Berichte nach Karlsruhe neben den laufenden Geschäften der davon unabhängigen Gesandtschaft zu bewältigen. Erst 1879 wurde ihm ein Ministerialbeamter beigegeben. Es konnte daher im Regelfall weder von einer gediegenen Information aus Berlin, noch von einer sorgfältigen Bearbeitung der verschiedenen Materien in den Karlsruher Ministerien, noch von rechtzeitigen überlegten Instruktionen für die Stimmabgabe die Rede sein. Gewiß waren nicht alle Vorlagen für Karlsruhe gleich wichtig. Wie sehr aber das Staatsministerium ebenso wie die entsprechenden Behörden anderer Bundesstaaten den Bundesrat als Zentrum für die Willensbildung der Regierungen in bezug auf das Reichsganze schon bald resignierend abgeschrieben hatten, ergibt sich aus der Anweisung an den badischen Vertreter, falls ihm keine Instruktion vorliege, nach eigenem Ermessen, im Zweifelsfalle mit der Mehrheit zu stimmen.

28 Ebd. Nr. 15.

29 Ebd. Nr. 60.

30 GLA 233/12 905 Türckheim an Turban (16. 3. 1880).

31 *H. Goldschmidt:* Das Reich und Preußen im Kampf um die Führung (1931) S. 310 (27. 1. 1885).

Diese offenbaren Mängel, die auch durch eine von Bismarck 1880 mit einer Rücktrittsdrohung erzwungene Reform der Geschäftsordnung des Bundesrates nicht beseitigt wurden, beruhten weder auf bloßen Fehlern im Verfahren, noch auf Gleichgültigkeit der Beteiligten, noch auf der Ungeduld und Gewalttätigkeit Bismarcks. Es lag am politischen System und an der Fülle der dringend zu bewältigenden Sachfragen in der werdenden Industriegesellschaft. Es hatte gute Gründe, wenn Baden nicht ein einziges Mal von seinem Recht der Gesetzesinitiative am Bundesrat Gebrauch machte. Woher hätte es auch, selbst wenn es über genügend Bearbeiter verfügt hätte, den Sachverstand nehmen sollen, um Regelungen für Probleme vorzuschlagen, die das ganze Reichsgebiet mit seinen unterschiedlichen politischen, sozialen und wirtschaftlichen Strukturen in den einzelnen Landschaften betrafen? Dafür war Preußen, das allein drei Fünftel des Reiches ausmachte, mit Abstand sehr viel besser ausgerüstet. Selbst wo badische Interessen oder vielleicht auch bessere Einsicht Ablehnung, Alternativlösungen oder Anschluß an eine Minderheit nahelegten, war zu prüfen, ob es sich lohne, sich gegen die beherrschenden 17 preußischen Stimmen zu stellen, ob die in kürzester Frist formulierten Abänderungsvorschläge in ihren Konsequenzen genügend überdacht waren oder ob Baden nicht in eine Stimmenkombination hineingeriet, in der es nicht zu erscheinen wünschte. Kein Wunder daher, wenn die badischen Stimmen nur da Selbständigkeit in Anspruch nahmen, wo spezifische Landesinteressen oder Grundfragen politischer Überzeugung auf dem Spiel standen: beim Reichseisenbahngesetz, bei der Tabakbesteuerung, beim Reichsmilitärgesetz, beim Sozialistengesetz [32].

Auch der Großherzog hat diese Zusammenhänge nicht ändern können, ja nicht einmal einen Versuch dazu gemacht. Wie stark er seine Ohnmacht empfunden haben muß, auf dem amtlichen, verfassungsrechtlichen Wege seine Reichsgesinnung frei zu bestätigen, ergibt sich aus seinem Votum zu einer Vorlage des Staatsministeriums im April 1874: „Ich bin für Zustimmung des dem Bundesrat von Preußen gestellten Antrags auf siebenjährige Feststellung der Friedenspräsenz, obgleich ich grundsätzlich dagegen bin" [33]. In welche Richtung seine Wünsche bei „einer Reform dieses unbehilflichen Körpers" gingen, hat er nur beiläufig ausgesprochen: „Die Neigung der Reichsregierung zur Ausdehnung ihrer Tätigkeit und Befugnisse wird ein richtiges Gegengewicht erfordern. Das einzig wirksame Gegengewicht erblicke ich in der Bildung eines Staatenhauses im Sinne eines Senats anstelle des jetzigen Bundesrates und der Umwandlung des Reichskanzleramtes in ein Reichsministerium mit verantwortlichen Ministern unter dem Vorsitz des Reichskanzlers". Doch wie sich selbst korrigierend, fügte er hinzu: „Doch ich versteige mich in Pläne, welche noch in weitem Felde liegen" [34].

32 Die Einzelheiten bei *Reichert* S. 61 ff.

33 *Fuchs*, Ghg. Friedrich I. v. Baden I S. 157 Anm. 1.

34 Ebd. Nr. 53.

Es kann ihm nicht verborgen gewesen sein, daß Bismarck der entschiedenste Gegner solcher Vorstellungen war, und daß sie verfolgen bedeutete, ihn herauszufordern. Die Unbeweglichkeit des Kanzlers, sein Starrsinn, verbunden mit sachlichen Gegensätzen, haben die entwicklungsfreudigen reichstreuen Kräfte schon bald in den siebziger Jahren in einen tiefen Pessimismus gestürzt. Von Feindschaft gegen die Bismarcksche „Diktatur" waren die Briefe voll, die den Großherzog erreichten, und er teilte sie in wachsendem Maße. Zugleich aber wußte er ebenso gut, daß seine Generation froh und dankbar sein mußte, endlich einen handelnden Staatsmann gefunden zu haben, auf den man vorerst noch nicht verzichten konnte. Gegen dessen erklärten Willen waren die Reichsinstitutionen nicht zu verändern; selbst wenn, solange er wirkte, Reformen nicht ausdrücklich angestrebt wurden, so brauchte man sie um so dringender nach seiner Zeit. Aus diesem circulus vitiosus unter düster werdendem Horizont wußte auch der Großherzog keinen Ausweg. Über den Bundesrat auf die Führung der Reichsgeschäfte im liberalisierenden Sinne Einfluß zu nehmen, erwies sich praktisch als unmöglich.

Als taktischen Ausweg gegen allzu einseitige Beschlüsse des Bundesrats bot sich der Rückgriff auf die nationalliberale Fraktion und die von ihr beherrschten Kommissionen des Reichstages an, die für sorgfältige Beratungen sehr viel mehr Zeit zur Verfügung hatten. Mit den badischen Abgeordneten hielt die Berliner Gesandtschaft laufend Kontakt, um sie im gegebenen Falle alarmieren und instruieren zu können. Der Kontakt des Großherzogs mit Abgeordneten aus seinem Lande war sehr spärlich. Aber auch die Aushilfe des Reichstags war nur bei einer nationalliberalen Mehrheit aussichtsreich. Die Ohnmacht des Großherzogs in der erstrebten Fortentwicklung der Reichsinstitutionen war in der Tat vollkommen.

Was an amtlichen Ausflüchten übrig blieb und tatsächlich in Bewegung gesetzt wurde, war nicht weniger Stückwerk. Der zu Zeiten des Deutschen Bundes immer wieder wegen der angeblichen Gleichheit der Interessen erstrebte, aber auf die Dauer nicht funktionierende Zusammenschluß der Mittelstaaten war nicht zu erneuern, obwohl Sachsen sich darum bemühte. Unter den süddeutschen Bundesländern war Baden isoliert. Zu München, Stuttgart und Darmstadt bestanden weder unmittelbare höfische noch bürokratische, geschweige denn laufende Verbindungen. Die gegenseitigen Besuche der Minister beschränkten sich auf einmalige unverbindliche Gedankenaustausche. Die seltenen Begegnungen der Landesminister im Bundesrat brachten Informationen, aber keine politische Willensbildung. Der Briefwechsel der untereinander versippten liberalen Großherzöge Friedrich von Baden, Peter von Oldenburg und Karl Alexander von Weimar bot wohl gegenseitige Ratschläge, im übrigen Klagelieder über den Kanzler als das Hemmnis jeden Fortschritts. Von seiten der Bundesfürsten, die nach ihrer subjektiven Vorstellung den Zusammenschluß des neuen Reiches bewirkt hatten, gab es ebenso wenig wie von seiten ihrer Regierungen realistisch praktizierbare Möglichkeiten, auf dem verfassungsrechtlich vorgesehenen Wege eine Initiative bei der Reichsregierung zu entfalten. Sie waren ohne Einschränkung zur Passivität verurteilt.

4.

Das Wirken Großherzog Friedrichs für Reich und Nation, wie es für ihn seit dem Ende der fünfziger Jahre zur Selbstverständlichkeit geworden war und wie er es nach 1871 mit der gleichen Selbstverständlichkeit fortzusetzen wünschte, erschöpfte sich nun freilich nicht in den amtlichen diplomatischen und bürokratischen Verbindungen. Daneben gab es ein zweites, sehr viel privateres Arbeitsfeld, das der gleichen Intention diente, von dem aber alle staatlichen Institutionen und Personen vollständig ausgeklammert waren. Es bestand im Zusammenwirken des Landesherrn mit seinem „Vertrauensrat“ Heinrich Gelzer und in der Verwirklichung ihrer gemeinsamen Pläne in der „Steinstiftung“. Diese, den Zeitgenossen verborgen gebliebene, nur von sehr wenigen engsten Vertrauten überhaupt gekannte Verbindung ist für Denken und Handeln des badischen Fürsten in den Jahren 1860—80 ausschlaggebender geworden, als bisher vermutet werden konnte.

Heinrich Gelzer trat in den Gesichtskreis Großherzog Friedrichs zu Beginn der „neuen Ära“ in Baden. Der in ganz Deutschland viel beachtete Umschwung war um die Wende 1859/60 eingetreten, als das mit der römischen Kurie geschlossene Konkordat bei Protestanten wie Katholiken im Lande auf stärksten Widerstand stieß und vor allem die Kammern die Zustimmung verweigerten, auf die sie nach ihrer Interpretation der Verfassung Anspruch erhoben. Franz v. Roggenbach, dem Großherzog von der Studentenzeit her befreundet, seit Ende der fünfziger Jahre sein vertrauter Berater ohne amtliche Stellung, ist es zu danken, daß der Landesherr sowohl aus kirchenpolitischen Erwägungen als auch um der soeben auf der Mainau gemeinsam formulierten Pläne in der deutschen Politik willen [35] in dem konkreten Konflikt dem Drängen der Kammer nachgab, das bereits geschlossene Konkordat verwarf, ein neues Ministerium berief und mit dem ersten Durchbruch des parlamentarischen Regierungssystems in einem deutschen Staat so viel an öffentlichem Profil gewann, daß das kleine Baden hoffen konnte, mit seinen Vorschlägen zur künftigen Gestaltung Deutschlands Beachtung zu finden. Bei den zu erwartenden schweren Auseinandersetzungen mit der katholischen Kirche und den Konsequenzen für Schule und Universität dachte der Großherzog selbst an die Schaffung eines Kultusministeriums, dem diese aus dem bisherigen Innenministerium herauszulösenden Aufgaben übertragen werden sollten [36], zumal Roggenbach, wenn er in das Kabinett ein-

35 *Oncken* I S. 116 ff.
36 GLA 48/5405.

treten sollte, in der deutschen Politik zu debütieren wünschte. Am 23. Februar 1860, also noch vor der Osterbotschaft vom 7. April 1860, mit der die Einheit zwischen dem Willen der Regierung und der Volksvertretung wiederhergestellt wurde, richtete Roggenbach an Heinrich Gelzer die Frage, ob er zur Übernahme des badischen Kultusministeriums bereit sei.

Es ist hier nicht der Ort, das Porträt dieses Mannes auszuführen. Da er für zwei Jahrzehnte Denken und Handeln des großherzoglichen Paares stärker bestimmt hat als irgendeine andere Persönlichkeit, muß seine Geistesart wenigstens in den Umrissen skizziert werden [37].

Der aus einer Handwerkerfamilie im schweizerischen Schaffhausen stammende, 1813 geborene Heinrich Gelzer war ursprünglich zum Pfarrer bestimmt, mußte aber seiner zarten Gesundheit wegen den Plan aufgeben. Nach dem Vorbild seines Landsmannes Johannes v. Müller sah er sich nach ersten theologischen Studien in Basel auf die Geschichte als sein wichtigstes Arbeitsfeld verwiesen. 1834/35 wurde er bei Heinrich Luden und Jakob Friedrich Fries in Jena mit der Überlieferung der Burschenschaft bekannt und öffnete sich dem Geist der Romantik und der Freiheitskriege. In Göttingen hörte er bei Friedrich Christoph Dahlmann und fand schließlich bei August Tholuck in Halle sowohl jene Erweckungs- und Vermittlungstheologie, die sein religiöses Bedürfnis befriedigte, als auch die Verknüpfung von Christentum und Idealismus, der er fortan zugetan war. Als Privatgelehrter erregte er in Bern durch öffentliche Vorträge über geschichtliche und ethische Themen Aufsehen. 1839 wurde Gelzer in Basel Privatdozent und zwei Jahre später außerordentlicher Professor. Seine Veröffentlichungen aus jenen Jahren enthalten, so verschieden auch ihre Gegenstände sind, bereits die ihm eigen gebliebene Thematik: Angesichts der zerstörenden Wirkungen alles rationalistisch-autonomen Denkens und Tuns seit dem Einbruch der Aufklärung hat der „deutsche Geist“, wenn er nur seiner eigenen Tradition folgt, stellvertretend für die Welt die Aufgabe, die Einheit von wissenschaftlich-philosophischer Bildung und ethisch-praktischem Handeln herzustellen; das ist nur möglich, wenn er seinen Beruf im Grunde als einen religiösen begreift.

Die Bekanntschaft mit Christian Karl Josias Bunsen, dem damaligen preußischen Gesandten in Bern, eröffnete Gelzer die Einsicht, daß die Auflösung des Gegensatzes zwischen Religion und Bildung über eine praktische, ethisch ausgerichtete Politik ebenfalls seinen Einsatz fordern könne. Bunsen bedeutete für den vaterlos aufgewachsenen, 22 Jahre jüngeren Gelzer die bestimmende Vaterfigur, der er zeit seines Lebens die Treue hielt. Neben dem diplomatischen Amt in einer ganzen Reihe von wissenschaftlichen Disziplinen dilettierend, verwies Bunsen den zu ihm aufschauenden Schüler auf die Geschichte als göttliche Offen-

37 *Fr. Curtius:* Heinrich Gelzer (1892); ADB 49 (1904) S. 277 ff. *(Fr. Curtius); K. Wall:* Heinrich Gelzer, Beitrag zur Geschichte des schweizerischen und deutschen Konservatismus, Diss. Basel (Masch.) 1950; NDB 6 (1964) S. 177 f. *(E. Bonjour).*

barung und organisches Gebilde, auf den Protestantismus als echteste Form des Christentums, auf die Bekämpfung des römisch-hierarchischen Einflusses in Deutschland und Europa als wichtigste kirchenpolitische Aufgabe der Gegenwart, auf die Einheit Deutschlands, die nicht so sehr von außen durch politische Machenschaften herbeigeführt werde, sondern innerlich aus dem Geiste Fichtes und des Freiherrn vom Stein wachsen müsse. Nach der Thronbesteigung Friedrich Wilhelms IV. führte Bunsen den Schweizer Freund den Kreisen in Preußen zu, die längst darauf warteten, die unterbrochene Verbindung des Staates zu den wissenschaftlichen und publizistischen Kräften der Zeit wiederherzustellen. 1843 berief ihn Friedrich Wilhelm IV. neben Ranke und Raumer als Professor der Geschichte an die Universität Berlin [38]. Bevor er das neue Amt antrat, heiratete Gelzer Julie Sarasin aus einer begüterten Basler Familie. Seine Berliner Lehrtätigkeit begann er mit der programmatischen Antrittsvorlesung über „die ethische Bedeutung der Geschichte für die Gegenwart". Die Nähe seines Denkens zur praktischen Politik lag auf der Hand. Friedrich Wilhelm IV. vertraute ihm bald schon diplomatische Missionen an: 1846 zu Metternich nach Wien, um ihn — vergeblich zwar — aufzufordern, durch energisches Auftreten den Schweizer Sonderbundskrieg zu verhindern, im Jahre darauf in Gelzers Heimat, um die geheimen sozialistischen Gesellschaften und Vereine zu studieren [39]. Von da her datierten seine Einsichten in die sozialen Gefahren seiner Zeit, denen gegenüber er einen, in Berlin freilich nicht geteilten liberalen Konservativismus vertrat.

Die Berührung mit Politik und Diplomatie während der vierziger Jahre ließ Gelzer trotz seines gelehrten Amtes immer stärker von der theoretischen Seite seiner Aufgabe auf die praktisch-politische hinüberdrängen. Zu einem Lebenselement wurde ihm seine Wissenschaft erst in Verbindung mit der Ethik. „Ethik und Geschichte gehören zusammen wie äußeres und inneres Leben, wie Gedanke und Wort. Ohne tieferen sittlichen Sinn würde die Geschichte eine Lästerung Gottes oder der Menschheit, oft genug ist sie beides zugleich. Ohne geschichtlichen Sinn, ohne historische Erfahrung verlöre sich die Ethik leicht in jenen falschen Idealismus, welcher den festen Boden unter den Füßen verliert. Es entstände eine Sittenlehre, die ihre Ideale und Gesetze freischwebend in die Luft hängt, ohne zu fragen, ob im Menschen ein Bedürfnis dafür und eine Kraft dazu vorhanden sei und ob je ein ähnliches Streben vorhanden gewesen" [40]. Gelzer bezeichnete sich mehr und mehr als „Zeithistoriker". Darunter verstand er einen Historiker, der aus der vor aller Wissenschaft gegebenen Gewißheit, daß sich in der Geschichte Gottes Wille offenbart, die Gegenwart historisch, d. h. auf die überlieferten, gültigen Prinzipien hin durchleuchtet, um für die Nöte der Zeit

38 *M. Lenz:* Geschichte der Universität Berlin II 2 (1918) S. 56 ff.

39 Ein Beitrag zur Geschichte des modernen Radicalismus und Communismus (anonym) 1847; zuerst in: Janus, hg. *V. A. Huber,* Jg. 1847 Nr. 1.

40 Nach *Fr. Curtius:* ADB 49 (1904) S. 277 ff.

angeben zu können, was von solchen Prämissen her konkret geschehen muß. Solche Vorstellungen machten Gelzer die wissenschaftliche Beschäftigung zu einer angewandten und praktischen Disziplin.

Eine schwere Krankheit zwang Gelzer 1850, sein Lehramt an der Universität aufzugeben. Auf der Suche nach Erholung lernte er in Südfrankreich und in Italien die politischen Verhältnisse vom Katholizismus geprägter Länder näher kennen. Seinen ständigen Wohnsitz nahm er in Basel. Die Universität war ihm verschlossen [41]. Nur gelegentlich lud er im Winter zu privaten Vortragszyklen in der Aula der Universität ein. Als nicht zu den alteingesessenen Bürgerfamilien gehörend, war er gesellschaftlich isoliert. Von den Professoren standen ihm Wilhelm Wackernagel und Karl Friedrich Steffensen persönlich näher. So sehr er die stille Zurückgezogenheit im engsten Familienkreis oder auf seinem Besitz im Jura schätzte, so energisch drängte es ihn doch von Zeit zu Zeit hinaus in die Zentren des europäischen Lebens und der politischen Entscheidungen. Mit diesem Gegensatz zu intro- und extravertierten Neigungen dürfte es zusammenhängen, wenn Gelzer aus freien Stücken 1856/57 beim Neuenburger Konflikt zwischen der Eidgenossenschaft und Preußen seine Personenkenntnisse in Berlin zur Verfügung stellte, zweimal mit Friedrich Wilhelm IV. verhandelte und einen wenn auch verklausulierten Verzicht des Königs auf seinen Besitz in der Schweiz erreichte [42]. Als Ersatz für die aufgegebene Lehrtätigkeit gab Gelzer seit Ende 1852 bei Perthes in Gotha die „Protestantischen Monatsblätter für innere Zeitgeschichte" heraus. Im Verein mit einer Reihe vorwiegend liberaler Theologen — Historiker finden sich nicht in diesem Kreise — sollte die Zeitschrift durch geschichtliche Analysen unter ethisch-sittlichem, speziell protestantischem Vorzeichen für die politischen, nationalen, sozialen und religiösen Nöte der Gegenwart Diagnose und Therapie erarbeiten. Zu seiner Redaktionstätigkeit zählte Gelzer den Auftrag, an den Zentren des geistigen Lebens und des politischen Geschehens in Europa mit allen wichtigen Persönlichkeiten in direkte Verbindung zu treten und sich von ihren Charakteren und Intentionen ein Bild zu machen. Praktisch bestimmte er das geistige Gesicht seines Blattes weithin allein.

Auf all den angegebenen Feldern empfand sich Gelzer als der kompetente Arzt für die Probleme der Zeit. Ein Zweifel daran ist nie in ihm aufgekommen. Sein Heilmittel war seine historische, die Gegenwart auf ihre sittlichen Aufgaben hin durchleuchtende Methode. Hier war ein unbedingter Glaube am Werke, daß die Macht des Gedankens in der gegebenen Wirklichkeit Gestalt annehmen könne. Weil Gedanken nach Gelzers Vorstellung in der Geschichte offenbar seien

41 Die in der Literatur wiederholt auftauchende Notiz (z. B. *Lenz*, Geschichte der Universität Berlin II 2 S. 57), Gelzer sei nach 1850 Professor in Basel gewesen, ist ein Irrtum.

42 *E. Bonjour:* Der Neuenburger Konflikt 1856/57. Untersuchungen und Dokumente (1957) S. 30 f., 206 ff.

und daher grundsätzlich einsichtig und verstehbar gemacht werden könnten, seien sie auch imstande, das Leben des einzelnen und ganzer Völker zu leiten und zu verwandeln. Die Norm sollte das Sittengesetz und die christliche Überlieferung ohne alle dogmatischen Verfestigungen sein. Hierin beruhte der missionarische Auftrag für Gelzers zugleich erkennendes und handelndes Tun. Er war entschlossen, sich durch Rückschläge nicht entmutigen zu lassen. „Unverzagt" lautete sein Wahlspruch. Die „Mission Deutschlands" bestand nach seiner Überzeugung nicht in erster Linie in der Herbeiführung der nationalen Einheit, so sehr Gelzer als Wahl-Deutscher sie begrüßte, sondern in der ethischen, letztlich religiösen Heilung der bestehenden Krise. Nicht irgendeine „Macht" sollte von außen her die Gegenwart politisch bezwingen, sondern von innen her die Idee Gestalt gewinnen und sich erfüllen. Erste geschichtliche Maßstäbe dafür hatte die Reformation des 16. Jahrhunderts geliefert. Aber sie hatte den Umwandlungsprozeß nicht zu Ende geführt. Jetzt kam es darauf an, auf diesen Ansätzen weiterzubauen und sie in einer zweiten Reformation, der des 19. Jahrhunderts, zu vollenden. Seine Hilfen suchte und fand Gelzer am wenigsten bei den Theologen. Sie erschienen ihm bis auf wenige Ausnahmen, die er zu seinen Freunden rechnete, schulmäßig erstarrt und darum unbrauchbar. Er befragte auf allen Gebieten als seine Ratgeber die großen geistigen Gestalten, die ganz Europa, besonders zahlreich Deutschland seit dem 17. Jahrhundert hervorgebracht hatte. Es ging ihm nicht darum, sie in ihrer individuellen Wesenheit zu begreifen. Sie waren ihm gegenwärtig wirkende Kräfte, also geeignet, ihren Beitrag zur Bewältigung der konkreten Krise zu leisten. Im Grunde lief das alles auf die Bestätigung seines subjektiven Meinens und Glaubens hinaus. An diesen Voraussetzungen aber ist Gelzer nie irre geworden. Er empfand sie im Gegenteil als unmittelbare Frucht seiner Lebenserfahrung, letztlich als Gottes Auftrag, d. h. als Richtschnur für Denken und Handeln. Bei aller angeblichen Offenheit für Neuartiges und Unvorhergesehenes ließ sie ihn doch stets schnell die Grenze gegen alles davon Abweichende erkennen. Im Grunde blieb auch er Individualist.

Eine der schwersten Gefahren der Zeit glaubte Gelzer im Katholizismus zu erkennen. Er erschien ihm wie dem landläufigen liberalen Vorurteil als eine planmäßig von jesuitischen Kräften in Rom gesteuerte Macht, die es darauf anlegte, mit ihrer Wissenschafts- und Bildungsfeindlichkeit namentlich in Deutschland die innere Einheit, die Gelzer als Einheit des Glaubens verstand und auf die hin, wie er meinte, der „deutsche Geist" angelegt war, zu verhindern, um so leichter ihre Herrschaft errichten und behaupten zu können. Auch in diesem Bereich ist Gelzer nicht auf den Gedanken gekommen, seine Prämissen zu überprüfen. So bereitwillig er jeden irenischen Katholiken wie etwa Döllinger, den Kardinal Hohenlohe und den Bischof Hefele von Rottenburg gelten lassen konnte, so verständlich war ihm eine solche Geisteshaltung doch nur so lange, wie sie in der Opposition gegen Rom verharrte. Das Wesen der Kirche ist Gelzer immer verschlossen geblieben. Die Sehnsucht nach der Zusammenführung der Konfessionen in einer höheren Einheit, die er „die wahre Kirche Christi" nannte, hat er nur in seinem Tagebuch, nie aber öffentlich auszusprechen gewagt. An diesem Ziel gedanklich zu arbeiten, lag jenseits seiner Möglichkeiten. Ihm schien es schon ausreichend, die Erziehung der jungen Deutschen in einem freiheitlichen, an den großen Potenzen des deutschen Idealismus orientierten Sinne ohne allzuviel geistige Dressur zu ermöglichen. Denn das war eine nicht mehr aufgegebene Einsicht, die er aus einer persönlichen Begegnung in Sorrent mit Alexis de Tocqueville, nach seinen Worten dem „bedeutendsten politischen Denker" seines Jahrhunderts, davongetragen hatte, daß die Vermassung des modernen Daseins infolge der sozialen Umwälzungen seit der französischen Revolution nur aufgehalten und die großen Traditionen unserer Geschichte, Monarchie, Aristokratie und Kirche, behauptet werden konnten, wenn sie mit der Kraft der Gegenwart, der Demokratie, „eine fruchtbare Ehe" eingingen. Es war ein Stück Erbe der Schweizer Pädagogen, wenn Gelzer in seiner Zeitschrift von seinen Mitarbeitern nicht allein die kirchlichen Verhältnisse bei Protestanten und Katholiken in allen Teilen der Welt — meistens polemisch —, sondern auch Schulen und Universitäten im Zeichen der um sich greifenden Industrialisierung schildern und untersuchen ließ. Alles in allem zeigen die Jahrgänge der „Protestantischen Monatsblätter" das Bildnis eines Mannes, den sein ausgesprochenes Krisenbewußtsein nicht zur Ruhe kommen ließ, der, sensibel und innerlich aufgeschlossen, aber doch auch in seinen subjektiven Vorurteilen befangen, viele Probleme seiner Zeit in ihren historischen Dimensionen erkannte, dem es aber doch an der geistigen Kraft gebrach, sie auch nur an einer Stelle gedanklich zu bewältigen.

5.

Das Angebot, in Baden Kultusminister zu werden, lehnte Gelzer überraschend schnell ab. Erst vor Jahresfrist hatte er sich einem ähnlichen Ruf des Freundes, des Kultusministers der „neuen Ära" in Preußen Moritz v. Bethmann-Hollweg, versagt, als sein ständiger Berater in allen entscheidenden Fragen seines Ressorts, namentlich in den kirchlichen, nach Berlin zu kommen [43]. Wohl hatte es Gelzer gereizt, die vita contemplativa in Basel mit einer vita activa in der europäischen Metropole zu vertauschen. Monatelang hatte er die Entscheidung in der Schwebe gehalten und war schließlich auf wiederholtes Drängen des Ministers auf drei Monate „zur Probe" nach Berlin gegangen. Die Zweifel an der Richtigkeit seiner Entscheidung hatten ihn dann aber erst recht nicht losgelassen. Der Minister war viel zu sehr in den Geschäftsgang seines Amtes eingespannt, als daß es zu den erhofften persönlichen Gesprächen, geschweige denn zu eingehen-

43 Das Folgende nach Gelzers Tagebüchern (Frankfurt, Besitz Matth. Gelzer).

den Beratungen gekommen wäre. Als „wissenschaftlicher Hilfsarbeiter" ohne rechte Etatstelle hatte sich Gelzer bald als unter seiner Würde beschäftigt gefunden. Nach der ausgemachten Frist war er innerlich leer und unzufrieden nach Basel zurückgekehrt. Einzige Frucht dieser Monate war eine aus den Akten des preußischen Ministeriums gearbeitete Denkschrift über den „Jesuitenorden in Preußen von 1849—1859" [44].

Solche Erfahrungen bedeuteten keine Ermutigung, den verwandten Auftrag aus Karlsruhe anzunehmen, auch wenn Gelzers Stellung dort sehr viel selbständiger hätte sein sollen. Für eine beamtete Position mit einem fest abgegrenzten Pflichtenkreis hielt er sich für wenig geeignet; jedenfalls schien sie ihm nicht reizvoll genug, um dagegen sein freies Dasein als Schriftsteller einzutauschen. Der Gedanke eines selbständigen Kultusministeriums wurde aufgegeben. Die erste Unterredung Gelzers mit dem Großherzog kam am 11. Mai 1860 zustande. Gelzer vertraute darüber seinem Tagebuch an: „Offenes gründliches Gespräch von fast zwei Stunden über die Entstehung der jetzigen Situation und ihre Schwierigkeiten und das Programm für die Zukunft".

Es dauerte zwei volle Jahre, bis die erste Unterredung mit dem Großherzog eine Fortsetzung erfuhr. Der Anlaß war die Feier von Fichtes 100. Geburtstag. Auf Veranlassung Roggenbachs hielt Gelzer vor geladenen Gästen am Abend des Gedächtnistages, dem 19. Mai 1862, im Karlsruher Schloß die Festrede. Gelzer konzentrierte sich im wesentlichen auf die „Reden an die deutsche Nation". Warmherzig forschte er nach ihrer Anwendung auf die Gegenwart und fand sie in ihrer Forderung nach Reform der Erziehung, dem Problem, das die badische Innenpolitik am nachhaltigsten gerade beschäftigte [45]. „Die Hinweisung Fichtes auf eine das sittliche Leben umgestaltende National-Erziehung steht auch jetzt noch [...] als eine Aufgabe vor uns, die gelöst sein will und an deren rechter Lösung wir noch Jahrzehnte hindurch zu lernen haben". „Ob wir dieses unser Erbe recht verstehen und recht anwenden, das entscheidet über unsere Zukunft; denn im letzten Grunde hängt diese davon ab, ob wir, treu dem uns gewordenen Berufe, statt trägen Stillstandes, statt kleinmütigen Rückganges wieder das sittliche Vertrauen gewinnen, mit heiligem Wahrheitsdurst voranzuschreiten, mit strengem Gewissensernste uns emporzukämpfen zu den wahren Zielen auf den Höhen unseres Geschickes. Endlich einmal wird unsere gesamte wissenschaftliche und religiöse Bildung aus ihrer jetzigen inneren Entzweiung, aus ihrer äußeren Gebundenheit und Unfertigkeit heraustreten, um nach heißen Kämpfen und großen Opfern das geistige Leben Deutschlands und Europas zu erneuern. — Denn so hoch ist jetzt unserer Nation das Ziel gesteckt; keine andere Wahl bleibt ihr, als mit ganzer Seele und mit besten Kräften nach diesem Höchsten zu ringen oder sich feig zu ergeben in eine bejammernswerte innere Auflösung".

44 Protestantische Monatsblätter 24 (1864) S. 121 ff.
45 Vgl. *Girlich* pass.

Von dem Vortrag ging eine bemerkenswerte Faszination aus. So wenig konkret die hohen Worte waren: bei dem großherzoglichen Paar wurde eine Saite in Schwingung versetzt, die im Alltag verstummt war. Die Heraushebung des Berufes der Zeit, auch des Fürstenberufes, aus dem Bereich des bloß politischen Machens auf die Ebene des sittlichen Sollens vermochte ein wenig zu versöhnen mit all den vergeblichen Liebesmühen, die nationale Einigung auf dem Wege der Verwirklichung ein paar Schritte weiterzuschieben. Gelzers Beredsamkeit eröffnete die Möglichkeit, das Geschäft des Tages von höherer Warte zu sehen, es in größere Zusammenhänge einzuordnen und neuen Mut zu schöpfen.

Besondere Würde aber und eine Ausrichtung auf die deutschen Verhältnisse erhielt Fichtes Appell durch Gelzers Mund für die seit der Ablehnung des Konkordats in Baden anstehende Schulgesetzgebung, in die wegen der sich zuspitzenden Gegensätze der Ressorts sowohl der Großherzog als auch Roggenbach bereits mit eigenen Vorstellungen eingreifen mußten [46].

Im Laufe des Jahres ist der ganze Umkreis der Themen aus Staat, Kirche und Schule in ausgedehnten Gesprächen auf der Mainau zwischen dem Großherzog und Gelzer vertieft und konkretisiert worden [47]. Daraus erwuchs eine persönliche Freundschaft, von der beide durch die Jahre immer nur in feierlichen Ausdrücken gesprochen haben, der Großherzog um einige Nuancen weniger überschwenglich als Gelzer. Jahr für Jahr feierte Gelzer den 17. September 1862, an dem der Großherzog ihn bat, „sein Freund und Lehrer" zu sein [48]. Es steht dahin, ob Friedrich von Baden sein Wort so direkt verstanden wissen wollte, wie Gelzer es auffaßte, der von diesem Tage eine neue Epoche seines Lebens datierte. Daß dem Großherzog diese Freundschaft mehr bedeutete als jede andere, die er in seinem langen Leben geschlossen hat, bezeugt nicht allein der Umfang und die Intensität des Briefwechsels, den sie durch fast dreißig Jahre miteinander führten, sondern auch die Tatsache, daß für viele Jahre Gelzer die Instanz wurde, vor der er sein Handeln als Fürst und Staatsmann rechtfertigte. Sein Bedürfnis, umständlich und ausgiebig sich auszusprechen, wurde hier um so mehr befriedigt, als alle anderen Freunde viel zu sehr in drängenden eigenen Geschäften standen, als daß sie für solchen Austausch so viel Zeit hätten aufbringen können. Was ihn aber diesem Mann so besonders zugetan sein ließ, waren die großen Gedanken, die zugleich Maßstäbe für das alltägliche Tun abgaben wie Richtlinien darstellten für Ziele, die nur in langen Zeiträumen zu verwirklichen waren. Ohne den Regierungsapparat in Anspruch zu nehmen, der für die zahllosen vordergründigen Aufgaben und Pflichten so unentbehrlich war, appellierte Gelzer ständig an seine fürstliche Initiative. Er war derjenige, der seinen Schüler lehrte, sein Tun sub specie aeternitatis zu verstehen, was ihm selbst ein Bedürfnis war. Der von

46 *A. Hausrath:* Zur Erinnerung an J. Jolly (1899) S. 81 ff.
47 19. 5.—2. 6. in Karlsruhe, 15.—20. 9. 1862 auf der Mainau.
48 Vgl. *Fuchs*, Ghg. Friedrich I. v. Baden I Nr. 75 (28. 5. 1872).

Gelzer ausgehende ethische und moralische Impuls traf in gleicher Weise die Großherzogin. In den Jahren des Zusammenwirkens war sie für beide Seiten die Mitwisserin und Vertraute. An den jedes Jahr ein paarmal stattfindenden tagelangen Gesprächen war sie in der Regel beteiligt. Es dürfte keinen Gedanken, keinen Brief Gelzers von Gewicht geben, den sie nicht zur Kenntnis genommen hätte.

Die Rolle des geheimen persönlichen Beraters bei einem regierenden Monarchen hatte als leuchtendes Vorbild Christian Friedrich Freiherr v. Stockmar [48a], den Vertrauten erst Leopolds von Belgien, dann des Prinzgemahls Albert von England, der über die Coburger Verwandtschaft in einem großen Teil des westlichen Europa maßgebenden Einfluß ausübte. Diesem Beispiel hatte auch Franz v. Roggenbach nachgeeifert, als er in verwandter Funktion nach dem Krimkrieg in die Dienste des Großherzogs trat, ohne beamtet zu sein. Der Landesherr hatte während seiner ersten Regierungsjahre manche bittere Erfahrung machen müssen dadurch, „daß man notwendig eingesponnen und getäuscht wird, wenn man nur den Rat der mit allen Spezialitäten vertrauten dirigierenden Geschäftsleute hört". Daher schien es ihm damals schon notwendig, zur Offenhaltung des Blicks „einen unparteiischen, außerhalb der Geschäfte stehenden Mann zur Seite zu haben, welcher schützt gegen diese unbewußte Induzierung" [49]. Seit Roggenbach 1861 selbst in das Ministerium eingetreten war, war die Stelle frei. Gelzer rückte in sie ein.

Gleich in den ersten, vor den Augen der Öffentlichkeit sorgfältig verborgenen, jeweils tagelangen Besprechungen in Karlsruhe, auf der Mainau und in Basel trug Gelzer, beflügelt durch die vom preußischen Verfassungskonflikt ausgehenden Sorgen dem Großherzog die Gründung einer „Deutschen Gesellschaft" mit Sitz in Heidelberg vor, die sich besonders der nationalen Erziehung der Deutschen und der planmäßigen Beeinflussung der öffentlichen Meinung im nationalen und ethischen Sinne annehmen sollte. Äußerer Anknüpfungspunkt waren die Pläne Carl Friedrichs von Baden, des Großvaters Großherzog Friedrichs, aus den Tagen des Fürstenbundes, als Herder statt des ihm vorgelegten Gedankens einer allgemeinen deutschen Tonschule die „Idee zum ersten patriotischen Institut für den Allgemeingeist in Deutschland" vorschlug, woraus der Markgraf die griffigere Vorstellung einer Deutschen Akademie entwickelte [50]. Die Verwirklichung war der französischen Revolution zum Opfer gefallen. Nach Gelzers Vorstellungen sollten die Wiederbelebung und moderne Abwandlung des Planes

48a *E. Schröder:* Christian Friedrich von Stockmar. Ein Wegbereiter der deutsch-englischen Freundschaft (1950).

49 *Oncken* I S. 57.

50 Vgl. *H. Tümmler:* Zu Herders Plan einer Deutschen Akademie. In: Euphorion 45 (1950) S. 198 ff.; *ders.:* Carl August von Weimar. Politischer Briefwechsel I S. 307/1, 310 f., 444, 492, 494.

zunächst geheimgehalten, nur die Angehörigen der liberalen Fürstengruppe und einige Vertraute aus dem einstigen Reichsadel zur Mitbegründung aufgefordert und als erste konkrete Aufgabe eine Übersicht über den Stand der Nationalerziehung in Deutschland in Angriff genommen werden. Roggenbach, durch seine Ministertätigkeit nun längst erfahren in der Verwirklichung nationaler Vorschläge, riet zu größerer Nüchternheit und mehr praktischem Sinn, Schaffung einer Erziehungsanstalt oder staatswissenschaftlichen Akademie unter Anlehnung an ein bereits bestehendes Institut. Gelzer selbst prüfte in München, ob das Maximilianeum und sein Personenkreis dafür geeignet seien, setzte aber, als der Großherzog grundsätzlich gewonnen war, entgegen aller Verzögerungstaktik des Freundes aus datenmystischer Vorliebe den 18. Oktober 1863, den Tag der 50. Wiederkehr der Völkerschlacht bei Leipzig gegen Napoleon, als Gründungstag durch. So entstand, angeblich in Weiterführung von Gedanken Fichtes und des Freiherrn vom Stein, die „Steinstiftung". Aus der Stiftungsurkunde — der Großherzog übernahm sie Wort für Wort aus Gelzers Entwurf — sind noch die Widersprüche in der Grundkonzeption erkennbar. Die „Deutsche Gesellschaft" war gestrichen worden, an ihre Stelle „eine in freier Weise organisierte Vereinigung gleichgesinnter Lehrer, Schriftsteller und Staatsmänner" getreten mit den beiden wichtigsten Aufgaben: „Einwirkung auf die sittliche, politische, religiöse Bildung und Gesinnung der Nation (‚öffentliche Meinung')" und „Einwirkung auf unser Erziehungs- und Unterrichtswesen durch eine Bildungsanstalt", in der in besonderer Weise künftige Männer des öffentlichen Lebens — Gelzer dachte an eine Schule für Staatsmänner — historisch-politisch und religiös-sittlich herangebildet werden sollten. Beide Gedanken, mit denen der Großherzog noch die Erziehung seines Sohnes, des sechsjährigen Erbgroßherzogs, lose verband, sollten in einer, wenn auch erst in der Zukunft zu gründenden Anstalt, dem Stein-Stift, im Mittelpunkt stehen [51]. Um die Konkretisierung so weitreichender Pläne mußte Gelzer hart kämpfen, weil es dem nur zögernd folgenden nüchterneren Großherzog in erster Linie um die Erziehung seines Sohnes ging. Am ersten Jahrestag der Stiftung wurde Gelzer zur Vorbereitung der Projekte zum Kurator der Stiftung und zum Studiendirektor für den Erbgroßherzog bestellt und als Stiftungskapital der Betrag von 50 000 Gulden angesetzt [52]. Die Mühen beim Vorwärtstreiben der deutschen Frage verzögerten die Ausführung, so daß zu Beginn des Jahres 1866 die Ernennungen wiederholt wurden und der Kurator ein regelmäßiges Gehalt erhielt [53].

Was aus diesen hochgestochenen Plänen praktisch geworden ist, blieb außerordentlich bescheiden. Die einzige Konkretisierung erfuhren sie in der Gründung der Friedrichschule in Karlsruhe, einer besonderen Klasse aus Söhnen von Staats-

51 *Fuchs*, Ghg. Friedrich I. v. Baden I, Anhang Nr. I.
52 Ebd., Anhang Nr. II, III.
53 Ebd., Anhang Nr. IV—VIII.

beamten und angesehenen Bürgern, in deren Mitte der Erbgroßherzog, später auch sein Bruder Prinz Ludwig in einer weiteren Klasse, bis zum Abiturientenexamen von Lehrern erzogen wurden, von denen Gelzer allein den Direktor Ernst Wagner mit einigem Aufwand ausgewählt hatte. Auf Stoff- und Lehrplan scheint Gelzer keinen Einfluß genommen zu haben. Über den täglichen Schulbetrieb selbst hielt Prälat Holzmann seine Hand [54]. Die deutschen Fürstenhäuser waren entgegen den Erwartungen der Gründer nicht bereit, ihre Söhne nach Karlsruhe zu geben. Auch Hinzpeter, der Erzieher des Prinzen Wilhelm von Preußen, der mit seinem Zögling die Friedrichschule besichtigte, vermochte dem Kronprinzenpaar diese Art der Erziehung nicht anzuraten. Gelzers Plan, eine Schule für Staatsmänner unter seiner Leitung zu gründen, wurde nie verwirklicht. Erst als der Schulabschluß des Erbgroßherzogs erreicht war, schaltete sich Gelzer ein mit der Wahl der Universität und der Lehrer, die dem Prinzen private Vorlesungen hielten. Als sein besonderes Recht nahm er es in Anspruch, ihn in die Geschichte einzuführen.

Es kann kein Zweifel darüber bestehen, daß Gelzer die Steinstiftung zur Realisierung seiner eigenen Vorstellungen gegründet hat. Sie war der Inhalt seines ganzen Daseins. Unter diesem Zeichen sah er auch seine Vertrauensstellung beim großherzoglichen Paar, dem sie wachsend die Erfüllung eines aufrichtigen Bedürfnisses wurde. Jahr für Jahr verlebten sie gemeinsame Tage und Wochen in ausgedehnten Gesprächen, die Gelzer nie ausführlich genug sein konnten, mit besonderer Vorliebe auf der Mainau, aber auch in Karlsruhe, am Genfer See und in Gelzers Haus in Basel, das der Großherzog mit seiner Büste und der Steins schmückte. Alle Wendepunkte der deutschen Politik wurden da ausgiebig erörtert, weniger im Konkreten als unter den übergeordneten „ethischen" Gesichtspunkten, die Gelzer so sehr am Herzen lagen. Er besaß die dem Großherzog so besonders wichtige Gabe, das Zeitgeschehen in große Zusammenhänge einzuordnen und aus solch systematischem Denken genau den Punkt zu bezeichnen, an dem man stand und wo fortgefahren werden mußte.

Aus den zahllosen Unterredungen gingen wie von selbst diplomatische Missionen Gelzers hervor, wenn es darum ging, moralische Kräfte einzusetzen, um einen Widerstand zu überwinden. Am bekanntesten ist Gelzers auf Veranlassung des Großherzogs unternommener Versuch geworden, König Ludwig II. von Bayern dazu zu bewegen, König Wilhelm die Kaiserkrone anzutragen, ein Bemühen, bei dem freilich Bismarck früher zum Zug kam. Gelzer galt es schon von jeher als eine Forderung seiner Art, „Zeitgeschichte" zu verstehen, daß er sich mit den Handelnden in der Welt in Verbindung setzte. Seitdem er Berater des Großherzogs war, geschah es in dessen Auftrag und in dem der Steinstiftung zugleich. Es galt, die Verantwortlichen zu sondieren, ob sie für die Aufgaben der Stiftung zu gewinnen seien. Erstaunlich, wie wenig Türen sich Gelzer verschlossen haben

54 Die Friedrich-Schule (1888).

an den Höfen, an der Kurie, in der Bürokratie, im internationalen Hochadel. Nur Bismarck hat sie ihm grob verschlossen. Gelzer war nicht unempfänglich für die Genugtuung, die er empfand, wenn er, der Handwerkersohn, von Königen und Ministern, selbst vom Papst, nicht nur empfangen wurde, sondern wenn sie stunden- und abendelang, wie Kaiser Wilhelm, seinen Darlegungen lauschten und sich obendrein noch bereichert empfanden.

Nicht das ist das Erstaunliche, daß es Gelzer immer wieder magisch in diese Kreise zog, daß er gewiß nicht Selbstkritik genug besaß, um Gehörtes und Erlebtes angemessen zu berichten, ohne zu übertreiben und ohne sich selbst ins Licht zu rücken, sondern daß vielmehr Großherzog Friedrich ihn bestärkte, sein eigenes Urteil, seine Erfahrung, seine Pläne und sein Handeln, namentlich das in der Reichspolitik, vor ihm ausbreitete, seinen Rat und seinen Zuspruch suchte, daß er sogar meinte, Gelzers Einblick in das Wesen der römischen Kirche sei als das sichere Wissen eines Gelehrten dem Bismarcks, des grobschlächtigen Praktikers und preußischen Machtpolitikers ohne jedes Konzept, so überlegen, daß er sich selbst an höchster Stelle dafür verwenden müsse, damit der Freund als Reichskultusminister berufen werde mit dem Auftrag, die Probleme des Kulturkampfes aus seiner Sicht zu lösen. In Bismarck und Gelzer, mit dem Großherzog im Hintergrund, treten sich, so unangemessen auch der Vergleich ist, zwei Potenzen des neuen Kaiserreiches gegenüber: der nüchterne, fest in seiner Tradition verwurzelte, realistische Staatsmann, der gewiß schwer genug an seiner Bürde trug, aber auch wußte, was er an realer, mit seiner Person verbundener Macht in die Waagschale zu legen hatte, und der Nachfahre eines Idealismus, besser noch: der überständige Anhänger des Biedermeier, der in maßloser Überschätzung sich zu dem erlösenden Wort an die Nation berufen fühlte und es doch nicht finden konnte, der vielgeschäftig in Diplomatie und Politik dilettierte, stets nur Gefahren in der Welt sah und sich doch ihrem Anspruch nicht stellte. War das die Welt des aktivsten, uneigennützigsten der deutschen Fürsten? Wenn dem so ist, dann war diese Welt längst zum Untergang reif, bevor der Sturm über sie kam.

17.

Ultramontanismus und Staatsräson: Der Kulturkampf *

Mit diesem Thema [1] greifen wir noch einmal hinter die beiden letzten Vorträge [2] zurück, den über den christlichen Staat, wie er im Preußen Friedrich Wilhelms IV. und der preußischen Konservativen erstrebt wurde, und den über die Konkordate im 19. und 20. Jahrhundert. Der Grund dafür ist folgender: Im Kulturkampf, der das neue deutsche Kaiserreich in der Stunde seiner Geburt schwer belastete, kreuzen sich eine Reihe von Entwicklungslinien im Verhältnis von Staat und Kirche, die hier bisher noch nicht ausgezogen wurden, die man aber kennen muß, wenn man die historische Dimension des Problems verstehen will. Der Kulturkampf ist kein punktuelles deutsches, sondern zugleich ein europäisches Ereignis, dessen Vorbereitung und Konsequenzen neben Deutschland ebenso Frankreich, Belgien, die Schweiz, Österreich und Italien treffen. Diesen ganzen Umkreis hier zu fassen, ist nicht möglich. Wir müssen uns darauf beschränken, ein paar Hauptereignisse herauszugreifen und zu analysieren.

Dabei wird es gut sein, auch wenn ausdrücklich davon nicht die Rede ist, sich daran zu erinnern, daß in den rund 100 Jahren, die hier anzuvisieren sind, unterschwellig unter den Ereignissen die große Strukturveränderung der europä-

* Ringvorlesung der Erlanger Historiker im WS 1965/66.

1 *J. Kißling:* Geschichte des Kulturkampfes im Deutschen Reich, 3 Bde. (1911—16); — *K. Bachem:* Vorgeschichte, Geschichte und Politik der deutschen Zentrumspartei, Bde. 2—4 (1926 ff.); — Die Vorgeschichte des Kulturkampfes. Quellenveröffentlichung aus dem Deutschen Zentralarchiv, bearb. v. *A. Constabel,* eingel. v. *Fr. Hartung* (2. Aufl. 1956); — *G. Franz:* Kulturkampf (1954); — *E. Schmidt-Volkmar:* Der Kulturkampf in Deutschland 1871—90 (1962); — *H. Bornkamm:* Die Staatsidee im Kulturkampf. In: HZ 170 (1950); — *R. Morsey:* Bismarck und der Kulturkampf. Ein Forschungsbericht. In: Arch. f. Kulturgesch. 39 (1957); — *Th. Schieder:* Das deutsche Kaiserreich von 1871 als Nationalstaat (1961); — *K. Buchheim:* Ultramontanismus und Demokratie. Der Weg der deutschen Katholiken im 19. Jahrhundert (1963); — *H. Maier:* Revolution und Kirche. Studien zur Frühgeschichte der christlichen Demokratie. 1789—1901 (2. Aufl. 1965).

2 *H.-J. Schoeps:* Der Christliche Staat im Zeitalter der Restauration, u. *K. Obermayer:* Die Konkordate und Kirchenverträge im 19. und 20. Jahrhundert. Beide in: Staat und Kirche im Wandel der Jahrhunderte, hg. v. *W. P. Fuchs* (1966) = Ringvorlesung der Erlanger Historiker.

ischen Gesellschaft sich vollzieht, an deren äußerstem Ende wir stehen: Infolge des Einbruchs der industriellen Revolution wandelten sich die vorwiegend agrarischen, gegeneinander abgeschlossenen, nicht einmal national geeinten Staaten und Staatenverbände zu industriellen, bis an die Schwelle der Weltwirtschaft vorrückenden Fabriknationen. Die Entwicklung war nur möglich durch den ständig sich beschleunigenden Aufschwung der Naturwissenschaft. Sie ihrerseits hat — abgesehen von den wirtschaftlichen Folgen — den überkommenen Kanon an Geistes- und Glaubensgut wenn nicht gar radikal in Frage gestellt, so doch zu neuer Bewährung und Wandlung herausgefordert. Es ist eine Entwicklung, die von der ständisch gegliederten Gesellschaft über den Aufstieg des Bürgertums zur Massendemokratie führt, in der nun auch die bisher politisch Rechtlosen wie die Arbeiterschaft im Sozialismus ihren Anspruch am Ganzen der Verantwortung vernehmlich anmelden, den nur durch Tradition gegebenen Führungspositionen bis zu den Honoratioren der bürgerlichen Schichten eine neue, zeitgemäße Legitimation abverlangen oder, wo sie nicht durch Wort und Tat gegeben wird, verwerfen. Diese in alle Bezirke des Staates, der Wirtschaft, der Gesellschaft, der Kultur und des individuellen Lebens — vielfach noch unerkannt — einbrechende neue Wirklichkeit bildet die Folie dessen, was hier zu behandeln ist.

Ultra montes, jenseits der Berge — konkret: der Alpen — ist von Haus aus eine geographische Vorstellung. Der davon abgeleitete Begriff Ultramontanismus gehört, wenn wir von dem nur noch antiquarisch interessanten Gebrauch des Wortes im Mittelalter absehen, zu den historisch-politischen Vorstellungen, deren Definition sich sogleich gegen den Definierenden zu wenden droht, weil sie den Verfechtern zu scharf, den Gegnern aber zu weich erscheint. Sucht man nach einer wissenschaftlich zureichenden und zugleich griffigen Bestimmung, so tut man gut daran, den weiteren Wortsinn ins Auge zu fassen und es der ferneren Darlegung vorzubehalten, welche politischen Varianten — ob liberal oder konservativ, progressiv oder reaktionär — dem Oberbegriff zu subsumieren sind. Wir wollen hier unter Ultramontanismus im umfassenden Sinne eine im frühen 19. Jahrhundert erwachsende Bewegung verstehen, die im theologisch-kirchlichen Bereich den päpstlichen Infallibilitäts- und Jurisdiktionsprimat gegen Episkopalismus und Nationalkirchentum durchzusetzen und innerhalb der politischen Sphäre die staatskirchlichen Bindungen abzuwerfen suchte. Freiheit der Kirche hieß für den Ultramontanismus Freiheit der vom Papst und seiner Kurie zentral geleiteten universalen Kirchenorganisation zur ungehinderten Entfaltung ihrer Wirksamkeit auf allen Gebieten des öffentlichen Lebens. Ultramontan in diesem weitgefaßten Sinn ist, wer in Fragen des Verhältnisses von Staat und Kirche wie in Fragen der Sozialethik, für die der Papst ein autoritatives Lehramt beansprucht, die Bindung politischer katholischer Kräfte an die Weisungen der außerhalb des eigenen nationalen Lebens stehenden römischen Kurie grundsätzlich anerkennt.

Der Kulturkampf fand dieses vom nationalen Staat wie in der innerkatholischen und interkonfessionellen Kontroverse im abfälligen Sinne gebrauchte Schlagwort bereits vor. Vor und nach den siebziger Jahren ist es in Deutschland die diffamierende Bezeichnung für die Zentrumspartei schlechthin. Entstanden aber ist die Bewegung des Ultramontanismus in Frankreich in Reaktion auf die Versuche der Revolution und Napoleons, in Fortführung der alten nationalkirchlichen Traditionen der französischen Monarchie, des Gallikanismus, das römische Papst- und Kirchentum zu einer Einrichtung des Staates zu machen. Solche Versuche hatten genau um die Jahrhundertwende den Papst zum ersten Mal seit dem mittelalterlichen Exil von Avignon wieder in die Verbannung geführt. Diesen Schock und die revolutionären Erfahrungen seit 1789 fingen die Staatsphilosophen der Restauration, Bonald und de Maistre, in ihrer neuen traditionalistischen Staatstheorie auf. 1819 veröffentlichte de Maistre ein zweibändiges Werk ‚Du Pape', das als Programmschrift des Ultramontanismus galt. Es entwickelt eine Konzeption, die man als theokratischen oder integralen Ultramontanismus bezeichnen kann. De Maistres Denken stand unter dem alles beherrschenden Eindruck der französischen Revolution. Für den glühenden Royalisten war sie eine weltgeschichtliche Katastrophe. Die Ursache aller politischen und sozialen Umwälzungen seiner Zeit und den Schlüssel zu ihrem Verständnis fand er im Bereich des Religiösen: der Einbruch des seinem Wesen nach demokratischen Calvinismus in Frankreich hatte, so sah es de Maistre, die gesamte politisch-soziale Struktur des Ancien Régime verändert. Die das Gefüge der Monarchie zersetzende reformatorische Ideenwelt verband sich in ihrer Wirkung mit dem geistlichen Presbyterianismus des niederen Klerus der gallikanischen Kirche. Nur schroffe Ablehnung aller protestantischen und gallikanischen Prinzipien konnte daher, so folgerte de Maistre, in Kirche und Staat eine stabile gesellschaftliche und politische Ordnung wiederherstellen. Darin sollte dem Papst die Aufgabe der Gewaltenbeschränkung und Souveränitätskontrolle zufallen. Nicht eigentlich kirchliche Motive, die Verteidigung und Wiederherstellung päpstlicher Rechte und kurialer Machtpositionen, sondern politische Beweggründe führten de Maistre folgerichtig zur Proklamation der Rückkehr zur universalen Kirche und ihrem sichtbaren Oberhaupt, dem Papst. Ihm schreibt er eine Jurisdiktionsgewalt über die weltlichen Souveränitäten zu, deren Umfang weiter reicht als alles, was die Theorie dem römischen Stuhl seit dem 16. Jahrhundert zugestanden hatte. Als erster erhob de Maistre die Forderung nach der päpstlichen Infallibilität in geistlichen Dingen aus Gründen einer politischen Psychologie: Er forderte die Theokratie, ja er glaubte an die Religion, weil deren Ordnung ihm für den Bestand der Gesellschaft unentbehrlich erschien.

Mit seinem Werk ‚Du Pape' ging de Maistre als der Begründer des Ultramontanismus in die Geschichte ein. Bis zur Julirevolution von 1830 haben seine Ideen (weniger seine theokratische Konzeption) einen bedeutenden Einfluß auf das Denken der katholischen Führungsschichten in Frankreich, Belgien und Deutschland ausgeübt. Eine große Breitenwirkung war ihnen indessen nicht beschieden, und von Rom mußte de Maistre erfahren, daß man dort sein Werk nicht verstand. Träger seiner Ideen fand de Maistre in der Gruppe der Integralisten. In der politisch-konfessionellen Polemik wurde seine Konzeption mit dem Programm des Ultramontanismus schlechthin identifiziert, die theokratisch-monarchische Variante mit dem vielgesichtigen Ganzen gleichgesetzt.

Die Julirevolution 1830 sah jedoch den Sieg eines Mannes, der nach einer ungläubigen Jugend in das Lager der Traditionalisten stieß und nach dem Bruch mit dieser Schule zum Herold eines liberalen Ultramontanismus wurde. Es war Abbé de Lamennais. Wie bei Bonald und de Maistre war auch sein Ziel die ,reconstitution de la société politique à l'aide de la société religieuse' — die Wiederherstellung der politischen Gesellschaft mit Hilfe der religiösen Gesellschaft. Aber im Gegensatz zu diesen konsequenten Royalisten schritt Lamennais unter dem Eindruck der siegreichen Julirevolution zur Theologisierung der Demokratie fort: nicht im Bunde mit den alten Gewalten des Ancien Régime, so lautete seine Doktrin, konnte die Kirche sich selbst retten und ihre Aufgabe als Stabilisator von Staat und Gesellschaft lösen, sondern nur im Verein mit dem Volk und den Mitteln der liberalen Bewegung. Diese Wendung zum Liberalismus war keine grundsätzliche: sie war zeitbedingt, bedeutete Anschluß an die stärkeren Bataillone; als Fernziel schwebte Lamennais die Überwindung der durch die Revolution vollendeten Trennung von Kirche und Gesellschaft, die erneute Verschmelzung von geistlichem und weltlichem Prinzip in einer theokratischen Ordnung vor. Daher war sein Liberalismus kein absolutes Ideal, sein Freiheitspathos kein unbedingtes: was Lamennais erstrebte, war nicht politische Freiheit, Freiheit des Individualismus, sondern religiöse Freiheit, Freiheit der Kirche vom Staat. Bruchlos konnte er mit seinem zweckbestimmten Liberalismus strengen innerkirchlichen Autoritarismus und Dogmatismus verbinden.

Lamennais' politische Theologie hatte ein ähnliches Schicksal wie die de Maistres — nicht nur, daß man sie in Rom nicht verstand, sie wurde vom Papst ausdrücklich verurteilt, da sie mit ihren theologischen Folgerungen der kirchlichen Lehre widersprach und man den säkularen Liberalismus für ein Kind der Aufklärung und der französischen Revolution, also für grundsätzlich kirchenfeindlich hielt. Lamennais zog seinen Priesterrock aus, säkularisierte seine politische Theorie und schloß sich für den Rest seines Lebens der extremen Linken an.

Lamennais' Schicksal hat eine Synthese von Ultramontanismus und Liberalismus im 19. Jahrhundert verhindert. Dennoch hatte seine Doktrin eine viel nachhaltigere und weiterreichende Breitenwirkung als die de Maistres. Von der extremen, reaktionären Gruppe der Ultramontanen wurde die Dialektik seiner politischen Theologie in die Maxime eingefangen: Wo wir in der Minderheit sind, werden wir nach den Prinzipien der Liberalen die Freiheiten verlangen, welche wir in der Majorität den Liberalen nach unseren eigenen Prinzipien verweigern. Der Masse seiner Schüler und Anhänger, welche die Dialektik von Lamennais' Ansatz nicht verstanden oder aufgriffen, lieferte seine Doktrin die

Theorie für die politische Auseinandersetzung: In Verbindung mit den liberalen Gruppen kämpfte der liberale Ultramontanismus für die Freiheit der Kirche vom Staate, insbesondere für die Freiheit des Unterrichts und der Vereine. Das Muster für die von den Ultramontanen in Westeuropa erstrebten Staatsverfassungen wurde die belgische mit der erklärten Trennung von Kirche und Staat, der Gründung von privaten, nur der Kirche unterstehenden Schulen und Predigerseminaren und selbst einer katholischen Universität in Löwen ohne Mitwirkung und Einspruchsrecht des Staates. Aber es nahm mehr als ein Jahrhundert in Anspruch, bis demokratische Praxis und politische Freiheit in der Lehre der Kirche das Stigma des minus malum, des kleineren Übels, verloren und positive Würdigung fanden.

Aus der französischen Entwicklung des Ultramontanismus ist festzuhalten: die Heranziehung der Massen durch betonte Frömmigkeitspflege, ihre politische Beeinflussung durch eine stark ausgebaute Presse, zur Erreichung erster Nahziele das Bündnis mit dem weltlichen politischen Liberalismus, die Ablehnung einer in sich geschlossenen Nationalkirche und der nachdrückliche Einsatz für eine gebietende Stellung des Papstes sowohl als Monarch des Kirchenstaates wie auch als universaler Schiedsrichter in allen kirchlichen Streitfragen.

In Deutschland verzeichnen wir in großen Zügen eine parallele, im einzelnen aber doch wieder stark abgewandelte Entwicklung. Die von Napoleon zu Beginn des Jahrhunderts bewirkte Veränderung der deutschen Landkarte, das Ende des Heiligen Römischen Reiches Deutscher Nation und die Bestimmungen des Wiener Kongresses veränderten die Stellung des deutschen Katholizismus mit einem Schlage sehr tiefgreifend. Die Erben des bisher selbständigen geistlichen Besitzes wurden die deutschen Fürstenstaaten, die mit diesem Zuwachs an Territorium, Reichtum und Macht ihre staatliche Souveränität wesentlich festigten. Wenn sie seit dem Ausgang des 30jährigen Krieges im wesentlichen konfessionell einheitlich strukturiert gewesen waren, so wurden ihnen nun Angehörige von bisher nicht landesüblichen Konfessionen, wenn auch als Minderheit, inkorporiert. Das heißt, die Landesregierungen wurden zwangsläufig paritätisch. Die Bürokratien behandelten die im Plural vorhandenen Kirchen als untergebene, vom Staat zu beaufsichtigende, dem Rang nach unter dem Staat stehende Körperschaften, die den Kultusministerien als Trägern der staatlichen Kirchenhoheit zu parieren hatten. Alle diese Staaten betrachteten es grundsätzlich als ihr selbstverständliches, wenn auch nicht immer praktiziertes Recht, die von den Kirchen betriebenen Schulen und Wohlfahrtseinrichtungen an sich zu ziehen, wann immer sie es wollten, den einheitlichen Gerichtsstand auch für die Geistlichen zu proklamieren, die Erziehung des geistlichen Nachwuchses zu beaufsichtigen, die Ehegesetze ohne Rücksicht auf das kanonische Recht zu regeln, kirchliche Beschlüsse und Verlautbarungen an ihr Placet zu binden, die Verbindungen der Bischöfe über die Landesgrenzen hinweg untereinander und besonders mit Rom zu verbieten und dergleichen mehr.

Kein Wunder, daß die betroffenen Gläubigen danach strebten, der Macht des Polizeistaates zu entgehen. Es geschah auch hier zunächst in der Mobilisierung der öffentlichen Meinung durch die Gründung von Zeitungen und Zeitschriften. Der ‚Literarische Verein zur Aufrechterhaltung, Verteidigung und Auslegung der römisch-katholischen Religion', die 1821 ins Leben gerufene Monatsschrift ‚Der Katholik', die von Josef Görres geschaffene Zeitschrift ‚Eos', die in München erscheinenden ‚Historisch-politischen Blätter' gehören in diesen Zusammenhang. Eine Zeitlang sah es so aus, als werde sich Bayern an die Spitze der ultramontanen Bestrebungen stellen. König Ludwig I. konnte sich aber auch nach der Berufung des Ministeriums Abel zu keiner entscheidenden Lockerung des Staatskirchenregiments entschließen. Das Zentrum der katholischen Bewegung verschob sich daher nach Mainz.

Wie schwierig die Einfügung der Provinzen Rheinland und Westfalen in das konservativ-agrarisch-protestantische und absolutistische Preußen war, wie ahnungslos die aus den alten Provinzen stammende Bürokratie dem einzugliedernden katholischen Bevölkerungsteil in den westlichen Provinzen gegenüberstand, zeigte sich im Kölner Kirchenstreit. Er brach aus, als der Erzbischof sich nicht an das mit dem preußischen Staat vereinbarte Mischehenrecht und die Grenzen der Kirchenaufsicht über die Bonner Universitätstheologie hielt, die unter dem Einfluß des häretischen Hermesianismus stand. Der Konflikt ergab sich ausgerechnet mit dem Erzbischof von Droste-Vischering, der auf Betreiben der preußischen Regierung gegen den Willen des Domkapitels gewählt worden war, nun aber in Polizeigewahrsam genommen wurde. Die Folgen waren auf der theologischen Seite eine Neubelebung der Neuscholastik, insbesondere des Thomismus, beim Kirchenvolk eine gesteigerte öffentliche Frömmigkeitspflege in enger Anlehnung an das nahe Belgien: 1844 die Wallfahrten zum wieder ausgestellten heiligen Rock in Trier, 1848 auf Grund des in den ersten Revolutionstagen errungenen Versammlungsrechts eine neue Blüte der von den Orden getragenen Volksmission in Exerzitien, geistlichen Bruderschaften und Vereinsgründungen: des Borromäusvereins für Verbreitung katholischen Schrifttums und katholischer Gesinnung, des Piusvereins für religiöse Freiheit, des Caritas-Vereins zur Linderung sozialer Notstände, der Kolping-Vereine zur Betreuung der wandernden Handwerksgesellen, katholischer Studentenverbindungen usw. Noch im gleichen Jahr schlossen sich zum erstenmal alle diese Gründungen zum ‚Katholischen Verein Deutschlands' über Länder- und Diözesangrenzen zusammen. Karl Buchheim hat jüngst in diesem Zusammenhang von einer Demokratisierung des katholischen Kirchenvolks gesprochen. Man sollte lieber von einer ferngesteuerten Massenbewegung sprechen. Denn es war die bezeichnende Schwäche aller dieser Vereine bis in die lokalen Organisationen hinein, daß die Geistlichen das Heft nicht aus der Hand gaben. Aus Sorge vor revolutionären Machenschaften wirkte der höhere Klerus z. T. sogar bremsend auf die Entwicklung ein. Immerhin wurde auf der ersten Generalversammlung des katholischen Vereins Deutschlands in Mainz, der ersten großen Heerschau des Katholizismus aus Großdeutschland, von Domkapitular Lennig aus Mainz eine Sprache geführt, die man bisher nicht gehört hatte:

„Wir bekämpfen nicht die Throne, sondern nur die Herrschaft des falschen Staatskirchenrechts, wir bekämpfen den Absolutismus in seiner Anwendung auf die Religion. Wir sind keine Feinde der Volksfreiheit, wir stehen vielmehr mitten im Volke, und zwar stehen wir auf dem Boden der Freiheit. Wir bekämpfen nicht die Freiheit anders Glaubender, wir haben uns in unsern Vereinen mit anders Glaubenden nicht zu befassen. Vielmehr bieten wir ihnen, laut unseren Statuten, wo es gilt, ihre Freiheit gegen Beeinträchtigung zu sichern, unsre Hilfe an und halten uns dafür berechtigt, gleiche Billigkeit auch von ihnen zu erwarten“ (Buchheim, S. 57).

Verfassungsmäßige Veränderungen waren auch die Parole der im November 1848 in Würzburg zusammengetretenen Konferenz deutscher Bischöfe, der ersten nach der Säkularisation. Sie forderte auf höherer Ebene das Recht der Bischöfe, ohne das Placet des Staates mit Papst, Klerus und Volk zu verkehren, eigene Verwaltung des Kirchenvermögens und für den Fall der Trennung von Kirche und Staat den Schutz der katholischen Schulen und Sicherung der religiösen Volkserziehung. Die Frankfurter Nationalversammlung mit ihrer nicht-katholischen Mehrheit wurde durch einen wahren Petitionssturm bedrängt, in ihrer Verfassung die freiheitlichen Bedürfnisse der Kirche zu berücksichtigen. Aber als mit der Verweigerung der deutschen Kaiserkrone durch Friedrich Wilhelm IV. das ganze Verfassungswerk zu Boden fiel, bemühte sich die in der Paulskirche gegründete ‚Katholische Fraktion für besondere Zwecke‘ wenigstens darum, daß die bereits beschlossenen kirchlichen Freiheiten in die Verfassungen der Einzelstaaten übernommen wurden. Die reaktionären süddeutschen Staaten verwarfen sie pauschal. In Preußen schnitt die katholische Bewegung insofern besser ab, als Friedrich Wilhelm IV. einschlägige Bestimmungen in die 1850 oktroyierte Verfassung übernahm und eine besondere ‚katholische Abteilung‘ im preußischen Kultusministerium einrichtete. Aber schon zwei Jahre später widerriefen die Raumerschen Erlasse im wesentlichen wieder die gewährten Freiheiten. Der Widerspruch dagegen führte im preußischen Abgeordnetenhaus 1852 zum politischen Zusammenschluß der ‚katholischen Fraktion‘, 1859 zur ‚Fraktion des Zentrums‘, König Wilhelm I. von Preußen sprach zum erstenmal öffentlich vom Mißbrauch der „Religion zum Deckmantel politischer Bestrebungen“ und „Übergriffen der katholischen Kirche“, die Preußen nicht dulden werde.

Preußen stand gleichsam auf dem Sprunge, diese infolge innerer Uneinigkeit recht brüchige Form parlamentarischer Opposition in ihre Grenzen zu verweisen und gegebenenfalls ganz auszuschalten, wie es mit der liberalen Opposition im preußischen Verfassungskonflikt tatsächlich geschah. In dem Maße, wie der politische bürgerliche Liberalismus nach dem Scheitern der Paulskirche sich erholte und zum Bewußtsein seiner selbst kam, durchschnitt er auch von sich aus die niemals institutionell geknüpften Bande zu den ultramontan genannten Gruppen in der gemeinsamen Forderung nach Freiheit und Rechtsstaatlichkeit. Für die selbstbewußten Liberalen wurde die katholische Bewegung mehr und mehr zum Hemmschuh, ja zum Feind des allgemeinen Fortschritts und der Gewissensfreiheit, weil sie bei punktuellen, nur sie interessierenden Reformen stehenblieb, aber nicht im entferntesten an eine durchgreifende Wandlung der bestehenden Verfassungsverhältnisse, geschweige denn an die deutsche Einigung dachte.

Überblickt man bis zu diesem Punkte die Entwicklung der katholischen Bewegung in Deutschland, so handelt es sich im Grunde um eine Formierung der Kräfte wie auch auf anderen Gebieten des staatlichen Lebens, zunächst ähnlich wie in Frankreich mit zweckbetonter Anlehnung an den Liberalismus, um Freiheit von polizeistaatlichen Bindungen zu erreichen. Das Ziel aber blieb restaurativ; man drängte nicht zu neuen Ufern. Von Ultramontanismus in dem Sinne, daß das Papsttum zum Garanten seiner Forderungen proklamiert worden wäre, kann man — von Einzelstimmen abgesehen — aber nicht sprechen, wenn man die Bewegung der Massen ins Auge faßt. Der Papst war für die deutsche Bewegung noch weit.

Das änderte sich, als der italienische Nationalismus in seine kritische Phase trat. Daß der Kirchenstaat dem Risorgimento im Wege stand, war nicht zu übersehen. Die römische Kurie hat sich dieser Entwicklung sehr zu ihrem eigenen Schaden mit aller Macht entgegengestellt. Die ersten Aufstände im Kirchenstaat und die gleichzeitigen gewaltsamen Einfälle der Freischaren Garibaldis in päpstliches Gebiet wurden noch mit verhältnismäßig geringer Mühe bereinigt. Zur Übergabe konstitutioneller Rechte an Laien konnten sich Gregor XVI. und Pius IX. nicht entschließen, weil ihnen das als Einschränkung der päpstlichen Unabhängigkeit erschien. Was die Rolle des Kirchenstaates im Gefüge der italienischen Staaten betraf, entwickelten einsichtige liberale römische Prälaten gemäßigte Vorstellungen: Sie dachten an einen italienischen Staatenbund, dessen Vorsitz der Papst, dessen Schutz Piemont übernehmen sollte. Die allzu sehr zaudernde päpstliche Politik ist schließlich durch die Entwicklung überrollt worden. 1848 erhob sich Sizilien gegen die absolutistischen Bourbonen, der Norden Italiens gegen Österreich. Pius IX. entschied sich gegen eine Teilnahme am Kriege gegen das katholische legitimistische Österreich. Damit war die römische Frage gestellt. Sie lautete: Wenn sich die Pflichten eines italienischen Souveräns nicht mit denen des Oberhauptes der römischen Kirche vereinigen lassen, dann muß der Papst auf seinen Anteil an der weltlichen Herrschaft verzichten. Er mußte nach Gaeta fliehen. Erst die Wiederherstellung der alten Zustände durch österreichische und russische Truppen in Oberitalien und die Besetzung Roms durch ein französisches Expeditionskorps erlaubten seine Rückkehr. Die Entscheidung war aber nur aufgeschoben.

Inzwischen entwickelte sich Piemont unter seiner liberalen Verfassung von

1848 zum blühenden Staatswesen, während der Kirchenstaat, infolge seiner anachronistischen Verwaltung durch Geistliche tief verschuldet, infolge der hartnäckigen Verweigerung jedes konstitutionellen Zugeständnisses in der eigenen Bevölkerung ohne jeden nennenswerten Anhang, lediglich darauf hoffte, daß die revolutionären nationalen Bestrebungen sich von selbst erledigen und die legitimistischen Herrscher Europas die Sieger bleiben würden. Daran änderte sich auch nichts, als der Nationalismus in Europa von einem Erfolg zum andern schritt, als 1859 die Lombardei mit französischer Hilfe an das siegreiche Sardinien-Piemont fiel und die Romagna, bisher Teil des Kirchenstaates, durch Volksabstimmung trotz päpstlicher Exkommunikation dem Kern des italienischen, von den europäischen Mächten protegierten Einheitsstaates beitrat. Die Ausschaltung des katholischen Österreich aus dem Deutschen Bund, der Aufstieg des protestantischen Preußen zur deutschen Vormacht schwächte die weltliche Stellung des Papstes weiter. Sie fand ihr Ende, als infolge des deutsch-französischen Krieges 1870 die französische Garnison in Rom abgezogen wurde. Die Piemontesen besetzten Rom und erklärten es zur Hauptstadt des geeinten Italien. Die politische Unbeweglichkeit der Kurie kostete der römischen Kirche den weltlichen Besitz, den sie bisher für einen wesentlichen Bestandteil auch der geistlichen Souveränität des Papstes gehalten hatte. Zugleich verlor der Legitimismus einen wichtigen moralischen Rückhalt vor den anstürmenden nationalen und sozialrevolutionären Bewegungen.

Frankreich gehörte seit 1870 zu den Unterlegenen und hatte praktisch keine Möglichkeit einzuwirken. Die katholische Bewegung in Deutschland stand mit dem Herzen von jeher bei dem katholischen Österreich gegen die spätestens seit 1866 klar heraufziehende protestantisch-preußische Kaisermacht. In den römischen Wirren hatten sich die deutschen Ultramontanen darauf beschränkt, in ihren Pfennig-Vereinen mit Hunderttausenden von Unterschriften dem bedrohten Papst Sympathieerklärungen abzugeben und zusätzliche Geldspenden für die Ausrüstung päpstlicher Truppen und Freiwilligenverbände aufzubringen. Solche Hilfen waren naturgemäß viel zu unbedeutend, um in den Lauf der Dinge einzugreifen. Resignierend, was allein schon Verdacht und Unbehagen bei den erfolgreichen liberalen Schichten erweckte, mußte die katholische Bewegung in Deutschland die Reichsgründung als unvermeidlich hinnehmen.

Das Papsttum hatte seinem Autoritätsschwund nicht nur passiv zugesehen. Die Erfolge des Ultramontanismus besonders in der Pflege der Massenfrömmigkeit waren bereits 1854 honoriert worden durch die päpstliche Lehrdefinition über die Immaculata Conceptio Marias im Leibe der heiligen Anna, eine neue Stimulierung der verbreiteten Marienverehrung. Zehn Jahre später verurteilte die Enzyklika Quanta cura und der Syllabus errorum mit der Zusammenstellung von 80, früher schon von der Kirche verworfenen Lehrsätzen des Nationalismus, den Liberalismus, das Verhältnis von Staat und Kirche, die Entwicklung der modernen Wissenschaft u. a. m. Die Kirche schien im besten Zuge, den Leitlinien des modernen Lebens sich prinzipiell entgegenzustellen; sie stieß auf einmütige Ablehnung in breiten Kreisen der aufgeklärten Öffentlichkeit. Dem drohenden Verfall seiner weltlichen Herrschaft setzte Pius IX. den Versuch entgegen, die päpstliche Lehrautorität zu erhöhen und zu festigen, wie es bereits in den Anfängen des französischen Ultramontanismus gefordert worden war. Das 1869 zusammengetretene vatikanische Konzil, das erste nach dem tridentinischen, beschloß am 18. Juli 1870, einen Tag vor der französischen Kriegserklärung an Preußen, die Infallibilität des Papstes, d. h. die Unfehlbarkeit in der Festsetzung dogmatischer Glaubenssätze, die der Papst weder als Person noch als Theologe, sondern ex cathedra als Haupt der Kirche und Stellvertreter Christi auf Erden aussprach. Es war der höchste Triumph des Ultramontanismus, der ihn aber auf der Stelle in eine schwere Krise führte.

Als zu Beginn des Jahres 1869 die jahrelang sorgfältig vorbereitete, aber geheim gehaltene Absicht des Papstes bekannt wurde, bemächtigte sich der europäischen Öffentlichkeit, nicht nur der Laien, sondern auch des Klerus, eine starke Erregung. Am größten war der Widerspruch in Deutschland und Österreich. Der bayerische Ministerpräsident Fürst Hohenlohe schlug einen Kollektivschritt der europäischen Regierungen gegen die Unfehlbarkeit vor, fand aber wenig Gegenliebe: man wollte — trotz aller Bedenken — zunächst abwarten. Nur die beiden führenden katholischen Staaten Österreich und Frankreich legten im voraus Verwahrung ein gegen zu erwartende Konzilsbeschlüsse, die den Gesetzen des Staates zuwiderliefen. In den Bedenken der kirchlichen Opposition wurden bezeichnenderweise in erster Linie opportunistische Überlegungen angeführt: Befürchtungen vor unnötigen Streitigkeiten mit der Staatsgewalt, unvermeidliche tiefgehende Spannungen zwischen Katholiken und Protestanten. Die Fuldaer Bischofskonferenz, wenig später eine Adresse von 45 deutschen und österreichischen Bischöfen an den Papst, bezeichneten die Definierung des Dogmas als unzeitgemäß. Von den 19 am Konzil teilnehmenden deutschen Bischöfen gehörten 15 zur opponierenden Minorität. Bischof Ketteler von Mainz, einer ihrer führenden Köpfe, warf sich dem Papste zu Füßen und flehte ihn an, „der Vater der katholischen Welt möge der Kirche und dem Episkopat durch etwas Nachgiebigkeit Frieden und die verlorene Einigkeit wiedergeben“ (Franz, S. 77). Erreicht wurde damit nichts. Die deutschen Bischöfe nahmen in der Mehrheit an der Schlußabstimmung gar nicht mehr teil. Unmittelbar danach wurde das Konzil wegen des Krieges abgebrochen und, da die Kriegsereignisse alles überschatteten, nicht wieder einberufen. Alle Abreden der Geistlichen untereinander, die Anfechtungen des formalen Verfahrens, Hinauszögern der Verkündigung der Konzilsdekrete in den Diözesen nützten nichts mehr. Roma locuta, causa finita. Einer nach dem andern aus der Konzilsopposition, freilich eine Minorität, machte seinen Frieden mit der Kirche, als letzter Bischof Hefele von Rottenburg, der bedeutende Historiker der christlichen Konzile, dem noch nach Jahren, wenn er auf diesen Punkt zu sprechen kam, die Tränen in die Augen traten, weil er, von allen Gefährten verlassen, sein Gewissen übersprungen hatte.

Bismarck hatte zunächst die Meinung vertreten, daß es sich hier um eine interne Angelegenheit der Kirche handle, und daher äußerste Zurückhaltung geübt. Die dissentierenden und exkommunizierten Altkatholiken erweckten anfänglich die Hoffnung, daß sie der Ansatz zu einer deutsch-katholischen Nationalkirche werden könnten. Aber das Häuflein der gegen den Kirchenbann Stehenden blieb klein. Trotz aller Neutralität konnte der Staat dem Konflikt mit der Kirche nicht entgehen, als die Kirchenbehörden dazu übergingen, auch Staatsbeamten wie Theologieprofessoren, Religionslehrer und Militärgeistliche, die sich den Altkatholiken anschlossen, die missio canonica zu entziehen, sie zu exkommunizieren und die Staatsbehörden aufzufordern, sie auch aus ihren Beamtenstellungen zu entlassen. Hier lag nun in der Tat ein Konflikt mit den Hoheitsrechten des Staates vor, der paritätisch alle Religionsgesellschaften zu dulden hatte. Die Unnachgiebigkeit der kirchlichen Stellen hatte die ersten provisorischen staatlichen Maßnahmen im Gefolge: dem Bischof von Ermland wurden die Temporalien gesperrt, der katholische Feldpropst der preußischen Armee zur Disposition gestellt.

Wenn es sich allein um einen Rechtsstreit zweier Kontrahenten gehandelt hätte, wäre der Konflikt wahrscheinlich bald beigelegt worden. Aber in Wirklichkeit wurde hier zwischen Staat und Kirche ein politischer Kampf um Prestige und Macht geführt. Es ist daher auch nicht möglich, von der in der Auseinandersetzung viel strapazierten Staatsräson im Sinne einer eindeutig festlegbaren Größe zu handeln. Sie bricht sich in Dutzenden von Farben je nach dem Personenkreis, den man um Auskunft fragt. Daß auch bei Bismarck, der als preußischer Ministerpräsident und Reichskanzler die Hauptverantwortung trug, ebenso wie bei allen anderen Akteuren und Zuschauern neben Redlichkeit auch Vorurteile, Taktik und Emotion im Spiel waren, ist nicht zu leugnen. Wir beschränken uns auf Bismarck als den entscheidenden Mann.

Der Entschluß, den Kampf mit der Kirche aufzunehmen, wurde bei ihm durch zwei Motive ausgelöst. Das eine lieferten ihm die polnisch sprechenden Teile der preußischen Monarchie. Der Kanzler beobachtete, daß in den östlichen, vorwiegend polnisch sprechenden Provinzen die Geistlichkeit ebenso wie die für die Schulaufsicht verantwortlichen geistlichen Inspektoren nicht die gewünschte Ausbreitung der deutschen, sondern der polnischen Sprache begünstigten. Bismarck schien darin die Gefahr zu liegen, daß polnische Nationalbestrebungen sich auf dem Reichsgebiet breitmachten und daß sich mit den national-polnischen Interessen konfessionell-katholische verbanden. Hier handelte es sich um ein für jeden Nationalstaat sehr entscheidendes Problem: Wie sollte ein solcher Staat, der — so weit wie möglich und realistisch — nach der staatlichen Zusammenfassung aller eine Zunge Sprechenden strebte, es mit den völkischen Minderheiten halten, die kulturell den benachbarten Staaten oder solchen, die es erst noch werden wollten, zugehörten? Das Problem stellte sich — wenn auch nicht mit der gleichen Dringlichkeit — auch bei den französisch sprechenden Elsässern und den dänisch sprechenden Nordschleswigern. Es ist für uns heute erst sichtbar, mit welcher überraschenden Selbstverständlichkeit, Intoleranz und Intransigenz in den Verhandlungen des Reichstags über die deutsche Amtssprache in den fremdsprachigen Grenzgebieten auch die völkische Eindeutschung gefordert wurde. Bismarck erkannte an den Symptomen im Osten, daß das Verhältnis von Staat und Kirche neu bestimmt werden mußte, sollte nicht unabsehbarer Schaden geschehen. Dabei dachte er in einem Aufwaschen im Rahmen der evangelischen Kirche auch das Verhältnis zwischen der altpreußischen Union zu den lutherischen Landeskirchen der 1866 gewonnenen Provinzen neu zu regeln, da ihm evangelisches Landeskirchentum, landesherrliches Kirchenregiment, ausgeübt durch den preußischen Oberkirchenrat, und die Verbindung von Thron und Summepiskopat mit dem paritätischen Charakter des modernen Staates nicht mehr vereinbar schienen.

Die zweite Motivreihe, den Kampf mit der Kirche aufzunehmen, eine Gedankenkette, die erst die Schärfe in die Auseinandersetzung hineingetragen hat, ergab sich aus der Entstehung der Zentrumspartei im Sommer 1870 aus den katholischen Abgeordneten des preußischen Landtages, 1871 auch des Reichstages unter der Führung von Peter Reichensperger und dem früheren hannoverschen Minister Ludwig Windthorst. Den Anstoß zu dieser Parteigründung lieferte die Entstehung des kleindeutschen Nationalstaates mit protestantischem Kaiserhaus unter starkem Einfluß liberaler Gedanken. Gegenüber dem liberal-protestantischen Übergewicht sollte die neue Partei die Interessen des katholischen Volksteils vertreten. Das Zentrum wollte zwar von Haus aus nicht konfessionelle, sondern politische Partei sein, stand also grundsätzlich auch Andersgläubigen offen, gab sich aber doch mit der nachdrücklichen Betonung kirchenpolitischer Programmpunkte ein stark konfessionelles Gepräge. Konkret forderte das Zentrum, das bei den ersten Wahlen im neuen Reich mit 48 Abgeordneten in den peußischen Landtag, mit 58 in den Reichstag einzog, 1. die Hilfe bei der Wiederherstellung des weltlichen Besitzes des Papstes. Wenn Bismarck auch 1870 bereit gewesen wäre, Pius IX. nach der Besetzung Roms auf seine Bitte in Deutschland Asyl zu gewähren, so konnte jetzt davon keine Rede mehr sein, da Bismarck eine Koalition der katholischen Mächte Frankreich und Österreich glaubte erwarten zu sollen. 2. forderte das Zentrum, diejenigen Artikel der preußischen Verfassung, die die Unabhängigkeit der Religionsgesellschaften sicherten, in die Reichsverfassung zu übernehmen. Das hätte einen Verstoß gegen die föderalistische Struktur des Reiches und einen Eingriff in die Kultushoheit der Einzelstaaten bedeutet. Auch dieser Antrag verfiel daher der Ablehnung.

Was Bismarck aufs äußerste erboste, war der Umstand, daß das Zentrum, gegenüber dem Zentralismus der Nationalliberalen von Natur aus föderalistisch gesonnen, enge Verbindungen zu denen einging, die mit dem neuen Reich nicht einverstanden waren: den Welfen, Polen und Elsässern, von denen die beiden letzteren sich in der überwiegenden Mehrheit zur katholischen Konfession bekannten. Von der Reichsfeindlichkeit dieser Gruppen schloß Bismarck kurz auf die Reichsfeindlichkeit des ganzen Zentrums. Als im Winter 1871/72 sein Versuch fehlschlug, die Unterstützung des deutschen Episkopats und der Kurie gegen das Zentrum zu gewinnen, war er zum Kampf entschlossen.

Es ist nicht nötig, die einzelnen Stationen des Kulturkampfes ausführlich darzustellen. Die Gesetzesinitiative ging, nachdem in Preußen als erste Maßnahme die katholische Abteilung des Kultusministeriums aufgehoben worden war, von Bayern aus: Das Strafgesetzbuch wurde um den Kanzelparagraphen bereichert, der den Geistlichen verbot, in Ausübung ihres Amtes staatliche Angelegenheiten in einer den öffentlichen Frieden gefährdenden Weise zu behandeln. Das Schulaufsichtsgesetz beseitigte die geistliche Orts- und Kreisschulinspektion und unterstellte alle privaten und kommunalen Schulen der staatlichen Aufsicht. Das Jesuitengesetz wurde wiederum von Bayern veranlaßt; es verbot alle Niederlassungen des Ordens auf deutschem Boden und legte den einzelnen Ordensangehörigen Aufenthaltsbeschränkungen auf. Hier lag eindeutig eine Verletzung der rechtsstaatlichen Gleichheit durch ein Ausnahmegesetz vor, was von den meisten Liberalen großzügig übersehen wurde. Kernstück der ganzen staatlichen Gesetzgebung während des Kulturkampfes waren die Maigesetze von 1873. Durch Änderung der Verfassung wurden in Preußen die Kirchen den Staatsgesetzen und der staatlichen Aufsicht unterstellt. Die Übernahme eines geistlichen Amtes wurde an das Reifezeugnis eines deutschen Gymnasiums gebunden; oder die Bewerber hatten sich einem besonderen ‚Kulturexamen' in Philosophie, Geschichte und deutscher Literatur zu unterziehen. Die Oberpräsidenten der Provinzen erhielten ein Einspruchsrecht gegen die Anstellung eines Geistlichen; ihnen gegenüber bestand Anzeigepflicht bei der Vakanz eines kirchlichen Amtes. Die kirchliche Disziplinargewalt wurde auf deutsche Kirchenbehörden beschränkt; Berufungsinstanz gegen ihre Disziplinarentscheidungen wurde ein königlicher Gerichtshof für geistliche Angelegenheiten. 1874 wurde die Zivilehe obligatorisch eingeführt und die Beurkundung des Personenstandes auf die neu errichteten Standesämter übertragen. Das Expatriierungsgesetz gab den Regierungen die Möglichkeit, Geistliche auf einen bestimmten Aufenthaltsort zu beschränken oder gar aus dem Reichsgebiet auszuweisen. In Preußen erhielt der Kultusminister Vollmacht, Bistümer, die infolge Strafmaßnahmen vakant geworden waren, durch einen ernannten Kommissar verwalten zu lassen. Vakante Pfarrstellen sollten durch die Wahl der Kirchengemeinde neu besetzt werden. Das sogenannte ‚Brotkorbgesetz' von 1875 sperrte der Kirche alle staatlichen finanziellen Zuwendungen. Das Ordensgesetz hob die Niederlassungen sämtlicher Orden mit Ausnahme derer, die sich ausschließlich der Krankenpflege widmeten, in Preußen auf. 1876 waren sämtliche preußischen Bischöfe entweder verhaftet, ausgewiesen oder hatten sich durch Absetzen ins Ausland der Verhaftung entzogen. Von rund 4000 Pfarrstellen war ein Viertel unbesetzt. Die Mittel des Staates erwiesen sich als erschöpft, ohne daß er sein Ziel erreicht hätte. Pius IX. erklärte alle preußischen Kirchengesetze in feierlicher Form für ungültig und bedrohte alle, die sie befolgten, mit dem großen Kirchenbann. Die katholische Bevölkerung unterstützte in passivem Widerstand den gemaßregelten Klerus und ließ sich von ihm nicht trennen. Das Zentrum konnte 1874 die Zahl seiner Reichstagssitze verdoppeln. 1876 mußten auch Bismarck und die Liberalen sich eingestehen, daß sie gescheitert waren. Der Kampf stagnierte. 10 Jahre dauerte es, bis unter veränderter innerpolitischer Konstellation die Kulturkampfgesetzgebung abgebaut wurde und wieder normale Verhältnisse einzogen.

Fragt man sich nach der Staatsräson Bismarcks in diesem Kampf, so kann es nicht verwundern, daß er sein Programm nie an einer Stelle zusammenhängend dargestellt hat. So viel läßt sich aus zahllosen Schriftsätzen, Anweisungen, Gesprächsfetzen und Erinnerungen sagen: er wollte eine Lösung des bisherigen Verhältnisses zwischen dem Staat und den Kirchen, bei ausreichender finanzieller Versorgung, auch die Trennung von Kirche und Schule, konfessionslose Schule, mindestens bei den höheren, möglichst auch bei den Volksschulen. Den Religionsunterricht sollten allein die Kirchen geben. Er wünschte weiter die Behandlung kirchlicher Angelegenheiten durch das Justiz-, nicht durch das Kultusministerium, um eine unparteiische, rein juristische Behandlung zu sichern. Solche Forderungen entsprangen dem Wissen, wie tief sich der neue Staat gegenüber dem protestantischen altpreußischen Obrigkeitsstaat gewandelt hatte. Für seine konservativen Freunde verschwanden damit die Grundlagen des altpreußischen Staates. Sie konnten ihm daher nicht folgen. Manche notwendigen Maßnahmen wurden in der Hitze des Kampfes durchgeführt und durch säkulare Überheblichkeit in Begründung, Ausführung und Wirkung heillos verdorben. Die Gesetzgebung entwickelte sich nach zwei ganz entgegengesetzten Seiten: einmal in der Richtung der Trennung von Kirche und Staat, zum andern aber auch in der Richtung der Verstärkung der Staatsaufsicht über die Kirche. Bismarck selbst hat in den ‚Gedanken und Erinnerungen‘ der ‚Fahnenflucht der Konservativen‘ und dem Umstand, daß er allein auf die Liberalen angewiesen sei, die Schuld gegeben. Trotz gewisser Grundgedanken, die er verfolgte, scheute er aber das abstrakte Konzept. Auch beim Abbau des Kulturkampfes hat er sich hartnäckig allen Versuchen der Kurie und des Zentrums entgegengestellt, eine grundsätzliche Regelung des Verhältnisses von Staat und Kirche zu formulieren. Dafür war er viel zu sehr von der Wahrheit überzeugt, daß der König immer mit dem Priester kämpfen muß, daß es sich hier um ein geschichtliches Elementargesetz handelt, das nicht durch Staatsgesetze beseitigt werden kann.

Bei sorgfältiger Prüfung wird man nicht sagen können, sein Kampf habe sich nicht gegen die Kirche, wohl aber gegen das Zentrum gerichtet. Seiner ganzen Haltung nach zählte er sich fraglos einem Protestantismus zu, der aus jahrhundertelanger Gewöhnung damals noch wenig Verständnis für katholische Geistesart aufbrachte. Vor allem aber: Das Zentrum war ihm der Nährboden, aus dem alle reichsfeindlichen Gewalten Kraft sogen, die sie von sich selbst aus nicht hätten aufbringen können. Der Inbegriff dieser Feindlichkeit war ihm der Zentrumsführer Ludwig Windthorst. Mit entwaffnendem Freimut hat er von ihm bekannt: „Mein Leben erhalten und verschönen zwei Dinge: meine Frau und — Windthorst, die eine ist für die Liebe da, der andere für den Haß." Wer wollte leugnen, daß in diesem Haß auch die widerwillige Anerkennung für die taktische Geschicklichkeit dieses bedeutendsten Parlamentariers lag, den der Reichstag im kaiserlichen Deutschland besessen hat. Das Zentrum erschien ihm deshalb so gefährlich, weil es Massenwirkungen ungewöhnlicher Art zu erzielen und als konfessionelle Partei Kräfte aus dem religiösen Empfinden der katholischen Bevölkerung zu ziehen vermochte. In der Auseinandersetzung mit dem Zentrum erfolgte für Bismarck der erste Zusammenstoß mit dem heraufziehenden Parlamentarismus. Hier wurden für ihn zum erstenmal die Abgründe sichtbar, auf denen das neue Reich stand. In dem Maße, wie er erkannte, daß die eigentlichen Protagonisten des Parlamentarismus die Liberalen und die Sozialdemokraten waren, hat er mit dem Zentrum auch wieder seinen Frieden machen können.

18.

Die wissenschaftlichen Hochschulen Baden-Württembergs in der Nachkriegszeit

1.

Baden-Württemberg ist das an wissenschaftlichen Hochschulen reichste Land der Bundesrepublik. Kein anderes besitzt sieben Hohe Schulen: die drei Universitäten Heidelberg, Freiburg und Tübingen, die beiden Technischen Hochschulen Karlsruhe und Stuttgart und zwei weitere spezielle Hochschulen von wissenschaftlichem Rang, die Landwirtschaftliche Hochschule Hohenheim und die Wirtschaftshochschule Mannheim. Wissenschaftlicher Geist konzentriert sich im Lande gewiß nicht allein an diesen Orten; sie sind aber seine vornehmsten Pflanz- und Pflegestätten. Sein Reichtum an Hochschulen macht Baden-Württemberg, obwohl weder das größte noch das wohlhabendste Bundesland, zu einem Land ausgeprägter Wissenschaftstradition. Sie reicht von Heidelberg, der ältesten Universität in den Grenzen des einstigen Deutschen Reiches (gegründet 1386), über die 500 Jahre alten Sitze universaler Studien in Freiburg (1457) und Tübingen (1477) und die älteste deutsche Technische Hochschule in Karlsruhe (1825) bis zu einer der jüngsten Schöpfungen ihrer Art, der Wirtschaftshochschule Mannheim (1907).

Jede der sieben Hochschulen hat ihre eigene wechselvolle Geschichte. Jede ist sogar bis in die jüngste, nüchtern und rational denkende Gegenwart hinein unabhängig von den Schicksalen der anderen gewachsen. Aus keiner einheitlichen Konzeption entstanden, führen sie auch heute keine in planvoller Aufteilung bestimmten, gegeneinander abgegrenzten Aufgaben eines Ganzen aus. Jede befolgt in der von ihrer Korporation beschlossenen und von der Landesregierung anerkannten Verfassung ihr eigenes Gesetz. Ihr Status als Selbstverwaltungskörperschaft ist in der Landesverfassung ausdrücklich sanktioniert. Vier von diesen Institutionen — Heidelberg, Freiburg, Karlsruhe und Mannheim — brachte das einstige Baden, drei davon — Tübingen, Stuttgart und Hohenheim — das einstige Württemberg 1952 in die neue Gemeinschaft des Südweststaates ein. Die Unterscheidung zwischen badischen und württembergischen Hochschulen ist jedoch auch nach der Gründung des Bundeslandes zum Glück gar nicht erst aufgetaucht. Selbst die innerbadische Rivalität, die zu Beginn des 19. Jahrhunderts zwischen Heidelberg und Freiburg stand, ist gegenstandslos geworden. An die einstigen landesherrlichen Gründungen oder Erneuerungen erinnern heute nur noch die bei feierlichen Anlässen mit Würde geführten Namen: Ruprecht-Karls-Universität Heidelberg, Eberhard-Karl-Universität Tübingen, Albert-Ludwigs-Universität Freiburg, Technische Hochschule Fridericiana Karlsruhe.

Das wissenschaftliche Ansehen jeder einzelnen der baden-württembergischen Hochschulen ist im Verlauf ihrer Geschichte starken Wandlungen unterworfen gewesen. Es hing stets von den Schwerpunkten ab, die ihre Gelehrten bildeten. Forscher und Lehrer kommen und gehen zu allen Zeiten mit glücklichen Berufungen, mit Weggang und Tod. Nicht immer ist die Wirksamkeit eines bedeutenden Mannes, dessen Ruhm seiner ganzen Fakultät zugutekommt, eine Gewähr dafür, daß auch seine Nachfolger — mögen sie auch noch so sehr vom Glanz ihrer Vorgänger zehren — die einmal gewonnene Höhe halten. Nur wo Institutionen geschaffen werden, um bestimmte Disziplinen zu pflegen, vermag noch am ehesten Tradition sich zu bilden. Das gilt heute für die evangelische Theologie in Heidelberg, die katholische in Freiburg und Tübingen, die klassischen Altertumswissenschaften in Tübingen, die Astronomie in Heidelberg, die Forstwirtschaft in Freiburg, die Luftfahrtforschung in Stuttgart, die Atomforschung in Karlsruhe usw. Die Hohen Schulen Baden-Württembergs dienen weder in erster Linie noch gar ausschließlich den Interessen des Landes. Sie gehören vielmehr hier wie anderswo entsprechend dem Grundgesetz der Bundesrepublik, das die Kulturhoheit den Ländern zuweist, zu den Beiträgen, die das Land stellvertretend für das ganze freie Deutschland dem wissenschaftlichen Geist der Welt leistet.

Was die sieben Hochschulen Baden-Württembergs unmittelbar miteinander verbindet, ist die Fürsorge des Staates, in dessen Grenzen sie liegen. Ihr laufender finanzieller Aufwand, ihr Nachholbedarf, ihr notwendiger Ausbau bürden dem Lande große Lasten auf, deren Berechtigung insgesamt nie in Zweifel gezogen worden ist. Trotzdem sind ihre organisatorischen Verbindungen untereinander schwach. Ihre gewählten Rektoren treten nach freier Vereinbarung ohne jede staatliche Kontrolle zur Landesrektorenkonferenz zusammen. Sie vermag indessen keine Beschlüsse zu fassen, die die einzelnen Senate oder gar die Landesregierung binden. Im Landtag Baden-Württemberg ist es ein für alle Beteiligten heilsames Gewohnheitsrecht geworden, daß die Rektoren im Kultur- und Finanzausschuß gehört werden, bevor der Staatshaushalt für die wissenschaftlichen Hochschulen verabschiedet wird. Ein Landeshochschulgesetz aber, das die gemeinsamen Interessen im Rahmen des staatlichen Verbandes regelt, seit Jahren in Vorbereitung, ist noch nicht verabschiedet worden. Die baden-württembergischen Hochschulen sind Mitglieder der nicht minder unabhängigen Westdeutschen Rektorenkonferenz, die nach dem Kriege wegen ihrer verantwortungsbewußten, akademischen und unparteiischen Gesinnung und ihrer zuweilen weitschauenden Empfehlungen in allen Hochschulfragen sich große Autorität verschafft hat. Über dies Zentralorgan, das keinerlei bindende Kraft für die einzelnen Senate oder für die Kultusverwaltungen besitzt, nehmen die Hochschulen des Landes Anteil an allen Fragen des höchsten deutschen Bildungs- und Forschungswesens, ja darüber hinaus an den vielfältigen, oft verschlungenen Wegen und Formen der internationalen Gelehrtenrepublik.

Größe und Bedeutung einer Hochschule sind lange nach der Zahl ihrer Studenten gemessen worden. Inzwischen ist ihnen Kleinheit eher zum Vorteil als zum Nachteil umgeschlagen. Legt man den traditionellen, heute problematisch gewordenen Maßstab zugrunde, so gehören Heidelberg, Freiburg und Tübingen von jeher zu den Universitäten mittlerer Größe. Karlsruhe und Stuttgart nehmen unter den Technischen Hochschulen etwa die gleiche Stellung ein. Hohenheim mit seiner aus der Sache gegebenen stets kleinen Studentenzahl hat nach 1945 in der Forschung für die Ernährungssicherung und -Kontrolle nichts an Bedeutung verloren; mehr als die Hälfte seiner Neuimmatrikulierten sind neuerdings Ausländer. Seit die wissenschaftliche Erforschung und Ausbildung des wirtschaftenden Menschen mit gesteigerter Intensität erforderlich geworden ist, konnte sich die Wirtschaftshochschule Mannheim inmitten eines bedeutenden deutschen Handels- und Umschlagszentrums aus bescheidenen Anfängen trotz widriger Schicksale an die Spitze der Wirtschafts- und Handelshochschulen setzen.

2.

Diese Hohen Schulen standen wie alle ihre Schwestern in Deutschland, als 1945 die Waffen schwiegen, vor Trümmerhaufen. Wieviele Blutopfer der Krieg unter ihren Professoren, Studenten, Beamten und Angestellten gefordert hat, ist in Zahlen nie bekannt geworden. Freiburg, Karlsruhe und Stuttgart hatten in den Bombennächten einen großen Teil ihrer Gebäude und Institute verloren; Heidelberg, Tübingen und Hohenheim waren unversehrt davongekommen. Die Verluste an kostbaren, in Jahrzehnten aufgebauten Einrichtungen und unersetzlichen Sammlungen waren begreiflicherweise in den verwüsteten Städten am größten. Die Technischen Hochschulen Stuttgart und Karlsruhe verloren in ihren zentralen Bibliotheken allein fast die Hälfte ihrer Bücher, die zur Aufrechterhaltung des Lehr- und Forschungsbetriebes während des Krieges an Ort und Stelle geblieben waren. Das waren nicht einmal die schmerzlichsten Verluste. In Freiburg, wo das Gebäude der Universitätsbibliothek in Trümmer ging, konnten dank vorsorgender Planung die gesamten Bestände gerettet werden. Die Auslagerungen von Büchern und Instrumentarien während der letzten Kriegsjahre in Bergwerken, tiefen Kellern, stillen Klöstern und entlegenen Herrensitzen erwiesen sich nicht in jedem Falle als wirksamer Schutz. Die Universitätsbibliothek Heidelberg verlor noch wenige Tage, bevor die Amerikaner die Stadt besetzten, 40 000 Bände, meist Drucke des 16. und 17. Jahrhunderts; sie verbrannten bei einem Tieffliegerangriff auf das unbewohnte und auch militärisch unbesetzte Schloß Mentzingen bei Bruchsal in den für sicher gehaltenen Kellern [1].

Schwerer wogen die Schäden im inneren Gefüge der Hochschulen. Im Zeichen des Führerprinzips waren sie in den Jahren nationalsozialistischer Herrschaft eines ihrer jahrhundertealten Wesensmerkmale, der Selbstverwaltung, beraubt und der Aufsicht von Partei und Staat unterstellt worden. Die Freiheit des Lehrens und Forschens hatte das Regime als „liberalistisch" in Verruf getan, wenn auch nicht ganz beseitigen können. Die Koterien der mit Gewalt herrschenden Clique hatten hier wie in allen Lebensbereichen Mißtrauen und Verleumdung gesät. Viele bedeutende Gelehrte waren in die innere oder äußere Emigration getrieben worden. Alles in allem hatten die Hochschulen sich für den herrschenden Ungeist nicht weniger anfällig erwiesen als die Institutionen des Rechts, der Verwaltung, der Kunst, der Literatur, die ebenso berufen gewesen wären, ihm zu widerstehen. Daß die höchsten Bildungsstätten besondere Hochburgen des Nationalsozialismus gewesen seien, entspricht nicht den Tatsachen. Nur wog ihr Versagen schwerer, gerade auch wegen des Verlustes an Ansehen und Prestige, dessen sie sich einst im In- und Auslande erfreuten. An den Professoren und Studenten, die im Zeichen des Nationalsozialismus gegen das Ethos des wissenschaftlichen Menschen, gegen Wahrheit und Wahrhaftigkeit sich schwer vergangen haben, und denen, die aus opportunistischen Gründen ihnen folgten oder sie gewähren ließen, war der korporative Geist dieser Anstalten in einer Zeit zerbrochen, als er zur eigentlichen Bewährung aufgerufen war. Das zertrümmerte Erbe war eine drückende und nicht leicht zu überwindende Last, als das Dritte Reich zusammenbrach.

Von den einrückenden alliierten Truppen wurden sofort überall die Universitäten und Hochschulen geschlossen [2], die noch bis in das Frühjahr 1945 hinein

1 *G. Leyh:* Die deutschen wissenschaftlichen Bibliotheken nach dem Kriege (1947).

2 Über die Schicksale der einzelnen Hochschulen unterrichten in erster Linie die Reden und Rechenschaftsberichte bei den Rektoratsübergaben, dazu Jubiläumsschriften u. a. — *Heidelberg:* Vom neuen Geist der Universität. Dokumente, Reden und Vorträge 1945/46, hg. v. *K. H. Bauer* = Schriften der Universität Heidelberg 1 (1947); 1946/47, hg. v. *H. Frhr. v. Campenhausen* = Schriften der Univ. Heidelberg 2 (1948); Heidelberger Universitätsreden 1.2 (1948/49); Ruperto-Carola, Mitt. der Vereinigung der Freunde der Studentenschaft der Univ. Heidelberg Bd. 1—32 (1949—62); *Fr. Ernst:* Die Wiedereröffnung der Univ. Heidelberg. In: Heidelberger Jb. 4 (1960) S. 1 ff. — *Freiburg: Fr. Büchner:* An die Studenten. Ansprache des Prorektors bei der Jahresfeier (1946); Freiburger Universitätsreden NF 1—25. 32.33 (1948—59, 1962); Annalen der Albert-Ludwig-Univ. 1—4 (1958—60); Freiburg gestern und heute. Text von *Fr. Schneller* (1947); Die Albert-Ludwig-Univ. Freiburg 1457—1957 Bd. I; *H. D. Rösiger:* Der Wiederaufbau seit 1945 (1957); Freiburg und seine Universität. Festschr. der Stadt Freiburg zur 500-Jahrfeier (1957). — *Tübingen:* Tübinger Universitätsreden 1—13 (1950—61). — *Karlsruhe:* Rechenschaftsbericht des Rektors am

unter zahllosen Behelfen und ständigen schweren Störungen ihren Betrieb notdürftig aufrechterhalten hatten. Es war für alle, die nach Jahren schweren seelischen Druckes den Siegern mit gespannten Erwartungen gegenübertraten, zunächst eine überraschende Erfahrung, daß auch bei ihnen Ideal und Wirklichkeit, Anspruch und Erfüllung gelegentlich weit auseinanderklafften. In Heidelberg etwa wurden nicht allein die Fakultätszimmer in den Universitätsgebäuden mit Beschlag belegt, sondern auch die von den militärischen Dienststellen hier vorgefundenen und ihnen lästigen Geschäftsakten aus 50 Jahren zusammengeworfen und kurzerhand mit unbekanntem Ziel abgefahren [3]. Spätere Bemühungen von Archivoffizieren der Besatzungsmacht, sie wieder ausfindig zu machen, blieben ergebnislos. Für die Geschichtsschreibung der Universität, namentlich auch in der Zeit des Dritten Reiches, sind sie für immer verloren.

In den Frühlings- und Sommermonaten des Jahres 1945 wirkte es sich verhängnisvoll aus, daß die höchsten deutschen Bildungsstätten bei den Siegermächten in dem Rufe standen, als bevorzugte Pflanzstätten des Geistes der Wahrhaftigkeit hätten sie seit 1933 sich entweder gar nicht oder doch nicht überzeugend genug gegen die nationalsozialistische Herrschaft zur Wehr gesetzt. Wie solcher Widerstand hätte Gestalt werden können, darüber empfingen die Davongekommenen nachträglich gutgemeinte Belehrungen, die eine bemerkenswerte Ahnungslosigkeit über die Realität eines totalitären Regimes verrieten. Die Besatzungsmächte betrachteten es als ihre Aufgabe, bevor der Frage der Wiedereröffnung der Hochschulen überhaupt nähergetreten werden konnte, ihre Lehrkörper von einstigen Nationalsozialisten zu säubern. Es war weniger ein Akt der Bestrafung oder gar der Rache als vielmehr der Vorsorge, daß der Ungeist nicht wiederkehre. Die Säuberung wurde wie auch in anderen Bereichen des öffentlichen Lebens schematisch durch militärische Instanzen anhand von Fragebogen durchgeführt, besonders radikal in der amerikanischen Besatzungszone.

Die Unbescholtenen, die von allen Bindungen an die Partei und ihre Gliederungen sich hatten freihalten können, ganz besonders zahlreich diejenigen Professoren, die unbeschadet ihres wissenschaftlichen Ansehens das herrschende

Jahrestag der TH Karlsruhe 19—26; Die TH Fridericiana Karlsruhe. Festschr. zur 125-Jahrfeier (1950). — *Stuttgart:* TH Stuttgart, Reden und Aufsätze 14—22, 24—27 (1946—61); Die TH Stuttgart 1954. Bericht zum 125jähr. Bestehen (1954). — *Mannheim:* Wirtschaftshochschule Mannheim, hg. v. *W. Mönch* (Basel 1952); Die Wirtschaftshochschule Mannheim. Sondernummer des Forum Academicum 4 (1953); Der Geist formt die Materie. Festgabe der Studentenschaft der Wirtschaftshochschule zum 50jähr. Bestehen (1957). — *Hohenheim:* Landw. Hochschule Hohenheim. Reden und Abh. 7.9 (1958/59); Landw. Hochschule Hohenheim. Aus ihrem Werden und Wirken (1958).

3 *H. Krabusch:* Das Archiv der Universität Heidelberg. Geschichte und Bedeutung. In: Heidelberger Jb. 4 (1959) S. 15 ff.

Regime aus dem Lehrer- und Forscheramt vertrieben hatte, waren am ehesten zum Neubeginn des Hochschulwesens berufen. Sie sammelten sich spontan an allen Orten ohne einen anderen Auftrag als die Bereitschaft, neu anzufangen. Dabei gerieten sie in nicht geringe Gewissensnot. Sie wußten aus jahrelanger Erfahrung im allgemeinen sehr genau, wer unabhängig von allen formalen Merkmalen aus innerer Überzeugung dem überwundenen Regime Vorschub geleistet hatte und wer nicht, wer ausgeschaltet werden mußte und auf wen die erneuerte Hochschule nicht verzichten konnte. Jedes Einstehen für die aus bloß formalen Gründen Entlassenen wurde von den militärischen Behörden nicht allein abgewiesen, sondern obendrein noch verdächtigt.

3.

Das änderte sich erst, als im Laufe des Sommers 1945 die Militärregierungen die Hochschulen Offizieren unterstellten, die als Zivilisten entweder selbst Universitätsprofessoren waren oder dem akademischen Leben nahe genug standen, um für seine Gesetzlichkeit Verständnis aufzubringen. Die Gerechtigkeit gebietet festzustellen, daß es bei den Franzosen, in deren Zuständigkeit Freiburg und Tübingen gehörten, von Anfang an leichter war, für die Nöte der Hochschulen tätige Hilfe zu finden, als bei den Amerikanern im nördlichen Landesteil. Bei den Franzosen war offenbar trotz mehr als vierjähriger Besatzung im eigenen Lande die Verbindung zu den benachbarten deutschen Verhältnissen nie ganz abgerissen. Die von weit her gekommenen Amerikaner hatten mit massiveren Vorurteilen und Klischeevorstellungen zu kämpfen, die durch das, was sie etwa in deutschen Konzentrationslagern mit eigenen Augen gesehen hatten, so grausam sich bestätigt fanden. Mit diesen Universitätsoffizieren gewannen die drängenden deutschen Aktionsgruppen in dem bisher so abweisenden Lager der Militärregierung Verbündete, die zwar gegen den vorherrschenden „military mind“ nicht allmächtig waren, gelegentlich sogar schwere Rückschläge einstecken mußten, aber doch entscheidend zur Überwindung der Schwierigkeiten beigetragen haben. Hier bahnten sich echtes Vertrauen, ja sogar Freundschaften an, die die Jahre überdauerten. In einigen Fällen sind diese Helfer in aller Form akademisch geehrt worden. Dabei handelte es sich um sehr viel mehr als bloße höfliche Verbeugungen der Besiegten vor den Siegern. Es war die in der deutschen Absperrung fast schon vergessene, jetzt aber neu entdeckte Erfahrung, daß unvoreingenommener, kritischer, wissenschaftlicher Geist zwischen Angehörigen verschiedener Völker Brücken zu schlagen vermag. Die bisher nicht ausdrücklich legitimierten Aktionsausschüsse erhielten nach und nach offizielle Anerkennung. Sie konnten freimütiger ihre Gedanken vortragen, ohne daß sie sich immer hätten verwirklichen lassen. Nach mehr als einem Jahrzehnt erhielten die zusammengeschmolzenen akademischen Körperschaften wieder das Recht, in Freiheit Rektoren und Dekane als ihre Repräsentanten zu wählen. Nachdem beide Seiten legitimierte Gesprächspartner besaßen, konnten selbst ernste Schwierigkeiten ausgeräumt werden.

Die zentrale Frage war die möglichst schnelle Wiedereröffnung des Lehr- und Forschungsbetriebes. Seit im Sommer 1945 die unbelasteten deutschen Soldaten zu Hunderttausenden aus den Kriegsgefangenenlagern entlassen wurden, drängten die Studenten unter ihnen ungestüm auf Wiederbeginn des akademischen Unterrichts. Viele hatten im Soldatendienst wertvolle Jahre ihrer Ausbildung verloren. Sie wollten mit ihrem Studium endlich anfangen oder damit zu Ende kommen, überhaupt wieder ein Ziel haben und Hand anlegen an den so dringend nötigen Aufbau. Dazu kam das nicht zu übersehende innere Verlangen, nachdem alte Ideale sich als falsch erwiesen und ins Verderben geführt hatten, in einer zusammengebrochenen Welt sich neu zu orientieren, das Vergangene kritisch zu überdenken und Maßstäbe für das Zukünftige zu gewinnen.

Nur zögernd gestatteten die Militärbehörden die Wiedereröffnung der Hochschulen. Um denjenigen Studenten, die infolge der Bedingungen des Krieges ihre Schulausbildung vorzeitig hatten abbrechen müssen, Gelegenheit zu geben, Versäumtes nachzuholen und sich wieder an die Zucht geistiger Arbeit zu gewöhnen, wurden im Sommer 1945 in Heidelberg „Vorsemesterkurse", in Freiburg „propädeutische Kurse" eingerichtet. In weiser Vereinfachung beschränkten sie sich auf die Fächer Deutsch, Latein und Mathematik. Sie schufen dafür, da Schulbücher fehlten, zum Teil in eigenen Publikationsreihen die notwendigen Texte [4] und schlossen mit einer Prüfung ab, die das kriegsbedingte, vorzeitig erworbene und unzureichende Reifezeugnis ergänzte und zur Aufnahme des Studiums berechtigte. In Heidelberg hatte die Medizinische Fakultät seit dem 15. August 1945 die Erlaubnis, für Jungärzte Fortbildungskurse durchzuführen [5]. Die Theologen begannen in Räumen, die nicht zur Universität gehörten, mit den Vorlesungen. Seit den ersten Januartagen 1946 folgten dann schnell an allen Hochschulen, entsprechend den unterschiedlichen örtlichen Gegebenheiten, die feierlichen Wiedereröffnungen. Maßgebend für die Militärregierung war dabei wohl die Sorge, daß die studentische Jugend unruhig werden könnte, wenn man sie nicht bald wieder an die Arbeit brächte. Ehemaligen Offizieren und Angehörigen der Waffen-SS wurde anfangs die Zulassung verwehrt, bis auch die Militärregierungen sich davon überzeugten, daß diese schematische Auflage ungerecht und sinnlos war.

Mit dem Wiederbeginn der Vorlesungen allein war es indessen nicht getan.

4 Vorsemesterkurse der Univ. Heidelberg. Latein. Texte 1—29 (1946—55), Griech. Texte 1—6 (1947—53), Deutsche Texte 1—3 (1946—49).

5 Die Ansprachen: Vom neuen Geist der Universität, hg. v. *K. H. Bauer* = Schriften der Universität Heidelberg 1 (1947).

Die zerstörten Gebäude und Institute in Freiburg, Stuttgart und Karlsruhe mußten zunächst einmal aufgeräumt werden. Es galt, Hörsäle, Laboratorien, Konstruktions- und Verwaltungsräume buchstäblich aus den Trümmern auszugraben oder neu zu schaffen. Was damals von Professoren, Assistenten, Studenten und Schülern in freiwilligem Einsatz geleistet wurde, ist ein „hohes Lied" korporativer Gesinnung. Sie deckten die Dächer, zogen provisorische Zwischenwände, setzten Türen und Fenster ein, wühlten im Schutt nach heilgebliebenen Büchern, Einrichtungsgegenständen, Maschinen, begannen mit der Rückführung der ausgelagerten Bestände usw. Da diese Kräfte bei weitem nicht ausreichten, wurde da, wo die Bomben am furchtbarsten gewütet hatten, die Immatrikulation an bestimmte, nach Alter und körperlicher Verfassung abgestufte Arbeitsleistungen geknüpft. Aber auch noch so viele Hände allein schafften nicht einmal das Notwendigste. Man brauchte Handwerkszeug, Transportgeräte, Räumungsmaschinen, vor allem Handwerker. War es gelungen, sie von anderen, nicht minder dringenden Vorhaben abzuziehen, so fehlte es am notwendigsten Material: Nägeln, Draht, Brettern, Glas, Pappe, Dachpfannen. Nur im Mut zur Improvisation, in dem die ehemaligen Soldaten allen anderen überlegen waren, lag hier der Fortschritt. Es spricht einiges dafür, daß es dieser stürmische Aufbauwille gewesen ist, der bei den Amerikanern die anfängliche Überlegung überspielte, von den insgesamt acht Universitäten ihrer Zone nur fünf wieder zuzulassen.

In den ersten Nachkriegsjahren waren die Studenten — zum größten Teil ehemalige Soldaten — im Durchschnitt ernster, reifer, lebenserfahrener als die Jahrgänge vor dem Kriege. Viele hatten in militärischen Stellungen schon schwere Verantwortung getragen. Da war keiner, den nicht das Schicksal aller in irgendeiner Form gezeichnet hatte. Nie ist die Aufgeschlossenheit einer Studentengeneration größer gewesen. Sie äußerte sich nicht allein in den Grenzen des Fachstudiums, sondern gerade in der Breite des geistigen Nachholbedarfs und des Bildungshungers selbst bei solchen Fächern, die aus Sorge zu popularisieren nicht gern über die eigenen Zäune hinausschauen. Des Diskutierens war kein Ende. Es schien geradezu zur Lebensform des Studententums werden zu wollen. Ganz besonders die geisteswissenschaftlichen Disziplinen empfanden es, wo ihre Vertreter glaubwürdig geblieben waren, als Pflicht, ihren Beitrag zur inneren Bewältigung der Situation zu leisten. Mit der Ausbildung von bloßen Fachleuten, so dringend sie gebraucht wurden, konnte und durfte es in der akademischen Ausbildung in Zukunft nicht sein Bewenden haben. Der „dies academicus" wurde eingeführt, regelmäßig sich wiederholende vorlesungsfreie Tage, an denen die Aufmerksamkeit der ganzen akademischen Korporation auf bestimmte Ringvorlesungen oder unter einem einheitlichen Thema zusammengefaßte Vorträge sich konzentrierte. Solche Veranstaltungen waren brechend voll. Trotz aller Ratlosigkeit herrschte eine Offenheit des Fragens und Antwortens, wie sie die zum Alexandrinertum neigenden Gelehrten bisher nicht gekannt hatten. Damals hielt Karl Jaspers in Heidelberg, jahrelang von der Stadt, die ihm zur geistigen Heimat geworden war, in Acht und Bann getan, seine Vorlesungen über „die Idee der Universität" und „die Schuldfrage" [6], Franz Schnabel in Karlsruhe, den der Nationalsozialismus jahrelang unter Forschungsverbot gestellt hatte, seine Vorträge über die neueste Geschichte. Überall erhoben diejenigen Gelehrten, die zwangsweise während der vergangenen zwölf Jahre hatten verstummen müssen, ihre Stimme: Gerhard Ritter in Freiburg, den die Sieger aus dem Gefängnis befreiten, Eduard Spranger in Tübingen, der lange Jahre in Japan kaltgestellt worden war, der greise Alfred Weber in Heidelberg, der mit seinem hellwachen Geist jede öffentliche Diskussion beherrschte. Sie wurden gehört. Kein Hörsaal konnte groß genug sein, obwohl sie im Winter nicht oder nur notdürftig geheizt waren. Überall wirkten die großen öffentlichen Vorlesungen und Vortragsreihen auch in das Stadtpublikum hinein. Wir haben es heute vergessen, daß damals die amtlich zugebilligte Kalorienzahl für die tägliche Nahrung weit unter dem zur bloßen Lebensfristung Notwendigen lag, daß viele nicht mehr besaßen, als sie auf dem Leibe trugen, und in den zerstörten Hochschulstädten in Trümmern hausten. Die Kompensationsgeschäfte und der „Schwarze Markt" in Zigarettenwährung machten vor den Toren der Hohen Schulen nicht halt. So mancher Student, der von seinen Angehörigen abgeschnitten war oder sie durch Kriegsereignisse verloren hatte, glaubte nur noch auf diese Weise seinen Lebensunterhalt bestreiten zu können, nicht zu reden von denen, die immer mit der Konjunktur gehen. Dankbar erinnern wir uns der ausländischen Hilfen: der Kleiderspenden ausländischer Universitäten, der Care-Pakete, der Hoover-Speisung, die über manche Sorgen hinweghalfen. Die Büchersendungen vornehmlich aus der Schweiz und den Vereinigten Staaten und die von den Besatzungsmächten aufgelegten besonderen Buchreihen lieferten die ersten literarischen Informationen aus einer Welt, von der wir, länger als der Krieg gedauert hatte, abgeschnitten gewesen waren. Wer geglaubt hatte, daß das harte Leben und die improvisierten oder unzureichend gewordenen Bildungsmöglichkeiten viele vom Studium abschrecken werde, sah sich schnell getäuscht. Nach kaum einem Jahr waren selbst in den zestörten Städten die Studentenzahlen der Vorkriegsjahre wieder erreicht, zum Teil überschritten.

Auch den Professoren, namentlich denen in den im Schutt versinkenden Städten, blieb die Mühsal des Alltags nicht erspart. Auch sie hatten gegen Armut und Enge anzukämpfen. Keiner besaß mehr die „standesgemäße", geräumige Wohnung von einst, die die stille Konzentration begünstigt hatte. Wer weiß heute noch von den Schwierigkeiten, aber auch von beglückenden Erfahrungen, wie sie von der Wirtschaftshochschule Mannheim berichtet werden: „Daß das winzige Direktionszimmer des geographischen Instituts, das zusätzlich den drei

6 *K. Jaspers:* Vom lebendigen Geist der Universität (später selbständig: Die Idee der Universität) und *Fr. Ernst:* Vom Studieren. In: Schriften der Wandlung 1 (1946); K. Jaspers: Die Schuldfrage (1946).

Juristen, der langsam entstehenden Bücherei des räumlich noch nicht existierenden juristischen Seminars, der vom Ministerium angekauften, 300 Kästen umfassenden geographischen Separatenbibliothek Thorbecks und endlich dem Dekan der allgemeinen Abteilung Obdach bot, ein Punkt war, der nie zu Differenzen, sondern nur zur größten Rücksicht auf das jeweils zwingende Bedürfnis veranlaßt hat und den freundlichen Kontakt der Kollegen untereinander vertiefte. Es bezeichnet den hohen moralischen Stand der Studierenden in jener Zeit, in der Bücher nur auf Umwegen mühsam antiquarisch beschafft werden konnten, daß trotzdem in all den Jahren keiner in die offenen Regale des fremden Instituts gegriffen hat"[7]. Neben dem Dringendsten, der Bergung und Sicherung des Instituts, dem Wiederaufbau, der Fürsorge für den engeren Kreis der eigenen Studenten, den Beratungen der Selbstverwaltungsorgane, den Besprechungen mit Besuchern und Journalisten blieb nicht viel Kraft für das übrig, was Professoren in erster Linie aufgetragen ist: die wissenschaftliche Arbeit. In dem Maße, wie die Literatur von Jahren hereinströmte, bestand sie in der Auseinandersetzung mit den Forschungsergebnissen des Auslandes. Ruhe und Sammlung, die so bitter nötig gewesen wären, gab es nur selten. Not macht erfinderisch. Nachdem die politische Atmosphäre wieder klar, daß Mißtrauen untereinander sich gelegt hatte, entstanden unter akademischen Bürgern, alten und jungen, neue Formen der Geselligkeit. Die Wohnungen waren eng. Zur Bewirtung gab es Tee aus Brombeerblättern. Die oft auf abenteuerlichen Wegen erworbenen Rauchwaren brachte jeder Gast selber mit. Dafür aber hatte der Hausherr oder einer seiner Freunde eine Lesung, ein Referat oder gar einen ausgewachsenen Vortrag zu bieten, der zum nachhaltigen Gespräch Anlaß gab. Man lernte sich wieder neu kennen, mitunter sogar schätzen.

Das schwierigste Problem blieb die Ergänzung des Lehrkörpers. Die aus den verlorenen Universitäten und Hochschulen der Ostgebiete stammenden Professoren und Dozenten konnten manchen durch Tod oder Denazifizierung frei gewordenen Platz ausfüllen. Die Universität Tübingen trieb damals, unterstützt durch die südwürttembergische Kultusverwaltung, besonders in den geisteswissenschaftlichen Disziplinen eine klug vorausschauende Besetzungspolitik, die sogar zur Schaffung von Parallel-Lehrstühlen führte und wesentlich zum Aufschwung der unversehrten Universität beigetragen hat. Andere Hochschulen waren nicht so glücklich. Seitdem mit dem „Gesetz zur Befreiung vom Nationalsozialismus und Militarismus" vom 5. März 1946 die Denazifizierung an deutsche Spruchkammern überging, entbrannte der Kampf um die „belasteten" Kollegen. Es ist hier nicht der Ort, Für und Wider dieses Gesetzes zu erwägen. Die Auswirkung war jedenfalls im Bereich der Hochschulen aus vielen Gründen nicht minder problematisch als in anderen Berufen, und die Nachwirkungen beschäftigen noch heute hin und wieder die Senate.

7 *E. Plewe.* In: Wirtschaftshochschule Mannheim, hg. v. *W. Mönch* S. 39.

4.

Mit einer gewissen Zwangsläufigkeit waren in den ersten Nachkriegsjahren alle Bestrebungen der Hochschulen darauf gerichtet, so schnell wie möglich wieder arbeitsfähig zu werden. Zunächst sollte der alte Zustand wiederhergestellt werden. Solche „Restauration" betraf immer das Nächstliegende und war aufreibend genug. Die Demontage des hoch über dem Eingangsportal der Heidelberger Universität thronenden mächtigen Hoheitsadlers, seine Ersetzung durch die in den Ausmaßen viel bescheidenere Pallas Athene und die Rückverwandlung der von den Nationalsozialisten korrigierten Inschrift „dem deutschen Geist" in die ursprüngliche Fassung „dem lebendigen Geist" bedeuteten ein Programm.

Denn Universitäten und Hochschulen verschlossen sich schon seit dem Zusammentreten der ersten Aktionsgruppen nicht dem Gedanken, daß es einer Reform des Universitätswesens an Haupt und Gliedern bedürfe, wenn sie aus dem Versagen in der Vergangenheit Lehren ziehen und in einer veränderten Welt ihren Beruf besser erfüllen wollten. Dazu bedurfte es ebensosehr der Bereitschaft und tätigen Mithilfe jedes einzelnen, als auch organisatorischer Veränderungen, die nur durch das Zusammenwirken aller wie durch die Verständigung zwischen Hochschule und Staat zu bewerkstelligen waren.

Seit den kurz nach der Reichsgründung erschienenen Broschüren des Chemikers Lothar Meyer[8] war an der Technischen Hochschule Karlsruhe die Frage nie ganz verstummt, ob die Zweigleisigkeit des höchsten deutschen Bildungswesens in Universität und Technische Hochschule eine glückliche und zu bejahende Entwicklung sei. Rudolf Plank, der bereits 1930 darauf hingewiesen hatte, ergriff als erster Nachkriegsrektor in Karlsruhe die Initiative[9] zum Gespräch zwischen seiner Hochschule und der Universität Heidelberg mit dem Ziel, einen in den Einzelheiten zwar noch nicht formulierten, aber doch neuartigen organisatorischen Zusammenschluß zwischen den beiden Hochschulen zustandezubringen. Plank war der Überzeugung, daß die Trennung zwischen Geistes- und Naturwissenschaften nicht mehr zeitgemäß, daß im besonderen die Technik eine so entscheidende Komponente unseres modernen Lebens geworden ist, daß Universität und Technische Hochschule zum Heil des Ganzen sich um ein intensiveres gegenseitiges Verstehen bemühen müssen. Das Gespräch ist wegen der vorherrschenden restaurativen Tendenz schon in den ersten Phasen steckengeblieben. Es erwies sich als schwierig, eine gemeinsame Sprache zu finden, als eine Zeitlang den Karlsruher Professoren beim „dies" der Universität Heidelberg ein Platz eingeräumt wurde, um vor der Universitätsöffentlichkeit ihre Probleme vorzutragen. Es ist zu hof-

8 Vgl. *L. Meyer:* Die Zukunft der deutschen Hochschule und ihrer Vorbildungsanstalten (1873).

9 *R. Plank:* Ein Ende — oder ein Anfang? Rede bei der Wiedereröffnung der TH Karlsruhe (1946).

fen, daß den dank einer hochherzigen Stiftung von unabhängiger Seite neuerdings wieder aufgenommenen geduldigen Bemühungen, wechselseitige Kontakte zu vermehrtem geistigem Austausch zu schaffen, mehr Erfolg beschieden ist.

Die Wirtschaftshochschule Mannheim, an deren Zustandekommen Industrie und Handel in und um Mannheim einen entscheidenden Anteil genommen hatten, war 1936 als besondere Abteilung der Philosophischen Fakultät Heidelberg inkorporiert worden. Namentlich Alfred Weber betrachtete es nach 1945 als einen Akt der Wiedergutmachung, daß die Wirtschaftshochschule wieder selbständig und nach Mannheim zurückverlegt werde, allerdings unter Zurückhaltung des an Frequenz ständig wachsenden Dolmetscherinstituts. Die Trennung fand viele Kritiker. Lohnte es wirklich, für die ursprünglich in Betracht kommenden wenigen Hundert Studenten, die damals Heidelberg nicht sonderlich beschwerlich fielen, in einer weithin zerstörten Stadt einen selbständigen Lehrkörper, eine eigene Verwaltung aufzubauen, zumal Räume kaum vorhanden waren? Die Trennung wurde vollzogen. Der Hochschule wurde es nicht leicht gemacht: Sie fand nacheinander in zwei, von Bomben halbwegs verschonten Schulen ein Unterkommen. Die nicht in Mannheim beheimateten Studenten hausten jahrelang in Bunkern. Ein zäher, bewundernswerter Aufbauwille machte schließlich aus dem Provisorium ein blühendes Definitivum. Der Lehrkörper wurde besonders nach der Seite der reinen Geisteswissenschaften wesentlich ausgebaut. Zum fünfzigjährigen Jubiläum zog die Hochschule 1957 in den für sie mit beträchtlichen Mitteln und Geschmack ausgebauten Flügel des ausgebrannten Mannheimer Schlosses ein, wo es auch an künftigen Erweiterungsmöglichkeiten nicht fehlt. Die aus den Trümmern wieder entstandene Stadt bietet mit ihrer gewerblichen Wirtschaft für diese besondere Hochschule wieder ein begehrtes Studienobjekt. Es wird heute niemanden geben, der die 1945 vollzogene Trennung noch einmal korrigieren möchte.

Es war 1945 nicht allein die Schwäche der von den Besatzungsbehörden gebildeten Verwaltungsbezirke, wenn die staatlichen Instanzen bei allen Strukturwandlungen der Hochschulen sich weitgehend zurückhielten und diesen selbst die Initiative zuschoben. Sie überließen auch nach der Umwandlung der Verwaltungsbezirke in Länder mit eigenen Verfassungen und der Zusammenfassung der Länder zum Lande Baden-Württemberg den Universitäten und Hochschulen den Vortritt. Die „Hochschulreform“, die seit 1945 mit ungewöhnlicher Intensität ebenso unter Professoren und Studenten wie in der breitesten Öffentlichkeit diskutiert wurde, ist naturgemäß kein Problem, das auf Baden-Württemberg beschränkt ist. Ja, sie ist nicht einmal ein hinreichend klarer, mit wenigen Strichen zu umreißender Komplex, eher schon ein Kampffeld, auf dem individualistische Wünsche, revolutionärer Umgestaltungswille und konservative Behutsamkeit einander gegenüberstehen. Es hat in der jahrelangen vielstimmigen Auseinandersetzung nicht an solchen gefehlt, die sich enttäuscht von Gesprächen, Tagungen, Entschließungen, Aufsätzen, Büchern über Hochschulreformfragen abwandten und sich im besten Falle dafür entschieden, im engsten Kreise nach Kräften zu wirken, Modelle zu schaffen, die, falls sie gelangen, Muster für verwandte Bemühungen an anderer Stelle abgeben mochten. Dabei wurde nur vielfach übersehen, daß im Bereich von Forschung und Lehre jeder auf eigene Initiative gestellte Bezirk mit dem Ganzen so eng zusammenhängt, daß der freie Gestaltungswille doch sehr schnell wieder an unübersteigbare Grenzen gerät. Damit soll nicht gesagt sein, die breite Hochschulreform-Diskussion sei abwegig und führe praktisch zu nichts. In ihr spricht im Gegenteil das Gewissen unseres akademischen, ja unseres gesamten kulturellen Lebens. Insofern ist sie ein nie endendes Gespräch. Es wäre schlimm um die Hochschulen bestellt, wenn sie eines Tages kein Thema mehr wäre.

An den sehr weitgespannten Überlegungen beteiligten sich auch die Besatzungsmächte, allerdings stets nur als freie Partner, ohne zwingende Auflagen, förderten aber jede Form des Gedankenaustausches nach Kräften. Bloße Revolutionäre oder Häretiker sind von ihnen an keiner Stelle begünstigt worden. Nachdem die Stürme der ersten Jahre vorüber waren, entwickelten sie im Gegenteil ein bemerkenswertes Geschick, konstruktive Köpfe zu ermutigen und zu unterstützen. Die ersten größeren Tagungen zur inneren Hochschulreform wie etwa in Hinterzarten im August 1952 [10] wurden von ihnen in großzügiger Weise finanziert. Die Franzosen hielten sich im Gespräch am weitesten zurück. Mit der Gründung der Universitäten Mainz und Saarbrücken verfolgten sie ihre eigene Politik. Englische Gelehrte waren vor allem neben zwei deutschen an der ersten Denkschrift, dem sogenannten „blauen“ oder Hamburger Gutachten beteiligt, das 1948 zum ersten Mal in klaren, abgewogenen Formulierungen den Problemkreis umriß und Maßnahmen empfahl, die zum Teil erst nach mehr als zehn Jahren verwirklicht worden sind. Am unkompliziertesten gaben sich die Amerikaner, von denen manche allzu eilig wie für das deutsche Schulwesen, so auch für die Universitäten und Hochschulen „the American way of life“ empfahlen. Es kann ihnen nicht genug gedankt werden, daß sie beträchtliche Mittel aufwandten, um Professoren, Studenten und Angehörige der Kultusverwaltungen durch großzügige Gastfreundschaft in ihrem Lande selbst mit den Einrichtungen und der Struktur ihres Hochschulwesens bekanntzumachen. Die bisher nur im deutschen Horizont gefangenen Besucher lernten hier aus ganz anderen Wurzeln gewachsene, von einer ungewöhnlichen Experimentierfreudigkeit getragene Verhältnisse kennen und die deutschen Einrichtungen und Gepflogenheiten aus der Distanz zu sehen. Diese unvergleichliche Erfahrung lehrte auch beide Seiten die Grenzen besser erkennen, wo die Übertragbarkeit des einen Systems auf das

10 Probleme der dt. Hochschulen. Die Empfehlungen der Hinterzartener Arbeitstagung im Aug. 1952 = Schriften des Hochschulverbandes 3 (1953), jetzt auch: *R. Neuhaus:* Dokumente zur Hochschulreform 1945—1959 (1961) S. 400 ff.

andere aufhört. Die späteren Universitätsberater des „High Commissioner for Germany“ haben sich mit Takt darauf beschränkt, zu helfen und zu fördern, wo immer sie konnten. Nicht vergessen werden darf in diesem Zusammenhang die von den Besatzungsmächten besonders geförderte Einrichtung der ausländischen Gastprofessuren. Die Rückkehr der während der dreißiger Jahre emigrierten deutschen Gelehrten in die alte Heimat — es seien nur Hermann Pringsheim in Freiburg, Hans Rothfels in Tübingen, Karl Löwith und Alexander Rüstow in Heidelberg genannt — bedeutete nicht allein deshalb eine wesentliche Hilfe, weil sie mit ihren schmerzlichen Erfahrungen Weltluft in unsere Hochschulen brachten, sondern sie im internationalen Gespräch der Gelehrten und ihrer Völker an Glaubwürdigkeit gewinnen ließen.

5.

Aus dem riesigen Komplex der „Hochschulreform“, der eine schier uferlose Literatur hervorgebracht hat, können hier nur wenige, für Baden-Württemberg charakteristische Züge nachgezeichnet werden.

Ideologisch lebte die deutsche Universität bis in die zwanziger Jahre unter der Decke eines selbstverständlichen und weithin vordergründigen Nationalismus von dem als fraglos gültig gehaltenen Ideal Wilhelm v. Humboldts. Lehrend und lernend an der Wissenschaft teilhaben bedeutete danach nicht universal zu sein — das ist bei der unaufhörlichen und nicht wieder rückgängig zu machenden Differenzierung des wissenschaftlichen Kosmos unmöglich — sondern nach freier Entscheidung an einigen wenigen Stellen mit wissenschaftlicher Disziplin, d. h. im Zeichen von Wahrheit und Wahrhaftigkeit, so in die Tiefe zu gehen, daß wissenschaftliches Ethos gleichsam zu einem menschlichen Habitus wird, der in Forschen und Sein, Denken und Leben eingeht. Die Jahre nationalsozialistischer Herrschaft, vollends ihre Endphase, haben diese Vorstellung als Illusion erwiesen. Sogenannte „Akademiker“, selbst aktive Hochschulprofessoren haben sich für abstruse Weltanschauungen, Massenwahn, Rausch und Verbrechen nicht weniger anfällig erwiesen als schlichte Gemüter, die nie mit der Wissenschaft Umgang hatten. Das war nicht allein das Versagen menschlicher Schwäche vor der idealen Forschung, sondern das Verlöschen, ja Ungültigwerden des Ideals selbst. Praktisch gesprochen: Wissenschaftliche Arbeit und Alltag treten immer beziehungsloser nebeneinander wie Arbeit und Erholung. Universitäten und Hochschulen sind fast schon der Gefahr erlegen, nur noch eine Ansammlung von Fachausbildungen und Fachschulen zu sein, die ohne ordnendes, sinnerfüllendes Prinzip unabhängig voneinander existieren und nur durch eine fragwürdig gewordene Tradition als ideologischer Überbau zusammengehalten werden. Die den Menschen als Ganzes bildende und formende Kraft wissenschaftlichen Bemühens, gleichgültig ob in den Natur- oder den Geisteswissenschaften, droht verlorenzugehen. Das Versagen des akademischen Menschen in den großen politischen und weltanschaulichen Krisen erscheint gleichsam als Folge dieser Diskrepanz.

Sollten die Hochschulen der hier sich dokumentierenden „Ohnmacht des Geistes“ tatenlos zusehen? Aus Erwägungen, die aufs Praktische zielen, ist in den Nachkriegsjahren das Studium Generale entstanden, der Versuch der an Universitäten und Hochschulen beheimateten Disziplinen, ihren Ort im Ganzen des wissenschaftlichen Bemühens neu zu bestimmen, Brücken zu schlagen und sich wieder verständlich zu machen. Je nachdem, auf welcher Ebene das geschah, konnte daraus ein Fundamental-Colloquium von Fachgelehrten verschiedenster Herkunft oder, vornehmlich für die Studenten bestimmt, eine breite Orientierung über das Wissenswerte aus dem Wißbaren, die Heraushebung des Einzelnen aus der Verlorenheit des Faches, die Erweiterung des Horizontes in neue Denkformen und Forschungsmethoden, ein neues Staunen vor der Fülle und Rätselhaftigkeit des Wirklichen, die Beziehung auf Grundfragen des Erkennens und das Wecken einer spontanen Verantwortung für das Ganze des Daseins werden. Politisch gesehen bedeutete das, in gewissem Umfang auch staatsbürgerliches Verständis für demokratische Lebensform zu wecken, das Wissen über die jüngste Vergangenheit, namentlich die deutsche, zu vertiefen und verständlich zu machen, daß auch der höchstqualifizierte wissenschaftliche Spezialist in Fragen, wo an seine freie menschliche Entscheidung appelliert wird, kein Ignorant sein darf.

Beide Wege sind in den Hochschulen unseres Landes beschritten worden, beide tastend und des Erfolges nicht von vornherein sicher, beide auch in hinreichender Kenntnis der damit verbundenen Problematik und der Gefahren, und doch beide entschlossen, die bloße Skepsis durch schlichtes Tun zu überwinden. Da nur noch selten jemand imstande ist, über die Fakultätszäune hinwegzusehen, laden etwa die Heidelberger Theologen, die unter sich und unter Zuziehung geeigneter anderer Fachvertreter eine regelmäßig tagende „Sozietät“ veranstalten, seit Jahren einmal im Semester den gesamten Lehrkörper der Universität zu einem eintägigen Gespräch ein, das im Anschluß an die Referate eines Theologen und eines Gelehrten aus einem anderen Fach zum gleichen Thema in freier Diskussion sich entwickelt. In ähnlicher Weise treffen sich in Karlsruhe dank der Initiative des Philosophen Simon Moser in regelmäßigem Turnus mehrmals im Semester Professoren, Assistenten und ältere Studenten zur Diskussion von Grundfragen des besonders auf die Technik gerichteten Erkennens, der Konfrontation von Geisteswissenschaften mit natur- und ingenieurwissenschaftlichen Disziplinen. Vielleicht blühen im Verborgenen auch an anderen Hochschulen solche inoffiziellen Zirkel, die mit dem denkbar geringsten Aufwand an Institution Kernzellen der Kommunikation darstellen, die in den Hochschulen, abgesehen vom persönlichen Bereich, fast keinen Ort mehr hat.

Mehr in die Augen fallen die Veranstaltungen des Studium generale für die Studenten. Nirgends hat sich ein ganzer Lehrkörper dieser Bestrebungen korporativ so sehr angenommen wie die Universität Freiburg. Eine Reihe hauptamtlich angestellter Assistenten plant und organisiert als ausführendes Organ einer Senatskommission Vorlesungen und Vorträge, vor allem aber Colloquien und musische Arbeitsgemeinschaften, die sich ausnahmslos an die Studenten aller Fachrichtungen wenden und auf möglichst vielseitige Zusammensetzung Wert legen. Seit dem Wiederaufbau der „Alten Universität" besitzt das Studium generale besonders für die Betreuung der verschiedenen studentischen Gruppen in Freiburg ein eigenes Zentrum. Das Unterkunftshaus auf dem Schauinsland faßt mit Wochenendzusammenkünften immer wieder wechselnde Gruppierungen unter wechselnden Themen zusammen. Die Universität Heidelberg veranstaltet während des Semesters jeden Mittwoch nachmittag, der von Vorlesungen und Seminaren freigehalten wird, neben einem unter einem großen Semesterthema stehenden, von einheimischen und auswärtigen namhaften Gelehrten bestrittenen Vortragszyklus, mit bewundernswerter Zähigkeit Arbeitsgemeinschaften, bei denen anfänglich mehrere Dozenten gleichzeitig beteiligt waren. Die Technischen Hochschulen haben mit ihren allgemeinen Abteilungen von jeher Studium generale getrieben. Karlsruhe nimmt es damit besonders ernst [11]. Die Lehrtätigkeit der geisteswissenschaftlichen Lehrstühle und der dazugehörigen Seminare ist in Vorlesungen und Colloquien fast ausschließlich dieser Aufgabe gewidmet. Ihr Programm wird durch eine große Fülle von Lehraufträgen ergänzt, die beispielsweise von evangelischer und katholischer Weltanschauungslehre über vergleichende Literaturgeschichte, Astronomie bis zu Kursen in sämtlichen lebenden Sprachen reichen. Um im überlasteten Studienplan dafür Raum zu schaffen, bleiben täglich die beiden letzten Vorlesungsstunden dem Studium generale vorbehalten, wobei es dann oft dem einzelnen schwer wird, der vielen Überschneidungen wegen sich zu entscheiden. Ähnlich wird die Einrichtung in Stuttgart gehandhabt. Tübingen hat nach mancherlei Versuchen das Studium generale auf den „dies universitas", einen vorlesungsfreien Donnerstag, gelegt, an dem sorgfältig geplante, durch das ganze Semester laufende Vorlesungen Tübinger Professoren stattfinden. Hohenheim begnügt sich — schon seiner Kleinheit wegen — mit Abendvorträgen meist auswärtiger Gäste zu einer festliegenden Stunde.

Das Studium generale ist oft totgesagt worden. Selbst innerhalb des eigenen Lehrkörpers hat es nicht bloß Freunde. Die Problematik ist in der Tat nicht zu verkennen. Die Universität Freiburg ist insofern ein exzeptioneller Fall, als hier — in reduzierter Form auch in Tübingen — Angehörige des eigenen Lehrkörpers das Programm bestreiten. Hier wird es noch als Verpflichtung jedes Dozenten empfunden, von Zeit zu Zeit mit geeigneten Themen vor das Forum der ganzen

11 *W. P. Fuchs:* Vom Bildungsauftrag der Techn. Hochschule. In: TH Karlsruhe Hochschulführer 1960 (1961); *S. Moser:* Das Studium generale. In: Das Ventil (1959).

Universität zu treten und ohne spezielle Voraussetzungen sich den Angehörigen aller Fakultäten verständlich zu machen. Das Umdenken der vertrauten Materie für einen großen Kreis ist gewiß mühsamer als ein Spezialkolleg. Aber wieviel Klärendes für das eigene Handwerk enthält ein solcher Versuch! Nur sind viele Hochschullehrer dazu nicht mehr bereit. Sie kennen nichts als ihr Fach. Im Grunde bedeutet es, von der Korporation her gesehen, nur einen Behelf, wenn solche Aufgaben nur von bestimmten Lehrstühlen und Lehrbeauftragten wahrgenommen werden.

Lohnt daher der Aufwand? Bei der in Karlsruhe in der Regel zweimal im Semester durchgeführten „Akademischen Stunde", an der für einen ganzen Vormittag alle Fachveranstaltungen abgesetzt werden, vereinigen sich, je nach der Attraktivität des Themas und der Redner, maximal zehn Prozent der Professoren und Studenten, zum Teil auch nur zu diesem oder jenem der aufeinander abgestimmten Vorträge. Der weitaus größte Teil beschäftigt sich in der angesetzten Zeit anderweitig, wozu sonst die Zeit nicht reicht. Mutatis mutandis ist es an den anderen Hochschulen ebenso. Mit Zwang hier nachhelfen zu wollen, wäre falsch. Die deutschen Hochschulen rechnen zum Unterschied von den angelsächsischen bei ihren Studenten nicht mit Heranwachsenden (adolescents), sondern mit Erwachsenen, ihrer eigenen Entscheidung Mächtigen. Die ihnen zugebilligte Freiheit des Lernens, die innerhalb der Fachdisziplin vielfach nur noch in Rudimenten existiert, kostet etwas. Es wäre ein Novum, wenn an den Hochschulen die Qualität einer Sache nach ihrem Lehrerfolg entschieden würde. Es liegt in der Natur der Sache, daß der Ägyptologe weniger Hörer hat als der Literaturhistoriker. Es wird also dabei bleiben müssen, daß immer wieder Fleiß und Mühe daran gewendet werden müssen, in freier Konkurrenz von den verschiedensten Seiten her geistige Orientierung anzubieten und es in Kauf zu nehmen, wenn sie nur eine Minderheit erreicht. Nicht zu bestreiten ist aber, daß die Bereitschaft zu aktiver und passiver Teilnahme rückläufig ist.

6.

In den Jahren nach der Währungsreform gehörten die Universitäten und Hochschulen zunächst zu den Stiefkindern des allgemeinen wirtschaftlichen Aufschwungs. Gewiß stellte die Heilung der zahllosen Kriegswunden unerhörte Anforderungen an die Finanzkraft des Bundes, der Länder und der Gemeinden. Es war unvermeidlich, daß nicht alle drängenden Probleme gleichzeitig in Angriff genommen werden konnten. Verglichen aber mit den sicheren Erfolgen auf anderen Gebieten ging der Wiederaufbau der Hochschulen doch außerordentlich schleppend vor sich. Daß denen, die am schwersten gelitten hatten, am tatkräftigsten geholfen werden mußte, war selbstverständlich. Die mit weniger schweren Zerstörungen Davongekommenen fühlten sich aber am Ende doch bei dem spärlichen Fluß der Mittel über Gebühr zurückgesetzt. Zu den eindringlich vorgetragenen Bitten der Rektoren und Senate, die unermüdlich auf die Konsequenzen hinwiesen, wenn die frei gewordenen Vakanzen nur sehr zögernd besetzt, die Zahl der Assistenten nicht erhöht und die Gebäude für Forschung und Lehre nur sehr langsam wieder aufgebaut und kaum erweitert oder vermehrt wurden, gesellte sich schließlich der demonstrierende Schweigemarsch von Tausenden von Heidelberger Studenten, die durch mitgeführte lebende Gruppen und Transparente, in der Form des Ulks zwar, der Sache nach aber drastisch, auf die bestehenden Mängel hinwiesen. Sie empfanden es mit Recht als unerträgliche Zumutung, in den großen Vorlesungen, namentlich der naturwissenschaftlichen Disziplinen, täglich um die Plätze kämpfen zu müssen oder in den Praktika abgewiesen zu werden, weil die verfügbaren Arbeitsplätze selbst bei rationalster Ausnützung nicht ausreichten.

Je mehr die allgemeinen Verhältnisse sich normalisierten, um so deutlicher wurde es außerdem, daß es mit dem bloßen Wiederaufbau der Hochschulen nicht sein Bewenden haben konnte. Es bedurfte vielmehr eines großzügigen Ausbaues, wenn sie ihren Aufgaben gerecht werden wollten. Von zwei Seiten her drängte die Entwicklung in diese Richtung. Da war zunächst der internationale wissenschaftliche Standard. Die Verwissenschaftlichung des modernen Lebens, insbesondere seine Technisierung machte in den letzten Jahrzehnten, beschleunigt durch Krieg und Ost-West-Spannung, ungeheure Fortschritte. Die deutschen Wissenschaftler nahmen den Kontakt mit dem Auslande im Zeichen unverkennbarer Unterlegenheit auf. Hier den Anschluß wiederzugewinnen, war weniger eine Sache des nationalen Prestiges oder der Eitelkeit ehrgeiziger Professoren als die breitester Zukunftssicherung. Auf allen Feldern der Forschung, namentlich in den Naturwissenschaften und in der Technik, waren neue Gebiete entstanden. Ihre unmittelbar praktische Auswirkung lag in vielen Fällen auf der Hand. Es sei nur an die Kernspaltung, die Regeltechnik, die Informationsspeicherung erinnert. Jeder Fortschritt war hier nicht allein mit weitgehendster Spezialisierung zu gewinnen. Er erforderte auch infolge der kostspieligen apparativen Voraussetzungen sehr viel höhere finanzielle Aufwendungen als bisher üblich. Wollten Universität und Hochschulen als vornehmste Forschungsstätten mit dieser Entwicklung Schritt halten und der Bundesrepublik ihre Unabhängigkeit bewahren, so mußte ein sehr viel höherer Anteil des Sozialproduktes der Forschung und ihrer Voraussetzung, der Ausbildung, zugänglich gemacht werden.

Auf der anderen Seite drängte die wachsende Zahl der Studenten [12]. Dies Wachstum ist keine spezifisch deutsche Erscheinung und nur auf Wohlfahrtsstaat und vermehrtes Sozialprestige zurückzuführen. Die moderne arbeitsteilige Gesellschaft ist in sehr hohem Grade von der Wissenschaft abhängig — und nicht

12 Vgl. Tabelle S. 364.

einmal von der angewandten allein. Sie braucht zu ihrem Funktionieren in größerer Zahl qualifiziert ausgebildete Spezialisten. Sie müssen in erster Linie von Universitäten und Hochschulen ausgebildet werden, wobei für spezielle Fachschulen auf einer anderen Ebene immer noch genug zu leisten übrig bleibt. Die bestehenden Einrichtungen, Hörsäle, Laboratorien, Seminare, Bibliotheken mit ihrem Personalbestand waren nicht im Verhältnis mit den schnell steigenden Zahlen der Studenten gewachsen. Daraus war nur der Schluß möglich, entweder bei wachsender Beanspruchung das Bestehende bloß zu erhalten und damit notwendigerweise das Ausbildungsniveau zu senken, oder aber die vorhandenen Einrichtungen auf die richtige Kapazität zu erweitern, um wenigstens den alten Standard zu halten.

Die Probleme des folgerichtigen Ausbaues von Universitäten und Hochschulen sind nicht minder vielschichtig als die der inneren Hochschulreform. Allein die bauliche Seite bot ungeahnte Schwierigkeiten.

Die Innigkeit der Beziehungen zwischen Hochschule und Stadtgemeinde ist weitgehend eine Funktion der Größe der in Betracht kommenden Städte. Stuttgart, Karlsruhe und Mannheim sind als Großstädte zu weitläufig, als daß sie von ihren Hochschulen entscheidend geprägt werden könnten. Im Kalkül vorwärtsdrängender Stadtväter stellen sie immer nur einen Faktor und nicht einmal den wichtigsten unter vielen anderen dar. In Heidelberg, Freiburg und Tübingen bestimmt dagegen von jeher die Universität fast ausschließlich das äußere Gesicht und das geistige Klima der Stadt. Wirtschaftlich gesehen sind hier die Hohen Schulen als größte Betriebe am Ort wichtige Einnahmequellen für die Bewohner. Sie genossen daher seit langem weitgehende Rücksichten beim Fernhalten lärmender Industrie, beim Errichten neuer Bauten, dem Beschaffen von Wohnungen usw. Seit Kriegsende waren aber auch die mittleren und kleinen Universitätsstädte gezwungen, auf andere Überlegungen Rücksicht zu nehmen. Heidelberg zum Beispiel vergrößerte in wenigen Jahren seine Einwohnerzahl von 87 000 um 50 Prozent. Die Zurückhaltung gegen Industrieanlagen mußte wie anderswo aufgegeben werden. Die Überfüllung mit Ausgebombten der benachbarten Großstädte und mit Flüchtlingen aus den Ostgebieten, dazu der zunehmende Sog vom Lande in die Stadt forderten für Arbeitsstätten und Wohnsiedlungen zusätzliches Baugelände. Bei der Verteilung des Steueraufkommens zwischen Bund, Ländern und Gemeinden waren die Städte zur Beteiligung der ihnen gestellten vermehrten Nachkriegsaufgaben in der Hauptsache auf die Erträge der Gewerbesteuer angewiesen. Dafür aber waren die Hochschulen völlig unergiebig. Es bedurfte daher für Heidelberg, Freiburg und Tübingen einer erst 1962 zustandegekommenen Sonderregelung mit dem Lande, um ihnen einen erhöhten Steuerausgleich infolge des Ausfalls der Universitäten bei der Gewerbesteuer zu sichern.

Solange die wissenschaftlichen Hochschulen des Landes sich darauf beschränkten, die zerstörten Gebäude wieder aufzubauen, gab es kaum andere Schwierigkeiten als die der Materialbeschaffung und der Finanzierung. Sobald sie aber — verhältnismäßig spät — dazu übergingen, nicht allein den Nachholbedarf von Jahren zu befriedigen, sondern auch Ansprüchen gerecht zu werden, die das wachsende Volumen von Forschung und Lehre gebieterisch stellten, war der verfügbare Baugrund bereits äußerst knapp geworden. Das auf allen Seiten drängende Bedürfnis nach räumlicher Ausweitung stellte die Hochschulstädte vor schwerwiegende Probleme, die entscheidend auch ihre Zukunft betrafen. Aufs Große gesehen ging es dabei um die Frage, ob die neuen Bedürfnisse auf der Grundlage der bisher organisch gewachsenen Symbiose zwischen Stadt und Hochschule weiterentwickelt werden konnten, oder ob man zu radikal neuen, vielleicht schmerzlichen Lösungen kommen mußte. Erst seit der Berufung des beim Wiederaufbau der Universität Freiburg bewährten späteren Ministerialdirigenten und Professors an der Technischen Hochschule Stuttgart, Dr. Linde, an die Spitze der staatlichen Hochbauverwaltung und der Schaffung eigener Universitäts- bzw. Hochschulbauämter in den in Betracht kommenden Städten sind die isolierten Improvisationen und Notlösungen in großzügige, weitschauende Planungen überführt worden.

Die Probleme liegen, abgesehen von der bloßen Finanzierung, in jeder Hochschulstadt verschieden. Die Erweiterung der Landwirtschaftlichen Hochschule Hohenheim bietet wegen ihrer freien Lage am wenigsten Schwierigkeiten. Der Wirtschaftshochschule Mannheim stehen Erweiterungsmöglichkeiten in weiteren Teilen des zwar zerstörten, aber wieder aufzubauenden Schlosses vorerst unbegrenzt zur Verfügung. Vergleichsweise einfach liegen die Probleme auch bei der Technischen Hochschule Karlsruhe. Nach der mehr als 40prozentigen Zerstörung auf dem geschlossenen Hochschul-Campus im Norden der Stadt am Rande des Hardt-Waldes war ein großer Teil der Institute in die frei gewordene, unzerstörte, aber auch reichlich veraltete, unzweckmäßige Telegraphenkaserne im Westen der Stadt verlagert und Zug um Zug, wie der Wiederaufbau fortschritt, an die alte Stelle zurückgeführt worden. Die unumgängliche Erweiterung war in einem schmalen westlichen Flügel bis an das geometrische Stadtzentrum, den Schloßplatz, möglich, mußte aber in der Masse nach Norden in den Stadtwald verschoben werden. Lange wurde hier um jeden Baum gerungen. Die inzwischen in den Wald hineingebauten und noch weiter zu bauenden Institute haben auch die um ihre „natürlichen Lungen“ besorgten Karlsruher davon überzeugt, daß ohne Schädigung ihrer berechtigten Interessen hier eine Hochschulanlage heranwächst, die zu den schönsten und zweckmäßigsten des Landes gehören wird.

Sehr viel schwieriger erwies sich die Planung in Heidelberg. Die Universität ist seit Jahrhunderten in der Altstadt zu Hause. Der verwinkelte Stadtkern, eingeklemmt zwischen Burgberg, Schloß und Neckar, dessen romantischer Zauber jährlich Hunderttausende anzieht, kann schon seit rund hundert Jahren die sich erweiternde Universität nicht mehr aufnehmen. Die Kliniken waren schon in den siebziger Jahren in den damals erst wenig bebauten Westen der Stadt verlegt, die nacheinander entstehenden naturwissenschaftlichen Institute ohne Rücksicht auf ihren sachlichen Zusammenhang über die ganze Stadt verstreut worden. Das ständige Flickwerk von Anbauten und Aufstockungen hatte immer nur vorübergehend Erleichterungen gebracht. Insgesamt waren die Kliniken und ein großer Teil der Industrie nicht allein unzumutbar veraltet, sondern auch viel zu klein. Schon unmittelbar nach dem ersten Weltkrieg war eine großzügige Planung angelaufen, im Neuenheimer Feld nördlich des Neckar zunächst die auseinanderstrebenden Teile von Medizin und Naturwissenschaften wieder zusammenzulegen, sodann die Verlagerung der gesamten Universität an diese Stelle in Angriff zu nehmen. Der Boden ist hier fruchtbar und wird intensiv bewirtschaftet: die Neuenheimer und Handschuhsheimer Gärtner und Bauern erzielen bis zu vier Ernten im Jahre. Daß sie im Zuge dieses Planes ihre Äcker und Glashäuser aufgeben und sich anderen Berufen zuwenden sollten, war schmerzlich, aber unumgänglich. Als nach dem zweiten Weltkrieg die Erweiterungspläne neu überprüft wurden, erwies sich aufgrund der inzwischen gesteigerten Ansprüche das vorgesehene Areal als gerade groß genug, um die Medizinische und Naturwissenschaftliche Fakultät aufzunehmen; für die Geisteswissenschaften war kein Platz mehr. Ihr völliger Auszug aus der Altstadt, so wurde geltend gemacht, würde nicht nur entgegen jahrhundertelanger Gepflogenheit die enge Verbundenheit zwischen Stadt und Universität zerreißen, sondern auch im Herzen der Stadt eine Lücke hinterlassen, die allein schon wirtschaftlich nicht zu verantworten sei. So glaubte man sich notgedrungen zu einer Lösung entschließen zu müssen, die allen universitätsgerechten Überlegungen diametral entgegensteht: statt wie sonst überall den Versuch zu machen, die auseinanderstrebenden Disziplinen zunächst einmal räumlich wieder zusammenzufassen, mußte man hier in eine Trennung mit allen unliebsamen Konsequenzen willigen. Die Kliniken und naturwissenschaftlichen Institute werden im Neuenheimer Feld in solchen Dimensionen erbaut, daß sie nicht nach wenigen Jahren schon wieder zu klein sind. Die Geisteswissenschaften dagegen verbleiben in der Altstadt, ohne daß sich hier bisher abzeichnet, wie ihr Raumbedarf befriedigt werden soll. Hochhäuser verbietet der Landschaftsschutz. Ein erstes Projekt, das nur um wenige Meter über die benachbarten Dächer hinausragte, mußte infolge des entschiedenen Einspruchs der in die Silhouette ihrer Stadt verliebten Heidelberger aufgegeben werden. So bleibt einstweilen kein anderer Weg als der des geduldigen und langwierigen Ankaufs von Häusern und Grundstücken, um sie nach und nach, wahrscheinlich mit erheblichen Mitteln, für die neuen Zwecke umzubauen. Eine organische Zusammenfassung kann vorerst nicht ins Auge gefaßt werden.

Vor ähnlichen Schwierigkeiten steht die Universität Tübingen. Längst hat sich die Stadt über die nördlichen Höhenzüge hinaus ausgedehnt. Da die alte Stadt für die Erweiterung keine Bauplätze mehr besaß, war die Universität dazu übergegangen, improvisierend große Projekte am Stadtrand zu verwirklichen, wo sich eben Platz bot. Die systematische Neuplanung muß aber zwangsläufig von dem Gedanken ausgehen, daß schon um der Verkürzung der Entfernungen willen das Zusammengehörende auch wieder zusammengelegt wird. Man kann zum Beispiel Kranke, die zur Untersuchung von einer Klinik in die andere gebracht werden, nicht durch die ganze Stadt transportieren. Studenten bedürfen für den Wechsel von einem Institut zum andern während des knapp bemessenen „akademischen Viertels" möglichst kurzer Wege. Dazu müssen von vornherein Erweiterungsmöglichkeiten vorgesehen werden, und schließlich darf um der Versorgung willen der Zusammenhang zwischen Stadt und Universität nicht zerstört werden. In Freiburg haben zwar die Bomben die ganze Innenstadt vernichtet, von der in Jahrzehnten nach allen Himmelsrichtungen gewachsenen Universität aber doch so viele Komplexe, entweder vollständig oder nur teilweise zerstört, erhalten, daß sie nicht aufgegeben werden können. Hier wird es darauf ankommen, durch Anlage von Straßenzügen und Grünflächen Verbindungen zu schaffen und durch lang vorausschauende Grundstückspolitik zusätzlich Raum zu gewinnen.

Auch die Technische Hochschule Stuttgart sieht sich seit Jahrzehnten im Stadtgarten-Bezirk in so drangvoller Enge, daß wiederholt die Verlagerung der gesamten Hochschule an eine andere Stelle, nach Degerloch, in den Rosensteinpark oder gar nach Ludwigsburg erwogen worden ist. Abgesehen von den schier unübersehbaren Verkehrsproblemen, die entstehen, wenn täglich mehrmals viele Tausende von ihren Wohnungen in einen solchen Außenbezirk transportiert werden müssen, hat auch hier unmittelbar nach der Zerstörung ein entschlossener Aufbauwille schon so viele unumstößliche Tatsachen geschaffen, daß nur durch behutsames Zusammenwirken von Hochschule, Stadt und Baubehörde im wesentlichen durch den Bau von Hochhäusern auf dem allmählich erworbenen angrenzenden Gelände Abhilfe geschaffen werden kann.

Diese angedeuteten städtebaulichen Probleme lassen ahnen, vor welcher Fülle von Aufgaben die Hochschulen stehen. Der Bau eines einzelnen Wohnhauses ist schon aufregend genug. Wieviel mehr aber für einen Lehrstuhlinhaber die Errichtung eines millionenschweren Instituts, das objektiven Zwecken, und zwar nicht allein für heute und morgen, sondern auf Jahrzehnte hin dienen soll.

Die Bedeutung, die der Wissenschaftsrat mit seinen ersten, Ende 1960 nach langer Vorbereitung erschienenen „Empfehlungen" auch für die baden-württembergischen Hochschulen gewonnen hat, kann nicht leicht überschätzt werden. Seitdem erst liegt dem Ausbau der Landeshochschulen ein aus einem einheitlichen Konzept hervorgegangenes, konsequentes Programm zugrunde, das, von den Senaten und der Landesregierung akzeptiert, in fünf Jahren realisiert werden soll und mit den Bedürfnissen der übrigen Bundesländer abgestimmt ist. Etwas vergröbernd kann man sagen, daß nicht so sehr bei den Mitteln, sondern bei den Menschen ein Engpaß liegt. Auch wenn man berücksichtigt, daß der Anteil von Wissenschaftspflege und Forschung am Sozialprodukt in der Bundesrepublik unter dem in großen Kulturnationen erreichten Pegel liegt, so bleiben doch die Aufwendungen des Landes Baden-Württemberg für seine wissenschaftlichen Hochschulen in den letzten Jahren eindrucksvoll genug. Trotzdem besteht wenig Wahrscheinlichkeit, daß der Wettlauf zwischen dem notwendigsten Ausbau der wissenschaftlichen Hochschulen und den ständig steigenden Studentenzahlen in absehbarer Zeit gewonnen werden kann. Dem Bauvolumen sind bei den staatlichen Hochbauämtern und ihren Untergliederungen bei der oft umständlichen und kunstvollen Schachtelung der Bewilligungsinstanzen sowohl hinsichtlich der Planung als auch hinsichtlich der Kapazität der ohnedies „überhitzten" Bauwirtschaft Grenzen gesetzt.

Die Kardinalfrage lautet: Wird es in den kommenden Jahren genügend wissenschaftliche Mitarbeiter geben? Die Empfehlungen des Wissenschaftsrates sehen für den Ausbau der wissenschaftlichen Hochschulen in Baden-Württemberg 215 neue bzw. zusätzliche Lehrstühle, Ordinariate und Extraordinariate vor [13]. Auf Jahre hinaus werden so viele Gelehrte schwerlich zu beschaffen sein, will man die bisher geübte Sorgfalt bei den Berufungen nicht außer acht lassen. Schon auf der untersten Stufe fehlt es an qualifizierten Kräften. Außer in der Medizin und der Chemie, wo die Doktordissertation seit langem zur Berufsausbildung gehört, verzeichnen alle Fächer einen auffallenden Schwund an Doktoranden. Die Verlockungen von Industrie und Wirtschaft, oft genug schon während des Studiums, oder der Wunsch nach Gründung einer eigenen Familie sind so stark, daß selbst hochbegabte Studenten ihnen nachgeben, statt zusätzliche Jahre der weiteren Ausbildung zu widmen. Erfreulicherweise erhalten Assistenten und Privatdozenten als Beamte auf Widerruf heute sehr viel bessere Gehälter als vor Jahrzehnten. Aber die wissenschaftliche Karriere darf keine Lebensversicherung sein, wenn sie nicht mit einer nicht zu verantwortenden Senkung des Niveaus erkauft werden soll. Es bedarf also schon eines hohen Ethos, um trotz aller Unsicherheiten sich auf ein wissenschaftliches Amt vorzubereiten.

Der Auf- und Ausbau betrifft keineswegs nur das Stockwerk der Lehrenden. Die Vermehrung der Dienste, ohne die Forschung und Lehre nicht existieren können, ist ebenso notwendig. Sie reichen von den wissenschaftlichen Räten, Räten im Hochschuldienst, Laboranten, Verwaltungsstellen bis zur Mensa und den Studentenwerken. Baden-Württemberg hat das Glück, über drei Universitätsbibliotheken zu verfügen, die ohne große Verluste den Krieg überstanden haben. Sie werden aber außerstande sein, ohne ganz erhebliche Vermehrung der Stellen — auch der für Ausbildung bestimmten — und der Aversalmittel den rein quantitativ gesteigerten Ansprüchen zu genügen, die die vermehrten Lehrstühle, wissenschaftlichen Mitarbeiter und Studenten zwangsläufig stellen. Die Abwerbung bewährter Kräfte hat auch schon die Institute erfaßt. Die Kapazität

13 Vgl. Tabelle S. 364.

der vorhandenen Hochschulen, die Übersichtlichkeit und damit die Zusammenarbeit der Senate und Fakultäten, die Verantwortung von Rektoren und Dekanen, die Fülle der Selbstverwaltungsaufgaben laufen ernstlich Gefahr, unerträglich überdehnt zu werden, wenn die bestehenden Institutionen in dem vorgesehenen Maße erweitert werden.

Man wird daher auch in Baden-Württemberg um die Errichtung neuer wissenschaftlicher Hochschulen schwerlich herumkommen. Es genügt heute nicht mehr wie in der Zeit vor der Währungsreform, einen intakten Kasernenkomplex zur Verfügung zu haben. Um neu zu gründende Universitäten bewerben sich fast gleichzeitig Konstanz und Ulm mit guten Gründen und erheblichem Einsatz kommunaler Mittel. Konstanz hat alle Chancen, zuerst zum Zuge zu kommen. Die Wirtschaftshochschule Mannheim nährt, vom Gemeinderat der Stadt bestärkt, ehrgeizige Pläne, der nur eben 20 km entfernten Universität Heidelberg, ausgehend von einer medizinischen Fakultät, eine Volluniversität an die Seite zu stellen. Auch über den künftigen Standort der neu zu schaffenden medizinischen Akademien ist noch nicht endgültig entschieden. Sollen aber die bestehenden Universitäten und Technischen Hochschulen schlicht um weitere Exemplare vermehrt werden? Ist der Traditionalismus der Hohen Schulen so geheiligt, daß Experimente unterbleiben müssen? Von der Technischen Hochschule Karlsruhe geht der Vorschlag aus, die aus der Gesamtlage der internationalen Wissenschaft geforderte Konfrontation und Penetration der Natur- und Ingenieurwissenschaften auf der einen und der geisteswissenschaftlichen Disziplinen auf der anderen Seite durch eine Reihe von neuen zusätzlichen Lehrstühlen zu fördern, die weniger Ausbildungs- als Forschungsaufgaben wahrnehmen sollen. Ist aber bei jedem weiteren Ausbau das überkommene Fakultätsprinzip das für die Zuordnung der Disziplinen allein gültige? Sind nicht auf Grund neuer, noch gar nicht ausgeloteter Fragestellungen ganz andere Fächergruppierungen geboten? Reichen die bisherigen Ausbildungsziele für Wissenschaft und Praxis noch aus? Ist nicht ebenso, wie für die unteren Stufen der Ausbildung eine neue Kategorie von Hochschullehrern mit den „wissenschaftlichen Räten“ geschaffen wurde, für die gehobene Ausbildung ein eigener Stab notwendig, der den wissenschaftlichen Nachwuchs mit aller Sorgfalt heranbildet? Vor den Hochschulen türmt sich heute ein Berg von Problemen der inneren Reform auf, die noch kaum in Angriff genommen sind. Es kann einen wohl die bange Frage beschleichen, ob die auf ihre Selbstverwaltung so stolzen, in der Sache aber nur begrenzt kommunikativen Hohen Schulen die hier erforderlichen einschneidenden Maßnahmen auch nur werden durchdenken können.

7.

Wenden wir uns noch einmal den Studenten zu. Sie sind, obwohl Studentsein nur ein Durchgangsstadium ist, von jeher als integrierender Bestandteil der akademischen Korporation betrachtet worden. In ihren eigenen Angelegenheiten haben sie Sitz und Stimme in den Senaten. Sind sie noch echte Partner? Man muß den 1945 bis 1962 eingetretenen Strukturwandel begreifen, wenn man die heutige Zuordnung verstehen will.

Die Kriegsgeneration, die nach der Wiedereröffnung der Hochschulen die Hörsäle und Institute füllte, studierte in einem aus Nüchternheit und Hochstimmung gemischten Willen, in einer im Grauen zusammengebrochenen Welt sich neu geistig zu orientieren, verlorene Lebensjahre nachzuholen und entgegenstehende wirtschaftliche Schwierigkeiten zu überwinden. Unter den Professoren, die zum Teil den gleichen Soldatenrock getragen hatten, genießt jene erste Nachkriegsgeneration einen legendären Ruf. Die Auseinandersetzungen, oft hart und bitter, aber ohne falsche Autoritätskomplexe, beherrschten die überall unter neuen Formen aufsprießenden studentischen Gruppen. Es war damals nicht vorstellbar, daß je das schon in den dreißiger Jahren versunkene Ideal einer nicht mehr zeitgemäßen „Burschenherrlichkeit“ wieder erstehen könnte. Auch die Universitäten empfanden damals ihre unmittelbare Verantwortung für ihre Studenten. Professoren verkehrten gern und oft in den neu gebildeten Gruppen, für die keine Verbindungshäuser, oft nicht einmal Nebenzimmer von Gastwirtschaften zur Verfügung standen. Sie kamen sogar auf die von den Wohnungsämtern nach Quadratmetern zugeschnittenen „Buden“.

Die Wohnungsnot erforderte zusätzliche Maßnahmen. Der Universität Heidelberg gelang es in einem zähen Ringen, die ehemalige Stadtkaserne, ursprünglich als Jesuitenseminar erbaut, freizukämpfen, um obdachlose Studenten zu Hunderten in primitivster Form auf Strohsäcken unterzubringen. Schon nach Jahresfrist zog mit dem Mobiliar aufgelöster Feldlazarette der erste Komfort ein. Die Bewohner, ausnahmslos Kriegsteilnehmer, stellten sich die Frage, ob nicht das gemeinsame Wohnen sinngemäß in einer gemeinsamen geistigen Arbeit sich fortsetzen müsse und ob nicht die noch ungewohnten demokratischen Lebensformen, für die es unter der Militärregierung noch an öffentlicher Betätigung fehlte, in diesem Modellstaat erprobt werden könnten. Unter leidenschaftlicher Anteilnahme des ganzen Hauses machten die Juristen ihre ersten Verfassungsexperimente, bauten eine studentische Selbstverwaltung mit weitgehenden Kompetenzen für ihre Gemeinschaft auf und baten einen der Professoren, mit seiner Familie bei ihnen zu wohnen, nicht als Aufpasser und Feldwebel, sondern um ein Klima zu schaffen, in dem Arbeitsgemeinschaften, Diskussionen, Vorträge, Theaterspiel, gemeinsames Musizieren und auch Feste gedeihen konnten. Das Collegium Academicum, später mit Hilfe der McCloy-Stiftung wesentlich ausgebaut, heute ein Bestandteil der Universität, ist für eine ganze Reihe ähnlicher Gründungen der Prototyp geworden, dessen Erfahrungen auf Grund anderer lokaler und personeller Voraussetzungen frei abgewandelt wurden, ohne das Bewußtsein der Zusammengehörigkeit als „akademisches Kollegium“ zu zerstören [14]. Das Leibniz-Kolleg in Tübingen [15], heute ebenfalls Institut der Universität, realisierte von ähnlichen Voraussetzungen aus für eine kleinere Zahl von Studenten den Gedanken der ganzheitlichen Einführung in das Studium während eines mit Hilfe von Assistenten und Lehrkräften der Universität in besonderen Vorlesungen, Colloquien und Arbeitsgruppen durchgeführten propädeutischen Jahres, das ursprünglich zwischen Schulabschluß und Studienbeginn eingeschoben wurde, heute aber aus wirtschaftlichen Gründen mit den beiden ersten Semestern zusammenfällt. Auch hier ist der Experimentiercharakter längst überwunden, und vielfache Anregungen sind von dieser Gründung in die studentischen Wohnheime eingeströmt.

Eine der ganz großen Sorgen der Nachkriegsstudentenschaft betraf die nackte wirtschaftliche Existenz. Die in und nach dem Kriege eingetretenen Vermögensverluste schufen wenigstens bis zur Währungsreform eine soziale Homogenität der akademischen Bürger, die es bis dahin nicht gegeben hatte. Was der Staat durch Gebührenerlasse und Zuschüsse zu den verbilligten Mensa-Essen leisten konnte, war gering. Die große Masse wurde Werkstudent, je nach dem elterlichen Zuschuß oder den schmalen Renteneinkünften nicht allein in den Ferien, sondern auch während des Semesters selbst. Die Energie, mit der damals viele oft auf gewagten Wegen sich die Mittel für den Lebensunterhalt erarbeiteten, verdient uneingeschränkte Achtung. Dabei war es in den Zeiten vor der Hochkonjunktur nicht einmal leicht, für beschränkte Zeit eine einträgliche Beschäftigung zu finden. Auf die Dauer ging solche kräfteverzehrende Nebentätigkeit, die in Grenzfällen in einen Hauptberuf ausartete, auf Kosten des Studiums. Den Hochbegabten nahm die 1949 wiedererstandene Studienstiftung des deutschen Volkes die gröbsten Alltagssorgen ab. Für die breite Mittelschicht schuf 1957 die Förderung nach dem Honnefer Modell die Möglichkeit, das Werkstudium aufzugeben. Die Förderung umfaßt heute rund 30 Prozent der Studenten. Die im Zuge der Sozialgesetzgebung geschaffene Förderung bestimmter Kategorien nach äußeren Merkmalen wie Kriegerwaisen, Flüchtlingen, Lastenausgleichsempfängern usw. wurde damit aufgegeben und doch der Eigenhilfe der Studenten und ihrer Familien ein gewisser Raum überlassen.

Das Werkstudententum ist durch die neuen Maßnahmen zwar wesentlich eingeschränkt worden, aber keineswegs ausgestorben. Die Vollbeschäftigung und

14 Mitteilungsblatt des Coll. Acad. Heidelberg 1950—60; *W. P. Fuchs:* Akademische Kollegien 1956 (1958/59).

15 Collegium Leibnizianum an der Univ. Tübingen. Sein Sinn und seine Bestimmung. In: Univ. Tübingen 38 (1948); Das Leibniz-Kolleg der Univ. Tübingen. Ein Erfahrungsbericht, hg. v. *G. Krüger.* In: Univ. Tüb. 40 (1949).

der hohe Lebensstandard, an denen gerechterweise auch die Studenten teilnehmen wollen, schaffen ständig neue Anreize. Es geht jetzt weniger um die Sicherung der Existenz — immerhin sind zehn Prozent unserer Studenten verheiratet — als um die Befriedigung zusätzlicher Bedürfnisse: höheres Taschengeld, eine Auslandsreise, das Motorrad. Die Frage, wo auf die leichteste Weise in möglichst kurzer Zeit das meiste Geld verdient werden kann, ist so beherrschend geworden, daß die Chance, die moderne Industrie und Wirtschaft, überhaupt andere Lebens- und Arbeitsverhältnisse mit ihren unterschiedlichen Mentalitäten wenigstens ausschnitthaft zur Kenntnis zu nehmen und zu verstehen, kaum noch gesehen und erst recht nicht wahrgenommen wird.

Seit den Jahren 1952—1954 sind die letzten Kriegsteilnehmer und Spätheimkehrer von unseren Hochschulen verschwunden. Seitdem veränderte sich das Gesicht der Studentenschaft tiefgreifend. Einschneidende Erlebnisse wie Verlust des Vaters oder naher Angehöriger, Bombennächte, Flucht, Denazifizierung verschoben sich bei den schnell aufeinander folgenden studentischen Generationen immer mehr in die frühkindliche Phase. Wohlmeinende Beteuerungen, die heute zwanzigjährigen Deutschen seien nicht anders als frühere Generationen, bringen doch nicht die ernsten Untersuchungen zum Schweigen, die das Anderssein, ja die Rätselhaftigkeit der heute Jungen verständlich zu machen unternehmen. Das Problem, an dem selbst akademische Lehrer oft vorbeigehen, kann hier nur an ein paar äußerlich feststellbaren Merkmalen verdeutlicht werden.

Auf der einen Seite sind die längst totgeglaubten traditionsgebundenen studentischen Korporationen allen Erwartungen zum Trotz neu erstanden. An den Hochschulen Baden-Württembergs gehören ihnen wie in der ganzen Bundesrepublik durchschnittlich 25—30 Prozent aller Studenten an. Die Senate haben beim ersten Auftauchen von Mützen, Bändern und Mensuren alles getan, um diese „Restauration“ zu verhindern, nach der lange — wenn auch zu Unrecht — das deutsche Studententum namentlich im Ausland beurteilt wurde. Ermahnungen, Aussprachen, Verbote, Sperrung der Zulassung, Verwaltungsgerichtsprozesse fruchteten nichts. Die Hochschulen sind in diesem jahrelangen Streit unterlegen. Natürlich fanden diese reaktivierten studentischen Gruppen von einst Rückhalt an ihren Verbänden und Altherrenschaften, die über beträchtliche Vermögenswerte und Protektionen verfügen. Aber damit allein ist das Problem nicht hinreichend bestimmt. Offenbar ist ein nicht kleiner Teil der Studentenschaft um der Kameradschaft, im besten Falle um der Freundschaft willen bereit, in vorgegebene Formen zu schlüpfen — sie mögen mit ihrem Alltag noch so wenig zu tun haben — um einen Halt zu gewinnen. Er ist bereit, eindeutige Weisungen — sie mögen gelegentlich noch so merkwürdig sein — entgegenzunehmen und auszuführen, überhaupt sich „erziehen“ zu lassen. All das geschieht, weil diese Studenten erklärtermaßen einem entsprechenden Anspruch während ihrer entscheidenden Bildungsjahre an Universitäten und Hochschulen sonst nirgends begegnen. Die Gespräche zwischen den Senaten und den studentischen Gruppen, die auf örtlicher Ebene in Heidelberg mit großer Beharrlichkeit geführt wurden [16], haben mit hinlänglicher Klarheit erwiesen, daß die studentischen Korporationen den Hochschulen einen Bildungs-, erst recht einen Erziehungsanspruch nicht allein bestreiten, sondern sie auf die Rolle der bloßen Fachausbildungsstätten beschränken möchten, um, da der Umgang mit der Wissenschaft diese Aufgabe nicht mehr leistet, Bildung und Erziehung für sich zu annektieren. Die angedeutete Problematik hat in den Gruppen, die aus einer über ein Jahrhundert alten Tradition leben, wohl hier und da Widerspruch und Kritik ausgelöst. Aber nur in ganz seltenen Fällen ist es einer reformerischen Sezession gelungen, sich auf die Dauer zu behaupten. Die Hochschulen und die studentischen Korporationen leben in einem jederzeit widerrufbaren „Stillhalteabkommen": Die Gruppen verzichten auf provozierendes Auftreten in der Öffentlichkeit; auf Hochschulboden ist außer an den Festtagen der „alma mater" das Tragen von Farben verboten; die Chargierten mit ihren Fahnen ziehen nicht mehr auf; dafür reden die akademischen Behörden den Gruppen in ihren internen Betrieb nicht hinein; auf beiden Seiten herrscht ein Grad von „Entfremdung", der etwas Beängstigendes hat.

Ein ähnliches Schicksal haben die nach 1945 neu gegründeten Studentengruppen erfahren, an die sich so große Hoffnungen knüpften. Bis auf die großen konfessionellen Studentengemeinden, die wenigstens von einem, an einigen Stellen sogar von mehreren hauptamtlich angestellten Geistlichen geleitet werden, bis auf die an die Parteien attachierten und von ihnen geförderten, zuweilen gegen solche Patronage revoltierenden, im ganzen aber klein gebliebenen politischen Vereinigungen und bis auf kleine Splittergruppen, denen es schwer wird, Nachwuchs zu finden, haben sich die neuen Gründungen nur in einer verschwindenden Zahl halten können. Bei dem Mangel an eigenen Räumen zur Entfaltung ihres Lebens hatten sie es von Anfang an schwer. Es hat sich erwiesen, daß unter den Verhältnissen der Nachkriegszeit noch so gute, vielleicht sogar auf hohem Niveau geführte Gespräche allein nicht ausreichten, eine studentische Gemeinschaft zu gestalten. Diese Gruppen haben verkannt, daß es spezifischer, attraktiver studentischer Formen bedarf, um einen persönlichen Freundeskreis zu objektivieren und in die schnell nachrückende nächste Generation zu überführen. Ihre intellektuelle Redlichkeit steht nicht in Zweifel. Sie allein genügt aber nicht, wo langlebige Institutionen gewollt sind.

Die Frage, ob die Hochschulen neben und nicht allein in Forschung und Lehre eine bildende Aufgabe haben, wird mit gleicher Eindringlichkeit auch an die seit 1945 in großer Zahl errichteten studentischen Wohnheime [17] gestellt, unter de-

16 *W. P. Fuchs:* Universität — studentische Gemeinschaften — Gesellschaft. In: Ruperto-Carola 26 (1959) S. 238 ff.

17 *W. P. Fuchs:* Studentische Wohnheime und Gemeinschaftshäuser in Westdeutschland. Ein Bericht (1951).

nen die schon genannten „akademischen Kollegien“ eine Art Avantgarde darstellen. Sie entstanden nach dem Kriege aus dem Bedürfnis, für die Studenten Wohnraum zu gewinnen, der in Form der „Bude“ von privaten Vermietern in genügendem Umfang nicht mehr zur Verfügung gestellt werden konnte. Es ist für die deutschen Verhältnisse charakteristisch, daß nicht der Staat als Unterhalter der Hochschulen diese Aufgabe übernahm, sondern sie den verschiedenartigsten Organisationen mit lockerer Anlehnung an die jeweilige Hochschule, in erster Linie den Studentenwerken, überließ. Auf diese Weise sind den Hochschulen für die Wohnheime neben den beträchtlichen Baukostenzuschüssen von Bund und Land Stiftungen zugeflossen, unter denen die des Amerikaners Max Kade in Stuttgart und Karlsruhe an erster Stelle stehen. Seltsamerweise haben aber weder der Staat noch die Hochschulen rechtzeitig erkannt, welch einmalige Chance ihnen hier zuwuchs. Es ist ein verbreiteter Irrtum, zu meinen, daß man jungen Menschen in beliebiger Zahl nur die äußeren Möglichkeiten zu einem gemeinsamen Leben geben müsse: füllen würden sie es dann schon dank eigener Initiative. Niemandem wird sein Idealismus verwehrt. Zur Bewältigung des Studiums bedarf es sogar unaufgebbar der Einsamkeit und Freiheit. Wo aber der Wunsch nach Kontakten, Gesprächen, Begegnungen, nach einem Leben in Gemeinsamkeit besteht, wie es von jeher bei einem großen Teil der studentischen Altersgruppe naturgegeben ist, da sollte die Gelegenheit genutzt werden, die das Wohnen, Leben und Arbeiten unter einem Dache bieten. Freilich sind Studenten keine Erziehungsobjekte im direkten Sinne. Dagegen wehren sie sich mit Recht. Es wäre auch abwegig, das angelsächsische College-System nach Deutschland zu verpflanzen. Dagegen kann es auch der älteren Generation nicht verwehrt werden, wie es im Studium durch die Professoren, in allen studentischen Verbänden durch die berufsmäßigen Sekretäre und die Altherren, in den Studentengemeinden durch die Pfarrer, in den politischen Gruppen durch die Parteien geschieht, mit Takt, Zurückhaltung und doch konkreten Vorstellungen Führungsaufgaben zu übernehmen, die selbstverständlich nicht gegen, sondern nur mit den Studenten verwirklicht werden können. Die Studentenwohnheime sind der Ort, wo der Gedanke der akademischen Korporation, das Miteinander von Professoren und Studenten, aus der bloßen Abstraktion in die Wirklichkeit überführt werden kann. Je sicherer und selbstverständlicher die studentische Selbstverwaltung mit dem älteren Berater ohne jeden autoritären Anspruch im Hintergrund funktioniert, um so mehr erfüllen diese Institutionen einen staatsbürgerlichen Auftrag: in einem überschaubaren Kreis, wo Vorzüge und Schwächen des einzelnen sehr schnell sichtbar werden, wo Rücksicht und Kritik geübt und ertragen werden müssen, Demokratie unauffällig einzuüben. Es wäre verfehlt, Studenten zu solcher Gemeinsamkeit zwangsweise zu kommandieren, wiewohl es an angelsächsischen Universitäten darüber keine Diskussion gibt. Die Hochschulen Baden-Württembergs sind im Gegensatz zu denen anderer Bundesländer äußerst zurückhaltend geblieben, das Problem des fehlenden Wohnraums für Studenten mit Hilfe von Studentendörfern zu lösen, d. h. mit Großsiedlungen, die keine Hilfe mehr bedeuten, sondern den Studenten in ein anonymes Massendasein zwingen, in das die Hochschule gar nicht mehr hineinreicht. Die Universität Freiburg, wo entsprechende Pläne bisher am weitesten gediehen sind, hat sich daher auch am meisten Gedanken darüber gemacht, wie, ohne das private Dasein des einzelnen zu tangieren, die großen Massen sinnvoll gegliedert und zugleich mit dem Geist der Universität erfüllt werden können.

Die gleiche Frage hat in den letzten Jahren durch die Betreuung der ausländischen Studenten, die ihr Studium an die baden-württembergischen Hochschulen führt und die zwölf Prozent, in Heidelberg sogar 15 Prozent der Gesamtstudentenschaft ausmachen, eine besondere Dringlichkeit erhalten. Je weiter ihre Heimat von Deutschland entfernt ist, um so notwendiger ist es, sie auf der Grundlage einer hinreichenden Sprachbeherrschung in unser Leben einzuführen und sie uns auf die Dauer zu Freunden zu gewinnen. Die Gefahr, sie in ihren nationalen Gruppen wie in Ghettos wegen des mangelnden Kontaktes mit den deutschen Kommilitonen abzusperren, ist groß. Die Ausländer drängen daher von sich aus in die Wohnheime, weil sie aus ihren Heimatländern zum Teil diese Form des studentischen Lebens gewohnt sind und mit Recht hier auf die leichteste Weise Kontakte erwarten. Dabei ist der deutsche Partner gewiß nicht nur der Gebende. Er lernt im alltäglichen Miteinander seinen Horizont erweitern und die Probleme des anderen verstehen.

Die Studentenschaft unserer Hochschulen hat in den Jahren der wirtschaftlichen Hochkonjunktur das Gesicht verloren. Sie singt nicht mehr; die traditionsgebundenen Korporationen sind bei Victor von Scheffel stehen geblieben. Der Studentenulk liegt in Tübingen mit den „Stiftsfuhren“ in den letzten Zügen. Die Studentenfeste unterscheiden sich kaum noch von anderen „Parties“. Zeitgemäße studentische Formen existieren so gut wie überhaupt nicht. Ein hoher Prozentsatz — für Heidelberg hat man 30 Prozent errechnet — führt das Dasein eines Pendlers zwischen Wohnsitz und Arbeitsstätte, lernt also kaum ein Studentenleben kennen. Die Feuilletons der Studentenzeitungen, deretwegen in Heidelberg, Freiburg und Tübingen die Universitätsbehörden gelegentlich eingreifen mußten, bevorzugen einen intellektuellen Stil, der manchmal mehr abstößt als aufhorchen läßt. Die Studenten-Kabaretts, die ihrer Natur nach kommen und gehen, widmen sich wie ihre großen Vorbilder, die Professionals, der politischen Satire, statt im stoffgeladenen eigenen Kreise zu bleiben. In den alten Studentenlokalen, Anziehungspunkten des Fremdenverkehrs, hängen zwar noch die Zeichnungen und Photos der Großvätergeneration. Die studentische Geselligkeit von heute bevorzugt die Keller. Den „Allgemeinen Studentenausschüssen“ (AStA) fällt es schwer, sich Gehör zu verschaffen. Sie dürfen froh sein, wenn die Wahlbeteiligung verhältnismäßig nahe an die 50 Prozent rückt. Der Versuch des „Verbandes deutscher Studentenschaften“, den örtlichen AStA in Fakultäten und Senaten bei allen Fragen einschließlich der Berufungen Sitz und

Stimme zu erstreiten, ist in Baden-Württemberg mit großer Zurückhaltung aufgenommen worden. Der Studentenschaft als Ganzem fehlt das politische Leitbild — was nicht verwunderlich ist — selbst das politische Interesse, nicht im Sinne der Orientierung, wohl aber des eigenen Engagements. Der Europa-Gedanke, der sie in den Nachkriegsjahren beflügelte, ist ihr über der mühsamen und nur noch vom Fachmann zu durchschauenden Verwirklichung matt geworden. Die Studentenschaft ist nicht nationalistisch, aber sie hat wie die ganze lebende Generation an die Stelle des verblaßten nationalen Ideals kein anderes gesetzt, das darüber hinausführt. Ihre Stimme hat in der Öffentlichkeit kein Gewicht. Sie hat in keinem Bereich etwas Eigenes zu sagen. Die Beschäftigung mit der jüngsten Vergangenheit ist erstaunlich rege, dringt aber im Verständnis selten tiefer als bis zu der Feststellung: „Uns hätte so etwas nicht passieren können." Das Studentenleben an unseren Hochschulen ist grau geworden. Es mangelt ihm der Akzent. Hinter der Lust, sich von vielem anregen zu lassen, tritt die Neigung, sich selbst einzusetzen, weit zurück. Sie ist ganz auf die Erfüllung der oft genug aufgeblähten, nicht aufeinander abgestimmten Studienpläne konzentriert. Die Studenten haben in ihrer Masse keine Vorstellung mehr von akademischer Freiheit. Sie sind im besten Falle eine wartende Generation.

Das bedeutet keine Anklage und soll nicht besagen, die Generation der Väter habe es in ihrer Jugend so viel besser gemacht. Es ist kein Trost, daß bei zahlreichen Völkern der westlichen Welt die Studentenschaft ein ähnliches Erscheinungsbild zeigt. Es kann nicht geleugnet werden, daß immer wieder einzelne sich aus dem uniformen Bild herausheben. Das Beunruhigende bleibt das Gesamtphänomen, dessen Ursachen zum Teil in der Welt der Väter zu suchen sind, die trotz aller modernen Errungenschaften und allen Wohllebens für die Jungen etwas Unglaubwürdiges behalten hat. Wie sollte eine Jugend sprühen vor Lebenslust, wo die sie umgebende Welt der Älteren langweilig und geschäftig ist. Daß sie warten, ist vielleicht der Jungen bestes Teil. Die Hochschulen aber werden mit so gearteten Studenten rechnen müssen, wenn sie eine ihnen wesenhaft zukommende Funktion im Ganzen der Gesellschaft erfüllen wollen: zu lehren im umfassenden, den Menschen umgreifenden Sinne. Dafür gibt es keine Rezepte, wohl aber eine Wachheit des Geistes, die sich von Illusionen, auch lieb gewordenen, freimacht und nüchtern sich selbst befragt. Der Reichtum Baden-Württembergs an wissenschaftlichen Hochschulen verpflichtet zu besonderer Verantwortung vor dieser Aufgabe. Denn gerade für ein demokratisches Land ist es noch immer von entscheidender Bedeutung, wie es seine Jugend zu Führungsaufgaben befähigt.

	Studierende						Lehrstühle Bestand	Empfehlung
	1925	1949	1953	1956	1959	1962	1960	
Heidelberg	2 382	4 363	4 973	6 240	8 075	10 910	124	54
Freiburg	3 028	3 400	4 986	6 082	8 578	10 918	125	51
Tübingen	2 173	4 182	4 217	6 151	8 252	10 096	137	47
Karlsruhe	1 281	3 938	3 836	4 008	5 028	5 736	83	29
Stuttgart	1 838	3 538	4 037	4 029	4 771	5 739	86	23
Mannheim			851		1 343	1 622	21	5
Hohenheim			403		330	408	19	6
			23 303		36 377	45 384	595	215

Verzeichnis der ursprünglichen Druckorte

1. Brauchen wir Tradition? In: Die Funktion der Geschichte in unserer Zeit. Karl Dietrich Erdmann zum 29. April 1975, hg. v. Eberhard Jäckel und Ernst Weymar, Klett, Stuttgart 1975, S. 177—191.
2. Was heißt das: „bloß zeigen, wie es eigentlich gewesen"? In: Geschichte in Wissenschaft und Unterricht 30 (1979) H. 11.
3. Der junge Ranke. In: Leopold von Ranke: Frühe Schriften, hg. v. Walther Peter Fuchs, Oldenbourg, München 1973, S. 13—45.
4. Ranke und Luther. In: Lutherjahrbuch 45 (1978) S. 80—101.
5. Ranke und die Öffentlichkeit. In: Geschichte in Wissenschaft und Unterricht 27 (1976) S. 9—24.
6. Heinrich Ranke. In: Jahrbuch für fränkische Landesforschung 25 (1965) S. 115—140.
7. Anton Ernstberger 1894—1966. In: Jahrbuch für fränkische Landesforschung 27 (1967) S. 1—13.
8. Die weltgeschichtliche Bedeutung der Reformation. In: Geschichte in Wissenschaft und Unterricht 5 (1954) S. 705—714.
9. Willibald Pirckheimer. In: Jahrbuch für fränkische Landesforschung 31 (1971) S. 1—18.
10. Der Bauernkrieg von 1525 als Massenphänomen. In: Massenwahn in Geschichte und Gegenwart, hg. v. Wilhelm Bitter, Klett, Stuttgart 1965, S. 198 bis 207.
11. Der Bauernkrieg in Mitteldeutschland. In: Die Welt als Geschichte 7 (1941) S. 83—101.
12. Florian Geyer. In: Fränkische Lebensbilder, hg. v. Gerhard Pfeiffer, Bd. 3 (1969) S. 109—140.
13. Kurfürst Ottheinrich und das Reich. In: Ruperto-Carola. Sonderband Ottheinrich. Gedenkschrift zur vierhundertjährigen Wiederkehr seiner Kurfürstenzeit in der Pfalz (1556—1559), hg. v. Georg Poensgen, Heidelberg 1956, S. 223—233.
14. Die geschichtliche Gestalt Ferdinand Redtenbachers. In: Zeitschrift für die Geschichte des Oberrheins 107 (1959) S. 205—222.
15. Franz von Roggenbach, C. F. Müller, Karlsruhe 1954 = Karlsruher akademische Reden, N. F. 11.

16. Großherzog Friedrich I. von Baden und die Reichspolitik 1871—1879. In: Großherzog Friedrich I. von Baden und die Reichspolitik 1871—1907, Band 1: 1871—1879, hg. v. Walther Peter Fuchs, Kohlhammer, Stuttgart 1968, S. 1*—23* = Veröffentlichungen der Kommission für geschichtliche Landeskunde in Baden-Württemberg, Reihe A, Bd. 15.
17. Ultramontanismus und Staatsräson: Der Kulturkampf. In: Staat und Kirche im Wandel der Jahrhunderte, hg. v. Walther Peter Fuchs, Kohlhammer, Stuttgart 1966, S. 184—200.
18. Die wissenschaftlichen Hochschulen Baden-Württembergs in der Nachkriegszeit. In: Baden-Württemberg. Staat, Wirtschaft, Kultur, hg. v. Theodor Pfizer, Deutsche Verlags-Anstalt, Stuttgart 1963, S. 358—380.

Von Walther Peter Fuchs veranlaßte Dissertationen

Schmidt [verehel. Leippe], Ursula: Die badische Presse 1848, masch. Heidelberg 1949.

Brunn, Hermann: Wirtschaftsgeschichte der Universität Heidelberg von 1558 bis zum Ende des 19. Jahrhunderts, masch. Heidelberg 1950.

Müller, Leonhard: Georg Gottfried Gervinus. Biographische Untersuchungen zur Entfaltung von Persönlichkeit und Weltbild, masch. Heidelberg 1950.

Stromeyer, Rainald: Ranke und sein Werk im Spiegel der Kritik, masch. Heidelberg 1950.

Girlich, Alfred: Die Grundlagen der Innenpolitik Badens unter Großherzog Friedrich I. Entwicklung und Verwirklichung der Idee einer Volkserziehung, masch. Heidelberg 1953.

Celovsky, Boris: Die Geschichte des Münchener Abkommens. Ein Beitrag zur diplomatischen Vorgeschichte des 2. Weltkriegs, masch. Heidelberg 1954, als Buch: Das Münchener Abkommen 1938, Quellen u. Darstellungen zur Zeitgeschichte Bd. 3, Stuttgart 1958.

Handy, Mary: The development of American policy towards postwar Germany with special reference to the field of public affairs, masch. Heidelberg 1954.

Peveling, Hans, Der badische Kirchenkonflikt der Jahre 1852—1854, masch. Heidelberg 1955.

Helberg, Klaus: Rankes Staatsidee, masch. Heidelberg 1956.

Becker, Josef: Deutscher Sozialismus und das Problem des Krieges 1914—1918. Ein Beitrag zur Geschichte des politischen Denkens in Deutschland, masch. Heidelberg 1957.

Ebert, Wolfgang: Die Haltung zeitgenössischer französischer Politiker zum Cäsarismus Napoleons III., masch. Heidelberg 1957.

Kohl, Helmut: Die politische Entwicklung in der Pfalz und das Wiedererstehen der Parteien nach 1945, masch. Heidelberg 1958.

Rezai, Nasrollah: Die Beziehungen zwischen dem Iran und Deutschland von der Reichsgründung bis zum Ausbruch des 1. Weltkrieges, masch. Heidelberg 1958.

Hümmelchen, Gerhard: Der Einsatz der Hilfskreuzer im Rahmen der deutschen Seekriegsführung 1940—43. Unter Berücksichtigung der Handelskriegsoperationen der Schlachtschiffe und schweren Kreuzer, masch. Heidelberg 1959, als Buch: Handelsstörer. Handelskrieg deutscher Überwasserstreitkräfte im zweiten Weltkrieg, München 1960.

Jung, Hermann: Die Ardennen-Offensive 1944/45. Ein Beispiel für die Kriegführung Hitlers, masch. Heidelberg 1961, als Buch in: Studien u. Dokumente zur Geschichte des zweiten Weltkrieges, hg. vom Arbeitskreis für Wehrforschung, Göttingen 1971.

Engelmann, Werner: Die Cecil-Rhodes-Stipendien. Ihre Vorgeschichte u. ihre Bedeutung für die deutschen Stipendiaten, masch. Heidelberg 1964, als Buch: Heidelberg 1964.

Felden, Klemens: Die Übernahme des antisemitischen Stereotyps als soziale Norm durch die bürgerliche Gesellschaft Deutschlands (1875—1900), masch. Heidelberg 1965.

Reichert, Hans Klaus: Baden am Bundesrat 1871/1890, Heidelberg 1965.

Schäufele, Wolfgang: Das missionarische Bewußtsein und Wirken der Täufer, dargestellt nach oberdeutschen Quellen, Diss. Heidelberg 1965, als Buch in: Beiträge zur Geschichte u. Lehre der Reformierten Kirche Bd. 21, Neukirchen-Vluyin 1966.

Ebeling, Hermann: Der Begriff „Demokratie" in den sozialistischen Ideologien. Marx, Engels, Lasalle, masch. Heidelberg 1965.

Stricker, Günter: Das politische Denken der Monarchomachen. Ein Beitrag zur Geschichte der politischen Ideen im 16. Jahrhundert, masch. Heidelberg 1967.

Berg, Gunter: Leopold v. Ranke als akademischer Lehrer. Studien zu seinen Vorlesungen und seinem Geschichtsdenken, Diss. Erlangen 1967, als Buch in: Schriftenreihe der Historischen Kommission bei der Bayer. Akademie der Wissenschaften, Bd. 9, Göttingen 1968.

Kleine, Georg Helmut: Der württembergische Ministerpräsident Freiherr Hermann v. Mittnacht, Diss. Erlangen 1969, als Buch in: Veröffentlichungen der Kommission für geschichtliche Landeskunde in Baden-Württemberg, Reihe B Bd. 50, Stuttgart 1969.

Lauchs, Joachim: Bayern und die deutschen Protestanten 1534—1546. Deutsche Fürstenpolitik zwischen Konfession und Libertät. Diss. Erlangen 1970, als Buch in: Einzelarbeiten aus der Kirchengeschichte Bayerns Bd. 56, Neustadt/Aisch 1978.

Bade, Klaus J.: Friedrich Fabri und der Imperialismus in der Bismarckzeit. Revolution — Depression — Expansion, Diss. Erlangen 1971, als Buch in: Beiträge zur Kolonial- und Überseegeschichte Bd. 13, Freiburg/Br. 1975.

Franze, Manfred: Die Erlanger Studentenschaft 1918—1945, Diss. Erlangen 1971, als Buch in: Veröffentlichungen der Gesellschaft für fränkische Geschichte, Reihe IX Bd. 30, Würzburg 1972.

Warlich, Bernd: August Ludwig von Schlözer 1735—1809 zwischen Reform und Revolution. Ein Beitrag zur Pathogenese frühliberalen Staatsdenkens im späten 18. Jahrhundert, Erlangen 1972.

Dotterweich, Volker: Heinrich von Sybel. Geschichtswissenschaft in politischer Absicht (1817—1861), Diss. Erlangen 1973, als Buch in: Schriftenreihe der Historischen Kommission bei der Bayer. Akademie der Wissenschaften Bd. 16, Göttingen 1978.

Huang, Wen-chih: Das Teiping-Christentum. Eine Analyse seiner Entstehung, Entwicklung sowie seiner Lehre mit besonderer Berücksichtigung seiner Einflüsse auf die Revolutionsbewegung der Teipings, Erlangen 1973.

Thiel, Jürgen: Die Großblockpolitik der Nationalliberalen Partei Badens 1905 bis 1914. Ein Beitrag zur Zusammenarbeit von Liberalismus und Sozialdemokratie in der Spätphase des Wilhelminischen Deutschlands, Diss. Erlangen 1974, als Buch in: Veröffentlichungen der Kommission für geschichtliche Landeskunde in Baden-Württemberg, Reihe B Bd. 86, Stuttgart 1976.

Hirschfelder, Heinrich: Die bayerische Sozialdemokratie 1864—1914, Diss. Erlangen 1975, als Buch in: Erlanger Studien Bd. 22 I. II. Erlangen 1979.

Hanschel, Hermann: Oberbürgermeister Hermann Luppe. Nürnberger Kommunalpolitik in der Weimarer Republik, Diss. Erlangen 1975, als Buch in: Nürnberger Forschungen Bd. 21, Nürnberg 1977.

Beer, Helmut: Widerstand gegen den Nationalsozialismus in Nürnberg 1933 bis 1945, Diss. Erlangen 1976, als Buch in: Schriftenreihe des Stadtarchivs Nürnberg Bd. 20, Nürnberg 1976.

Fischer, Ilse: Industrialisierung, sozialer Konflikt und politische Willensbildung in der Stadtgemeinde. Ein Beitrag zur Sozialgeschichte Augsburgs 1840 bis 1914, Diss. Erlangen 1976, als Buch in: Abhandlungen zur Geschichte der Stadt Augsburg Bd. 24, Augsburg 1977.

Schriftenverzeichnis (1934—1979)

Die mit * gekennzeichneten Vorträge und Aufsätze wurden im vorliegenden Band abgedruckt.

1. Die deutschen Mittelstaaten und die Bundesreform 1853—1860 (= Historische Studien, hg. v. E. Ebering, Heft 256), Verlag Dr. Emil Ebering, Berlin 1934. — Vgl. Nr. 36.
2. Johanna Köster: Der rheinische Frühliberalismus und die soziale Frage, hg. v. Walther Peter Fuchs (= Historische Studien, hg. v. E. Ebering, Heft 342), Verlag Dr. Emil Ebering, Berlin 1938. — Vgl. Nr. 37.
3. Das Bismarckreich. In: Das Werden unseres Volkes. Ein Bildersaal Deutscher Geschichte, hg. v. Erwin Hölzle, Stuttgart o. J. [1938], S. 321—354.
4. [Artikel:] Bismarck. In: Handbuch für den Deutschunterricht, hg. v. R. Murtfeld, Bd. 1, Langensalza-Berlin-Leipzig 1938, S. 93—95.
5. Zu neueren Darstellungen der Reformationsgeschichte. In: Die Welt als Geschichte 4 (1938) S. 235—244.
6. * Der Bauernkrieg in Mitteldeutschland. In: Die Welt als Geschichte 7 (1941) S. 83—101. — Wieder abgedr. in Nr. 7, S. XV—XXXVI.
7. Akten zur Geschichte des Bauernkriegs in Mitteldeutschland, Band 2, unter Mitarbeit v. Günther Franz hg. v. Walther Peter Fuchs (= Schriften der Sächsischen Kommission für Geschichte), Frommannsche Buchhandlung Walter Biedermann Jena 1942. — Vgl. Nr. 32.
8. George Washington: Abschiedsbotschaft 1796, hg. v. Walther Peter Fuchs (= Geistesgut des Abendlandes, hg. v. J. G. Boeckh), Wolfgang Wachsmuth Verlag, Müllheim/Baden 1948.
9. Leopold von Ranke: Das Briefwerk, eingel. u. hg. v. Walther Peter Fuchs, Hoffmann und Campe, Hamburg 1949.
10. Die Ruperto-Carola. In: Merian. Städte und Landschaften [Bd. 9], hg. v. H. Leippe, Heidelberg 1949, S. 16—22.
11. Zur Bismarckkritik Franz von Roggenbachs. Vier Denkschriften an Kaiserin Augusta. In: Die Welt als Geschichte 10 (1950) S. 38—55.
12. Studentische Wohnheime und Gemeinschaftshäuser in Westdeutschland. Ein Bericht, unter Mitarbeit v. Elisabeth von Langenn, Frankfurt/M. 1951.
13. Zu Leopold Rankes Briefen. In: Geschichte in Wissenschaft und Unterricht 3 (1952) S. 284—287.

14. Die Studentenwerksarbeit aus der Sicht eines Dozenten. In: Der Aufgabenkreis und die Stellung der Studentenwerke in Hochschule und Gesellschaft. Tübingen 13.—15. Oktober 1952 [Tagungsbericht], hg. v. Verband Deutscher Studentenwerke e.V., o. O. u. J. [1952].
15. Dies und Studium generale. In: Ruperto-Carola. Mitteilungen der Vereinigung der Freunde der Studentenschaft der Universität Heidelberg e.V., Jg. 1952, Nr. 6, S. 50—54.
16. * Franz von Roggenbach. Vortrag anläßlich der Jahresfeier am 28. November 1953 (= Karlsruher akademische Reden, N. F. Nr. 11), Verlag C. F. Müller, Karlsruhe 1954.
17. * Die weltgeschichtliche Bedeutung der Reformation. In: Geschichte in Wissenschaft und Unterricht 5 (1954) S. 705—714.
18. Das Zeitalter der Reformation. In: Bruno Gebhardt: Handbuch der deutschen Geschichte, Band 2: Von der Reformation bis zum Ende des Absolutismus, hg. v. Herbert Grundmann, 8., vollst. neu bearb. Aufl. Stuttgart 1955, S. 1—104. — Vgl. Nr. 45. 50. 58.
19. * Der Kurfürst und das Reich. In: Ruperto-Carola. Sonderband Ottheinrich. Gedenkschrift zur vierhundertjährigen Wiederkehr seiner Kurfürstenzeit in der Pfalz (1556—1559), hg. v. Georg Poensgen, Heidelberg 1956, S. 223—233.
20. Forschungen und Darstellungen zur Geschichte des Reformationszeitalters (1945—1955). In: Die Welt als Geschichte 16 (1956) S. 125—153 u. 218 bis 249.
21. Gedenkworte für Großherzog Friedrich I. von Baden. Anläßlich der Rektoratsübergabe am 12. Januar 1957, Verlag C. F. Müller, Karlsruhe 1957.
22. Der Augsburger Religionsfriede von 1555. In: Jahrbuch der hessischen kirchengeschichtlichen Vereinigung 8 (1957) S. 226—235.
23. Akademische Kollegien 1956 [1958/59].
24. * Die geschichtliche Gestalt Ferdinand Redtenbachers. In: Zeitschrift für die Geschichte des Oberrheins 107 (1959) S. 205—222.
25. Universität — studentische Gemeinschaften — Gesellschaft. In: Ruperto-Carola 26 (1959) S. 238—247.
26. Vom Bildungsauftrag der Technischen Hochschule. In: TH Karlsruhe Hochschulführer 1960 [1961], S. 20—24.
27. Der Nachlaß Leopold von Rankes. In: Historische Zeitschrift 195 (1962) S. 63—89. — Wenig verändert wieder abgedr. in Nr. 31, S. 13—32.
28. * Die wissenschaftlichen Hochschulen. In: Baden-Württemberg. Staat, Wirtschaft, Kultur, hg. v. Theodor Pfizer, Stuttgart 1963, S. 358—380.
29. Die Stellung der Geisteswissenschaften an den Technischen Hochschulen. In: Die Fridericiana 1963. Gedanken und Bilder aus einer Technischen Hochschule. Hans Freudenberg zum 75. Geburtstag, hg. im Auftrage des Senates der Technischen Hochschule Fridericiana Karlsruhe v. Otto Kraemer,

Klaus Lankheit, Rolf Lederbogen u. Johannes Weissinger, Köln 1963, S. 59—69.

30. Strukturprinzipien der zu gründenden wissenschaftlichen Hochschulen (Referat vor dem Ehrensenat 1962). In: Nr. 29, S. 133—141.
31. Leopold von Ranke: Tagebücher, hg. v. Walther Peter Fuchs (= Leopold von Ranke. Aus Werk und Nachlaß, hg. v. Walther Peter Fuchs u. Theodor Schieder, Bd. 1), R. Oldenbourg Verlag, München-Wien 1964.
32. Akten zur Geschichte des Bauernkriegs in Mitteldeutschland, Band 2. Nachdruck von Nr. 7, Scientia Verlag, Aalen 1964.
33. * Heinrich Ranke. In: Jahrbuch für fränkische Landesforschung 25 (1965) S. 115—207. Darin S. 141—207: Aus den Briefen Heinrich Rankes an seinen Bruder Leopold.
34. * Der Bauernkrieg von 1525 als Massenphänomen. In: Massenwahn in Geschichte und Gegenwart, hg. v. Wilhelm Bitter, Stuttgart 1965, S. 198 bis 207.
35. Wien 1965. Zum XII. Internationalen Historikerkongreß. In: Geschichte in Wissenschaft und Unterricht 16 (1965) S. 729—739.
36. Die deutschen Mittelstaaten und die Bundesreform 1853—1860. Nachdruck von Nr. 1, Kraus Repr., Vaduz 1965.
37. Johanna Köster: Der rheinische Frühliberalismus und die soziale Frage, hg. v. Walther Peter Fuchs. Nachdruck von Nr. 2, Kraus Repr., Vaduz 1965.
38. Staat und Kirche im Wandel der Jahrhunderte, hg. v. Walther Peter Fuchs (= Geschichte und Gegenwart), W. Kohlhammer Verlag, Stuttgart 1966.
39. * Ultramontanismus und Staatsräson: Der Kulturkampf. In: Nr. 38, S. 184 bis 200.
40. Ermentrude v. Ranke: Rankes Elternhaus, hg. v. Walther Peter Fuchs. In: Archiv für Kulturgeschichte 48 (1966) S. 114—132.
41. [Artikel:] Empire of Austria. History. Maximilian I — Ferdinand II; Germany. History. The Reformation, to 1555; The Counter-Reformation and the Thirty Years' War. In: Encyclopaedia Britannica (1966), s. Nr. 51 bis 53.
42. *Anton Ernstberger 1894—1966. In: Jahrbuch für fränkische Landesforschung 27 (1967) S. 1—14. Darin: Schriftenverzeichnis von Anton Ernstberger seit 1959, S. 13 f.
43. Großherzog Friedrich I. von Baden und die Reichspolitik 1871—1907, Band 1: 1871—1879, hg. v. Walther Peter Fuchs (= Veröffentlichungen der Kommission für geschichtliche Landeskunde in Baden-Württemberg, Reihe A, Bd. 15), W. Kohlhammer Verlag, Stuttgart 1968. Daraus: * Einleitung, S. 1*—23*.
44. * Florian Geyer. In: Fränkische Lebensbilder, hg. v. Gerhard Pfeiffer (= Veröffentlichungen der Gesellschaft für fränkische Geschichte, Reihe VII/

A: Fränkische Lebensbilder, N. F. d. Lebensläufe aus Franken, Bd. 3), Würzburg 1969, S. 109—140.

45. Das Zeitalter der Reformation. In: Gebhardt. Handbuch der deutschen Geschichte, 9., neu bearb. Auflage, hg. v. Herbert Grundmann, Bd. 2: Von der Reformation bis zum Ende des Absolutismus, Union Verlag, Stuttgart 1970, S. 1—117. — Vgl. Nr. 50. 58.

46. Ludwig Zimmermann: Frankreichs Ruhrpolitik von Versailles bis zum Dawesplan, hg. v. Walther Peter Fuchs, Musterschmidt, Göttingen 1971.

47. * Willibald Pirckheimer. In: Jahrbuch für fränkische Landesforschung 31 (1971) S. 1—18.

48. Über Tradition und Traditionsverlust. Festvortrag anläßlich des 10jährigen Bestehens des Lions-Club Erlangen. In: 10 Jahre Lions-Club Erlangen, o. O. o. J. [Erlangen 1971].

49. Leopold von Ranke: Frühe Schriften, unter Mitarbeit v. Gunter Berg u. Volker Dotterweich hg. v. Walther Peter Fuchs (= Leopold von Ranke. Aus Werk und Nachlaß, hg. v. Walther Peter Fuchs u. Theodor Schieder, Bd. 3), R. Oldenbourg Verlag, München-Wien 1973. — Daraus: * Der junge Ranke, S. 13—45.

50. Das Zeitalter der Reformation (= Gebhardt. Handbuch der deutschen Geschichte, 9., neu bearb. Aufl., hg. v. Herbert Grundmann, [Dtv-Taschenbuch-Ausgabe] Bd. 8), München 1973.

51. [Artikel:] Empire of Austria. History. Maximilian I (From 1493) — Ferdinand II (1619—37). In: Encyclopaedia Britannica, vol. 2 (1973) p. 828 to 831.

52. [Artikel:] Germany. History. The Reformation, to 1555. In: Encyclopaedia Britannica, vol. 10 (1973) p. 298—302.

53. [Artikel:] Germany. History. The Counter-Reformation and the Thirty Years' War. In: Encyclopaedia Britannica, vol. 10 (1973) p. 302—305.

54. Literaturbericht: Reformationsgeschichte. In: Geschichte in Wissenschaft und Unterricht 25 (1974) S. 377—384.

55. Leopold von Ranke: Vorlesungseinleitungen, hg. v. Volker Dotterweich u. Walther Peter Fuchs (= Leopold von Ranke. Aus Werk und Nachlaß, hg. v. Walther Peter Fuchs u. Theodor Schieder, Bd. 4), R. Oldenbourg Verlag, München-Wien 1975.

56. Großherzog Friedrich I. von Baden und die Reichspolitik 1871—1907, hg. v. Walther Peter Fuchs, 2. Band: 1879—1890 (= Veröffentlichungen der Kommission für geschichtliche Landeskunde in Baden-Württemberg, Reihe A, Quellen, Bd. 24), W. Kohlhammer Verlag, Stuttgart 1975.

57. *Brauchen wir Tradition? In: Die Funktion der Geschichte in unserer Zeit. Karl Dietrich Erdmann zum 29. April 1975, hg. v. Eberhard Jäckel u. Ernst Weymar, Stuttgart 1975, S. 177—191.

58. Das Zeitalter der Reformation. Um Literaturnachträge erweiterter Nachdruck [von Nr. 45] 1975.

59. Der Bauernkrieg. In: Der Bauernkrieg 1524—26. Bauernkrieg und Reformation, Neun Beiträge, hg. v. Rainer Wohlfeil (= Nymphenburger Texte zur Wissenschaft, Modelluniversität 21), München 1975, S. 51—64. — Wiederabdruck aus Nr. 50, S. 112—126.

60. * Ranke und die Öffentlichkeit. In: Geschichte in Wissenschaft und Unterricht 27 (1976) S. 9—24.

61. * Ranke und Luther. In: Lutherjahrbuch 45 (1978) S. 80—101.

62. Zeitungspläne und Zeitungsgründungen des Großherzogs Friedrich I. von Baden 1871 bis 1907. In: Bausteine zur geschichtlichen Landeskunde von Baden-Württemberg, hg. v. d. Kommission für geschichtliche Landeskunde in Baden-Württemberg anläßlich ihres 25jährigen Bestehens, Stuttgart 1979, S. 469—479.

63. Großherzog Friedrich I. von Baden und die Reichspolitik 1871—1907, hg. v. Walther Peter Fuchs, 3. Band: 1890—1907 (= Veröffentlichungen der Kommission für geschichtliche Landeskunde in Baden-Württemberg, Reihe A, Quellen, Bd. 30), W. Kohlhammer Verlag [im Druck].

Alexander Scharff:

Schleswig-Holstein in der deutschen und nordeuropäischen Geschichte

Gesammelte Aufsätze
Hrsg. von Manfred Jessen-Klingenberg
Kieler Historische Studien, Band 6, 1969, 287 Seiten, Linson,
ISBN 3-12-907600-X

Horst Fuhrmann, Hans E. Mayer, Klaus Wriedt (Hrsg.):

Aus Reichsgeschichte und Nordischer Geschichte

Aufsätze (Festschrift Jordan)
Kieler Historische Studien, Band 16, 1972, 443 Seiten, Linson,
ISBN 3-12-902710-6

Uwe Liszkowski (Hrsg.):

Rußland und Deutschland

Aufsätze (Festschrift v. Rauch)
Kieler Historische Studien, Band 22, 1974, 334 Seiten, Linson,
ISBN 3-12-906650-0

Dieses Buch ist Georg von Rauch, dem Verfasser der „Geschichte der Sowjetunion", zu seinem 70. Geburtstag gewidmet. Eine der Fragestellungen des Forschers ist die nach den Bildern, die sich die Völker voneinander machen. Die Beiträge zu diesem Band versuchen, eine Antwort darauf zu geben.

Horst Braunert:

Politik, Recht und Gesellschaft in der griechisch-römischen Antike

Gesammelte Aufsätze und Reden
Hrsg. von Kurt Telschow und Michael Zahrnt
Kieler Historische Studien, Band 26, 1980, ca. 230 Seiten, Leinen,
ISBN 3-12-911710-5

Klett-Cotta

Ulrich Engelhardt, Volker Sellin, Horst Stuke (Hrsg.):
Soziale Bewegung und politische Verfassung

Beiträge zur Geschichte der modernen Welt
Festschrift Werner Conze
1976, 913 Seiten, Leinen, ISBN 3-12-901850-6

Mit Beiträgen von S. Bahne, R. Bollmus, P. Borscheid, L. Burchardt, O. Dann, U. Engelhardt, J. Erger, D. Groh, W. v. Hippel, U. Hüllbüsch, M. H. Kater, W. Köllmann, R. Koselleck, W. Lipgens, H. Mommsen, L. Niethammer, M. Riedel, D. Rothermund, W. Schieder, H. Schomerus, V. Selling, H. Soell, H. Stuke, R. Stumpf, G. Trautmann.

Karl Dietrich Erdmann:
Geschichte, Politik und Pädagogik

Aufsätze und Reden
Zum 60. Geburtstag herausgegeben von seinen Schülern und Mitarbeitern
1970, 418 Seiten, Leinen, ISBN 3-12-902180-9

Eberhard Jäckel, Ernst Weymar (Hrsg.):
Die Funktion der Geschichte in unserer Zeit

Festschrift Erdmann
1975, 360 Seiten, Linson, ISBN 3-12-902160-4

Werner Pöls (Hrsg.):
Staat und Gesellschaft im politischen Wandel

Beiträge zur Geschichte der modernen Welt, Festschrift für Walter Bußmann

Von K. D. Bracher, W. Conze, L. Gall, H. Gollwitzer, G. Grünthal, O. Hauser, A. Hillgruber, W. Hofer, W. Hubatsch, P. Kluke, W. J. Mommsen, R. Morsey, Th. Nipperdey, R. Nürnberger, W. Pöls, K. E. Pollmann, K. Repgen, G. A. Ritter, E. R. Rosen, Th. Schieder, G. Schulz, P. Stadler.
554 Seiten, Leinen, ISBN 3-12-911900-0

Klett-Cotta